D0295206

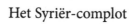

Het Syriër-complot

Van dezelfde auteur

Het testament
De voorganger
De vertrouweling

Bezoek onze internetsite www.awbruna.nl
voor informatie over al onze boeken en dvd's.

Eric Van Lustbader

Het Syriër-complot

A.W. Bruna Uitgevers B.V., Utrecht

Oorspronkelijke titel
Blood Trust
Copyright © 2011 by Eric Van Lustbader
Published in agreement with the author, c/o Baror International, Inc.,
Armonk, New York, U.S.A.
Vertaling
Ed van Eeden & Martin Jansen in de Wal
Omslagbeeld
Yellow Dog Productions/Getty Images (man); Shaen Adey/Getty Images
(vrouw); Hans Neleman/Getty Images (pistool)
Omslagontwerp
Wil Immink Design
© 2011 A.W. Bruna Uitgevers B.V., Utrecht

ISBN 978 94 005 0091 4
NUR 332

Dit boek is gedrukt op papier dat het keurmerk van de Forest Stewardship Council (FSC) mag dragen. Bij dit papier is het zeker dat de productie niet tot bosvernietiging heeft geleid. Een flink deel van de grondstof is afkomstig uit bossen en plantages die worden beheerd volgens de regels van FSC. Van het andere deel van de grondstof is vastgesteld dat hiervoor geen houtkap in de laatste resten waardevol bos heeft plaatsgevonden. Daarom mag dit papier het FSC Mixed Sources label dragen. Voor dit boek is het FSC-gecertificeerde Munkenprint gebruikt. Dit papier is 100% chloor- en zwavelvrij gebleekt en wordt geleverd door Arctic Paper Munkedals AB, Zweden.

Voor Victoria

Proloog

Vlorë, Albanië

Twee jonge vrouwen rennen. Het zijn net meisjes, kleine, trippelende meisjes die over de oude keien vliegen, langs de blinde muren van de huizen. Het is donker vanwege de zoveelste elektriciteitsstoring. Bleek kaarslicht flikkert achter de ramen, middeleeuws en onpraktisch, een stad in een stad. De jongste is een meisje, amper dertien jaar, hoewel langer en meer ontwikkeld dan haar metgezellin. Maar nog lang niet vrouwelijk.

De torens van de kathedraal, zilverachtig glimmend in het maanlicht, trekken zich niets aan van het eerste morgenrood in het oosten. Sterren fonkelen als blauwwitte diamanten. Er staat geen wind; de bomen zijn roerloos, de schaduwen ondoordringbaar.

Een dronkenlap, dun en breekbaar als de takken boven zijn hoofd, ontwaakt uit zijn roes door het snelle geklikklak van hun schoenen als de vrouwen langs hem rennen. Vanaf de stenen bank die zijn huis is, kijkt hij ze na. Hij heeft zijn armen beschermend voor zijn borst geslagen. Als ze hem zien, blijven ze abrupt staan en trekken hun schoenen uit. Blootsvoets rennen ze het plein over, als schaduwen die voor de zon vluchten.

Ze rennen een stinkend, goor steegje in. Afval puilt uit de overvolle bakken. Een dier tilt zijn kop op en ontbloot grommend zijn gele tanden. Het heeft enorme, driehoekige oren en lijkt daardoor meer op een jakhals dan op een hond. De vrouwen rennen er in een boog omheen, op weg naar de andere kant van het steegje. Het is er pikkedonker en overal liggen afgerukte verkeersborden, schoenen en petten van de betogers die zich haastig hebben teruggetrokken voor de wapenstokken en geweren van de militie.

Ze gaan de hoek om. De langste van de twee rent nu voorop. De stank van gekookt graan en urine is bijna ondraaglijk. Halverwege de straat stopt de langste vrouw voor een deur. Vlak voor ze wil aankloppen wacht ze, draait zich om en kijkt de andere vrouw aan. Na een aanmoedigend knikje roffelt ze met haar ruwe knokkels op de deur. Geen reactie. Haar metgezellin reikt langs haar heen en slaat met haar vlakke hand op het hout. Eindelijk beweegt er iets in het huis. Een schraperig geluid en een kuchje. De deur gaat op een kier open en een vrouw met grijze haren en ingevallen wangen spert haar ogen wijd open. Ze heeft de blik van een haas die een vos ziet en weet dat zijn einde nabij is.

'Liridona!'

'Hallo, moeder,' zegt de langste van de twee.

Haar moeder hapt naar adem. 'Wat heb je gedaan? Ben je gek geworden? Hoe...'

'Ik ben ontsnapt.' Liridona gebaart naar achteren. 'Met hulp van mijn vriendin Alli.'

Heel even verzacht het gezicht van Liridona's moeder. Dan komt de verschrikkelijke angst weer terug en zegt ze tegen Alli: 'Jij stom, stom kind.'

'Hoor eens, uw dochter zat daar gevangen,' zegt Alli.

Liridona's moeder reageert niet.

'Hebt u me verstaan? Begrijpt u wat ik zeg?'

De ogen van de vrouw staren naar een punt boven het hoofd van haar dochter, alsof ze het liefst ergens anders zou willen zijn.

Alli draait Liridona om, trekt haar shirt omhoog en onthult een rood, gehavend landschap veroorzaakt door brandende sigaretten.

'Wat hebt u?' vraagt ze. 'U moet ons helpen. We zijn allebei in groot gevaar.'

De oude vrouw heeft haar blik afgewend. 'Dat weet ik beter dan jullie.'

Alli voelt dat achter de vlakke stem een wereld van pijn, woede en – het ergste – berusting schuilgaat.

'Wilt u ons helpen om naar de veerpont naar Brindisi te komen? In Italië zijn we veilig.'

'Jullie zullen nooit veilig zijn.'

Alli geeft het niet op. 'Alstublieft. We kunnen nergens anders heen.'

Dan hoest er iemand achter de moeder van Liridona, de deur wordt bijna uit zijn hengsels getrokken en Liridona's moeder wordt aan de kant geduwd. Er verschijnt een grote, bonkige man in een mouwloos hemd en een pyjamabroek in de deuropening. Met zijn borstelige wenkbrauwen en dicht bij elkaar staande ogen lijkt hij sprekend op een wilde beer.

Hij spuugt op de grond, stapt naar buiten en kijkt langs de vrouwen heen links en rechts het steegje in. 'Stomme meiden!' Hij slaat Liridona in haar gezicht. 'Ga terug! Door jou worden we allemaal nog vermoord!'

Terwijl Liridona ineenkrimpt, doet Alli een stap naar voren. 'Ze is uw dochter.'

De berenman kijkt haar aan.

Liridona krimpt weer ineen en barst in tranen uit. 'Ik heb het je toch gezegd,' snikt ze.

Alli zegt: 'Ze is jullie kind. Jullie vlees en bloed.'

Hij kijkt weer om zich heen. 'Jezus!'

Snel loopt hij naar binnen en slaat de deur voor hun neus dicht.

Alli beukt met haar vuisten op de deur, maar er komt geen reactie. Ze zoekt al naar een andere manier om binnen te komen als haar blik naar de andere kant van het steegje wordt getrokken. De opkomende zon laat zijn licht als vloeibaar vuur over de keien spelen. Uit dat licht springen twee mannen met een pistool tevoorschijn. Zodra ze merken dat ze ontdekt zijn, sprinten ze naar de twee vrouwen.

Alli grijpt Liridona bij de achterkant van haar shirt vast, draait haar om en trekt haar met zich mee. Liridona rent struikelend achter haar aan. Maar ze zijn al uitgeput van hun lange vlucht en de twee mannen winnen alarmerend snel terrein.

Ergens voor zich hoort Alli het geroep van demonstranten. Ze verandert van richting en rent naar de menigte studenten, die op een met lindebomen en hagedoorns omgeven plein staan. Het plein is vol spandoeken met teksten die schreeuwen om brood en schoon drinkwater, goed sanitair, warmte en licht. Nu! Nu!

Overal zijn jonge mensen. Ze stromen het plein op, kijken vastbesloten uit hun ogen en zingen. Door hun pure, ziedende kracht zwiepen de lindebomen heen en weer als in een plotseling opgestoken storm en hoop hangt even zwaar in de lucht als lentebloesem.

Alli pakt Liridona's hand en ze storten zich in de maalstroom van lichamen. Om hen heen trilt de lucht van het woedende geschreeuw van de demonstranten. Het vuilnis in de afvalbakken wordt in brand gestoken. Bijtende rook cirkelt omhoog, vermengt zich met stoomwolken uit de ventilatieroosters en stroomt als een leger ratten over de straten en het plein.

Er wordt nog harder geschreeuwd als een stuk of tien jongemannen een auto heen en weer schudden, harder en harder, tot ze hem met z'n allen omkeren. De auto ligt als een schildpad op zijn rug. Iemand draait de benzinedop los.

Praktisch op hetzelfde moment trilt de lucht van een golf politiesirenes. Alles lijkt tegelijk te gebeuren. Er wordt een lange lont in de benzinetank gepropt, het uiteinde wordt aangestoken en de massa houdt haar adem in.

De auto explodeert op het moment dat de militie vanuit de mistige straten het plein op stormt. Door een mobilofoon worden bevelen als vlammen over de hoofden van de demonstranten op het plein afgevuurd. Daarna begint het schieten en breekt de paniek los.

Alli en Liridona ontwijken de mensen, duiken weg voor de spandoeken, springen over mensen die op de grond liggen en proberen niet vertrapt te worden door de menigte, die van links naar rechts deint. Een duidelijk beeld krijgen van de situatie is niet mogelijk, hun ogen tranen van de rook en van verbrand kruit.

Dan verschijnen de twee mannen uit de massa lichamen en gezichten. Ze pakken Liridona vast en als Alli hen aanvalt, geeft een van hen haar een klap tegen haar hoofd. Alli wankelt, moet haar vriendin loslaten en doordat ze tegen anderen aanbotst, valt ze met haar gezicht naar beneden op de grond. Daar wordt ze getrapt en geraakt door rennende voeten en stampende schoenen. Bijna verliest ze haar bewustzijn, maar ze vermant zich en staat net op tijd weer rechtop om te zien hoe de twee mannen Liridona wegslepen.

Ze wordt opgeslokt door de panische gekte, maar vecht zich los en gaat achter hen aan. Het vuur van de brandende auto heeft zich verspreid, inmiddels is een van de lindebomen veranderd in een brandende fakkel. Een brede rookwolk hangt als een onheilspellend spandoek boven hun hoofden. Alli hoest, haar longen branden. Een jonge vrouw slaat haar in haar gezicht en een jongen plant zijn elleboog in haar zij in hun paniek om te ontkomen aan de militie. De gewapende mannen zwaaien met hun wapenstokken als een dorsvlegel in een graanveld. Hijgend rent ze verder, geschrokken en gewond, maar het zal haar niet gebeuren dat ze Liridona uit het oog verliest. De bruine rook van het kruit en het straatvuil omringt haar echter alsof het een levend wezen is. Ze botst tegen andere rennende mensen aan. Het geroep dreunt in haar hoofd als het klokgelui van de kathedraal, die onverschillig toekijkt met zijn brede El Greco-voorgevel.

Dan verliest ze Liridona toch uit het oog. Haar hart bonkt nog harder in haar borstkas terwijl ze zich door de massa heen werkt. Steeds dichter naar de zwaaiende wapenstokken toe, naar het bloed, naar de op de grond liggende mensen, naar de pijn- en angstkreten.

Ineens ziet ze een van de mannen. Zijn lange gestalte die haar aan een wapenstok doet denken, rijst even boven de hoofden van de studenten uit. Ze wordt recht naar de militie geduwd. Er is absoluut geen ruimte om zich om te draaien, dus stort ze zich naar voren tot ze pal voor het kordon wapenstokken staat. Met de massa werkt ze zich als een Romeinse falanx naar voren. Op handen en voeten maakt ze zichzelf zo klein mogelijk en kruipt door de mensenmassa, werkt zich tussen de benen van de militie door tot ze aan de andere kant staat.

Daar gaat ze rechtop staan, ze kijkt om zich heen en ziet nog net hoe de mannen Liridona de hoek om duwen en uit het zicht verdwijnen. Met haar laatste krachten rent ze in de richting van schoten die ze ineens hoort.

'Nee!' gilt ze. 'Nee!'

Ze rent de hoek om, maar botst tegen iemand aan. Een blauw en een groen oog kijken haar aan alsof ze apart functioneren. Maar wel allebei zo koud als permafrost.

Even staart ze in die ogen – of eigenlijk in wat erachter zit – en denkt: niet hij, iedereen liever dan hij. Ergens buiten haar blikveld hoort ze Liridona huilen. Maar op het moment dat ze haar blik probeert los te rukken, duwt hij de loop van een pistool in haar mond.

'Nóg een keer: rustig,' zegt een ijzige stem. 'Voor het eind.'

De lucht trilt.

DEEL I

BLOEDSPEL

Een maand geleden

Je kunt niet tegelijkertijd een pact met God en met de duivel sluiten.
– *De Skating Rink*, Roberto Bolaño

1

Washington D.C.

'Ze is dood.'

Jack McClure werd wreed uit zijn slaap gewekt door de woorden van zijn dochter.

Bezweet draaide hij zich om in de donkere slaapkamer. 'Emma?'

Een koel briesje streek door zijn haar.

'Ze is een minuut geleden voorbijgekomen, papa. Of was het een uur geleden?'

Dat is moeilijk te zeggen als je dood bent, dacht Jack.

'Emma?'

Maar de ijle stem was verdwenen. Ineens miste hij haar. Weer. Een diepe afgrond waarlangs hij balanceerde als een dronkenlap aan de bar. Hij huiverde, haalde diep adem, pakte zijn mobiele telefoon, toetste het nummer van het Walter Reed Medical Center in en hoorde de bekende stem van het nachthoofd.

'Meneer McClure, wat toevallig dat u nu belt. Ik wilde u net gaan bellen.' Ze schraapte haar keel en zei op formele, bijna verdedigende toon: 'Om twee uur drieënvijftig vanochtend is de voormalige first lady, Lyn Carson, overleden.'

'Ze is dood.' De echo van Emma's stem deed weer een huivering langs zijn ruggengraat lopen.

'Gecondoleerd,' zei het nachthoofd.

'Hebt u Alli al op de hoogte gebracht?'

'Nog niet, maar wel de zus en de zwager van mevrouw Carson.' Ze bedoelde Henry Holt Carson, Alli's oom. 'En natuurlijk minister Paull.'

'Oké.' Jack wreef de slaap uit zijn ogen en zwaaide zijn benen over de bedrand. 'Ik zal Alli zelf op de hoogte brengen.' Hij liep naar de badkamer.

'Meneer, is er iets wat ik kan...?'

'Is ze nog bij bewustzijn geweest?'

'Nee, meneer. Helemaal niet.'

15

'Blijf bij mevrouw Carson.' Hij knipperde met zijn ogen toen hij het licht aandeed. 'Ik kom zo snel mogelijk.'

'Dit is het einde van een tijdperk,' zei Dennis Paull toen hij en Jack aan het bed van Lyn Carson stonden.

Dat wist niemand beter dan Jack. Tien maanden geleden had hij in de volgauto achter de presidentiële limo in Moskou gezeten toen die op een ijsveld in een gevaarlijke slip was geraakt. Bijna iedereen in de limo, ook president Edward Harrison Carson, was op slag dood. Iedereen behalve Lyn Carson, die in coma was geraakt. Ondanks twee operaties, de eerste aan boord van de Air Force One en de tweede hier in het Walter Reed, was ze niet meer bij bewustzijn geweest. Beide operaties hadden haar schemerleven alleen maar verlengd.

'Heb je Alli al gebeld?'

Jack knikte. 'Een paar keer. Ze zeiden dat ze de boodschap zouden doorgeven.'

'En haar mobiel?'

'Fearington hanteert een strikt beleid voor het gebruik van mobiele telefoons.' Fearington was de FBI Special Ops-opleiding in Virginia.

'Zelfs hiervoor?' vroeg Paull hoofdschuddend. Paull was tegenwoordig Jacks baas. Hij had hem in dienst genomen na het dodelijke ongeluk van president Carson. Jack, die bij de ATF had gewerkt, was direct na de inauguratie van zijn oude vriend door Carson tot strategisch adviseur benoemd. Die baan eindigde echter even abrupt als hij was begonnen en Paull had zijn kans gegrepen en had Jack ingelijfd. Nu werkte Jack aan antiterroristische opdrachten waar Paulls andere agenten niet uitkwamen, en ontrafelde hij met zijn dyslectische hersenen de puzzels die niemand anders kon oplossen.

'Regels zijn regels.'

Paull pakte zijn telefoon. 'Is dat zo?' Terwijl hij op verbinding wachtte, ging hij verder: 'Je moet hemel en aarde hebben bewogen om haar daar binnen te krijgen.' Hij stak zijn vinger op. 'Wordt niet opgenomen.' Hij verbrak de verbinding.

'Fearington is soms nog geslotener dan een oester.'

Paull knikte en stopte zijn telefoon in zijn zak.

'Maar Alli heeft het zware werk zelf gedaan,' ging Jack verder. 'Ze heeft de toelatingsexamens afgesloten met de hoogste cijfers van de afgelopen tien jaar.'

'Slimme meid.'

Jack snoof. 'Alleen slim zijn is niet genoeg om op Fearington te komen.

Nadat haar vader was vermoord, wilde ze met niemand praten. Zelfs niet met mij. Ze had zich als een emotionele bal opgerold. Maar er zat zoveel woede in haar, dat ze – toen ik haar meenam naar mijn sportschool – bokshandschoenen aantrok en als een gek tegen de zandzak begon te beuken.'

Paull lachte. 'Dat had ik graag willen zien.'

'Tja, ze brak bijna haar rechterhand. Daarna ben ik haar boksen gaan leren en verdomd, dat pikte ze snel op. Eerst had ze natuurlijk veel te weinig kracht, maar ineens, hoe weet ik niet, kreeg ze het door. Ze leek wel een geest – alsof ze mijn stoten aan zag komen. Ze heeft een gave. Door naar iemands gezicht te kijken, weet ze of hij liegt of de waarheid spreekt. En nu heeft ze dat talent uitgebreid, nu weet ze ook wat ze gaan doen.'

'Dus ze heeft de jongens verslagen?'

'Elke keer! Maar veel van haar klasgenoten konden dat niet waarderen.'

Paull knikte. 'Dat kan ik me voorstellen. Fearington is een mannenbolwerk. Heb je haar niet gewaarschuwd?'

'Nou, ik heb het haar verteld. Niet dat het veel uitmaakte. Ze was vastbesloten. Niets of niemand zou haar tegenhouden.'

Alli Carson werd ruw en zonder waarschuwing wakker gemaakt.

'Opstaan, mevrouw Carson. Als u zo goed wilt zijn om op te staan.'

Alli draaide zich om, opende haar ogen en werd verblind door het licht uit de grote lamp. Wie had die aangedaan? Wie blafte die bevelen naar haar? In haar hoofd zat nog steeds de droom met Emma's gezicht in het licht van – wat? – een lantaarnpaal, de volle maan, een onaards licht?

'Wat is er? Ik begrijp niet...'

'Doe gewoon wat ik zeg, mevrouw Carson. Snel!'

'Commandant Fellows?'

'Ja,' zei Brice Fellows. 'Hup, hup, we hebben geen tijd te verliezen.'

Ze ging rechtop zitten. Ze droeg een oversized zwart T-shirt met zijdeachtige doodskoppen erop. Ze was drieëntwintig maar zag eruit als een jaar of zestien, zeventien. De ziekte van Graves had haar groei aangetast waardoor ze er tenger, elfachtig uitzag en maar iets langer dan een meter vijftig was. Haar jongensachtige bouw paste beter bij een puber dan bij een volwassene.

'Kunt u me alstublieft vertellen...'

'Opschieten, mevrouw Carson. De politie wacht buiten.'

Fellows keek de slaapzaal rond en wees naar een stoel met de kleren die ze bij het diner had gedragen. Daarachter stond een leeg bed met teruggeslagen dekens.

'Waar... waar is Vera?' vroeg ze.

'Weet je dan niet wat er met haar is gebeurd?'

'Nee.' Onder haar woede over deze behandeling voelde ze ineens angst opkomen. 'Ze sliep eerder dan ik. Toen ik het licht uitdeed, was ze er nog.'

Met een nauwelijks waarneembare hapering in zijn stem zei de commandant: 'Dat is in elk geval een opluchting. Oké, mevrouw Carson, kleed uzelf alstublieft aan.'

'Waar is Vera?'

'In de ziekenboeg.'

Een knoop in Alli's maag. 'Is alles goed met haar?'

'Op dit moment weet ik dat niet.'

'Commandant, u maakt me bang.'

'Mevrouw Carson, doet u nou gewoon wat ik zeg.'

Ze liep naar de stoel en pakte een zwarte spijkerbroek en een wollen coltrui in dezelfde kleur. Ze droeg altijd zwart. Ze ging op Vera's bed zitten en legde haar handpalmen op het onderlaken alsof ze er zeker van wilde zijn dat Vera er echt niet was. Toen schoof ze haar schoenen naar zich toe en stapte erin.

'Dit zult u ook nodig hebben.'

Hij gaf haar haar leren jack. Ze trok het aan en ritste het dicht.

'Kom mee.'

Zonder iets te zeggen en met een bonkend hart stond ze op.

Achter de deur was de gang flauw verlicht, waarschijnlijk om de andere rekruten niet te wekken. Ze zag twee rechercheurs, drie man van de technische recherche en twee agenten van de Geheime Dienst, onder wie Naomi Wilde, het hoofd van haar moeders eenheid. Politie én de Geheime Dienst? Wat was er in vredesnaam aan de hand?

Haar hart sloeg een slag over. 'Naomi, is Vera oké?'

'Sst, zachtjes!'

Ze zag dat de drie technici latex handschoenen aantrokken voordat ze haar kamer in liepen. Daar deden ze alle lampen aan en ze begonnen de kamer methodisch te doorzoeken.

'Wat zoeken ze?' Alli draaide zich naar Naomi: 'Alsjeblieft, vertel me alleen of Vera oké is.'

Maar Naomi's gezicht verraadde niets.

'Mevrouw Bard ligt in de ziekenboeg,' zei ze.

'Dat weet ik al.' Alli vond dat het antwoord geforceerd neutraal klonk, waardoor haar maag van angst verkrampte. Als Naomi de situatie niet onder controle had...

'Ze was gedrogeerd. Gedesoriënteerd en kotsmisselijk. Ze liep in de gang, blijkbaar zonder te weten waar ze was en is daar in elkaar gezakt. Een bewaker heeft haar gevonden.'

'Wat?' De rillingen liepen over Alli's lijf. 'Mijn god. Hoe... wie doet zoiets? Ik wil haar zien!'

'Mevrouw Carson...'

'Hé! Vera is de enige hier die iets om me geeft.'

Een van de technici kwam uit Alli's kamer met een plastic bewijszakje met iets erin in zijn hand. Hij liep naar een van de rechercheurs, gaf hem het zakje, fluisterde iets in zijn oor en ging de kamer weer in.

De rechercheur hield zijn hoofd schuin en zei: 'Interessant, wat u net zei.'

Alli keek hem met vuurrode wangen aan. 'En wat bedoelt u daar verdomme mee?'

Hij hield het zakje omhoog. 'In dit flesje zit rohypnol. Op straat beter bekend als "roofy", de verkrachtingsdrug. Het lag onder uw bed.'

'Wat?'

'U ontkent dat het van u is?'

'Natuurlijk ontken ik dat.'

'Dus u beweert dat u uw kamergenote niet hebt gedrogeerd?'

'Wat krijgen we nou? Waarom zou ik dat in vredesnaam doen?'

'Praten jullie zachtjes alsjeblieft,' zei commandant Fellows.

'Mevrouw Carson,' zei de rechercheur ijzig, 'ik moet u verzoeken met ons mee te komen.'

Ze keek om zich heen. 'Ik moet nog even mijn mobiel pakken.'

'De academie is afgegrendeld. U kent de regels.' De commandant gebaarde naar de deur. 'Deze kant op, mevrouw Carson.'

Ze wist dat het geen zin had om met Fellows in discussie te gaan. Hij leidde Fearington als een legerbasis en protesteren zou alleen maar meer problemen opleveren. Fearington was een van de weinige eliteopleidingsscholen van de geheime diensten. Net als zijn soortgenoten in andere delen van het land was Fearington een goed bewaard geheim. De cadetten waren de crème de la crème en ze waren uitgebreid gekeurd en getest voor ze toegang hadden gekregen. De lessen waren zwaar, zowel fysiek als psychisch. Jack had alles in stelling moeten brengen om Alli in de toelatingsfase geplaatst te krijgen, en met de steun van Jack had ze de rest zelf gedaan. Maar vanaf de allereerste dag was ze zich bewust geweest van het feit dat ze niet in het traditionele Fearington-plaatje paste.

Terwijl ze door de gang en buiten over het terrein liep, vroeg ze zich versuft af wat er aan de hand was. Haar benen trilden en ze had het koud. Toch had ze geen andere keus dan de nachtmerrie binnen te stappen.

'Heren, wat een verrassing jullie hier te zien.'

Henry Holt Carson, de oudste broer van de overleden president, liep de kamer van zijn schoonzus binnen. Hij was mateloos rijk en invloedrijk en ging gekleed in een maatpak van zijde en kasjmier, waarvan Jack wist dat het minstens vijfduizend dollar had gekost. Zijn schoenen waren van John Lobb, blinkend gepoetst, maar niet door Carson zelf, dat wist Jack zeker. Zijn kille, blauwe uilenogen keken hen onderzoekend aan, maar ze keken niet naar Lyns lichaam, zag Jack. Maar ja, Lyn was dood, dacht hij, daar had de man niets meer aan.

'Bemoeials tot het bittere eind, zie ik.' Zijn scheve lachje verzachtte de botte opmerking niet.

Hij was in alle opzichten de tegenpool van zijn broer. Een harde zakenman die politici wantrouwde en vervloekte, vooral degenen die zich niet lieten omkopen. Hij bezat mijnbelangen in het Midden-Westen, waarvoor hij altijd en eeuwig verontreinigingsontheffingen kocht, zodat hij kon doorgaan met ertsen uit de grond halen en raffineren. Onlangs had hij voor een schijntje een aantal regionale banken opgekocht en die omgesmeed tot één bank: de InterPublic Bancorp. Voor zover Jack wist was hij viermaal getrouwd geweest en even zo vaak gescheiden. Hij had kinderen, maar volgens Edward wist hij noch hoe ze heetten noch hoe ze eruitzagen. De man was een imperiumbouwer in hart en nieren. Maar om de een of andere reden, mogelijk omdat hij een familiedier was, had Edward zijn broer diens zonden vergeven en hield hij van hem. Niemand wist echter wat de oudste Carson van Edward vond. Een rots gaf meer persoonlijke informatie prijs dan hij.

Hij was iemand die zich constant bewust was van zijn macht ten opzichte van de mensen om hem heen, wellicht vanuit een diep verborgen minderwaardigheidsgevoel. Nadat hij van de middelbare school was gestuurd omdat hij had gepoept op de stoel van de directeur uit wraak voor iets onbeduidends, ingebeeld of waar, had hij diensten van vijftien uur gedraaid in een ijzersmelterij, zich tot voorman en later tot manager opgewerkt. In die positie had hij zijn eerste banklening gekregen om het bedrijf te kopen. Vanaf dat moment stond zijn levensloop vast.

'We mochten Lyn allemaal ontzettend graag,' zei Jack.

'De vrouw van mijn broer is vertrokken om haar laatste beloning te innen, McClure.' Henry Holt Carsons hoofd, zo rond als een bowlingbal en bijna net zo groot, draaide zijn kant op. 'Het interesseert haar geen barst meer of jullie hier zijn of niet. Als het haar ooit heeft geïnteresseerd.' Dat merkwaardige hoofd met die uilenogen en die grote neus stond op brede schouders. Schijnbaar zonder nek. Hij had de ruwe, pezige handen van een arbeider en zijn gezicht was getekend door weer, wind en zwaar werk. Hoewel hij nu bedrijfseigenaar was, had hij een ijzeren stelregel: nooit achter een bureau gaan zitten. Hij verkondigde luidkeels zijn minachting voor degenen die, zoals hij het noemde, een walgelijk, modern mythologisch dier waren: half mens, half stoel. Daarom zat hij ook nooit als hij kon staan, en liep hij niet als hij kon rennen. En hij zei nooit iets gewoon als hij orders kon geven of beschuldigingen kon uiten.

Nu keek hij om zich heen. 'Waarom is mijn nichtje er niet?' Donkere wolken pakten zich samen boven zijn hoofd. 'Is ze al op de hoogte gesteld?'

'Dat hebben we geprobeerd.' Paulls stem was rustig en gelijkmoedig. 'Blijkbaar is Fearington weer eens afgegrendeld.'

De wolken werden donderwolken. 'Op dit goddeloze uur?'

'Oefeningen worden op de raarste tijden gehouden,' zei Jack. 'Net als in het echte leven.'

'Klopt.' Dat zei Henry Holt Carson altijd als hij niet wist wat hij moest zeggen en toch zijn overwicht wilde houden. Hij verafschuwde stiltes zoals de natuur een vacuüm verafschuwt. 'Maar dit is onacceptabel. Het meisje moet op de hoogte worden gebracht van de veranderde situatie van haar moeder.'

'Noemt u dat zo?' vroeg Jack.

'Hoor eens, jij...' Carsons dikke wijsvinger priemde als een dolk in de lucht, '... jij hebt dat meisje verdomme al genoeg aangedaan. Voor deze familie vorm je een bedreiging.'

'Ah, ik begrijp het. Het gaat helemaal niet om Alli, hè?'

Carson deed een stap zijn kant op. 'Shit, nee, dat klopt.'

Paull stak zijn handen omhoog. 'Rancune lijkt me ongepast. Zeker op dit moment, op deze plek.'

De twee mannen negeerden hem en keken elkaar woedend aan.

'Shit. Nee. Dat. Klopt.' Carson sprak elk woord nadrukkelijk en dreigend uit. 'En toen ging je weg en liet je mijn broer vermoorden.'

'Nu komt het er eindelijk uit. Niemand heeft kunnen...'

'Dat had jíj moeten doen.' Carson spande zijn schouders als een lijnverdediger die zich op een tackle voorbereidt. 'Ik bedoel: dat zei Eddy altijd over jou – Jack kan dit, Jack kan dat. Volgens hem was je een verdomde tovenaar.'

'Er was een eenheid Geheime Dienstagenten bij hem; het was hun taak om...'

'Zij waren jou niet, McClure.' Hij stond op de ballen van zijn voeten en had zijn handen tot vuisten gebald. 'Zij. Waren. Jou. Niet.'

Op dat moment ging Paulls mobiele telefoon. Of het nu kwam door het onheilspellende geluid in de doodstille nacht of door iets anders, de twee mannen ontspanden zich en keken naar Paull, die zijn telefoon uit zijn zak haalde, naar het nummer op het schermpje keek en het gesprek aannam.

Hij zei helemaal niets. Maar zijn grijze ogen zwenkten door de kamer en vonden die van Jack. Hij keek niet bemoedigend.

'Oké,' zei hij uiteindelijk. 'Zorg dat je alles onder controle houdt.' Hij zuchtte. 'Ja, ik weet dat het al niet meer onder controle ís. Ik bedoel – jezus, man, hou je hoofd erbij! – laat het niet verder uit de hand lopen. Ik kom zo snel mogelijk.'

Hij klapte de telefoon dicht en keek even voor zich uit.

'En?' vroeg Jack. 'Wat was er?'

Paull vermande zich, keek naar Jack, wreef met een hand over zijn voorhoofd en zei: 'Dat was Naomi Wilde.'

Jack voelde meteen de adrenaline door zijn lijf gieren. 'Van de Geheime Dienst?'

Paull knikte. 'Ze is op Fearington. De afgrendeling is geen oefening, Jack.'

Op het terrein van Fearington was het zo donker als in een verlaten kolenmijn. Nergens een lichtje, nergens iemand te zien in de duisternis, waar bomen, trainings- en schietbanen zich vaag aftekenden. Alsof Alli en haar begeleiders de enige levende wezens op de campus waren. Ze liepen over de bevroren grond, ze kon haar adem zien. Toen werden er achter haar lampen op de slaapzalen aangedaan. Eerst één, daarna meer, het leken net ogen. Silhouetten van hoofden vertelden haar dat een aantal van haar klasgenoten wakker waren geworden, hoewel haar eenheid zo stil mogelijk had gedaan.

Ze werd over de campus geleid. Niemand zei een woord. Ze hoorde het bevroren gras onder hun schoenen knerpen, het zachte, korte geschuif van het ene materiaal tegen het andere. Nog maar een week geleden hadden er overal sneeuwhopen gelegen, als laatste plukjes haar op een kaal hoofd. De agenten hadden hun schouders gebogen tegen de kou. Na de hindernisbaan sloegen ze links af naar de dichte beschutting van torenhoge beukenbomen, waardoor ze zich nog meer ingesloten en hulpeloos voelde.

De voorste rechercheur mompelde iets in zijn draadloze microfoontje en opeens gingen er drie enorme, op generatoren aangedreven schijnwerpers aan. Die verlichtten een ruimte tussen de stammen van twee bomen. Alli hapte naar adem en struikelde. Bijna viel ze op de grond, de hand van Naomi Wilde die haar elleboog vastpakte voorkwam dat ze languit op de dorre bladeren viel.

Want daar, midden op de campus van Fearington, hing het naakte lichaam van een jonge man. Hij hing ondersteboven, was met zijn enkels en polsen tussen twee boomtakken vastgebonden. Zijn huid was akelig blauwwit.

Terwijl ze naar Billy's lijk keek, voelde Alli dat de bekende stalen muur automatisch werd opgetrokken om haar tegen een trauma te beschermen. Haar onderbewustzijn had deze mentale muur gemetseld tijdens haar wekenlange gevangenschap. Het was een afweersysteem waarover ze geen controle had. Ze voelde dat ze afstand nam, alsof ze naar een film keek in plaats van naar het echte leven. Dit overkwam iemand anders, de hoofdpersoon in de film. Onbewogen keek ze naar de film, die beeld voor beeld naar een onbekende climax toe werkte.

Na een tijdje merkte ze dat de anderen waren gestopt en in een halve cirkel om haar heen stonden. Allemaal keken ze haar aan alsof ze strenge stamrechters waren. Haar hoofd was gevuld met het onheilspellende geroffel van militaire trommels. Met veel moeite, maar vastbesloten, verplaatste ze ook dat achter haar mentale muur.

Een van de rechercheurs, een dikke man die liep alsof hij platvoeten had, stond pal achter haar en ze hoorde hem zeggen: 'Nou?'

Alli, verstijfd van afschuw, voelde haar tong tegen haar gehemelte plakken. Ze kon geen woord uitbrengen.

'Nou? Geen shock, geen gekrijs, geen enkele traan?' zei Platvoet ijzig. 'Jezus, jij bent een koude kikker.' Met zijn vingertoppen tegen haar schouders duwde hij haar naar voren. 'Dit is William Warren.' Hij liep achter haar als een jager die een vos in het vizier heeft. 'Je kent hem. Ja, nou en of je hem kent.' Zijn lach leek op het balken van een muilezel. 'Wat deden hij en jij achter die dikke, oude boom?'

2

Commandant Fellows haalde diep adem en liet de lucht langzaam weer ontsnappen. 'Het is een prachtige nacht.' Hij hield zijn hoofd scheef. 'Hoor je die nachtegaal zingen? Heel vredig, heel romantisch.' Hij keek haar aan. 'Dit is de plek, hè?'

'Welke plek?'

De rechercheur zei op scherpe toon: 'U weet heel goed welke plek, mevrouw Carson. Dit is de ontmoetingsplek waar u en het slachtoffer...'

'William,' zei Alli. 'Hij had een naam.'

Commandant Fellows leek moeite te hebben om zich te beheersen. Hij schraapte zijn keel, maar zei niets.

Alli bestudeerde de grond voor haar voeten. 'Heeft er dan niemand het fatsoen om hem te bedekken?'

'Dit is een plaats delict,' zei een van de rechercheurs vermoeid. 'Moord met voorbedachten rade. Een halsmisdaad.'

'De patholoog-anatoom is er nog niet,' zei Platvoet. 'Tot hij zijn werk heeft gedaan, wordt hier niets aangeraakt.'

Alli las de leugen van zijn hondengezicht af alsof het een litteken op zijn wang was. Hoogstwaarschijnlijk had de PA te horen gekregen weg te blijven tot ze haar hier hadden gebracht om het afgrijselijke tafereel in zijn volle omvang te kunnen zien. Waarom? Op bevel van wie? Ze pijnigde haar hersenen voor antwoorden, maar door het gegons in haar hoofd, veroorzaakt door de adrenaline, kon ze niet helder denken.

Dus zei ze tegen Naomi: 'Jij kent me. Vertel ze dat ik niet in staat ben zo'n gruwelijke moord te plegen.'

Naomi's partner, een vierkante man met een puist op zijn kin, zei: 'Wij hebben geen toestemming om ons hierbij te laten betrekken.'

'Waarom zijn jullie hier dan?'

'Ik ben toegewezen aan de first lady en aan Alli,' zei Naomi. 'Ik ben hier wel persoonlijk bij betrokken.'

Fellows schraapte zijn keel weer. 'Mevrouw Carson, ik wil dat u weet dat ik u zeer hoog acht, ondanks uw... ondanks de traumatische ervaringen in uw... recente verleden.'

Fellows stond met zijn handen te wringen alsof hij niet wist waar hij ze moest laten. 'We hebben een verhitte interne discussie over uw, eh... psychische instorting gehad. Een aantal prominente bestuursleden is van mening dat de druk waaraan u bent blootgesteld reden tot bezorgdheid geeft en – dat moet ik erbij zeggen – reden tot heroverweging.'

'Hoezo?' vroeg Alli. 'Ik sluit al mijn vakken met succes af. Vraag het maar aan de instructeurs.'

'En dan is er nog uw, eh... minimale lengte.'

'En toch lijken deze rechercheclowns te denken dat een dwerg als ik in staat is een grote, sterke man te vermoorden en hem ondersteboven tussen twee boomtakken vast te binden.'

De eerste rechercheur, Willowicz, duidelijk de meerdere van Platvoet, stapte in de cirkel. Hij had wit haar, gebogen schouders en een lelijke scheerwond. Hij gebaarde dat ze hem moest volgen naar de achterkant van het lijk. Daar draaide hij een schijnwerper, waardoor er een soort stelling zichtbaar werd van boomtakken die aan elkaar waren vastgemaakt met ranken, waaraan Billy's lichaam was gebonden. Een touw, onzichtbaar vanaf de voorkant, was boven aan de stelling vastgebonden. Het verdween kaarsrecht in de boom, waar het om een dikke tak was geslagen. Het andere eind bengelde los naar beneden.

Willowicz pakte het loshangende eind met een gehandschoende hand vast en trok eraan. 'U ziet hoe dit werkt, mevrouw Carson. Het slachtoffer werd aangevallen en zijn lichaam werd aan de stelling gebonden toen die nog op de grond lag. De moordenaar heeft het duidelijk goed voorbereid. Door het touw om de tak te slaan, creëerde hij een steunpunt waardoor hij het lichaam kon ophijsen tot in de verticale positie waarin het nu hangt.' Hij pauzeerde even en er kroop een klein lachje over zijn gezicht. 'Iedereen had dit kunnen doen. Zelfs u.'

'Maar dat wist u allang,' zei O'Banion, Willowicz' partner.

'U bent een zielige, gestoorde man,' zei Alli. 'Weet u dat?'

Zijn lach klonk als nagelgekras op een schoolbord.

Willowicz nam haar mee naar de voorkant. 'Zoals u kunt zien, is er in het lichaam gestoken. Niet één keer, niet twee keer of zes keer, maar veel vaker, meer dan...' Hij keerde haar zijn rug toe. 'Een snelle telling heeft meer dan vijftig steken opgeleverd. Ik ben er zeker van dat het er meer zullen blijken te zijn.'

'Dus hij is doodgebloed?'

'Nee.' Willowicz wees. 'De meeste steken zijn oppervlakkig, hebben amper de onderhuidse lagen bereikt. Maar ze zaten allemaal bij zenuwknopen.'

Na een korte aarzeling zei Alli: 'U bedoelt dat Billy is gemarteld.'

Ze zag dat de rechercheur en commandant Fellows een scherpe blik uitwisselden.

'Dénkt u dat hij is gemarteld, mevrouw Carson?' vroeg Willowicz.

'Nou, daar wijzen zijn verwondingen wel op, of niet soms?' Ze zweeg even. Angst, verdriet en afschuw dreigden haar te overmannen. Ze was weer terug in de nachtmerrie van haar wekenlange gevangenschap. Toen deed ze mentaal een stap terug, zoals Jack haar had geleerd, om afstand van haar emoties te nemen. Ze móést helder denken en redeneren, en dat lukte haar niet als ze emotioneel was. Billy was dood. Dat moest ze accepteren.

Elk sterfgeval is erg, maar dit was onbegrijpelijk. Waarom zou iemand Billy martelen en vervolgens proberen haar de schuld in de schoenen te schuiven?

'Maar die uitleg beantwoordt één vraag niet,' zei ze.

Willowicz deed zijn handen op zijn rug. 'En wat mag die vraag dan wel zijn?'

'U bent opvallend kalm voor iemand wier geliefde, met wie u al vijf maanden een relatie had, is gemarteld en vermoord,' zei Peter McKinsey, de partner van Naomi Wilde.

'Als je niets constructievers te melden hebt, sodemieter dan op,' zei Alli. En tegen Willowicz: 'U zei dat hij is doodgebloed. Geen van deze oppervlakkige messteken, ook niet wanneer het er zoveel zijn, kan dat hebben veroorzaakt.'

Weer zag ze dat Willowicz en Fellows elkaar aankeken.

'Hoe is die arme Billy dan gestorven?' vroeg ze.

Willowicz wenkte haar met een gekromde wijsvinger. Zijn houding deed Alli denken aan een boeman uit een sprookje van Grimm. 'Kom eens kijken.'

Ze liep naar hem toe. Zelfs met haar lichte gewicht trapte ze door het vliesdunne ijslaagje op de grond heen en ze leek met elke stap dieper in de moerassige grond eronder te zakken.

De ziekelijke stank van rottend vlees en uitwerpselen hing om Billy heen. Ze kokhalsde een keer, maar omdat iedereen naar haar keek, vermande ze zich en drong haar braakneigingen terug. Billy's ogen waren zo gezwollen en blauw dat ze in eerste instantie dacht dat er vliegen op zaten. Om het spinnenweb van messteken zaten ernstige kneuzingen als donkere wolken om het hart van een storm. Zijn gezicht was zo mishandeld dat ze hem amper herkende. Er kon maar één reden zijn waarom hij zo langzaam en systematisch onder handen was genomen.

'Wat wist hij?'

'Tja, zo kun je het ook bekijken,' zei O'Banion. 'Je kunt ook denken dat er maar één moordenaar was. Een crime passionel.'

'Jij kunt aan niets anders denken,' zei Alli.

'We laten ons door de statistieken leiden,' zei Willowicz. 'In dit soort gevallen is de persoon die het dichtst bij het slachtoffer staat, de dader.'

'Deze keer niet.'

Beide rechercheurs keken haar onbewogen aan.

Naomi Wilde, die bij haar in de buurt bleef ze was gestruikeld, zei: 'We hoopten dat jij ons meer kon vertellen over wat er hier is gebeurd.'

Alli zei niets, maar keek haar aan alsof ze wilde zeggen: ook gij, Brutus? Daarna keek ze weer naar het lijk, naar Billy's gezicht, en probeerde door de gruwelijke verwondingen heen te kijken, tot in het hoofd van de jongen die ze kort maar heftig had gekend. Al voordat ze getraumatiseerd was door haar ontvoering en hersenspoeling van twee jaar geleden had ze moeite gehad met intimiteit. Ze was verlegen en schaamde zich voor haar lijf, dat klein en onderontwikkeld was. Nu, eerst met hulp van Jack en daarna door de fysieke training op de academie, waren haar armen en benen gespierder geworden. Toch vond ze het nog altijd de ledematen van een meisje en miste ze de vrouwelijke rondingen die haar leeftijdgenoten wel hadden.

Naomi sloeg een arm om Alli's schouders. 'Alles wat je weet, moet je ons vertellen.'

'Het enige wat ik weet is dat ik niks te maken heb met dit gruwelijke... dit afgrijselijke.' Ze schudde haar hoofd. 'Ik kan er niet bij dat iemand dit een ander kan aandoen.' Als Jack hier was geweest, had hij geweten dat ze loog. Toen ze met hem en Annika in Rusland en de Oekraïne was, had ze voorbeelden gezien van de haat en minachting voor het menselijk leven die sommige mensen diep in hun hart of onder hun huid verbergen. En met Annika, de Russische agent, had ze menselijk verraad meegemaakt, zo diep als ze nooit had kunnen vermoeden, terwijl ze toch in de Amerikaanse politieke slangenkuil was opgegroeid.

'Mevrouw Carson,' zei Willowicz, 'niemand gelooft dat u niets weet van wat zich hier heeft afgespeeld.'

Alli voelde haar hart samentrekken. 'Hoe kunt u dat zeggen?'

'U en het slachtoffer hadden een relatie, wat hier op de academie trouwens tegen de regels is. Maar twee dagen geleden is er iets gebeurd. Jullie hadden ruzie, dat is gezien – behoorlijk heftig, vertellen de getuigen – in een kroeg in de stad. Er werden harde woorden gesproken en hij is toen weggelopen.'

'Dus nu denkt u dat ik hem uit wraak heb gemarteld en als een gerookte ham heb opgehangen?'

'Daar zijn aanwijzingen voor,' zei O'Banion. 'En het is het minst on-waarschijnlijk.'

Alli schudde haar hoofd. Ze was in een moeras terechtgekomen en zonk er dieper en dieper in weg.

'Misschien had hij een nieuwe vriendin en bent u daarachter gekomen. Misschien had hij genoeg van u.' O'Banion haalde zijn schouders op om te laten merken dat hij het motief niet zo belangrijk vond.

Alli keek hem aan. 'U bent gestoord.'

Toen hij op haar afkwam, greep Naomi in. O'Banions ogen werden geel als van een roofdier toen hij haar over de schouder van de agent aankeek. 'Denk je dat je, omdat u de dochter van de president bent, zo tegen ons kunt praten? Jezus!'

'Ho, ho, rustig aan,' zei Naomi.

'En trouwens,' zei hij tegen Alli, 'je ouweheer was een idioot.'

McKinsey ging als een schild tussen de rechercheur en Alli staan. 'Rustig aan.'

'En jij kunt ook doodvallen, mietje! Zeg maar tegen haar dat ze haar mond moet houden.'

'Achteruit, Brutus,' zei Naomi.

'Krijg de pest, kinderjuffrouw.'

Toen de rechercheur zich niet bewoog, zei ze met lage stem: 'Ik zei achteruit, en gauw, of ik laat je arresteren wegens het negeren van een bevel van een federaal agent.'

Er klopte een vuurrode ader op O'Banions slaap. Langzaam draaide hij zich om en spuugde op de grond. 'Vergeet niet wat ik heb gezegd.' Hij wees naar Alli, terwijl hij naar zijn oude plek terugliep.

Willowicz, die de woordenwisseling sceptisch had gevolgd, nam het woord. 'Dit is moord... moord op een burger. Zoals ik het bekijk, zijn jij en die vrouw hier voor de veiligheid van de dochter van de overleden president. Mijn partner en ik waarderen jullie rol in deze zaak, echt waar. Maar het blijft een feit dat deze misdaad in ons rechtsgebied is begaan, en dus onder ons gezag valt. Ik ga over de plaats delict. Ik ga over de verhoren.' Hij klapte een ouderwets aantekeningenboekje open. 'En op dit moment zie ik deze zaak als volgt: we hebben het hier over een moord met voorbedachten rade en met veel passie. Maar we hebben geen getuigen. Commandant Fellows hier heeft ons verzekerd dat er vanavond geen enkele buitenstaander op het terrein van de academie is geweest.'

'Het zou Billy geen enkele moeite kosten om...'

'Dat gat hebben we inmiddels gedicht, mevrouw Carson,' zei Fellows ijzig. 'Ik kan u verzekeren dat er niet meer zijn.'

Willowicz keek van Alli naar Fellows alsof ze elkaar elk moment konden aanvliegen, en vervolgde toen: 'Dus geen indringers. Maar uw kamergenote, mevrouw Carson, werd gedrogeerd... rond middernacht. De arts op Fearington heeft dat bevestigd.'

'Toen sliep ik al,' zei Alli.

'Tja, het probleem is dat de enige persoon die dat zou kunnen bevestigen, dat nu niet kan.' Hij likte aan een vingertop en sloeg een bladzijde van zijn boekje om. 'Wat inhoudt dat u op elk willekeurig moment nadat de lichten uit waren gedaan uit uw kamer had kunnen ontsnappen, en als u voorzichtig was... nou, dan had u onopgemerkt naar elke plek op het hele terrein kunnen gaan. Heb ik gelijk?'

Hij keek Alli aan, maar ze zei niets, omdat er een idee bij haar daagde, en het afschuwelijke besef van waarom deze mensen volhielden dat zij Billy had vermoord, haar letterlijk de adem benam.

'Dus u had de kans. Vertelt u ons eens iets over het slachtoffer.'

Ze haalde een paar keer diep adem om rustiger te worden. 'Billy werkte bij de Middle Bay Bancorp. Hij was financieel analist...'

'Klinkt als een watje.' O'Banion bekeek haar van top tot teen. 'Stille wateren, zeker.'

Willowicz drukte zijn lippen op elkaar. 'Hoe hebt u hem opgepikt?'

Alli probeerde de insinuatie te negeren, maar merkte dat ze boos werd. 'We hebben elkaar in een kroeg ontmoet.'

'Aha. Welke?'

'Twilight. In Georgetown.'

Willowicz schreef wat op. 'Ja, ben ik twintig jaar geleden ook geweest.'

'De vampierbar.' O'Banion bulderde van het lachen.

Willowicz negeerde hem. 'Wat deed hij toen u contact met hem zocht?'

Alli werd vuurrood. 'Hij zocht contact met mij. Ik was aan het dansen...'

'O ja?' onderbrak O'Banion haar. 'Op het biljart?'

Alli kleurde zo mogelijk nog roder. 'Hij kwam naar mij toe, dat heb ik al gezegd.'

'Was hij dronken?'

'Misschien. Een beetje. Ik weet het niet.'

Willowicz knikte. 'En toen?'

'Toen hebben we samen gedanst.'

'En vanaf dat moment ging het zeker snel?'

'O zo snel,' sneerde O'Banion.

'En die eerste ontmoeting was... hoe lang geleden?'

'Ongeveer vijf maanden geleden.'

'En u bleef contact met het slachtoffer houden?'

'Ja.'

'Wanneer hebt u hem voor het laatst gezien?'

Een korte aarzeling, waarvoor ze zich wel voor het hoofd kon slaan. 'Vanavond... nou ja, inmiddels gisteravond.'

Willowicz' hoofd schoot omhoog als een jachthond die een spoor ruikt. 'Wanneer precies?'

'Na het avondeten. Rond acht uur.'

'Had u toestemming om Fearington te verlaten?'

Alli schoof met haar voeten. 'Nee.'

'Dus u glipte naar buiten.'

Alli keek hem met vaste blik aan. Ze ontweek de blik van commandant Fellows. 'Billy smeekte me te komen. Hij zei dat het dringend was.'

'Aha.' Willowicz schreef weer wat op. 'En toen?'

'Dat is alles. Ik ben er nooit achter gekomen waarover hij met me wilde praten.'

Willowicz' wenkbrauwen schoten omhoog. 'Hoezo?'

'We hadden in Twilight afgesproken. Maar toen ik de hoek omkwam, zag ik hem met iemand anders lopen.'

'Met wie?'

'Ik heb geen idee.'

'Man of vrouw?'

'Diegene stond met zijn of haar rug naar me toe.'

'Lang, kort, dun, dik?'

'Hij stond in de schaduw.'

'Dus het kan een vrouw zijn geweest?'

Stilte.

'U houdt vol dat u gisteren de hele dag niet met het slachtoffer hebt gepraat?'

'Nee. Zoals ik al heb verteld, heb ik hem kort aan de telefoon gehad.'

'U hebt hem verder niet gesproken?'

'Nee.'

Volgens de bekende verhoorstijl veranderde Willowocz opeens van onderwerp. 'Dus u had een motief.'

'Motief?' vroeg Alli verbluft. 'Wat voor motief?'

Weer sloeg Willowicz een bladzijde om. 'Het is namelijk zo dat het slachtoffer iemand had ontmoet. Een week geleden. Ze heet – even kijken – Arjeta Kraja.'

'Achterlijke buitenlandse namen,' mopperde O'Banion. Niemand anders verroerde zich of zei iets.

Willowicz keek op uit zijn boekje. 'Kent u deze Arjeta Kraja, mevrouw Carson? Hebt u haar ooit ontmoet?'

'Nee. Nooit.'

'Interessant.' Willowicz stak zijn hand uit en O'Banion legde er iets in. Toen Alli zag dat het een foto was, zonk de moed haar in de schoenen. Onwillig pakte ze de foto aan. Het was een observatiefoto waarop drie mensen voor een kroeg stonden te praten.

'Man, ze is echt een lekker stuk,' meldde O'Banion.

'Mevrouw Carson,' zei Willowicz, 'wilt u zo vriendelijk zijn om de jonge vrouw te identificeren die bij u en William Warren staat?'

Het was natuurlijk Arjeta Kraja.

Ze liepen het ziekenhuis uit toen Henry Holt Carson zei: 'Meneer de minister, ik denk dat uw mobiele telefoon zo overgaat.' Precies op dat moment trilde Paulls toestel.

Paull keek hem scherp aan.

'Volgens mij kunt u het gesprek maar beter aannemen,' zei Carson met een uitgestreken gezicht.

Paull schoof het frontje omhoog en hield het toestel bij zijn oor. Hij luisterde tien seconden, zei: 'Ja, meneer' en verbrak de verbinding. 'Jack, ga jij maar vast. Ik heb een afspraak in het Witte Huis.'

'Nu?'

'De president slaapt nooit,' zei Carson. En aan Jack vroeg hij: 'Kan ik je een lift aanbieden?'

'Ik heb mijn eigen auto.'

Carson gebaarde met zijn hand. 'Ik zal iemand sturen om die op te halen.'

Jack herkende een bevel als hij er een hoorde. Hij zag zijn baas over de parkeerplaats naar zijn auto lopen. De sterren verbleekten door de stadsverlichting en door het begin van de dag. Vanaf de Potomac blies er een koude, vochtige wind, die op zijn keel sloeg.

'Wat is er allemaal aan de hand?' vroeg hij.

Carson haalde zijn dikke schouders op. 'Waarom vraag je dat aan mij?'

'Omdat,' zei Jack, 'jij dit blijkbaar allemaal georkestreerd hebt.'

Carson reageerde niet.

Ze liepen snel naar Carsons Navigator en gingen op de achterbank zitten. Carsons chauffeur draaide de suv en ze reden weg.

'Oké. Wat is er aan de hand, verdomme?' zei Jack.

Carson stak een vinger op. 'Momentje.' Hij toetste een nummer in op zijn pda. Even later zei hij: 'Harrison, met Henry... ja, natuurlijk weet ik hoe laat het is. Kleed je aan en ga als de sodemieter naar de Fearington Academy. Niets hoop ik, maar het kan zijn dat mijn nichtje in de problemen zit... Wat voor problemen? Geen flauw idee.'

Nadat hij de verbinding had verbroken, keek hij in gedachten voor zich uit.

Jack vroeg: 'Wie heb je aan boord gehaald?'

'Mijn advocaat. Harrison Jenkins.'

'Is dat echt nodig?'

'Ik hoop van niet, maar de wereld draait niet op hoop.'

In een geladen stilte reden ze verder. Naast Henry Holt Carson zitten was als wonen naast een gasfabriek die op springen staat.

'Je hebt nog geen antwoord gegeven op mijn vraag over het orkestreren van die toestand met Dennis.'

'Je bent een vasthoudend huftertje, hè?'

'Dat is geen antwoord.'

'Ik trek mijn hele leven al met politici op.' Carson keek recht voor zich uit en had zijn armen over elkaar geslagen. 'Zeg, ik hoef me geen zorgen te maken, toch?'

'Waarover?'

'Dat je de straatnaamborden niet kunt lezen. Daarover.' Hij keek Jack niet recht aan. 'Dyslexie is klote, hè?'

'Zeker als je er niets van weet.'

Carson lachte breeduit. 'Je bent een prutser, Jack. Ik vergeef je mijn broers dood nooit.'

'Dat is aan jou. Maar net zoals je niks van dyslexie weet, weet je ook niks over Edwards dood, of over de omstandigheden die ertoe hebben geleid.'

'Jouw zielige smoesjes interesseren me geen bal, McClure.'

'Wij zijn water en vuur,' zei Jack, 'niet in staat om in dezelfde ruimte te bestaan.'

Carson snoof. 'Wat mijn broer in jou zag, daar begrijp ik niks van, McClure. En dat hij je ongelimiteerd toegang tot Alli heeft gegeven, was een grove fout.'

'Alli is volwassen. Ze kan haar eigen beslissingen nemen.'

'Ze is een psychologisch wrak en dat weet je. Ontvoerd, gehersenspoeld, getraumatiseerd door de plotselinge dood van haar vader, en een moeder die een kasplantje was.' Hij schudde zijn hoofd. 'Nee, wat zij nodig heeft is de sterke leiding van een volwassene die voor haar zorgt.'

'Ze heeft mij.'

'En wat heeft ze daaraan?'

Ze stonden inmiddels voor de poort van de Fearington Academie, die helder werd verlicht door zwaailichten van politieauto's en ongemerkte dienstwagens. Nadat ze hun pasjes aan drie verschillende agenten van steeds hogere rang hadden laten zien, mochten ze doorrijden. De auto reed bepaald niet geruisloos over het grind. Jack keek naar de hindernisbaan, links van het hoofdgebouw.

Henry Holt Carson boog een beetje zijn kant op. 'Mijn broer heeft jou veel te veel macht over Alli gegeven, McClure. En die fout ga ik vannacht nog rechtzetten.'

3

'Kijk nou eens, dit is iets wat je niet elke dag ziet.'

De patholoog-anatoom, Bit Saunderson, een lange, slungelige man van halverwege de vijftig, met een hagedissenhuid en koolzwarte ogen, zat gehurkt bij Billy Warrens lijk. Hij keek naar lichamen zoals een filatelist naar postzegels kijkt. Zijn technische mensen hadden foto's vanuit alle hoeken gemaakt, voetafdrukken op de plaats delict genomen en waren geruisloos vertrokken, als wolken die door de lucht zweefden.

'Kijk zelf maar.'

Hij zei het tegen Willowicz, maar niemand hield Alli tegen toen ze ook kwam kijken. Saundersons knieën kraakten toen hij plaatsmaakte, zodat ze de nek van het lichaam konden zien.

'Ja, dat hebben we gezien,' zei Willowicz. 'Maar wat is het?'

'Het is een stukje van een plastic rietje. Wit met roze streepjes.' Saunderson raakte het uitstekende eind met zijn door latex beschermde vingertop aan. 'Keurig in de slagader gestoken. Zo bloedt je slachtoffer helemaal leeg.'

Willowicz krabde aan zijn wang. 'Dan moet je aardig wat kennis hebben van het menselijk lichaam.'

'Anatomie is een eerstejaarsvak op Fearington.' Commandant Fellows was een beetje groen om zijn neus geworden.

'Al haar vakken goed afgesloten, zei ze,' bromde O'Banion terwijl hij pal achter Alli ging staan.

Fronsend boog Naomi Wilde zich om beter te kunnen kijken. 'Maar waarom een rietje?'

O'Banion blies onzichtbare stoom in Alli's nek. 'Waarom vraag je dat niet aan haar?'

Saunderson keek op naar Wilde. 'Het werkt als het drinken van een milkshake: je kunt zelf bepalen hoeveel erdoorheen stroomt.'

Het werd stil. Doodstil. De stilte werd pas verbroken toen O'Banion zei: 'Hé, doc, alsjeblieft zeg, probeer je ons te vertellen dat mevrouw Carson een vampier is?'

'Jij kijkt te veel horrorfilms, O'Banion,' zei de PA hoofdschuddend. 'Nee. Dit is veel erger. Jullie dader is een zeer gestoord persoon. Een psychopaat, hoewel er niets over hem in de handboeken staat. Hij...'

'Of zij.' O'Banion keek met hernieuwd venijn naar Alli's achterhoofd.

Saunderson haalde diep adem. 'Jullie moordenaar is een sadist en – zo vermoed ik – zwaar gestoord. Of in elk geval een beetje.'

'Getraumatiseerd,' zei Willowicz. Ook hij keek Alli aan alsof ze al in de cel zat. 'Door iets afgrijselijks.'

Saunderson knikte aarzelend. 'Iets uit het verleden, ja. Dat veroorzaakt vaak psychoses.' Hij tikte tegen het rietje. 'Wie zou er anders op het idee komen de bloedstroom te regelen om het lijden van het slachtoffer te verlengen?'

Harrison Jenkins, de advocaat van de Carsons, reed een paar minuten nadat Jack uit de auto was gestapt het terrein op. Carson ijsbeerde als een gekooid, hongerig dier over de bevroren grond. Jenkins was zo'n gelikte man die je op CNN of Fox News ziet. Hij had dik, grijs haar dat net over zijn oren viel, roze wangen en Jack zag dat hij gemanicuurde nagels had die glommen als spiegeltjes. Hij maakte een vrij lange indruk, maar als je goed keek was hij kleiner dan gemiddeld, zo'n een meter zestig. Hij had een versleten leren aktetas bij zich. Zijn dure jas hing open en daaronder droeg hij een grijs pak, wit overhemd en een gespikkelde rode das. Op de revers van zijn jas had hij een speldje van de Amerikaanse vlag geprikt. Het enige wat hij nog miste was een zeearend op zijn schouder, dacht Jack. Hij liep zoals een advocaat hoort te lopen: alsof hij eigenaar was van de grond waarop hij liep. Jack zou blij moeten zijn met Jenkins' aanwezigheid, maar iets in de man stond hem tegen.

Zodra Carson zijn advocaat zag, draaide hij zich om.

'Kun je me al wat meer vertellen?' vroeg Jenkins terwijl hij Carson een hand gaf.

Carson schudde zijn hoofd. Toen hij Jack voorstelde, gleed er een klein, stil glimlachje over Jenkins' gezicht. Vervolgens vroeg hij Jack hoe het de laatste tijd met Alli ging.

Toen Jack was uitgepraat, zei de advocaat: 'Dus volgens u is ze volledig toerekeningsvatbaar?'

'Helemaal.'

'Daar ben ik het absoluut niet mee eens,' zei Carson.

Jenkins snoof als een racepaard bij het starthek, hield zijn telefoon tegen zijn oor, liep een stukje weg en zei kort iets. Teruglopend zei hij: 'Oké, we gaan aan de slag.'

Ze volgden de instructies op die ze hadden gekregen en liepen langs de hindernisbaan, waar vormen als gezonken schepen in het vale ochtendlicht opdoemden. Daarna liepen ze een korte trap af naar een smalle oever, en liepen linksaf onder oude bomen door, die roken naar verrotte bladeren en leem. Voor hen zagen ze een grote lichtkrans, als een spot die op het toneel een acteur belicht. Maar in dit geval bewoog de acteur niet meer.

Jack had het gevoel dat hij in een lift zat waarvan de kabel was doorgesneden.

'Jezus christus,' mompelde Carson. 'Wat is dit in vredesnaam?'

Jack zag Alli naar hen toe komen. Ze liep tussen twee mannen in uniform die volgens hem rechercheurs waren. Achter hen liepen Naomi, McKinsey en commandant Fellows. Maar Jack keek alleen naar Alli. Haar handen waren geboeid. Hij wilde een beweging maken, maar Jenkins had dat blijkbaar verwacht en greep zijn arm vast om hem tegen te houden.

'Op dit soort momenten is de methodische aanpak beter dan de instinctieve, heb ik ontdekt,' zei hij zo zacht dat alleen Jack het kon horen.

'Godallemachtig, man, ze is gearresteerd.'

'Laat mij dit afhandelen, McClure.'

De advocaat liep naar de mensen die nog steeds in een halve cirkel stonden, met Jack en Carson aan weerskanten naast hem. Alsof ze een overval wilden plegen. Toen Alli Jack zag, klaarde haar gezicht op, maar hoewel ze zich goed hield, zag Jack dat ze beefde.

'Denkt u dat dit slim is, rechercheur O'Banion?' vroeg Jenkins.

O'Banion keek hem stoïcijns aan. 'Wie mag jij dan wel zijn, en hoe weet je mijn naam?'

'Ik ben de advocaat van mevrouw Carson. Harrison Jenkins.'

O'Banion sneerde: 'Ah, zo'n letselschadehyena.'

'Pas op je woorden, agent.'

'Ik ben rechercheur.'

'Gedraag je dan ook als een rechercheur.'

Terwijl O'Banion hem dreigend bleef aankijken, zei Willowicz: 'Alli Carson staat onder arrest voor de moord op William Penn Warren.'

'Rechercheur Willowicz, ik neem aan dat u daarmee doelt op het slachtoffer dat achter u hangt,' zei de advocaat terwijl hij tussen de bomen door naar hem toe liep.

'En weet u wat ik nog meer in mijn dienstjas heb zitten?' vroeg Willowicz.

Jenkins knikte. 'Ik weet alles wat ik moet weten. Twee keer gewond geraakt in actieve dienst, dus een eremedaille.'

En dat allemaal dankzij één telefoontje van Jenkins. Jack was onder de indruk. Meestal verachtte hij advocaten, net als O'Banion, omdat ze in staat waren om van veronderstellingen en halve waarheden een voor een jury geloofwaardig verhaal te breien.

'Jack, dit is een idiote fout', zei Alli. 'Luister alsjeblieft naar me.' Snel vertelde ze wat er was gebeurd en waarom ze werd verdacht.

'Dat is allemaal indirect', zei Jenkins onverstoorbaar.

Willowicz knikte. 'Klopt.' Hij stak een plastic bewijszakje omhoog. 'Maar onze technici hebben ook een flesje met sporen van rohypnol onder het bed van mevrouw Carson gevonden, en dit mes, met bloed erop, lag in de prullenmand achter in haar slaapkamer.'

'Lever alles maar bij ons in, alstublieft, ook eventuele andere bewijzen die jullie hebben', zei Jenkins.

'Wat?' O'Banion stond ineens in een vechthouding. 'Sodemieter op, windbuil, dit is onze jurisdictie.'

Het kleine, stille lachje dat Jack al eerder bij hem had gezien, verscheen weer op Jenkins' gezicht. 'Vertel me eens, rechercheurs, hoe zijn jullie op de plaats delict terechtgekomen?'

'Commandant Fellows belde ons', zei Willowicz.

'Dus dat betekent dat de commandant jullie hier op Fearington heeft uitgenodigd.'

'Klopt', zei O'Banion.

Jack zag dat de situatie tot Willowicz begon door te dringen.

'Fearington is federaal grondgebied', zei Jenkins.

'Wat?' zeiden de twee rechercheurs tegelijkertijd.

'De federale overheid heeft dit terrein drie jaar geleden gekocht.'

Jack had aan een half woord genoeg. Met zijn legitimatie in zijn hand stapte hij naar voren. 'Jack McClure, van Binnenlandse Veiligheid. Jullie hebben hier geen enkele jurisdictie. Rechercheurs, ik neem deze zaak van jullie over.'

'O, shit, dit is zeker een geintje, hè?' zei O'Banion.

Willowicz zweeg en gaf de zakjes met het flesje en het mes aan Jack.

'Wat doe je nou?' De PA kwam tussen de bomen vandaan. 'Dat zijn mijn bewijszakjes.'

Jack liet hem zijn legitimatie zien. 'Nu niet meer.'

'Waarom is deze moord iets voor de Binnenlandse Veiligheid?' Saunderson leek uit het veld geslagen.

'Daar laat de Binnenlandse Veiligheid zich niet over uit', zei Jack.

'Maar het lijk...'

'Ik zorg voor het lijk.'

De PA keek geschokt. 'Dit is hoogst ongebruikelijk.'

Jack negeerde hem en keek naar Alli. 'Maak haar boeien los,' zei hij.

O'Banion pakte het sleuteltje. 'Dit vergeten we niet.'

Zodra de boeien verwijderd waren, wenkte Jack Alli, maar voordat ze naar hem toe kon lopen, pakte Jenkins haar bij de arm en duwde haar naar haar oom.

'Wat doe je, verdomme?' vroeg Jack.

'Ik breng mijn nichtje naar een veilige plek,' deelde Carson mee.

'Je hebt geen...'

'Laat hem maar, meneer McClure,' zei Jenkins zachtjes. 'Als u mevrouw Carson arresteert, ziet het er slecht voor haar uit als ik morgen naar een federale rechter ga.'

'Maar...'

'Henry is familie. Hij heeft macht en invloed, en dat heeft ze op dit moment nodig.' Jenkins keek Jack recht aan. 'U snapt dat dit het beste is voor mevrouw Carson.' Hij keek even naar de vertrekkende agenten en de PA. 'En u bent hier nodig. Nu u de zaak hebt overgenomen, moet u de plaats delict bestuderen en rechercheurs Jut en Jul verhoren voordat ze samen een mooi verhaal hebben bedacht.' Toen hij Jack naar Alli zag kijken, voegde hij eraan toe: 'En u hebt gehoord wat rechercheur O'Banion zei: "Dit vergeten we niet." Ik wil dat u hem op zijn nek zit, dat hij zijn bedreiging niet waar gaat maken.' Glimlachend eindigde hij met: 'Daar zijn jullie toch goed in, bedreigingen ontzenuwen? Gaat u dat dus doen.'

Dennis Paull passeerde de zesvoudige beveiliging en kwam bij de West Wing, waar hij op een heel andere manier werd onderzocht door Alix, de perschef van de president. Paull vond haar veel aardiger dan de president, Arlen Crawford. Crawford, een grote, gebruinde Texaan, was Edwards vicepresident geweest. Een politiek huwelijk dat geen van beiden was bevallen. Allebei waren ze sterk op vlakken waarop de ander zwak was, maar hun politieke ideeën en – erger nog – hun idealen stonden lijnrecht tegenover elkaar.

'Goedemorgen, Dennis,' zei Alix vriendelijk. 'Ik merk dat we er vanochtend allemaal vroeg bij zijn.'

'De plicht roept.'

Ze knikte. 'Dat heb ik gehoord.'

Samen liepen ze naar het Oval Office.

'Hoe gaat het met je dochter en kleinzoon?' vroeg ze.

'Claire en Aaron voelen zich hier steeds meer thuis. Dank je.'

'Het was leuk om ze weer eens te zien.'

'Aaron heeft het constant over je.' Hij lachte. 'Ik weet niet hoe je het voor elkaar hebt gekregen om zo'n indruk op hem te maken...'

'Hij mocht Teddy Roosevelts cowboyhoed van me opzetten.'

Nu knikte Paull. 'Ah, dan begrijp ik het.'

Ze waren bijna bij de deur van het Oval Office en Alix bleef staan. Ze keek ineens ernstig. 'Dennis, je weet dat ik heel loyaal ben. Ik werk voor de oude, maar...'

Hij wachtte, ineens op zijn hoede.

'Ik, eh... tja, ik wil alleen maar zeggen dat je goed achterom moet kijken.'

Voordat hij een antwoord had kunnen bedenken, had ze hem een zoen op zijn wang gegeven en liep ze terug over het rode tapijt dat in de gang lag. Hij draaide zich om. Het was doodstil. Het zuchtje wind uit de verzonken ventilatoren klonk oorverdovend.

Hij sloeg Alix' goede raad op in zijn geheugen, klopte op de dikke, dubbele deur, duwde de deurklink naar beneden en ging naar binnen.

Het vroege ochtendlicht sijpelde door de dikke gordijnen. Alleen de president zat in de kamer, wat Paull verraste. Hij zat op een van de banken die voor zijn bureau tegenover elkaar stonden. Op de salontafel met het glazen blad stond een bewerkt zilveren blad en een antiek zilveren servies. Crawford schonk net een kop koffie voor zichzelf in. Naast het blad lag een zwart dossier waarop met gele letters EYES ONLY stond.

'Dennis, kom verder. Fijn dat je er bent.'

Door zijn zangerige Texaanse accent klonk het alsof Paull ook echt een keuze had gehad.

'Neem ook een kop koffie,' zei de president, die zelf een schepje suiker in zijn kopje deed. 'De cake en broodjes komen net uit de oven.'

Paull ging tegenover de president zitten, schonk een kop koffie in en pakte een broodje van de porseleinen schaal. Hij concentreerde zich helemaal op Crawford en dronk en at nog niets. Crawford zag het presidentschap zoals een chef-kok zijn snijplank zag. Binnen tien maanden had hij rustig maar zeer methodisch alle initiatieven van zijn voorganger teruggedraaid en vervangen door initiatieven die beter bij zijn conservatieve agenda pasten.

'Sorry dat je zo vroeg uit je bed moest komen.'

'Ik was al wakker. Ik was bij het Walter Reed toen u me belde.'

'Je bent toch niet ziek, Dennis?'

'Nee, meneer. Lyn Carson is overleden.'

'Ach.' De president zette zijn kopje neer en keek naar het plafond, alsof hij Lyn in de hemel zocht. 'Een verdrietige zaak, Dennis. Gecondoleerd. Ik weet hoe goed je de familie kende.'

Paull hoorde de dubbele betekenis in die laatste zin. Als hij bij Crawford was, was hij zich er altijd sterk van bewust dat hij ooit een van Edward Carsons beste vrienden en adviseurs was geweest. Hoewel die nota bene tijdens zijn eerste ontmoeting met Crawford, nadat hij was ingezworen als president, tegen Paull had gezegd: 'Dennis, ik wil dat je weet dat ik loyaliteit ver boven alle andere deugden stel.'

Voorovergebogen pakte Crawford zijn kopje. Toen hij weer rechtop zat, gebaarde hij naar het dossier. 'We zitten met een gigantisch probleem.'

Paull legde het dossier op zijn schoot en sloeg het open. Boven op een indrukwekkende stapel papier lag een zwart-witfoto van het hoofd van een man van ergens tussen de veertig en de vijfenveertig jaar. Het gezicht was niet duidelijk zichtbaar, maar je kon wel zien dat de man een volle baard had. Het kon iedereen zijn.

'Wie is dit in vredesnaam?'

'Het gaat niet zozeer om wie,' zei de president, 'maar om wat.' Hij schraapte zijn keel terwijl Paull snel de info las die onder de foto stond. 'Zoals je ziet, heet de man Arian Xhafa.' Hij sprak het laatste woord als 'Sjafa' uit.

'Albanees,' zei Paull. 'Waarom maken we ons daar zo druk over?'

'Dat dacht ik eerst ook. Maar lees maar verder.'

Dat deed Paull. De pagina's ritselden terwijl hij ze scande. Xhafa was de leider van de Albanese maffia, die uit minstens twintig elkaar beconcurrerende clans bestond. Tenminste, dat was zo voordat Xhafa aan de macht kwam. Net als Mao of Ieyasy Tokugawa, de eerste shogun van het feodale Japan, had Xhafa visie, en hij had meer: hij was in staat was om te vleien, te bulderen, af te persen, te moorden en te bedreigen, om de top te bereiken en alle clans op één lijn te krijgen.

'Hij noemt zijn mannen vrijheidsstrijders,' zei de president, 'en ik veronderstel dat ze dat op een bepaalde manier ook zijn. Ze vechten voor Albanese vrijheid in Macedonië. Maar hun echte bezigheid is smokkelen, en uit de papieren die jij daar hebt, blijkt dat ze ook niet vies zijn van huurmoorden. Daar.' Hij wees naar de tekst. 'Lees dat maar.'

Paull bewoog zijn vinger over de pagina. Driehonderd Macedonische soldaten waren afgeslacht in Bitola, en ongeveer eenzelfde aantal in een kleine veldslag in een buitenwijk van Resen. De tekst was gelardeerd met foto's van massagraven en kuilen vol lijken die als gruwelijke wonden door de camera waren vastgelegd. Vuurgevechten in de bergdorpen rondom Struga hadden van de gebouwen brandende en smeulende ruïnes gemaakt.

Overal lagen lijken, opgerold of uitgestrekt, amper nog menselijk. Op de pagina daarna stonden nog meer gruwelijke dingen. Op een fotoserie stonden slachtoffers die waren vermoord, zowel in Macedonië als in Griekenland, Zuid-Italië, Turkije en Rusland. Xhafa en zijn mannen waren de verdachten. Het waren zulke afgelegen gebieden en de betrokken landen waren zo onbelangrijk voor de Amerikanen, dat deze gruwelijkheden amper de kranten hadden gehaald en zeker niet op CNN of Fox waren geweest, laat staan de drie nationale zenders.

'Die vent is een monster', zei de president walgend. 'Het interesseert absoluut niemand hoe we hem uitschakelen.'

Maar zo makkelijk was dat niet. Xhafa's basis was de onneembare stad Tetovo in West-Macedonië – coördinaten 42° 0' 38" noord, 20° 58' 17" oost – een gebied zo onherbergzaam en wetteloos als Afghanistan of West-Pakistan. Xhafa, slim als hij was, had zich op het thema van de Albanese onafhankelijkheid gestort en het argument gebruikt dat vrijheid voor de Albanezen onbereikbaar was tenzij ze gezamenlijk tegen de Macedonische overheid in opstand kwamen.

Maar in de drie jaar dat hij aan de macht was, had hij zich hoofdzakelijk gericht op de uitbreiding van de smokkeloperaties van de clans. Dit hield onder meer de uitbreiding van de blanke slavinnenhandel in: het exporteren van Oost-Europese meisjes van tussen de tien en achttien jaar naar Italië, Engeland en Amerika. Vaak werden die meisjes door hun eigen ouders aan mensen van Xhafa verkocht, omdat ze straatarm en wanhopig waren en ze geen vrouwelijke kinderen konden onderhouden.

Paull stopte even met lezen en keek op. 'Dit is toch een zaak voor Interpol, niet voor Binnenlandse Veiligheid?'

'Het Pentagon vindt van niet. Daar vinden ze Xhafa extreem gevaarlijk, en ik ben het met ze eens. Luister, na de oorlogen van de afgelopen tien jaar in Irak, Afghanistan en Jemen is het hard nodig dat het imago van Amerika in het buitenland wordt verbeterd. Edward zat op het goede spoor met het ontwapeningsverdrag dat hij vlak voor zijn dood met de Russen afsloot. Ik weet dat president Yukin probeerde de boel te saboteren. Zonder jou en Jack McClure zou het nooit gelukt zijn.' Hij keek om zich heen alsof hij zich ineens van zijn omgeving bewust werd. 'In mijn tv-toespraak van vanavond staan de burgerrechten op de agenda. We mogen het niet laten gebeuren dat jonge meisjes – jezus, meisjes van welke leeftijd dan ook! – per boot naar Amerika komen en hier als prostituee worden verkocht. Mensenhandel heeft gigantische proporties aangenomen. Elke zes minuten wordt er een meisje verkocht of van de straat geplukt. Het gebeurt overal, het is een wereldwijd schandaal. Stel je voor hoe het imago van Amerika zal verbeteren als we Xhafa te pakken krijgen.'

'Laat Defensie een team Special Forces...'

Zuchtend zei de president: 'Lees pagina tien maar.'

Paull pakte de betreffende pagina. Het was een 'Eyes Only'-veldrapport van generaal Bradenton, hoofd van Defensie, voor de president. Een elite-eenheid van de Special Forces Black Operations was twee weken eerder gedropt in Macedonië met de opdracht Arian Xhafa zo snel mogelijk uit te schakelen. Toen ze eenendertig uur op missie waren, verloor Defensie contact met de eenheid.

'De eenheid is nooit teruggekomen en niemand heeft nog iets van ze gehoord,' zei Crawford.

'Hoe heeft Xhafa dat voor elkaar gekregen?'

De president trok een boos gezicht. 'Dat is niet duidelijk. Deze man is anders dan de gebruikelijke misdaadbaronnen.'

'Hij is slimmer?'

'Onder andere,' bevestigde de president. 'En hij heeft moderne wapens, genoeg om een hele elite-eenheid uit te schakelen.'

'Moderne wapens zijn niet goedkoop.'

De president keek nog bozer. 'Laat ik het heel duidelijk zeggen: we hebben geen toestemming om militairen naar Albanië te sturen. En trouwens, het leger staat machteloos in dat gebied, want het berglandschap werkt tegen. Nee, dit is voor Black Operations. Wat we daar nodig hebben, is een kleine guerrilla-eenheid. En vergeet Interpol. Die klungels weten niet eens waar hun eigen kont zit.'

'Toch, met alle respect, meneer...'

'Loyaliteit, Dennis,' zei Crawford zacht, maar met een stalen klank in zijn stem. 'Ik wil dat je Xhafa opspoort en hem uitschakelt... permanent.'

Paull zuchtte. 'Oké. Ik zal een taskforce zo snel mogelijk een plan laten uitwerken.'

'Dat is nou precies wat ik niet wil.' De president zette zijn kopje neer. 'Ik wil dat je dit persoonlijk afhandelt.'

Paull had het gevoel dat hij een stomp in zijn maag kreeg. 'Meneer? Ik begrijp het niet. Een onderminister van Buitenlandse Zaken hoort niet...'

'Dennis, volgens mij – en ik bedoel dit als compliment, hoewel ik vrees dat je het niet zo zult opvatten – ligt het ministerschap van BZ je niet echt.' Hij pakte een ander dik Eyes Only-dossier dat op zijn bureau lag. 'Tien jaar lang, toen je nog opdrachten in het veld uitvoerde, heb je elke missie tot een goed einde gebracht. En je hebt nooit een man verloren.'

'Eén keer. Eén keer heb ik een man verloren.'

'Nee.' De president bladerde door het dossier tot hij de pagina vond die hij zocht. Zijn vinger gleed over de pagina naar beneden terwijl hij zei: 'Die agent, Russell Evans, werd door eigen vuur verwond. Jij hebt hem veertig kilometer op je rug meegenomen, tot je uit vijandig gebied was.'

'Maar toen was hij dood.'

'Dat was niet jouw schuld, Dennis.' De president klapte het dossier dicht. 'Je hebt een onderscheiding gekregen voor die missie.'

Paull zat als versteend, doodstil. Hij voelde zijn hart kloppen en wist dat hij ademhaalde, maar van een afstandje, alsof hij een wetenschapper was die de situatie bestudeerde. 'Wat is dit?' vroeg hij met een stem die hij niet helemaal vertrouwde. 'Mijn ontslag?'

'Hoe kom je daar nou bij?'

'Een degradatie dan?'

'Dennis, ik zei al dat ik vreesde dat je niet zou begrijpen wat ik net heb gezegd.'

'Wilt u dat ik aftreed als onderminister van BZ?'

'Ja.'

'Dan is er niets wat ik niet begrepen heb.'

Crawford ging op het puntje van de bank zitten. 'Luister goed, Dennis. Ik weet dat je me niet vertrouwt. Ik weet hoe loyaal je naar Edward was, en aangezien we vaak niet op dezelfde golflengte zitten...' Hij maakte zijn zin niet af, alsof hij drie, vier stappen vooruit dacht. Maar misschien was dat Paulls interpretatie van de stilte.

Toen keek de president Paull weer aan. 'Ik waardeer je zeer, Dennis, misschien – en ik besef dat je dat waarschijnlijk niet zult geloven – meer dan Edward deed. Deze baan die hij je heeft gegeven, die is niet... jij bent geen politicus. Jouw expertise ligt in het veld; dat is altijd zo geweest. Daar blink je in uit en daar heb ik het meest aan je, en met mij het hele land.'

'Dus de beslissing is al genomen.'

Crawford bleef Paull aankijken. 'Dennis, vertel me eens: ben je het afgelopen jaar gelukkig geweest? In je functie, bedoel ik.'

Paull zei niets. Hij dacht aan zijn toekomst, die zo onvoorspelbaar was als drijfzand. 'Aangezien alles al besloten is, doet het er niet echt meer toe wat ik zeg.'

De president vouwde zijn handen ineen en zette zijn ellebogen op zijn knieën. 'De reden dat ik Edwards initiatieven heb teruggedraaid is simpel: die waren gedoemd te mislukken. Het prijskaartje van de gezondheidszorg... hij zou zich hebben moeten inlikken bij de grote farmaceutische bedrijven om dat voor elkaar te krijgen. Daar zat meer stront aan vast dan aan een mesthoop. De aanval op de handelsbanken... veel te moeilijk en te riskant om door het Congres te krijgen. Edward zou al zijn politieke krediet op die agenda hebben moeten inzetten en hij zou tóch hebben verloren. Zijn presidentschap zou mislukt zijn. Ik heb de kans gekregen om het schip weer op koers te brengen en ik heb die kans gegrepen.'

'Op koers...' zei Paull zuur.

Hoofdschuddend lachte Crawford. 'Dennis, ik ga een gokje wagen. Ik heb besloten dat ik je genoeg vertrouw om je een geheim te verklappen.' Hij wachtte even, alsof hij het nog eens goed wilde overdenken. Zonder het te willen boog Paull zich een stukje naar voren om beter te kunnen verstaan wat de president ging zeggen, want de man fluisterde nu bijna.

'Ik ben bewust conservatief. Niet uit overtuiging. Dat weten niet veel mensen, en Edward wist het evenmin. Maar ik moet vanuit een sterke positie met een aantal machtige elementen in dit land kunnen onderhandelen. En ik wil doen wat goed is voor dit land. Wat we op dit moment vóór alles nodig hebben, is fiscale verantwoordelijkheid. Ik ga ervoor zorgen dat we die krijgen.'

'En daarvoor moet er iemand anders onderminister van BZ worden. Gaat u dat in uw toespraak zeggen?'

Crawford wuifde Paulls woorden weg. 'Ik ga die plek niet opvullen. Jouw man Dickinson, die er directeur is, is meer dan in staat om het departement te leiden. Verdomme, dat doet hij al. Hij is een organisatietovenaar, of niet?'

'Klopt.'

De president spreidde zijn handen. 'Nou, dan is het toch duidelijk.'

'En wat gaat mijn nieuwe functie worden?'

Er gleed een brede glimlach over Crawfords gezicht. 'Officieel word je eindelijk ambassadeur. Officieus leid je een SITSPEC en rapporteer je rechtstreeks aan mij.'

Dat was helemaal niet slecht, bedacht Paull. SITSPEC was overheidsjargon voor een *situation-specific black ops-groep* die in theorie kon bestaan uit twee tot tweeduizend mensen.

'In dat geval heb ik wel een paar voorwaarden.'

'Laat ze horen, Dennis.'

'Ik wil geen toezicht.'

'Definieer toezicht.'

'De groep opereert op Black ICE-niveau. Onzichtbaar voor het Congres, de CIA en Defensie. Ik rapporteer aan u en volg uw mandaten op, en de mandaten die ik noodzakelijk en wenselijk acht. Punt.'

De president wreef over zijn kin. 'Tja, eh, Dennis... ik weet niet of ik dat kan doen.'

'Oké.' Paull stond op. 'Dan ben ik hier weg, meneer.'

Crawford moest naar hem opkijken toen hij gebaarde dat hij weer moest gaan zitten. 'Jezus, ga alsjeblieft zitten.' En nadat Paull dat had gedaan: 'Heb je al een naam voor de groep, Dennis?'

Paull dacht even na. 'Chimaera.'

'Ah, het monster dat van uiterlijk kan veranderen. Een monster dat Arian Xhafa kan vernietigen.' Tevreden knikte de president.

'Hoe minder mensen om u heen ervan weten, hoe beter.'

'Mee eens, maar je zult Chimaera toch ergens moeten stationeren. Begin maar op het departement dat je het beste kent. BZ.'

'En ik wil Jack McClure.'

'Is dat alles? Eén man?'

'Op dit moment wel.'

'Dan heb je hem.' De president begon over de details. 'Dit misdaadzaad verspreidt zich als een virus. Als jij de stekker eruit trekt, zal Amerika's imago weer gaan stralen. Vanaf dit moment heb je Alfa Autorisatie om alles aan te vragen wat je nodig hebt voor deze missie. Ik wil dat je me het hoofd van Arian Xhafa brengt.'

Paull bladerde het dossier door. 'En ik heb een betere foto van Xhafa nodig.'

De president keek gepijnigd en legde drie foto's naast de eerste – korrelige, vage observatiefoto's die met een telelens waren genomen. Hij tikte ze stuk voor stuk aan.

'Xhafa kan deze man zijn. Of deze. Of deze. Hoogstwaarschijnlijk is hij geen van drieën. We weten het niet.'

'Verblijf?'

'Idem dito. We weten niet wie zijn ouders zijn en waar hij vandaan komt.'

'Dat is een grapje, of niet?'

'We hebben het over een heel bijzondere man, Dennis. Een duister mirakel. Een door en door slecht mens.'

'Zoals Kurtz in zijn jungletempel?'

'Nee. Kurtz kwam uit de beschaafde wereld. Xhafa werd op een duistere plek geboren en daar heerst hij met de macht van een mythisch monster.'

Nu wreef Paull met zijn hand over zijn kin. 'Hoe heeft hij zoveel macht en invloed gekregen?'

'McClure houdt er toch van om raadsels uit het echte leven op te lossen?'

Paull stond op. Toen hij bij de deur was, hield de stem van de president hem tegen. 'Er is nog iets wat niet in het dossier staat. Arian Xhafa heeft meer geld dan een Albanese misdaadkoning hoort te hebben.'

'Het beste wapen ter wereld,' vond Paull.

De president knikte. 'Waar komt dat geld vandaan en – wat even onduidelijk is – waar haalt hij zijn wapens vandaan? Daar heb je contacten op hoog niveau voor nodig. Nog twee raadsels die je moet oplossen.'

'U vraagt niet veel, hè, meneer?'

Er gleed een klein lachje over Crawfords gezicht. 'Het moet gebeuren, en wel nu. Tegelijkertijd met die plotselinge geldtoename kreeg hij de ambitie om zijn organisatie tot over de grenzen van Macedonië en Albanië uit te breiden... om te beginnen naar Italië, omdat dat zo dichtbij ligt, net aan de overkant van de Adriatische Zee, en dan naar Spanje, Frankrijk en Duitsland. De Albanezen drongen het Italiaanse maffiagebied binnen op het moment dat de Italiaanse politie diezelfde maffia zware verliezen toebracht. Macht heeft een bloedhekel aan een vacuüm. Xhafa rook zijn kans en sprong er met twee benen in. Nu moet hij worden tegengehouden voordat hij zijn mensen in een internationale criminele bende heeft veranderd.'

'Dus het wordt niet echt een strikt humanitaire missie.'

'Jezus, Dennis, dat is het toch nooit?'

4

De psychiater was de deur nog niet uit of Alli barstte in huilen uit. Ze huilde zoals ze in bijna een jaar niet had gehuild. De snikken waren diep en hartverscheurend, ook omdat ze zichzelf had gedwongen ze binnen te houden tijdens de bijna twee uur dat de psychiater haar had ondervraagd. Hij was een lange, donkere man met een stoppelbaard en een scherpe neus. Er hing een vage geur van tabak en verlies om hem heen.

Nu ze alleen was, verlangde ze naar Jacks troostende stem. Maar de advocaat had haar telefoon meegenomen als bewijs en er stond geen telefoon in de studeerkamer van haar oom, waar ze in de grote, ouderwetse stoel zat, die er al stond in de tijd dat ze hier met haar vader kwam en zij wat rondhing terwijl oom Hank en hij naar de kelder gingen om te praten. Als jong meisje had ze zich nooit afgevraagd waarom ze daarvoor naar de kelder gingen. Pas later begreep ze dat ze dat deden omdat die kelder de best beveiligde plek van het huis was. Beveiliging was echter het laatste wat in haar opkwam als ze aan de nachtmerrie van vandaag dacht.

De studeerkamer was nog precies zoals ze zich herinnerde, gevuld met bewerkt, handgedraaid hout uit de oude wereld, een bewerkt plafond, boekenkasten van de grond tot het plafond en een enorme stenen haard waarboven een opgezette elandenkop met een indrukwekkend gewei hing die – dat vond ze tenminste – meelevend op haar neerkeek.

Zo'n drie kwartier later kwamen haar oom en zijn advocaat terug.

Alli probeerde nog steeds tevergeefs het beeld van Billy Warren uit haar hoofd te krijgen, onder het bloed, met overal snijwonden en zijn halsslagader doorgesneden alsof hij door een vampier was gebeten. Maar ze kreeg het niet van haar netvlies. Het bleef hangen als een gast, die nadat hij was uitgenodigd, dreigde het hele huis over te nemen.

'Alli,' zei Henry Holt Carson toen hij op de bank tegenover haar zat. 'Hoe voel je je?' Achter hem stond Harrison Jenkins, even roerloos als een indianenbeeld voor een sigarenzaak.

'Hoe denk je dat ik me voel?'

'Ik heb werkelijk geen idee.'

'Dat is nou net het punt!' Ze dikte haar beschuldigende toon wat aan.

'Waarom houdt u me hier vast? Waarom mag ik zelfs Jack niet bellen?'

'McClure heeft het heel druk met jouw naam te zuiveren. Tenminste, dat hoop ik,' zei Carson. 'En op last van de rechtbank mag je hier niet weg.'

'Toch wil ik hem spreken.'

'Misschien later.'

'En wat bedoelt u daar verdomme mee?'

'Alli, ik had graag dat je je tong in bedwang houdt.' Duidelijk geïrriteerd ging hij anders zitten en zette twee medicijnflesjes op het tafeltje tussen hen in. 'De psychofarmacoloog met wie je hebt gesproken...'

Ze staarde naar de flesjes. 'Wilt u me medicijnen geven?' Ze stond op en veegde met een hand de flesjes van tafel af. 'Ik neem absoluut geen enkel klotemedicijn in!' Ze beefde.

'Alli, ik denk dat je jouw situatie niet goed inschat.'

'Henry, mag ik even?' Jenkins kwam dichterbij en gebaarde naar Alli dat ze weer moest gaan zitten. Hij ging in de stoel naast haar zitten. 'De rechercheurs wilden je ontzettend graag arresteren en opsluiten. Ik heb dat met een handigheidje kunnen voorkomen. Maar ik moest dat wel vanochtend bij een federale rechter verdedigen, terwijl de openbaar aanklager in mijn nek hijgde. De situatie is als volgt: er is een afschuwelijke moord gepleegd en er wordt van allerlei kanten grote druk uitgeoefend om de moordenaar te pakken en hem of haar voor de rechtbank te brengen.'

'Ik heb Billy niet vermoord!' riep Alli uit. 'Waarom luistert er niemand naar me?'

'Ik heb niet gezegd dat je hem hebt vermoord. Eerlijk gezegd denk ik dat je onschuldig bent, maar er zijn twee zeer bezwarende bewijzen die dat tegenspreken...' Hij stak zijn hand op om haar protesten tegen te houden. '... óf die tot de conclusie leiden dat een heel slim iemand jou er om de een of andere reden heeft in geluisd.' Hij haalde diep adem. 'Ken jij iemand die reden heeft om jou zo'n afschuwelijke misdaad in de schoenen te schuiven?'

Ze keek even naar haar oom voordat ze haar hoofd schudde. 'Nee.'

Jenkins keek haar nadenkend aan en vroeg toen aan Carson: 'Henry, kan ik even alleen met haar praten?'

Carson fronste zijn wenkbrauwen. 'Waarom?'

'Henry, er zijn vast bakken telefoontjes die je hoognodig moet plegen.'

Grommend stond Carson op, liep naar de deur en deed die zachtjes achter zich dicht.

Jenkins haalde een keer diep adem en zei tegen Alli: 'Oké, meisje, wat wilde je net écht zeggen?' Hij zag haar naar de deur kijken en voegde er snel aan toe: 'Alles wat je me vertelt, moet ik geheimhouden... zelfs voor je oom.'

Alli beet op haar lip, zette haar ellebogen op haar knieën en zei: 'Iemand luist me erin. Ik bedoel: ik zou nooit mijn kamergenote drogeren of Billy vermoorden. Jezus!'

Hij knikte bedachtzaam.

'U gelooft me niet.'

'Waarom denk je dat?'

Alli streek met een hand door haar haar. 'Dit is net een nachtmerrie.' Ze schraapte haar keel. 'Iedereen denkt dat ik een posttraumatisch stress-syndroom heb.'

Jenkins wachtte even. 'Dat is alles?'

'Ja.'

'En jij bent er zelf van overtuigd dat je gezond bent.'

'Ik heb niemand vergiftigd en ik heb niemand vermoord.'

Hij ging ontspannen in zijn stoel zitten en drukte zijn lippen op elkaar. 'Dat zal ik meenemen.'

'En ik wil Jack spreken.'

'Nu?' Jenkins had de gewoonte te praten zonder dingen daadwerkelijk te benoemen. 'Je oom is ervan overtuigd dat je een – hoe zal ik het zeggen? – een onnatuurlijke gehechtheid vertoont met Jack McClure.'

Ze keek hem met grote ogen aan. 'En dat gelooft u?'

'Het is niet belangrijk wat ik geloof. Ik werk voor je oom.'

Ze keek door het raam naar de kronkelige oprijlaan. Ineens stond ze op, pakte een pook die bij de haard stond en ramde ermee tegen het raam. De pook stuiterde terug, alsof het een rubberen ruit was. Alli sloeg weer, en nog een keer, en kreunde bij elke slag van inspanning, maar er verscheen niet eens een barstje in de ruit.

Ze draaide zich net om naar Jenkins toen de deur openvloog en er een man met brede schouders en het rode gezicht van een gewichtheffer naar binnen rende.

Jenkins stak zijn hand op. 'Laat maar, Rudy. Niets aan de hand.'

Om zijn woorden te onderstrepen, liep hij naar Alli en pakte de pook van haar af. Rudy nam die van hem over en na een laatste blik op Alli liep hij naar de deur en deed die achter zich dicht.

'De ramen zijn van kogelvrij, gewapend glas,' zei Jenkins.

'Ik kwam hier ook al als kind. Ik heb die ruit een keer gebroken. Wanneer zijn ze vervangen?'

'Een jaar of vijf, zes geleden.'

'Dus nu ben ik een gevangene in het huis van mijn oom.'

'Ik ben bang van wel.'

Zijn woorden bleven even in de kamer hangen. Ergens op de achtergrond rinkelde een telefoon. Buiten blafte een hond enthousiast.

'Jullie zijn allebei net zo ziek als de rest,' zei ze wanhopig. Ze merkte dat ze weer in de oesterschelp kroop die ze voor zichzelf had gemaakt toen ze ontvoerd was.

Jenkins leek dat ook te zien, want hij zei sussend: 'Het meest absurde aspect van de aanklacht is natuurlijk het martelen. Wetenschappelijke onderzoeken tonen aan dat vrouwen, hoewel ze net zo harteloos kunnen zijn en net zo goed tot moord in staat zijn als mannen, zelden martelen. Aan de andere kant, wat er met Billy Warren is gebeurd zo gruwelijk van aard, dat het wel logisch is dat de rechter zo'n haast heeft. Dat is in elk geval mijn mening. En het is ook het grootste vraagteken. Wat wilden zijn moordenaar of moordenaars van hem? Wat voor informatie bezat hij dat ze hem daar zo afgrijselijk voor wilden martelen?'

Hij keek haar aan alsof hij een antwoord van haar verwachtte. Hoofdschuddend zei ze: 'Dat weet ik niet. Zo goed kende ik hem nou ook weer niet.'

'Kom op, Alli. Jullie hadden al vijf maanden een liefdesrelatie.'

'Dat is nou precies het punt. Het was geen liefdesrelatie.'

'O? Wat was het dan?'

'Ik was...' Ze keek even weg. 'Ik probeerde mezelf weer te voelen, om... ik weet het niet precies... om mijn lijf weer te voelen, om het onder controle te krijgen.'

Jenkins keek haar nadenkend aan. Misschien overwoog hij wat ze had gezegd. Toen zei hij: 'Vond je meneer Warren aardig?'

'Natuurlijk.' Ze aarzelde even. Het was duidelijk dat ze nog meer te vertellen had. 'Maar niet... niet op de manier zoals u denkt.'

'Wat denk ik dan?'

'We waren geen klassieke geliefden... niet zoals Romeo en Julia.'

'Als ik het me goed herinner, stierf Romeo.'

Ze snoof spottend.

'Even nog over die psychofarmacoloog. Een van de dingen die hij over jou vertelde, is dat je volgens hem geen affectie vertoonde.'

'Volgens mij vertoont hij zelf geen affectie.'

Jenkins glimlachte kort. 'Wat hij met die diagnose bedoelde, is dat jij moeite hebt met je emoties. Soms heb je ze gewoon niet. Met andere woorden: er zijn momenten waarop je niets geeft om dingen... en om mensen.'

Weer keek ze weg.

'Zijn evaluatie zal zwaar wegen tijdens het onderzoek. Het is typerend voor mensen die niets voelen...'

'Ik heb al gezegd dat ik die klotemedicijnen niet neem!' zei ze woedend.

'Je luistert niet naar me. Iedereen die op de plaats delict was, heeft jouw reactie op de dood van je vriendje gezien – of beter: je gebrek aan reactie – ook de mensen die je aardig vinden.'

'Jullie zouden het toch niet begrijpen.'

Hij spreidde zijn handen. 'Je hebt nu de kans om het me uit te leggen.'

Ze keek hem alleen maar aan.

Zuchtend zei Jenkins: 'In ruil voor het feit dat je bij je oom mag blijven in plaats van in een federale cel te zitten, heeft de rechter een psychiatrische evaluatie geëist.' Hij haalde weer diep adem en blies de lucht vervolgens langzaam uit, alsof hij zwaar weer verwachtte. 'Je moet je voegen naar de diagnose van de psychofarmacoloog, wat uiteraard ook inhoudt dat je de medicijnen inneemt die hij voorschrijft.'

Alli sprong uit de stoel en verborg zich erachter alsof hij een leeuw was waarvoor ze bescherming zocht. 'Dat doe ik niet! Verdomme! Ik doe het niet!'

'Het spijt me.' Jenkins keek haar oprecht spijtig aan. 'Ik ben bang dat je geen keus hebt.'

Daglicht sijpelde tussen de bomen door als het flikkerende licht van een televisiescherm. Jack, doodop en bezorgd om Alli, had de plaats delict urenlang nauwkeurig onderzocht. De rechercheurs waren tegen hun zin vertrokken, maar Naomi Wilde en Peter McKinsey waren er nog, net als de commandant van Fearington, Brice Fellows, die brood en thermoskannen koffie uit de kantine van de academie had laten aanrukken. Het moet worden gezegd dat Fellows zich afzijdig hield, koffie dronk en zwijgend toekeek. Jack kende McKinsey niet, maar Naomi kende hij goed uit de tijd dat ze de first lady bewaakte. Carson had Naomi uit haar werk geplukt om zijn vrouw te beschermen. Zo werkte Edward Carson... instinctief. Nu hij aan Lyn Carson dacht, besefte Jack dat nog niemand Alli had verteld dat haar moeder was overleden. En bij nader inzien dacht hij dat dat nieuws ook nog maar even niet verteld moest worden.

Jack had zijn tijd verstandig gebruikt. Zodra er voldoende daglicht was, had hij de schijnwerpers uitgezet en was hij aan de slag gegaan. Hij had geleerd schijnwerpers te wantrouwen; die verstoorden het perspectief en speelden een gemeen spelletje met de indrukken die zijn hersenen wilden verwerken. In steeds kleinere cirkels liep hij om het lijk heen. Zijn dyslectische hersenen maakten er foto's van, niet alleen van de onnatuurlijke kleur en gesteldheid van de huid en van de groteske verminkingen van het lichaam en gezicht, maar ook van dingen die andere mensen niet konden zien en amper goed konden interpreteren. Maar zijn hersenen werkten wel driehonderd keer sneller dan die van andere mensen, zagen de kleinste afwijkingen en opmerkelijkheden en konden die dingen analyseren in de tijd die een normaal mens nodig heeft om in en uit te ademen.

Dat was ook de reden dat hij de breuk onder het linkeroog zag. Het bot daar was keurig gebroken, het soort breuk dat een chirurg maakt om een bot te kunnen zetten. Het intrigeerde hem dat die breuk opzettelijk was toegebracht. Tegen de anderen zei hij niets over zijn vondst en zijn ideeën.

Hij stond op en zei tegen Fellows: 'Commandant, denkt u echt dat Alli in staat was deze misdaad te plegen?'

Fellows haalde zijn vlezige schouders op. 'Meneer McClure, om eerlijk te zijn, wist ik dat ik geen goede psycholoog ben op het moment dat mijn vrouw zonder iets te zeggen bij me wegliep.'

'En jij, Naomi?'

Hoofdschuddend zei ze: 'Ik kan het me niet voorstellen. Maar aan de andere kant is ze voor iedereen behalve voor jou een gesloten boek, dus kan ik jou net zo goed dezelfde vraag stellen: is ze tot zoiets in staat?'

'Absoluut niet.'

'Maar die flesjes met sporen van roofies onder haar bed dan?' vroeg McKinsey. 'En dat bebloede mes in de prullenmand achter in haar slaapkamer?'

Jack knikte. 'We moeten snel vaststellen of het Billy's bloed is dat op het mes zit, en of haar vingerafdrukken op het heft staan.'

'En wat als het haar vingerafdrukken zijn?' vroeg Naomi.

Hij wuifde haar bezorgdheid weg. 'Iemand heeft heel veel moeite gedaan om haar erin te luizen. Hier is lang en goed over nagedacht.'

'En waarom zou iemand sowieso zo'n bizarre moord plegen?' zei McKinsey. 'Zulke steekwonden en het laten doodbloeden van het slachtoffer?'

'Afleidingsmanoeuvres,' zei Jack, 'bedoeld om ons te misleiden.'

McKinsey maakte een diep keelgeluid.

'Of dacht je soms dat er een vampier op Fearington rondwaart?' vroeg Jack.

'Natuurlijk niet, maar denk je niet dat het mogelijk is dat toen Alli achter het bestaan van dat andere meisje kwam...' Hij knipte met zijn vingers.

'Arjeta Kraja,' vulde Naomi behulpzaam aan.

'Ja. Is het niet mogelijk dat Alli is geflipt toen ze ontdekte dat Billy met Arjeta Kraja het bed in dook?'

'Dat lijkt me niet,' zei Jack zuur. 'Laten we ons op de realiteit richten.' McKinsey haalde zijn schouders op om aan te geven dat hij dat al probeerde.

'Er is iets helemaal mis met deze scène.' Jack keek weer naar het lijk. 'Die is raar, grotesk en overdreven. We moeten uitzoeken wat er niet klopt.'

'We moeten met die Arjeta Kraja gaan praten,' zei Naomi. 'Zo snel mogelijk.'

Een beetje afwezig knikte Jack. Er was nog iets wat hij liever niet met Naomi en McKinsey wilde delen. Hij had het akelige vermoeden dat Alli meer over die vrouw wist dan ze liet merken. Waarom ze dat geheim hield, was hem een raadsel, maar hij kende Alli goed genoeg om te weten dat het voor haar vast een verrekt goede reden was. En dat kon het ook maar beter zijn, dacht hij.

Niemand wilde hem vertellen waar ze nu was. Jack had Henry Carsons huis in Georgetown gebeld, maar daar werd niet opgenomen.

Hij nam een besluit en zei tegen Fellows: 'Ik wil Alli's kamergenoot spreken.'

Vera Bard lag in een bed in de ziekenboeg van de academie. Het roze ochtendlicht viel door de ramen naar binnen. De muren waren zachtgeel geschilderd, maar op de vloer lag grijs linoleum, een overblijfsel uit een andere tijd.

De verpleegster bracht Jack naar Vera's bed. Alli's kamergenoot was een vrouw met donker haar, grote, licht opgezette chocoladebruine ogen, een rechte neus en een brede, expressieve mond.

'Een paar minuten maar,' waarschuwde de verpleegster. 'Ze is nog heel zwak.'

Er druppelde vloeistof in Vera's arm en ze keek niet helder uit haar ogen, alsof ze moeite had om wakker te blijven, waardoor ze iets mysterieus had. Hij vermoedde dat ze van gemengde Europees-Aziatische afkomst was. Haar lange haar was dof van het zweet en lag in slappe, gedraaide vlechten op haar kussen, maar ondanks dat zag Jack dat ze een heel knappe vrouw was.

Hij ging op een geverfde metalen stoel zitten en stelde zichzelf voor. 'Vera, kun je me vertellen wat er gisteravond is gebeurd?'

'Ik... ik weet het niet.' Ze praatte zacht en schor. 'Ik ging gewoon naar bed, heb nog even wat gelezen, heb mijn pillen ingenomen en ben gaan slapen.' Ze likte haar droge lippen. 'En vervolgens werd ik hier wakker.'

'Was Alli ook in de kamer toen je ging slapen?'

'Ja.'

'En toen je aan het lezen was?'

'Ja.'

'Hebben jullie nog gepraat?'

'Voor ik naar de badkamer ging hadden we het over...' Ze fronste haar wenkbrauwen. 'Ik weet niet meer waar we het over hadden. Misschien over jongens.'

'Over Billy?'

'Weet ik niet. Misschien.'

'En toen je weer uit de badkamer kwam?'

Vera schudde haar hoofd. Er schoof een haarlok over haar wang.

Jack glimlachte naar haar. 'Ik vind het vervelend voor je wat er is gebeurd.'

Vera leek hem niet te horen. Ze likte haar lippen nogmaals. 'Ik wil Alli zien.'

'Ik zal het tegen commandant Fellows zeggen.' Jack stond op. 'Wat voor medicijnen gebruik je trouwens?'

'Crestor. Ik heb een te hoog cholesterol.'

Glimlachend knikte hij. 'Bedankt, Vera.'

Op weg naar buiten kwam Jack Naomi tegen.

'We moeten minstens een week op de DNA-uitslagen wachten,' vertelde ze. 'Maar het forensisch team heeft Alli's vingerafdrukken gevonden op het waterglas dat naast Vera's bed stond.'

'Ook nog van anderen?'

'Alleen die van Alli.'

Jacks telefoon trilde. Toen hij opnam, sprak Dennis Paull snel en gespannen in zijn oor. Jack liep de gang in, weg van Naomi en McKinsey, die er inmiddels ook was.

'Een nieuwe baan?' zei Jack na een tijdje. 'Heeft Crawford je eruit geschopt?'

'Niet helemaal.' Paull legde het uit. 'En jij gaat met me mee, Jack. Ik ben nu met de details bezig. Om middernacht vliegen jij en ik naar Macedonië, daarna gaan we naar het westen, de bergen in, naar een of ander flutdorpje dat Tetovo heet, en daar moeten we ene Arian Xhafa, een klootzak van het zuiverste water, elimineren.'

Jack verbeet zijn protest. Hoewel Paull hem duidelijk had gemaakt dat hij meeleefde met Alli's penibele situatie, vermoedde Jack dat hij vond dat er genoeg anderen waren – Naomi Wilde als belangrijkste – die Alli konden bijstaan. En met Harrison Jenkins hadden ze een van de beste strafpleiters van de wereld in huis. Jack hoorde hem al zeggen: rustig maar, Alli is in goede handen. Het probleem was dat dat maar de halve waarheid was. Niemand kende Alli zo goed als hij, en zij zou nooit iemand anders in vertrouwen nemen. Ook Naomi niet. En zwijgen zou haar zaak absoluut geen goed doen.

'O, is dat alles?' zei hij. 'Uit wat je me hebt verteld, heb ik anders begrepen dat hij uitermate goed beschermd wordt en bewapend is. Het zal niet makkelijk zijn om hem te doden.'

Paull lachte. 'Ik mag dan de afgelopen jaren achter een bureau hebben gezeten, Jack, maar geloof me als ik je vertel dat ik nog wel een paar trucjes achter de hand heb.'

5

Alli liep langzaam door de studeerkamer van haar oom en liet haar vingers over de boeken glijden, over kunstvoorwerpen en souvenirs en over ingelijste foto's van haar oom met presidenten uit het verleden en heden. Ze stopte bij een foto van de twee broers en keek naar haar vader. Die glimlachte naar de camera en had een hand op de schouder van zijn oudere broer gelegd. Vanwege de onscherpe bergen op de achtergrond dacht ze dat ze ergens in het westen waren, waarschijnlijk op een van de ranches van haar oom. Hij had een grote cowboyhoed in zijn hand.

Ze wist dat ze iets zou moeten voelen nu ze het gezicht van haar vader zag – verdriet, pijn, een leegte in haar lijf waar hij ooit had gezeten – maar ze voelde niets. Alsof haar hart van hout was en in een vuur was verbrand, alsof het alleen nog in naam een hart was, een hol vat, net zo nutteloos als een woestijn waarin niets kon groeien.

Ze probeerde aan dingen uit het verleden te denken – aan de tijd met Emma, Jacks dochter, en aan haar recente avonturen met Jack zelf in Moskou en de Oekraïne. Het voelde alsof ze droomde, alsof ze keek naar een film waarin ze zelf geen rol speelde. Even probeerde ze zich aan die afzijdigheid te ontworstelen, maar het lukte haar niet. En daar was een goede reden voor. Zonder dat ze zich ervan bewust was, had ze een afweermechanisme ontwikkeld waarmee ze afstand kon nemen van die afschuwelijke week dat ze gevangen was gehouden in die kleine, pikdonkere kamer en werd gedwongen...

Maar ze zat nog altijd in een gevangenis. Ditmaal een die ze zelf had gemaakt.

Er ging een obstakel omhoog, een soort loden muur die zelfs Supermans röntgenblik tegenhield. Haar eigen röntgenblik – het achteromkijken naar dat ene deel van haar verleden, het blindstaren op die ene week alsof het een litteken was dat niet heelde – moest koste wat kost worden gestopt, zelfs als dat inhield dat ze nu niets voelde.

Ze maakte een keelgeluidje, zoals een vos doet als hij in een val is getrapt en op het punt staat zijn eigen poot af te bijten om vrij te komen. De waarheid was dat ze ontzettend graag met Annika wilde praten. Helaas was dat iets wat ze nooit aan Jack kon vertellen. Het was Annika geweest die Jack had omgepraat om haar naar mevrouw Milla Tamirova te laten gaan. Die had Alli meegenomen naar haar sm-kerker en had haar geconfronteerd met haar angst om in een stoel te worden vastgebonden. Waarom had Annika dat gedaan? Omdat ook zij was ontvoerd. Ze wist in welke hel Alli was geweest, omdat ze er zelf in had gezeten. Maar in tegenstelling tot Alli was zij eruit ontsnapt. Alli wilde haar heel graag weer zien, maar zij, noch Jack wist waar ze was.

Ze voelde zich als een rat die door een terriër was gevangen. Ze wilde huilen, maar haar ogen bleven droog. Ze pakte een bronzen beeldje van Frederic Remington – een cowboy op een steigerend paard met een ratelslang ervoor – en hield het boven haar hoofd. Ze voelde een onweerstaanbare behoefte om het ding tegen een glazen vaas aan te gooien, maar zette het toch terug op de plank.

Door het geluid zou Rudy binnenkomen, en hij zou kunnen besluiten bij haar te blijven, om er zeker van te zijn dat ze niets meer kapot zou gooien. Dat ze opnieuw gevangenzat, ook al was het dan in de studeerkamer van haar oom, maakte haar gek. Door haar ingewanden rolde een ijskoude klomp van paniek die bij elke omwenteling groter werd. Ze moest hier weg. Snel. Ze moest Jack vinden, maar ze had geen idee hoe ze met hem in contact kon komen. Er moet toch een uitweg zijn, zei de joker tegen de priester. Ze lachte, geluidloos en grimmig. Jack had haar gezegd dat er altijd een uitweg was.

Ze keek de studeerkamer door en rook de bekende geuren van leer, eau de toilette van haar oom en sigarenrook. Ze deed haar ogen dicht en dacht terug aan de middagen toen ze als jong meisje, opgekruld in deze zelfde stoel, dezelfde geuren had geroken. Ze was vaak aan haar lot overgelaten als de volwassenen met elkaar praatten, zoals volwassenen kunnen doen. Ze wist niet meer hoe ze die tijd had opgevuld, ondanks de wisselende seizoenen en tijdsverschillen leken alle middagen in elkaar over te lopen.

Abrupt deed ze haar ogen open. In die eenzame uren had ze de hoekjes en gaatjes, de kasten en planken van de studeerkamer van oom Hank verkend. Ze strekte haar benen, stond op uit de stoel en met kleine, zachte pasjes liep ze naar het grote, walnoten bureau. Als kind had het een soort oorlogsschip of kasteel vol geheimen geleken.

Maar wat destijds een grote schat voor een jong meisje was – een luciferdoosje, een kleine humidor, een foto van een jong meisje – was dat nu niet meer. Ze speelde niet meer met de kleine vlammetjes, sigaren vond ze nu stinken en het meisje op de foto was Caroline, de dochter uit oom Hanks eerste huwelijk, die, dood of levend, ver buiten zijn bereik was.

Alsof ze van de aardbol was verdwenen. Alli had Caroline gekend, al was het maar kort. Toen ze met haar speelde, had ze een grote leegte in haar ogen gezien. Maar pas veel later, lang nadat Caro was verdwenen, nadat ze zelf een angstige en moeilijke periode achter de rug had, had ze die leegte begrepen. Caro had vol pijn en woede gezeten, tot ze er niet meer tegen kon en was verdwenen. Na haar verdwijning had oom Hank met Alli gepraat. Blijkbaar dacht hij dat zij wist wat er met Caro was gebeurd. En na die dag had Alli hem nooit meer haar naam horen noemen.

Ze liet haar vingertoppen over het bureaublad glijden en vroeg zich af wat voor geheimen er in de diepte van dit notenhouten kasteel zaten. Ze begon onderaan, omdat geheimen volgens haar zo diep mogelijk werden weggestopt. In de onderste linkerla hingen alleen maar dossiermappen, allemaal van InterPublic Bancorp – memo's, brieven, kwartaaloverzichten en dergelijke. Zonder veel interesse bekeek ze ze. De onderkant van de mappen schuurde over de bodem van de la. De la daarboven was niet zo diep. Daar zaten de bekende blocnotes in, doosjes met gele potloden, een rode plastic puntenslijper, gummetjes en rollen plakband. Wat ontzettend ouderwets van oom Hank. Op wat potloodslijpsel en een gebroken potloodpunt na was de bovenste la leeg. De brede la recht boven de beenuitsparing zat vol rommel: paperclips, elastiekjes, nietjes en markeerstiften in allerlei kleuren... het bekende kantoorspul. In de drie rechterlades vond ze een stapeltje politieke tijdschriften als *The Atlantic*, een halfvolle fles bourbon en een paar borrelglaasjes, een zakje hoestbonbons, een metalen flesje, kurkdroog van binnen, en een menukaart vol vetvlekken van First Won Ton in Chinatown. De laatste las ze vluchtig. Eén gerecht, een specialiteit van de kok, kruidige, geurige eend met kersen, was met pen omcirkeld. Onder het menu lag een foto van Caroline en haar moeder. Caro was jong, misschien tien, elf jaar, maar je kon zien dat ze erg op haar moeder Heidi leek: lang, atletisch gebouwd, blond – zo bleek als een geest eerlijk gezegd – een hoog, intelligent voorhoofd en lichte ogen. Op de foto was de kleur niet te zien en Alli kon zich niet meer voor de geest halen of ze blauw, groen of lichtbruin waren. Moeder en dochter leken wel twee amazones en konden zo uit een advertentie van Ralph Lauren zijn gelopen. Wat jammer dat Heidi nu ergens aan de westkust zat en Caro god-mag-weten-waar. Alli legde de foto en de menukaart terug en duwde de la dicht.

Misschien was er wel niets te vinden hier.

Ze zat op haar hurken en wiegde bedachtzaam van voor naar achteren terwijl ze naar het bureau keek. Impulsief trok ze de la met de dossiers weer open, duwde de mappen heen en weer over hun metalen rail en luisterde naar het schurende geluid. Ineens verscheen er een frons op haar voorhoofd. Ze duwde de mappen zo ver mogelijk naar achteren en keek naar de bodem van de la. Daarna keek ze naar de buitenkant. Zo te zien zat er een verschil van een paar centimeter tussen. Ze klopte op de onderkant van de la en hoorde een holle echo, maar ze kon er niet in komen. Dus trok ze de mappen naar zich toe, deed de la helemaal open en ontdekte een sikkelvormig deukje in het hout.

Daar stak ze een vingernagel in, en met een beetje wrikken kwam er een rechthoekig, kartelig stukje uit de bodem los. In het geheime vakje eronder lag een mobiele telefoon. Meer niet. Ze controleerde de ruimte nog een keer voordat ze het rechthoekige stukje op zijn plaats deed, de mappen teruglegde en de la dicht duwde.

Vervolgens liep ze naar de deur van de studeerkamer en legde haar oor tegen het bewerkte, gewreven hout. Ze hoorde haar oom met anderen praten en daarna de voordeur dichtslaan. Snel liep ze naar het raam, net op tijd om haar oom en Jenkins achter in een glimmend zwarte Lincoln Town Car te zien stappen, die onmiddellijk vertrok.

Weer in de stoel rolde ze zichzelf op en bekeek de telefoon. Het was een merk dat ze kende, maar het model had ze nog nooit gezien. Misschien omdat het een oud model was. Hoewel, de meeste mensen gooiden hun oude toestel weg als ze een nieuw hadden en verstopten het niet in een geheim vakje in hun bureau. Ze drukte op de aan-knop. Onmiddellijk lichtte het venstertje op en was er verbinding met een netwerk. Dus het was geen oud toestel, of anders werkte de simkaart nog steeds. En de batterij was opgeladen.

Ze wachtte tot het netwerk haar een signaal gaf, maar er verscheen niets op het schermpje, alleen een klein, rood sos.

'Shit, krijg nou wat,' mompelde ze. Ze kende verhalen over hotelketens die draadloze stoorzenders gebruikten om hun gasten te ontmoedigen in hun kamer hun eigen toestel te gebruiken, en ze te dwingen de veel duurdere hoteltelefoons te gebruiken, maar waarom zou oom Hank zoiets thuis hebben? Behalve als het een veiligheidsmaatregel was.

Ze stopte de telefoon in haar zak en probeerde de opkomende paniek de baas te blijven.

Arjeta Kraja ondervragen bleek nogal problematisch, voornamelijk omdat ze nergens te vinden was.

'Alsof ze nooit heeft bestaan,' zei Peter McKinsey tegen Naomi en Jack in het voorstadje dat het dichtste bij Fearington lag, waar ze hadden afgesproken.

'Haar naam komt in geen enkele overheidsdatabase voor, zei Naomi, die op haar PDA keek. 'Ze heeft geen rijbewijs, geen zorgverzekering, zelfs geen sofinummer.'

'Familie?' vroeg Jack.

'Nope.' McKinsey schuifelde met zijn voeten alsof hij dringend ergens naartoe moest.

'Vrienden?'

'We hebben niemand kunnen vinden.'

'Dus of ze is een geest...' zei McKinsey.

Jack knikte en maakte de zin af: 'Of ze is een illegale immigrant.'

'Maar ze zal hoe dan ook verrekte moeilijk te vinden zijn,' zei Naomi.

'En dus zal het tijd gaan kosten,' zei McKinsey.

Ze praatten als partners, als een lang getrouwd echtpaar.

'En tijd is nou precies wat we níét hebben,' zei Jack, en omdat hij niet wilde vertellen dat hij met Paull mee moest, gaf hij hun een uitgebreid overzicht van Alli's juridische status, alsof hij door Jenkins was bijgepraat. 'Dus we moeten die vrouw nu vinden.'

'En hoe had je je dat voorgesteld?' zei McKinsey sceptisch.

Twilight, de kroeg waar zowel Billy Warren als de onvindbare Arjeta Kraja vaak kwam, lag op een verlopen stukje van M Street, zo ver mogelijk van de chique winkels en huizen vandaan terwijl je toch nog in Georgetown was. Volgens een bordje op de deur was de zaak gesloten, maar toen Jack tegen de deur duwde, ging die open. Eenmaal binnen werden ze verwelkomd door een rokerige lucht.

Rechercheur Willowicz hing lui achterover in een stoel met zijn benen gekruist op een tafeltje en rookte een sigaret. Rechercheur O'Banion stond achter de bar en dronk iets wat eruitzag als whisky uit een borrelglaasje. Verder leek er niemand te zijn.

Willowicz blies een rookwolk uit. 'Zo, zo, kijk eens wie we daar hebben.'

'De kroeg is dicht,' zei O'Banion. 'Kunnen jullie niet lezen?'

'Dat kan ik jou ook vragen,' zei Jack. En tegen Willowicz zei hij: 'Ik dacht dat ik tegen jullie had gezegd dat de zaak door mijn afdeling werd overgenomen.'

Willowicz keek peinzend naar het brandende uiteinde van zijn sigaret. 'Ik geloof inderdaad dat ik vaag zoiets heb gehoord. Kun jij je dat nog herinneren, O'Banion?'

O'Banion trok aan zijn oorlel en haalde zijn schouders op. 'In deze stad is alles mogelijk.' Hij schonk zichzelf nog een glaasje in. Hij had vieze nagels.

'Wat doen jullie hier eigenlijk?' vroeg Naomi.

'Een verlangen bevredigen.' Willowicz keek hen met bloeddoorlopen ogen aan.

'De vergunning controleren.' O'Banion kiepte zijn whisky naar binnen. 'Dat soort shit.'

'Laat de plaatselijke politie dat door rechercheurs doen?' McKinsey deinde heen en weer als een motor die gas geeft voor het verkeerslicht. 'Dan hebben jullie het behoorlijk verziekt.'

O'Banion lachte snerend en knalde zijn glaasje hard op de bar. 'Bek dicht, mietje.'

'Waar is iedereen?' vroeg Naomi. 'De manager, de barkeeper?'

'We zijn hier pas net,' zei Willowicz.

'Hoe moeten wij dat verdomme weten?' voegde O'Banion eraan toe.

'Nu is het mooi geweest,' zei Jack. 'Jullie vertrekken, nu.' Hij pakte zijn telefoon. 'Jullie chef verwacht jullie.'

Willowicz schoof zijn voeten van het tafeltje en stond op. 'Het punt is dat mijn partner en ik er een pokkenhekel aan hebben om als tweederangsburgers behandeld te worden.'

'Bemoei je dan met je eigen zaken!'

'Wij vinden dat deze zaak stinkt,' zei Willowicz. 'Waar jullie de dochter van een ex-president zien, zien wij een verdachte.'

'Nee,' zei Jack. 'Jullie zien een makkelijke manier om deze zaak op te lossen. Het maakt jullie geen bal uit of ze schuldig is of niet.'

'O, maar ze is schuldig.' O'Banion kwam achter de bar vandaan. 'Ze is zo schuldig als de pest.'

'Het kost alleen tijd om het te bewijzen.' Willowicz beende langs hen heen naar buiten en O'Banion volgde hem op de voet.

'De politie hier heeft een zwak voor federale ambtenaren.' McKinsey ontspande zich zichtbaar. 'Wij nemen altijd hun zaken over, dus het enige wat ze kunnen doen, is ons uitkotsen.'

'Ze kunnen de boom in. Maar even serieus nu.' Jack draaide zich om en liep naar het gangetje dat naar de toiletten en de achterdeur leidde. 'Waar zit iedereen, verdomme?' Toen stond hij stil. Wat had hij gevoeld of geroken? 'Bloed,' zei hij hardop en sprintte het gangetje door. Hij hoorde Naomi en McKinsey pal achter zich. 'McKinsey,' riep hij. 'Toiletten!'

Hij hoorde McKinsey de deuren open smijten en roepen: 'Niets.'

In het kleine keukentje zaten twee mannen naast elkaar op stoelen die naar de achterwand gekeerd stonden. Jack liep om ze heen om ze te kunnen aankijken. Het was geen prettig gezicht. Hun gezichten leken op stukken rauw vlees. De voorkanten van hun overhemden zaten onder het bloed, de knopen waren eraf getrokken, de panden weggetrokken. Meer bloed sijpelde van hun nek over hun borst. Aan de kleding te zien was de ene de barkeeper en de ander de manager.

Naomi knielde neer bij de barkeeper. 'Dood.'

Jack drukte twee vingers tegen de halsslagader van de manager. 'Deze ook.'

Tegelijkertijd trokken Naomi en McKinsey hun wapen.

'Wat is er in godsnaam aan de hand?' vroeg Naomi.

'Het verklaart wel waarom er rechercheurs op een plek waren waar helemaal geen rechercheurs hoorden te zijn,' zei Jack, terwijl hij wegliep.

6

'En?'

'Alles loopt volgens plan.'

Henry Holt Carson knikte. Hij had zijn schouders gekromd tegen de koude wind. De lucht was zo glad als porselein en hij had het gevoel dat de zon nooit meer zou schijnen. Net als de andere inwoners van Seattle was hij gewend aan bewolking.

'Paull is weg?' vroeg hij.

President Crawford knikte. 'En hij heeft Jack McClure meegenomen. Zoals je had voorspeld.'

'Mooi.'

Carson keek om zich heen. In deze tijd van het jaar was de Rozentuin een rechthoek van zachte grond en mest, de sterke rozenstelen staken vervaarlijk omhoog als de stekels van een stekelvarken.

'Toch begrijp ik het niet helemaal,' zei de president.

Carson sloot even zijn ogen. Een ader klopte vervaarlijk op zijn voorhoofd, een voorbode van migraine. Zoals altijd probeerde hij die tegen te houden. 'Ze stonden veel te dicht bij mijn broer.'

Crawford fronste zijn wenkbrauwen en snoof als een paard. 'Denk je dat ze iets vermoeden?'

'Geen idee.' Carson legde een hand op zijn voorhoofd. Ja hoor, migraine. Zeker weten. 'Ik bid tot God van niet.'

'Maar McClure...'

'Mijn broer heeft me alles verteld over McClure en die rare hersenen van hem.'

'Dan weet je ook dat het een kwestie van tijd is voor hij het doorheeft. Dat leidt alleen maar tot nog meer bloedvergieten.'

'Ja,' zei Carson tussen zijn opeengeklemde tanden door. Hij wilde zijn hoofd nog geen halve millimeter bewegen. 'Daarom wil ik hem hier weg hebben. Tegen de tijd dat hij het doorheeft, is het te laat. En de enige manier om hem weg te krijgen zonder dat hij argwaan krijgt, is via Dennis Paull.' Hij probeerde opnieuw de migraine de baas te worden, maar dat mislukte, zoals altijd.

'Toch maak ik me zorgen.'

'Het Amerikaanse volk betaalt je om je zorgen te maken.'

Carson draaide zich om, zocht in zijn broekzak, vond het zilvergouden pillendoosje, opende het, haalde er twee pillen uit en slikte die met wat speeksel door. Hij voelde zich altijd uitgedroogd als hij migraine had en zijn tong leek dan zo groot en zwaar als een zeppelin.

De president keek naar zijn Geheime Dienstagenten, die als kraaien door de tuin zwermden. Aarzelend liep hij naar zijn vriend. 'Hank, ik denk dat je beter even kunt gaan zitten.'

Carson wuifde hem weg. 'Het gaat prima met me.'

'Natuurlijk. Maar ik voel me zelf een beetje moe.' Hij ging op een stenen bankje zitten. 'Kom even naast me zitten, dan kunnen we rustig verder praten. Ik heb zo meteen die budgetbespreking.'

Carson ging heel voorzichtig naast hem zitten, alsof zijn lijf van glas was, wat in zekere zin ook het geval was.

Crawford keek over Washington uit. Het Witte Huis lag er als een parel in een oester middenin, vredig en beschermd. Maar vandaag voelde de president zich verre van vredig.

'Ik wist dat dit een moeilijke baan zou zijn,' zei hij na een tijdje, 'en daar heb ik me op voorbereid.' Hij keek naar zijn handen, die hij als een priester in zijn schoot had gevouwen. 'Maar deze complicaties...' Hij liet zijn stem wegsterven als mist die naar de Potomac dreef.

'Het leven bestaat uit complicaties, Arlen. Hoe hoger je klimt, hoe meer het er worden. De ene puinhoop stapelt zich op de andere.'

'Nou, dan is dit de moeder aller puinhopen.' Crawford haalde diep adem. 'Maar goed, misschien moeten we het geen complicaties noemen, maar compromissen.'

Carson zei niets; hij probeerde wanhopig te voorkomen dat zijn migraine hem het denken helemáál onmogelijk maakte.

'Misschien moeten we het huis bij de rivier verkopen, en wel zo snel mogelijk.'

Deze keer bereikten de woorden van de president wel hun doel en voorzichtig draaide hij zijn hoofd om. 'Allemachtig, je gaat me toch niet vertellen dat je hem knijpt, hè? Niet nu we al zover zijn. Jezus, Arlen, ik heb hemel en aarde bewogen bij de partij en bij Eddy om je vice-president te maken. We hadden een plan. Vanaf het allereerste begin hadden we een plan.'

'Nee, Hank, jij had een plan.'

'Ook goed.' Langzaam en methodisch masseerde Carson zijn slapen. 'Wat toen belangrijk was, is nu nog steeds belangrijk. Jij hebt jouw naam aan mijn ster vastgemaakt. Als ik stijg, stijg jij ook.'

'Je hebt me nodig, Hank.'

Carson lachte, hoeveel pijn het ook deed. 'Probeer je mij nu te overtuigen of jezelf? De waarheid, waar jij maar niet aan wilt, is deze: jij hebt mij veel harder nodig dan ik jou. Als je me nu laat vallen, zijn de consequenties verschrikkelijk. Je wist vanaf het begin, toen je erin stapte, dat je er je hele leven aan vast zou zitten. Je kunt nu niet meer op dat besluit terugkomen.'

De president zei hoofdschuddend: 'Dat was toen. Maar waar ik nu zit...'

'Jij zit op de perfecte plek om te kunnen doen wat nodig is. Daar heeft het noodlot een hand in gehad, hetzelfde noodlot dat me Eddy heeft ontnomen. De weegschaal van Vrouwe Justitia.'

Nu was het Crawfords beurt om te lachen. 'Wat ben je toch een hypocriet, Hank. Er bestaat geen rechtvaardigheid in deze wereld. En dat komt door mannen zoals jij.'

Toen ze op straat kwamen, waren O'Banion en Willowicz nergens meer te zien. Jack belde de recherche-eenheid van de politie van Washington. Willowicz en O'Banion bestonden wel – Carsons advocaat had hun naamplaatjes goed gelezen – maar ze waren met tijdelijk verlof. Dus wie waren die twee als rechercheurs verklede mannen? En voor wie werkten ze? De enige manier om hierachter te komen, was het hun vragen, dus stuurde hij Jack McKinsey en Naomi eropuit om ze in de buurt te gaan zoeken. Misschien waren de neprechercheurs roekeloos geworden en hadden ze een spoor achtergelaten, hoewel hij dat eerlijk gezegd betwijfelde. Die twee leken hem ervaren professionals, die niets aan het toeval overlieten.

Hij bleef achter om de plaats delict te bekijken. Terwijl hij de twee nieuwe slachtoffers nog eens goed bekeek, werkten zijn hersenen razendsnel. Eerst werd Billy Warren gemarteld en vermoord, maar niet voordat de verdachte de moeite had genomen om Alli als mogelijke verdachte naar voren te schuiven. Vervolgens werd Arjeta Kraja vermist. Billy, Alli en Arjeta kwamen alle drie weleens in de Twilight en nu waren de barkeeper en de manager, de enige twee mensen die misschien informatie hadden over het trio, vermoord door twee gangsters die zich uitgaven voor Willowicz en O'Banion.

Hij boog voorover om te controleren of zijn ontdekking bij de barkeeper van hetzelfde soort was als bij de manager. Ja, hij zag het goed. Bij beiden was het bot pal onder de linkeroogkas gebroken, net als bij Billy.

Hij dacht aan de breuk onder Billy's linkeroog. Vanaf het moment dat hij die had ontdekt, werkte hij vanuit de dubieuze hypothese dat Arjeta Kraja Billy had vermoord. Tenslotte was ze na Alli de belangrijkste verdachte in dit scenario, en als ze verliefd was op Billy, had ze redenen genoeg om Alli de moord in de schoenen te schuiven. Maar het was een zwak uitgangspunt, omdat de breuk zo precies was. Die was niet in een woede-uitbarsting toegebracht. En zijn theorie verklaarde ook niet waarom Billy was gemarteld. Als Arjeta verliefd op hem was, had ze hem wellicht in een woedeaanval kunnen vermoorden. Maar martelen? Nee.

En nu, met deze twee nieuwe moorden, ging zijn hypothese helemaal niet meer op. Zou Arjeta Kraja, samen met O'Banion en Willowicz, ook deze twee hebben vermoord? Hij kon het zich niet voorstellen. Natuurlijk konden O'Banion en Willowicz achter alle drie de moorden zitten, maar waarom was die breuk onder het oog dan toegebracht?

De nep-O'Banion en nep-Willowicz waren gespierde rouwdouwers, maar het was volgens hem eerder iemand met hersenen geweest die dit scenario had bedacht. Er zat iets verschrikkelijk verkeerd, maar zelfs zíjn hersenen wisten niet wat. Hij had nog niet genoeg puzzelstukjes.

Eén ding wist hij echter zeker: het verband tussen deze twee moorden en de moord op Billy pleitte Alli helemaal vrij. ·

Hij belde naar zijn afdeling om de plaats delict te laten afzetten en onderzoeken. Ook zei hij dat de drie lijken naar zijn oude vriend Egon Schiltz moesten worden gebracht, een patholoog-anatoom die hij volkomen vertrouwde. Hij wilde net achter McKinsey en Naomi aan gaan, toen er een idee door zijn hoofd flitste. Hij liep weer naar binnen.

De linkerhand van de manager lag op tafel met de palm omhoog, alsof hij iets aanbood terwijl hij werd vermoord. Zijn rechterarm bungelde langs zijn zij en werd door de tafel half aan het oog onttrokken. Jack moest om de tafel heen lopen en zag toen bewust wat zijn hersenen de eerste keer al hadden gezien. De manager had zijn rechterhand tot een vuist gebald, zo krampachtig dat de nagelafdrukken als bloederige halvemaantjes in de huid van zijn palm stonden.

Jack zakte door zijn knieën en trok de vingers een voor een los. Er viel iets helders en glimmends op de grond. Hij stond op en liep ermee naar een van de ramen naast de voordeur, waar het licht door naar binnen stroomde. Het was een metalen speldje, zo'n ding dat je op je kraag of revers draagt. Het was achthoekig en er stonden letters op, maar Jacks hersenen registreerden alleen de vorm. De tekst vormde een draaikolk van bewegende letters. Hij probeerde zich te concentreren zoals dominee Myron Taske hem had geleerd: door een rustige plek rechts boven zijn hoofd te creëren. Toen keek hij weer naar het speldje. De draaikolk van onherkenbare symbolen kwam tot rust en veranderde in driedimensionale letters, die hij had leren herkennen en dus kon lezen. Hij zag dat er geen Engelse woorden op het speldje stonden. In welke taal wel wist hij niet. Hij had veel talen leren spreken, wellicht als compensatie voor zijn moeizame lezen, maar op dit soort momenten werd hij altijd met zijn dyslexie geconfronteerd.

Terwijl hij zijn frustratie en machteloosheid de baas probeerde te blijven, keek hij uit het raam, alsof het daglicht en het passerende verkeer hem konden kalmeren. Hij vroeg zich af waarom de manager het speldje had verborgen voor zijn moordenaars. Tegelijkertijd probeerde hij te bedenken naar wie hij het speldje het beste kon brengen: een taalkundige, een kenner van de plaatselijke criminele bendes, of iemand uit de onderwereld? De mogelijkheden waren legio. Hij kreeg er hoofdpijn van.

Het was gaan regenen buiten. Eigenlijk was het meer een zachte, grijze mist die de kleuren dempte en randen verzachtte, zodat alles hetzelfde leek en het heden overging in een verleden dat nooit terugkwam.

Ineens voelde hij een koel briesje langs zijn wang strijken.

'Emma?'

Ik ben hier, papa. Het is blijkbaar makkelijker bij je te zijn als...

'Als ik in de buurt van een overleden persoon ben.'

Niet overleden. Net overleden. Voordat het lichaam is afgekoeld. Als de geest nog niet weet of hij naar de duisternis of naar het licht gaat.

'Maar Emma, jij hebt ook nog niet gekozen. Hoe is dat mogelijk?'

Hoe is het leven mogelijk? Hoe is dit alles mogelijk?

'Ik heb geen antwoorden, Emma.'

Ik ook niet.

'Maar ik ben blij dat je er bent.'

McKinsey en Naomi splitsten zich op straat. McKinsey vertrok in oostelijke richting, Naomi in westelijke. McKinsey was bij de Geheime Dienst gaan werken na een uitmuntend zesjarig dienstverband als marinier, eerst in de Hoorn van Afrika en daarna in Fallujah, Irak. Keer op keer had hij de vijand in de ogen gekeken, maar hij had opdracht om daarover te zwijgen als het graf. Die verschrikkelijke verhalen had hij diep weggestopt in zijn geheugen, ze vielen onder meerdere veiligheidsbepalingen van de overheid. Hij was trots op die geheimen, trots op de moorden die hij had gepleegd in dienst van zijn land, want hij was ervan overtuigd dat hij Amerika moest beschermen. Tegen elke prijs. Hij had graag zijn leven voor dat ideaal gegeven, maar als het op oorlog voeren aankwam – en zeker guerrillaoorlogen – was hij gewoon te slim en te uitgekookt om het loodje te leggen. De mariniers vonden het jammer toen hij voor de tweede keer werd teruggeroepen, maar Defensie had besloten dat ze een belangrijker taak voor hem hadden.

McKinsey liep soepel en losjes, zonder de bekende militaire tred, en hij viel absoluut niet op tussen de voetgangers op straat. Tegelijkertijd werkten zijn radar – zijn vermogen om alle ongewone dingen op te merken op het slagveld of in vijandelijk gebied – en zijn vermogen om iedereen die hij zag, al was het maar een paar tellen, in te schatten, op volle toeren. Hij verdeelde zijn directe omgeving met militaire precisie in segmenten en liep naar een winkelruit. Hij wist dat het belangrijk was om in winkels, cafés en restaurants te kijken en dat het trage voetenwerk – in tegenstelling tot wat je in films en op tv zag – je de tijd gaf om te leren denken als je prooi.

Voor een café stond hij stil, even dacht hij dat hij Willowicz zag zitten. Maar toen de serveerster wegliep, zag hij dat hij zich vergiste. Toch ging hij naar binnen, controleerde de hoekjes en nissen die vanaf de straat niet te zien waren, liep daarna de herentoiletten in en controleerde alle hokjes voordat hij weer naar buiten liep. Hij was inmiddels een paar straten van Twilight vandaan en had in steeds grotere cirkels gelopen. Hij slenterde een parkeergarage in en keek goed rond.

Schoon.

Naomi's tocht in westelijke richting voerde haar langs diverse boetiekjes en een restaurant waar ze, tot ergernis van de eigenaar, tussen de tafeltjes en de eters door liep op zoek naar Willowicz en O'Banion. Ook controleerde ze de keuken, waar de koks haar nieuwsgierig aankeken, en ten slotte de herentoiletten. Ze voelde zich niet opgelaten, maar pakte haar legitimatie, hield die voor zich uit, duwde de deur open en liep vastbesloten naar binnen. Een man bij een urinoir draaide zich geschrokken om en besprenkelde zijn pas gepoetste schoenen. Een wat jongere man bij de wastafels keek haar in de spiegel aan en floot waarderend. Ze grijnsde terug en richtte haar aandacht op de hokjes.

Naomi was bij de Geheime Dienst gegaan omdat haar oudere broer dat een goede keus voor haar had gevonden. Ze adoreerde hem. Hij had haar opgevoed nadat hun ouders waren verongelukt bij een vliegramp boven de Himalaya. Naomi was zes jaar oud op dat moment, een kwetsbare leeftijd. Ze had haar ouders verschrikkelijk gemist, zeker haar moeder. Daar had haar broer niets aan kunnen veranderen. Wel had hij haar een gevoel van eigenwaarde gegeven en het besef dat ze een doel moest hebben, en daarna was hij naar Afghanistan gegaan. Acht maanden later was hij in een lijkenzak teruggekomen.

Ze was ook bij de Geheime Dienst gaan werken omdat ze dan in Washington, haar geboorteplaats, kon blijven. Een wees blijft graag bij dingen uit haar verleden en voor haar was dat Washington. Ze miste haar broer, die nog altijd haar beste vriend was. Ze was gesloten en dat wist ze. Nadat haar broer naar New York was verhuisd, had ze zich teruggetrokken. Ze had een paar oppervlakkige vrienden, een paar drinkmaatjes, zowel mannen als vrouwen, en een maatje bij Defensie met wie ze af en toe op strooptocht ging. Dat was het. Behalve Jack dan, voor wie ze vanaf de eerste keer dat ze elkaar hadden ontmoet een zwak had. Hij zat destijds nog bij de ATF en was met die bitch van een Sharon getrouwd geweest. Maar nu hij officieel gescheiden was, had ze helaas ontdekt dat ze hem niet durfde te laten merken wat ze voor hem voelde. Ze was net zo bang voor hem als ze zich tot hem aangetrokken voelde... een doodlopende weg waar ze nog geen oplossing voor had gevonden.

De neprechercheurs zaten niet in de kille toilethokjes. Ze liep terug naar de keuken, naar de achterdeur, en belandde in een steegje vol vuilnisbakken en een afvalcontainer. Grondig als ze was, tilde ze het deksel van de container op en keek erin. Ze kneep haar neus dicht en met een metalen stang die ze in het steegje had gevonden, porde ze in het afval. Afval en nog meer afval. Ze gooide de stang weg, klapte het deksel dicht en keek naar links en naar rechts. Volstrekt willekeurig liep ze een kant op.

Terwijl hij de parkeergarage in liep, dacht McKinsey aan de Hoorn van Afrika. Die beerput was nooit lang uit zijn gedachten. Fallujah was akelig gevaarlijk geweest en een aantal van zijn maten waren daar op een vreselijke manier aan hun eind gekomen, maar in Fallujah kende hij de vijand tenminste. Zelfs als het een opstandige tiener behangen met explosieven was. Dan rook hij de dood en wist hij wat hij moest doen.

Maar de Hoorn van Afrika was een heel ander verhaal – een moeras van geweld en verraad. De dood kon zich niet alleen in elke schaduw en om elke hoek verschuilen, maar ook in het heldere zonlicht, in een uitgestoken hand, in een warme glimlach of in een gefluisterde belofte van vriendschap en steun. Niets was wat het leek te zijn. Het was allemaal zwartgallig theater, compleet met maskers, valkuilen en onbekende opperstalmeesters die je levend wilden villen om je aan de ratten te voeren. Nooit, op al zijn wereldreizen, had McKinsey zo'n onverzoenlijke, bittere haat gevoeld als in de Hoorn van Afrika. Maar hij was er graag. Het deed hem denken aan wonen op de maan.

Uiteindelijk bereikte hij de bovenste verdieping van de parkeergarage, liep naar een moderne, grijze Ford, trok het portier aan de passagierskant open en stapte in.

'Wat is dat voor geklooi?' zei Willowicz. 'Die hufter van een McClure is bezig alles te verzieken.'

7

Jack voelde Emma's lach als een koel briesje langs zijn wangen strijken. Hij vroeg zich allang niet meer af of hij bezig was gek te worden, of die geestbezoekjes en fluisterstemmen echt waren, of dat het bedenksels van zijn eigen schuldgevoel waren.

'Emma, waar ben je?'

Wie zal het zeggen? Ik zit in de schemerzone, niet in het licht, niet in het donker.

'Grijze schaduwen.'

Zelfs dat niet. Alles is grijs... eeuwig grijs.

'Het sp...'

Niet zeggen, papa. Zeg niet dat het je spijt. We zijn nu allebei op een verschillende plek.

'Was dat maar zo.'

Hier heerst vrede, totale, absolute vrede, maar net buiten mijn bereik.

'Dat begrijp ik niet.'

Ik ook niet. Maar daarom ben ik hier, op deze plek, vlak bij jou, maar zonder je te kunnen bereiken. Ik lijk Sisyfus wel.

'Gedoemd om voor eeuwig de steen de heuvel op te rollen, waarna hij weer helemaal naar beneden rolt en je opnieuw moet beginnen.'

Inderdaad. Maar dat betekent niet dat ik niets leer.

Jack was verbaasd. 'Leren? Hoezo?'

Ik zie nu dingen... heel duidelijk. Dat kon ik niet toen ik nog leefde.

'Je perspectief is veranderd.'

Dat heerlijk gekke lachje. Papa, hier bestaat geen perspectief. En ook geen tijd. Alles bestaat gewoon. Jij bent zo bezig met criminaliteit dat het ook een obsessie van mij werd. Ik heb elke tekst over menselijke criminaliteit bestudeerd, maar nu pas – om het in de taal van de levenden te zeggen...

'Zodat ik het begrijp.'

Oké. Ik zie nu dat de criminele mens – pap, dit ga je prachtig vinden – bestaat uit twee kanten van dezelfde munt. Allebei inktzwart. Volgens de ene kant komt criminaliteit voort uit opgekropte woede, een gevolg – als je het zo mag noemen – van zelfvernietiging. Weet je nog hoe mooi jij en ik de

schetsen van Paul Gauguin vonden? Zijn prachtige, mysterieuze werk was
destijds zo ongeveer het enige waar we het over eens waren. En weet je
waarom, papa? Vanwege zijn filosofie. Hij schreef 'Leven is wat het is, een
droom van wraak'. En dat van een impressionistische schilder! Niet te gelo-
ven, hè?

Maar goed. *Volgens de andere kant van de munt komt criminaliteit voort*
uit totale zelfgerichtheid, zoals ook voor de Romeinse keizer Nero gold.
Godsamme, die klojo had al onbeperkte macht toen hij nog in zijn luiers
poepte. Voor hem bestond niemand echt behalve hijzelf, en wat de anderen
overkwam was absoluut niet interessant. Dus waren moord, verkrachting,
martelingen en geweld aan de orde van de dag.

Lieve god, dacht Jack. Dit kan niet echt zijn. Maar toch, hij kon het niet
laten....

'Waar is ze, Emma?'

Waar is wie?

'Dat weet je heel goed. Annika. Waar is ze?'

Je hebt gezworen dat je haar nooit meer wilde zien.

'Dat was bijna een jaar geleden. Bijna een leven geleden.'

Zelfs als ik het wist, papa, dan kon ik het je nog niet vertellen. Ik gids je
niet door deze duisternis.

'Wist ze het?' Jack besefte dat hij dit laatste hardop had gezegd.

'Jack?'

Hij verdraaide bijna zijn nek, zo abrupt draaide hij zijn hoofd om.
Naomi en McKinsey waren Twilight weer binnengekomen.

'We zijn ze kwijt,' zei Naomi.

McKinsey keek om zich heen en vroeg: 'Wist wie wat?' Hij grijnsde
breed. 'Tegen wie had je het?'

Jack negeerde de vraag en vertelde ze van de breuk onder de linkeroogkas, waardoor de moorden gelinkt werden aan die van Billy Warren.

'Dat spreekt Alli dus vrij,' zei Naomi opgelucht.

McKinsey schudde zijn hoofd. 'Of het betekent dat ze dit niet alleen
doet.'

'Doe niet zo idioot,' zei Naomi. 'Het is duidelijk dat je haar niet kent.'

'Persoonlijk,' zei hij tegen haar, 'vind ik dat je een ander nooit kent.
Niet echt.'

'Kijk eens wat ik heb gevonden.' Jack liet hun het speldje zien. 'De manager hield het in zijn vuist verborgen alsof hij niet wilde dat Willowicz
en O'Banion het vonden. Hebben jullie enig idee wat erop staat?'

Terwijl ze ontkennend het hoofd schudden, hoorden ze sirenes dichterbij komen. Naomi pakte het speldje en wreef erover alsof het braille

was. 'Ik denk dat ik wel iemand ken die ons hiermee kan helpen.'
'Volgens mij kent mijn vrouw veel taalkundigen,' zei McKinsey. 'Ze is docent aan Georgetown.'
'Ik denk niet aan een taalkundige.' Naomi speelde wat met het speldje, alsof ze zo meer te weten kwam. 'Ik heb zoiets als dit eerder gezien.' Ze keek Jack doordringend aan. 'Als ik gelijk heb, gaan we een duistere kant op.'

Alli sliep, zowel omdat ze doodmoe was als om aan het heden te ontsnappen: aan het afschuwelijke beeld van Billy aan de boom gebonden, blauwwit als de maan en even ver weg.

Opgerold in haar ooms stoel droomde ze van de laatste wintersneeuw. Die viel als glinsterende confetti op het imposante Rode Plein in Moskou. De schijnwerpers die de uivormige koepels van de Sint Basiliuskathedraal verlichtten, leken de vlokken te vergroten. Alli rende hijgend tussen de groepen toeristen, soldaten van het Rode Leger en Russisch-orthodoxe priesters door terwijl roodborstjes, valken en raven op de grond naar voedsel zochten.

Ze rende in cirkels alsof ze verdwaald was en had maar één gedachte: Annika vinden. Ze voelde zich eigenaardig hysterisch, alsof ze stervende was en alleen Annika haar kon redden. Ze duwde mensen opzij, die met witbesneeuwde wenkbrauwen en wimpers als sneeuwvlokken wegdraaiden. Hun ogen keken door haar heen alsof ze niet bestond, alsof ze al dood was. Ze werd banger en banger, haar hart bonkte in haar borstkas alsof ze een lange, loodzware wedstrijd liep.

Ineens, tegen alle logica in, zag ze Annika, blonde haren, groene ogen, afgetekend tegen het massieve Kremlin. Ze keek Alli recht aan, maar kwam niet naar haar toe, terwijl Alli moeizaam tegen de mensenmassa in worstelde, de massa die haar steeds weer wilde wegduwen naar de donkere uithoeken van het Rode Plein, waar 's nachts de dood loerde. Toch bleef ze zich naar voren worstelen. Ze ontdekte dat ze inmiddels op een ander gedeelte van het Rode Plein stond, doordat ze Annika vanuit een andere hoek zag, dan weer dichterbij, dan verder weg. Grimmig en vastbesloten zette ze door.

En ineens, buiten adem en bijna in tranen, stond ze voor Annika, die gekleed was in een enkellange jas waarin botjes van kleine dieren waren verwerkt. Het enige wat ze wilde, was dat Annika haar in haar armen nam en zou wiegen als een klein kind.

Maar Annika zei: 'Waarom ben je gekomen? Het leven is gedoemd te mislukken!'

'Ik moet met je praten.'

'Praten heeft geen zin. Net als kijken naar een lege pagina.'

'Zeg dat alsjeblieft niet!'

'Moet ik dan tegen je liegen?'

'Je hebt tegen Jack gelogen.'

'Maar niet tegen jou. Nooit tegen jou.'

'Je hebt tegen hém gelogen, snap je dan niet dat dat hetzelfde is?'

'Ik loog om hem te beschermen, ik loog omdat ik van hem hield.'

'Hou je nog steeds van hem?'

Annika keek haar zonder gevoel aan. 'Waarmee kan ik je helpen?'

'Geef me alsjeblieft antwoord.'

'Waarom? Zou je het dan begrijpen? Wat weet jij van liefde, hoe het een hart kan vervormen, kan vernietigen, pijn kan doen? Heb je ooit iets ontzettend dierbaars verloren?'

'Ja, ja! Dat hebben we allebei. We zijn hetzelfde, jij en ik...'

'Nee, Alli. Ik ben duisternis. Ik ben de dood.' Ze liep weg in de vallende sneeuw en riep over haar schouder: 'Kom me niet achterna!' Haar stem echode tussen de muren van het Kremlin en de St. Basilius-kathedraal.

Alli werd wakker en voelde zich ellendig. Haar hart bonkte zo hard dat het pijn deed. Verward keek ze om zich heen en zag tot haar verbazing dat ze nog steeds in de studeerkamer van haar oom was. Ze kon niet goed zien. Toen ze met haar vingers over haar gezicht streek, werden die nat van de tranen. Ze had in haar slaap gehuild.

Ze sprong uit de stoel alsof ze een elektrische schok had gehad, en draaide zich snel om toen ze de deur hoorde opengaan. Rudy, de bewaker die sprekend op een ex-worstelaar leek, kwam naar binnen, deed de deur achter zich dicht en liep zacht over de gewreven, houten vloer naar haar toe. Hij liep raar. Voorzichtig. Onhoorbaar, alsof hij op blote voeten liep. Gefascineerd zag ze hem behoedzaam de ene voet voor de andere zetten.

Pas toen hij heel dichtbij was, zag ze de ijzeren pook in zijn hand.

8

Dime-Store Slim had één hand. En hij was er blijkbaar trots op. Of beter gezegd: op de stomp waaraan ingenieuze metalen knijpers waren bevestigd. Hij leek een voorloper van de krabmens, of van een wezen uit *Predator*.

En zijn persoonlijkheid past daarbij, dacht Jack toen Naomi hem en McKinsey voorstelde. Dime-Store Slim was heel lang, heel mager en heel zwart. Hij had krullend haar, een afrokapsel uit de jaren zeventig dat als een reusachtige bol op en om zijn hoofd stond. Maar het maakte hem interessant, niet theatraal of lelijk, alsof die inktzwarte wolk naar je toe kon drijven en je levend kon verzwelgen.

Dime-Store Slim gaf mensen graag een hand met zijn knijpers, die hij je dwingend toestak. Hij vond het geweldig om de schrik en verlegenheid van andere mensen te zien. In tegenstelling tot zijn magere lijf straalde hij hiermee een krachtige dreiging uit, die je niet kon negeren of afwijzen. Je moest het gewoon accepteren, zag Jack, lang voordat McKinsey het zag. Hij vond het vermakelijk te zien hoe ongemakkelijk de man van de Geheime Dienst zich voelde.

'Waarom denken jullie dat ik weet wat het is?' vroeg Slim terwijl hij in een stoel ging zitten, zijn lange benen op een kratje Mallomars legde en met zijn goede hand over het speldje wreef. Ze hadden hem achter in zijn coffeeshop in Noordoost-Washington gevonden. Een uitgeleefd, armoedig pand. Maar Slim scheen er tevreden mee te zijn. Want ook al was deze mierenhoop een gribus, hij was er koning van. En de wijk was een van de gevaarlijkste van de hele stad. Ook dat vond hij prima. Hoe gevaarlijker hoe beter. Als een echte bandiet droeg hij een grote .45 halfautomaat achter de band van zijn spijkerbroek.

McKinsey keek bedenkelijk naar het pistool. 'Heb je daar een vergunning voor, jongen?'

Binnen een tel was Slim de stoel uit en bonkten zijn Doc Martens hard op de grond. 'Wie noemt mij verdomme "jongen"?'

Geschrokken liet McKinsey zijn legitimatie zien. 'De Amerikaanse overheid.'

Slim had de loop van de .45 tegen McKinseys slaap gezet voordat de agent in de gaten had wat er gebeurde. 'In dit deel van de wereld bestaat de Amerikaanse overheid niet, lulhannes.'

'Ho, ho.' Naomi stak haar handen verzoenend omhoog. 'Laten we rustig blijven.'

'Zeg dat maar tegen hem,' zei McKinsey gespannen.

'Zij gaat me helemaal niets zeggen, lulhannes.' Slim keek even naar Naomi. 'Waarom heb je deze mafketels trouwens meegenomen?'

'Om je aan het lachen te maken,' zei Jack voordat ze iets had kunnen zeggen.

Er volgde een gespannen stilte, waarin McKinsey langzaam rood werd en Naomi's mond een O vormde. Toen begon Slim te lachen. Hij moest zo hard lachen dat hij niet meer kon doen alsof hij kwaad was. Hij stapte achteruit, stopte de .45 achter zijn broekband en ging weer in zijn oude, versleten stoel zitten.

'Jezus!' Hij wees met een wijsvinger naar Jack. 'Nu begrijp ik in elk geval waarom je díé dwaas hebt meegenomen.'

Knikkend pakte hij een pakje vloeitjes en een plastic zakje weed. Volgens Jack om McKinsey nog meer uit te dagen. De agent verstijfde en Naomi legde haar hand op zijn arm. 'Als jij nu eens naar buiten gaat en ervoor zorgt dat we niet worden gestoord,' zei ze zachtjes.

Na een korte aarzeling, genoeg om weer wat zelfvertrouwen te verzamelen, zei McKinsey: 'Krijgen jullie allemaal wat.' Hij schudde haar hand van zijn arm, liep de winkel uit en smeet de deur achter zich dicht.

'Gezellige jongen,' zei Jack, waar Slim weer hartelijk om moest lachen.

Uiteindelijk veegde hij zijn ogen droog, rolde een joint, stak die aan en bood hem de anderen aan. Ze bedankten allebei beleefd.

'Stelletje droogkloten,' zuchtte Slim, maar het klonk niet onaardig.

'Het speldje,' drong Jack aan.

'Het wat?'

Jack wees naar het speldje in zijn hand.

'O, dit. Fuck, hé, denk je soms dat ik Sherlock Holmes ben? Grasi! Kom als de sodemieter hiernaartoe!' riep hij toen.

Er verscheen een donkere jongen die niet veel ouder dan achttien kon zijn. Zijn gespierde lijf verraadde dat hij veel sportte. Voor zover Jack kon zien, zat er geen grammetje vet op. Hij was niet gespierd als een bodybuilder, maar had van zijn lijf een pezige, efficiënte vechtmachine gemaakt.

'We noemen hem Grasi, omdat hij een onuitspreekbare buitenlandse naam heeft,' verduidelijkte Slim. 'Toch, Grasi?'

Grasi grijnsde. Hij had een zwarte spijkerbroek aan, hoge sportschoenen en een uit de toon vallend leren vest over een wit T-shirt dat veel van zijn borst vrijliet. Om zijn nek hingen diverse kettingen en hij zat onder de tatoeages, die zo te zien door een amateur waren gezet. 'Ik kan er niks anders van maken, al zetten ze me een pistool op mijn kop,' zei hij.

Slim gooide het achthoekige speldje naar hem toe. 'Heb je hier een naam voor?'

Grasi ving het ding handig op, keek ernaar en gooide het bijna in dezelfde beweging naar Slim terug. Zijn ogen keken weg. 'Nog nooit zoiets gezien.'

Slim zuchtte. 'Daar hebben jullie je antwoord, sportfans.' Hij haalde zijn schouders op, gaf het speldje terug aan Jack en zei tegen Naomi: 'Ik wil altijd graag helpen, maar...' Weer haalde hij zijn schouders op.

'Toch bedankt,' zei Naomi. 'Het was het proberen waard.'

Grasi draaide zich om en wilde de kamer uit lopen.

'Momentje,' zei Jack. 'Kun je me de wc wijzen?'

Grasi knikte en samen liepen ze de winkel in.

Peter McKinsey stond buiten, met gebogen schouders en zijn handen diep in zijn zakken, waar een aantal inklapbare wapens in zaten. Het koele staal ervan kalmeerde hem. Hij lette niet op de zachte regen en de passerende auto's. Met vooruitgestoken kin en op elkaar geperste lippen was hij diep in gedachten.

Hij had Willowicz zo'n zes maanden eerder ontmoet, tijdens zijn diensttijd in de Hoorn van Afrika. Toen heette de man anders, maar het was dezelfde man. McKinsey en Willowicz mochten elkaar direct, waarschijnlijk omdat ze hetzelfde wereldbeeld hadden. Hun fanatieke en onbuigzame houding was niet veel meer dan een façade waarachter zich nihilistische ideeën schuilhielden. Het interessante was dat ze zich geen van beiden bewust waren van deze nietzscheaanse trekken; als ze met de waarheid geconfronteerd zouden worden, zouden ze het zelfs luidkeels ontkennen.

Ze kenden geen angst, wat betekende dat ze op het roekeloze af hun werk deden; dat ze rakelings langs de dunne rand van de dood scheerden zonder te vallen. Ze moordden, verminkten, martelden en bevochten de halsstarrige vijand met een bezetenheid die kruisvaarders of priesters van de Spaanse Inquisitie niet had misstaan. Ze riepen graag God aan als ze lachten, als ze onder het bloed zaten, als ze ingewanden en organen tot moes probeerden te stampen. Opgehitst door de schijnbaar onbegrensde vijandigheid die ze elke minuut van elke dag en van elke nacht tegenkwamen, was er niets wat ze niet zouden doen om de vijand zijn geheimen te ontfutselen, en het kwam nooit in ze op dat mensen die geheimen soms verzonnen om een eind aan de pijn te maken. Maar ongeacht hoeveel vijanden ze vernietigden, de tevredenheid waar ze zo naar hunkerden kwam niet. Hoe ze het ook probeerden en hoeveel pijn ze ook veroorzaakten, ze konden in hun slachtoffers nooit de angst oproepen die ze zo graag zagen. Deze mensen waren anders, ze woonden op een totaal ander bestaansniveau dan de Amerikanen.

'Ze zijn niet menselijk,' zeiden ze tegen elkaar boven de stank van hun werk, of later tijdens hun zware drinksessies. 'Als ze geen angst voelen, kunnen ze helemaal niks voelen. En dan zijn ze dus niet menselijk.' Als het geen tevredenheid was, dan wist niemand hoe McKinsey en Willowicz zich tijdens die sessies voelden.

Maar dat was toen. Nu waren ze weer thuis, met verschillende banen, maar nog steeds met dezelfde ideeën. Het probleem was dat ze geen van beiden hun tijd in de Hoorn van Afrika konden vergeten. Als malariakoorts golfden hun wapenfeiten hun bewustzijn in en uit met de regelmaat van eb en vloed, vol menselijke resten: gebarsten schedels, geronnen bloed, gebroken botten en stukjes hersenen. Het was niet genoeg. Niets was genoeg. En zo leefden deze twee mannen als wezens van het duister, als bloeddorstige vampiers, onwillig of niet in staat om zich te voegen naar een beschaving die zich door wetten had afgesneden van hun brute en agressieve missies.

McKinsey vond het niet prettig dat hij nu niet wist wat er in Slims weedhol gebeurde, maar erkende dat het zijn eigen schuld was. Toen hij die vent met zijn .45 in zijn riem had zien paraderen, was hij razend geworden. Als het aan hem had gelegen, had hij hem kapotgeschoten. Fuck de burgerrechten. Mensen als Slim verdienden het niet om zich te verschuilen achter wetten die opgesteld waren om ze achter slot en grendel te zetten. Die vent hoorde met zijn gezicht in de modder te liggen. Niet voor het eerst wenste McKinsey dat hij weer in de Hoorn van Afrika zat.

'Ik droom van die plek,' had hij tegen Willowicz gezegd toen ze in de nieuwe grijze Ford zaten. Specifieker hoefde hij niet te zijn, ze spraken in het steno van de oorlog als ze samen waren.

'Elke avond,' zei Willowicz. 'Maar soms denk ik dat ik die plek heb verzonnen.'

McKinsey keek door het raampje naar de grijsheid buiten. 'Wat doen we hier?'

'Ons werk. Zoals altijd.'

McKinsey knikte afwezig.

'Alles was daar duidelijk,' zei Willowicz, alsof hij de gedachten van zijn vriend kon lezen. 'Hier is niets duidelijk.'

'We deden wat we wilden, wat we moesten doen. En hier? Hier zetten we de ene voet voor de andere. Als oude mannen die het leven achter zich hebben.'

'Die constante onzekerheid is het meest klote.'

McKinsey blies hoorbaar zijn adem uit. 'McClure heeft een andere PA aangesteld. De nieuwe, Egon Schiltz, staat niet op onze loonlijst.'

'Dan zorgen we dat hij erop komt.'

'Dat gaat niet lukken. Schiltz is een persoonlijke vriend van McClure. Hij zal niet happen, erger nog, hij gaat vast en zeker zijn maatje vertellen dat we hem benaderd hebben.'

Willowicz ging verzitten. 'Dan vermoord ik die klojo.'

'Goed plan, zeg, dat zal McClure vast niet alarmeren.'

Willowicz trok als een schildpad zijn nek in. 'Of we kunnen gewoon niks doen. Als tandeloze oude mannetjes.'

Er volgde een korte, kwaadaardige pauze.

'Fuck!' McKinsey duwde het portier open, stapte uit en liep weg.

Willowicz riep hem na: 'Kijk uit voor die hufter van een McClure.'

McKinsey draaide zich half om, maakte van zijn duim en wijsvinger een geweer en liep verder.

Nu, terwijl de regen in zijn gezicht sloeg, pakte hij een sigaret en stak die aan. De rook kringelde langs zijn ogen omhoog en benam hem even het zicht op een wereld die hij verachtte, een wereld waar hij niet bij hoorde.

Grasi wees naar de haveloze wc-deur en wilde verder de winkel in lopen.

'Hé,' zei Jack, 'hoe heet je eigenlijk echt?'

De tiener draaide zich om. 'Iedereen noemt me Grasi.'

'Ook thuis? Je moeder ook?'

'Ik heb geen moeder.' Grasi zei het heel nuchter, zonder spijt of zelfmedelijden.

Jack liep naar hem toe. '"Grasi" is Roemeens en betekent dik. Maar je bent niet dik.'

'Het is een grap, man.'

'Kom je uit Roemenië, Grasi?'

De puber stak zijn kin naar voren. 'Hoezo?'

Jack haalde zijn schouders op, boog zich toen naar voren en trok de kettingen van Grasi's nek.

'Verdomde klootzak!' Met een zacht shh-geluid had Grasi ineens een knipmes in zijn hand.

Toen hij op Jack afliep, gooide die de kettingen naar hem terug. Behalve één, een gouden, achthoekige hanger. Die had Jack om zijn nek zien hangen toen Grasi zogenaamd het speldje bekeek. Dus toen hij zei dat hij nog nooit zoiets had gezien, wist Jack dat hij loog.

Hij hield de hanger en het speldje naast elkaar omhoog. 'Ze zijn hetzelfde.'

Grasi tikte tegen het lemmet van het knipmes.

'Je bent slimmer dan dat,' zei Jack. 'Ik ben geen vijand van je.'

Grasi lachte. 'Val dood. Je bent mijn vriend niet.'

'Dat hangt ervan af.' Jack keek naar de stiletto. 'Ik ben de enige die je uit de gevangenis kan houden.'

'Ik heb helemaal niks gedaan, idioot.'

Jack keek van de hanger naar het speldje. 'Dit bewijst dat je liegt. Wij onderzoeken drie heel akelige moorden. Dit speldje is onze enige clou. Snap je? Jij weet iets wat ik moet weten. Als je me niks vertelt, laat ik je oppakken als verdachte van moord en wegens het tegenwerken van een federaal moordonderzoek. En geloof me: het is echt niet leuk in een federale gevangenis. De bewoners vreten je op als ontbijt.'

Snel keek Grasi met rollende ogen om zich heen. Toen likte hij over zijn lippen, klapte het knipmes dicht en zei: 'Thaté. Ik heet Thaté.'

De ijzeren pook kwam naar beneden. Alli slaakte een geschrokken kreet en dook weg achter de grote stoel. De pook belandde op de hoge rugleuning en scheurde de bekleding. Dat had Alli's huid kunnen zijn.

Rudy verwachtte dat ze naar de deur zou rennen en blokkeerde die route. Maar Alli wilde helemaal niet naar de deur, nog niet in elk geval. Ze dook naar de haard en pakte de asschep, die wat onhandig was, maar met zijn brede veegblad wel wat weg had van een middeleeuwse goedendag.

Rudy zag haar worstelen met de schep en lachte hard.

Doe je best maar, dacht Alli. In dit soort situaties was haar geringe lengte een groot voordeel. Omdat ze er als een klein meisje uitzag, werd ze ook zo behandeld. Ze wachtte af en liet Rudy zien hoe moeilijk ze het al vond om de schep langere tijd vast te houden, laat staan dat ze het ding als wapen zou kunnen gebruiken.

'Je bent hartstikke dood, weet je dat?' zei Rudy terwijl hij met de pook omhoog op haar afkwam.

Alli gaf geen antwoord, maar concentreerde zich op de pook, op de boog die hij beschreef toen Rudy hem vanuit zijn schouder naar achteren zwaaide en vervolgens naar haar toe gooide.

De pook maakte een fluitend geluid, als een vliegende vogel of een pijl. Ze wachtte tot het laatste moment, zoals ze van Jack had geleerd, en zette toen de brede schep in de boog. Er volgde een harde, scherpe knal, ongeveer als een bel die valt, en er schoten vonken in het rond. Ze wankelde door de kracht van Rudy's worp, iets erger dan eigenlijk nodig was.

Met een brede grijns op zijn gezicht liep Rudy op haar af, sneed haar vluchtweg af en drong haar terug naar de haard.

'Dit is een mooi plekje waar ze je kunnen vinden.' Van opwinding sloeg zijn stem over. 'Opgekruld voor de haard in roet en as.'

Als mensen gaan praten, vermindert hun concentratie, had Jack haar verteld en zoals altijd had hij gelijk. Terwijl Rudy haar bespotte, liet ze de schep zakken alsof die veel te zwaar voor haar was, maar toen zwiepte ze hem ineens keihard tegen zijn linkerknie.

Hij kreunde van de pijn en struikelde. De pook lag op de grond en hij greep naar zijn knie. Alli gooide de schep weg en begon te rennen. Toen ze langs hem heen rende, trapte ze hem tegen zijn hoofd. Daarna sprong ze over hem heen, rende door de studeerkamer naar de deur, gooide die open en rende de gang in.

Achter zich hoorde ze Rudy vloeken, met veel lawaai opstaan en toen naar zijn collega's roepen dat ze ontsnapte. Een van hen stond ineens voor haar in de gang en trok een wapen. Ze draaide zich om en rende terug, de hoek om en nam de eerste zijgang die ze tegenkwam.

Ze kende het huis van haar oom goed, ook al was ze er jaren niet meer geweest. Nu rende ze naar de keuken, die een achterdeur had, en een grote provisiekamer met een trap naar de kelder die oom Hank had omgebouwd tot een wijnkelder.

Ze hoorde de doffe klappen van sportschoenen achter zich, en Rudy's stem, die klonk als een dolle stier. Voor zover ze wist, waren er drie bewakers. Van twee wist ze min of meer waar ze waren, maar waar was nummer drie?

Het antwoord kreeg ze toen hij uit de schaduw stapte en haar in haar rug aanviel. Vlak voor de keuken. Hij dwong haar achteruit de badkamer in, waar hij zelf net uit kwam. Met maaiende armen, longen die om lucht schreeuwden en voeten die uitgleden over de vloermat, viel ze struikelend tegen de porseleinen badkuip. Met haar linkerarm trok ze het plastic douchegordijn naar beneden en ze gooide het over de bewaker toen die haar wilde vastpakken. Ze probeerde hem in de lange plooien te wikkelen, sloeg zijn graaiende vingers van zich af terwijl hij met het doorzichtige gordijn worstelde. Toen sloeg ze hem met de zijkant van haar hand op zijn neus, waardoor het plastic gordijn roze kleurde en ze zijn gezicht niet goed meer kon zien. Maar ze herkende zijn groeiende boosheid, en mogelijk ook paniek, aan de korte bewegingen van zijn ledematen en het ongecoördineerde bewegen van zijn hoofd. Als een wolf die in de val zat. Ze sloeg hem nog een keer op zijn neus en nu bleef hij stil liggen.

Ze draaide zich om, duwde het lichaam van zich af, stond op en duwde de deur dicht. Haar hoofd bonkte en haar keel deed pijn. Gal brandde in haar keel. Bevend legde ze haar oor tegen de deur in de verwachting zware voetstappen te horen, maar ze hoorde alleen gefluister en herkende Rudy's stem. Intuïtief wist ze waar ze het over hadden. Rudy zou niet meer in de kleinemeisjesact trappen, en nu ook de andere bewaker niet meer. Ze bukte zich en trok de .38 uit de holster van de bewusteloze bewaker.

'Conlon!' riep Rudy. 'Conlon, alles oké?'

De koele handgreep van het pistool voelde goed in haar hand. Haar wijsvinger lag naast de trekker als een cobra die op het punt stond zijn gif te spuiten. Er ging een grote bekoring uit van het vasthouden van een geladen pistool, een machtsgevoel dat van het wapen via haar hand door haar arm naar haar hersenen leek te stromen. Door dat verwarrende, onaardse gevoel moest ze denken aan wat Jack ooit tegen haar had gezegd: 'Ik heb liever te maken met een tegenstander met een pistool dan eentje met een mes. Van pistolen word je overmoedig, ze geven je het gevoel dat je elke tegenstander de baas bent en dat is het moment dat het echte gevaar de kop opsteekt.'

Het probleem was heel simpel: ze zat in een kamer met maar één toegang. In deze badkamer zaten geen ramen. Daarom waren Rudy en zijn partner niet naar binnen gestormd. Ze wisten niet hoe de situatie hier was, behalve dan dat Conlon was uitgeschakeld. En dat kon ook betekenen dat ze nu gewapend was. Maar ze hoefden alleen maar te wachten tot ze naar buiten kwam, dan konden ze haar overmeesteren en ontwapenen voor ze de kans had om een van hen neer te schieten.

Zij kon niet eens haar hoofd om de hoek steken om de situatie in zich op te nemen. Ze zou het moeten doen met wat er in de badkamer stond.

Hijgend, met trillende handen en een bonkend hart liep ze naar het medicijnkastje boven de wastafel en bekeek de inhoud. Ze hoopte op spuitbussen, die op dit moment erg welkom zouden zijn, maar zag alleen maar pompflesjes, waar ze helemaal niets aan had. Maar in het kastje onder de wastafel vond ze een fles gootsteenontstopper. Zo te voelen was de fles ongeveer halfvol. Ze had een bittere, metaalachtige smaak in haar mond en besefte dat ze kalmer moest worden, omdat het tijdverspilling was als ze voortdurend haar angst moest onderdrukken.

Ze haalde een paar keer diep adem, duwde de fles tussen haar rug en de band van haar spijkerbroek en keek naar Conlon. Die was nog steeds bewusteloos. Terwijl ze naar hem keek, kwam er een idee in haar op. Het leek gekkenwerk, maar ze kon niets beters bedenken.

Ze stopte de .38 in haar broekzak, boog voorover en trok Conlon in zijn vieze cocon omhoog. Het was zwaar werk, maar uiteindelijk stond hij overeind, hij hing tegen de muur naast de deur. Weer haalde ze een paar keer diep adem, trok toen de deur open en duwde hem de gang in.

De hel brak los.

Iemand greep Conlon vast toen hij de gang in viel. In één beweging gooide ze de inhoud van de fles gootsteenontstopper over de voorkant van het shirt van de man. Die deinsde onmiddellijk achteruit en gilde van schrik en pijn. Conlons slappe lichaam viel daardoor op de grond. Meer tijd had ze niet. Ze zorgde ervoor uit de handen te blijven die haar van achteren probeerden vast te grijpen.

Ze sprong over de mannen op de grond en rende naar de openstaande deur van de keuken, en zag dat ze over het lijk van de kok of de tuinman – in elk geval iemand van Hanks staf – moest springen, dat pal voor de drempel lag. Ze had echter geen tijd om te kijken of de man dood was of nog leefde, ze moest naar de achterdeur. Nadat ze opgesloten had gezeten in de badkamer, had ze geen enkele behoefte om zichzelf nu in de wijnkelder op te sluiten.

Ongeveer gelijk met haar achtervolger bereikte ze de deur. Ze voelde zijn sterke hand op haar schouder, hij trok haar naar achteren. Dus pakte ze de buitgemaakte .38 en sloeg daarmee keihard in zijn gezicht. Ze hoorde bot versplinteren en opgelucht duwde ze de deur open en rende naar buiten.

Het regende en ze gleed uit op de gladde terrastegels voordat ze de achtertuin had bereikt. Eerst hoorde ze zijn ademhaling en toen ze overeind probeerde te komen, dook hij boven op haar.

'Hebbes, bitch!' zei Rudy.

9

Jack dwong de jongen verder de winkel in te lopen, zodat niemand hen zou kunnen zien of horen.

'Ga door,' zei hij.

'Illegaal,' zei Thatë.

'Hoe illegaal?'

'Niet genoeg... blijkbaar.' Thatë maakte een geërgerd keelgeluid.

Jack zag dat McKinsey zich had omgedraaid en door het raam naar hen tuurde. Hij vroeg zich af of de man kon liplezen. Hij draaide zijn hoofd weg en zei tegen Thatë: 'Ik wil dat je naar een deel van de winkel loopt waar we vanaf de straat niet gezien kunnen worden.'

Thatë deed wat Jack had gezegd en Jack kwam snel achter hem aan.

'Ik mag die twee niet,' verklaarde Thatë, hij doelde duidelijk op McKinsey en Naomi.

'Mij mag je ook niet.'

'Oké, maar hen zou ik met mijn mes bewerken – echt waar.'

'Je bent een echt klootzakje.'

Thatë zweeg.

'Dat achthoekige symbool,' drong Jack aan.

'Een club.'

'Ik ken alle clubs.'

'Deze niet.' Thatës ogen keken weg, alsof hij overal wilde zijn, maar niet hier.

'Want...?'

'Shit. Dwing me niet om het hardop te zeggen.'

'Als ik het niet doe, komt er iemand anders in een uniform en die gaat je zéker dwingen!'

Thatë boog zijn hoofd.

'Het is illegaal.'

Jack kwam dichterbij. 'Je zult me echt wat meer moeten vertellen.'

'Kalm aan. Shit, doe een beetje rustig.' De jongen beet op zijn onderlip, die steeds roder werd. 'Die club heeft een naam: de Stem.'

Jack stond op het punt om te zeggen dat hij nog nooit van een club had gehoord die de Stem heette, maar deed het niet. Het voelde niet helemaal goed, net zoals er iets niet helemaal goed had gevoeld op de plaats delict van Billy Warren. Hij keek naar Thatës gezicht, dat hem afwachtend aankeek, alsof hij wilde zien of 'de Stem' een speciale betekenis had voor Jack.

Jack keek nogmaals naar de achthoeken – het speldje en de hanger. Hij zag dat hetzelfde woord op beide voorwerpen stond. Na een korte aarzeling zei hij: 'Spreek dat woord eens uit.'

'Wat?'

'Dit woord.' Jack tikte op de achthoeken.

Thatë keek weg, maar Jack had hem nu door en wilde gebruikmaken van het feit dat de jongen zo zenuwachtig was.

'Schiet op,' zei hij ongeduldig.

'*Rrjedhin*.' Thatë kreeg het bijna zijn keel niet uit.

Het was een woord uit een taal die Jack kende. Zonder enige aarzeling antwoordde hij: '*Sa Jveç jeni*?'

Rudy stonk naar bloed en zweet. Hij was zo zwaar als een os en gelukkig voor Alli even lomp. Door zijn verwondingen was hij behoorlijk verzwakt. En hij was kwaad. Het bloed stroomde over zijn gezicht, waardoor hij constant met zijn ogen moest knipperen om iets te kunnen zien, en blijkbaar was er iets ernstig mis met zijn linkerknie, die Alli met de asschep had geraakt, want hij sleepte dat been als een gezonken schip achter zich aan. Maar toen ze overeind probeerde te komen, gebruikte hij het als een golfclub en sloeg haar er keihard mee tegen haar heup, zodat ze allebei tegelijkertijd gilden van de pijn.

Direct hierna raakte Rudy's vuist haar gezicht. De zijkant van zijn hand duwde de onderkant van haar kaak naar achteren, waardoor het kwetsbare vlees van haar keel onbeschermd was. Ze hoorde een dreigend, dierlijk gegrom en vocht tegen de neiging om haar ogen dicht te doen, om het te laten gebeuren, om zich aan zijn woedende kracht over te geven. Even had ze een zwak moment toen ze de vrouwelijke berusting voelde voor die mannelijke, brute overmacht, zowel fysiek als psychisch. Maar toen besefte ze weer wie ze was, hoe dicht ze al bij de dood en waanzin was geweest. Ze schudde zichzelf wakker, blies zichzelf weer leven in en stak haar wijsvinger recht in Rudy's linkerneusgat, dieper en dieper, ook toen hij met zijn hoofd bokte als een wild paard dat zijn ruiter wil afwerpen. Haar vingertop raakte het zachte, weke vlees van zijn holte en haar nagel schraapte over het weefsel. Ze duwde haar vinger er nog dieper in, op zoek naar de holte die een einde aan deze bedreiging kon maken.

Met een enorme inspanning wierp hij haar van zich af, over een aantal azaleastruiken. Ze landde tussen dennenbomen die erachter stonden. De naalden staken als knokige vingers in haar gezicht. Ze hoorde hem kreunend en snuivend overeind komen.

'Ik weet waar je bent, bitch! Misschien denk je dat je kunt ontsnappen, maar vergeet dat maar!' Ze rolde weg door het naaldentapijt en zocht in haar broekband naar de .38, maar die was weg. Het wapen moest gevallen zijn toen Rudy haar van zich af gooide. Rudy kwam met zijn slepende linkerbeen door de azalea's haar kant op. Ineens dacht ze aan de mobiele telefoon.

Ze haalde hem uit haar broekzak en zag tot haar opluchting dat hij bereik had, nu ze uit het huis was. Haar hart bonkte als een bezetene toen ze Jacks nummer intoetste.

Ze kreunde toen zijn telefoon overging. Ze bad dat hij zou opnemen. Maar ze kreeg zijn voicemail. 'Ik zit in het jachthuis van oom Hank in Virginia. De bewakers die hij heeft ingeschakeld willen me vermoorden.' Snel dreunde ze het adres op. 'Ik ben achter het huis en er zit een of andere megaklootzak achter me aan. Alsjeblieft, alsjeblieft, alsjeblieft, kom...'

Hoe oud ben je? had Jack gevraagd.

'Shtatëmbëdhjetë,' had Thatë geantwoord. Zeventien.

'Ju jeni shqip?' Jij komt uit Albanië?

'Si nuk juf las shqip?' Waarom spreek je mijn taal?

Glimlachend tikte Jack tegen de zijkant van zijn hoofd. 'Jij gaat me naar de Stem brengen.'

Thatë werd ineens doodsbleek. 'Nee.'

'Jawel.'

'Ju lutem, mos bëni mua.' Thatë rilde. 'Ata do të vrasin mua.'

'Wie wil jou vermoorden? Voor wie ben je zo bang?'

Maar de jongen schudde panisch zijn hoofd. Jack vermoedde dat hij hem niet veel meer zou kunnen vertellen.

'Oké.' Jack gaf hem pen en papier. 'Zeg dan niets, maar schrijf het adres van de Stem op.'

Met trillende hand schreef Thatë iets op het papiertje. Jack vroeg de mobiele telefoon van de jongen. Hij prentte het nummer in zijn geheugen en voegde zijn eigen nummer aan het telefoonboek van Thatës toestel toe. 'Nu kunnen we contact met elkaar houden. Mirë?'

'Mirë.' Thatë knikte langzaam.

Jack kon het getril van zijn eigen telefoon nu niet langer negeren.

Waarschijnlijk was het Dennis Paull, die hem de vertrekdata van morgen wilde doorgeven, dacht hij

Maar het was Paull niet, het was Alli. Shit. Hij had dat telefoontje meteen moeten aannemen. Terwijl hij haar wanhopige boodschap afluisterde, liep hij de Dime-Store van Slim al uit. Achter zich hoorde hij Naomi iets vragen, maar hij had geen tijd. Hij trapte de deur open en rende de straat op.

Rillend van de koude regen en de adrenaline lag Alli in de schaduw van de dennenbomen, om zo min mogelijk op te vallen. Het had geen zin om weg te rennen. Rudy had een pistool en zij niet. Op het moment dat ze opstond, zou hij haar zien en neerschieten. Het was beter om hier af te wachten en iets te bedenken zodat hij haar niet zou vinden.

Terwijl ze hem hoorde zoeken aan de rand van de struiken, zag ze ineens haar denkfout. Ze dacht als een rat of een muis. Ze dwong zichzelf niet te denken aan het feit dat Rudy gewapend was. Hoe kon ze hem het beste aanpakken? Ze stond er alleen voor, wist ze. Zelfs als Jack meteen zijn voicemail zou afluisteren, wist ze nog niet waar hij was en hoe lang het zou duren voor hij hier was. Nee, ze kon – ze *mocht* – niet op hem rekenen. Het was aan haar om Rudy uit te schakelen.

Een hoogliggende wortel prikte in haar buik en ze moest anders gaan liggen. Toen ze omrolde, zag ze hoog boven zich de brede dennentakken, en dat bracht haar op een idee. Rudy kwam steeds dichterbij. Ze krabbelde overeind, hield zich stevig aan de onderste tak vast en kwam omhoog. Hoewel het hout zacht is, kun je makkelijk in dennenbomen klimmen doordat ze zoveel lange, brede takken hebben. Voorzichtig klom ze naar boven tot ze op een dikke, bijna horizontale tak zat, zo'n vier meter boven het naaldentapijt. Een snelle blik omhoog vertelde haar dat ze niet hoger hoefde te klimmen.

Ze tuurde naar de plek onder haar en wachtte op Rudy. Nu waren de rollen omgedraaid; zij was de jager.

Al snel hoorde ze hem door de struiken aankomen. Hij deed geen enkele poging om zachtjes te doen en toen hij in haar gezichtsveld kwam, zag ze waarom. In zijn linkerhand had hij de .38 die zij had verloren en in zijn rechterhand zijn eigen .38. Dus hij wist dat ze niet bewapend was. Hij had geen reden om zachtjes te doen.

Ze wist dat ze dit goed moest timen. Dat ze geen tweede kans kreeg. Ze verzamelde haar moed en zei tegen zichzelf dat het een voordeel was dat ze zo klein was. Toen hij onder haar stond, liet ze zich met gespreide benen naar beneden vallen. Ze landde op zijn schouders en klemde haar dijen om zijn hoofd.

Hij wankelde van de schok en het onverwachte gewicht, maar onmiddellijk nam zijn instinct het commando over. Hij richtte beide pistolen en schoot blindelings in het rond. Alli trapte ze weg en boog zich naar zijn gezicht. De beste wond is een nieuwe wond, dacht ze en deed weer een uitval naar zijn neusgat. Loeiend van de pijn sloeg hij met de pistolen op haar heupen en bovenbenen.

Maar ze zat stevig en liet hem niet los. Hij duwde zijn hoofd achterover om de pijn te verminderen, waardoor zij haar vinger nog makkelijker dieper in het neusgat kon steken. Eindelijk rolden zijn ogen weg, zakte hij door zijn linkerknie en viel. Al vallend zwaaide hij wild met zijn armen en hij raakte met het pistool in zijn rechterhand pijnlijk haar ribben. Ze hapte naar adem, gleed van hem af, moest zijn neusgat loslaten en viel op de grond.

Op handen en knieën en zwaar uit zijn neus bloedend kwam Rudy achter haar aan. Hij had haar bijna, toen ze een afgebroken tak vond. Een oude, verrotte tak, maar het was genoeg. Ze porde ermee in zijn linkerknie. Gillend tastte Rudy naar de pijnlijke plek. Alli griste de .38 weg die hij had laten vallen, pakte het ding bij de loop vast en sloeg er keihard twee, drie keer mee tegen zijn slaap.

Het duurde even voordat ze doorhad dat Rudy niet meer bewoog. Ze keek naar zijn lelijke gezicht. Het bloed stroomde nog steeds uit zijn neus en er liep een straaltje naar een mondhoek. Gedachteloos pakte ze zijn .38 en legde die naast die van Conlon. De twee wapens zagen er misplaatst uit op het bruine dennennaaldentapijt. Alsof ze geen bestaansrecht meer hadden. Ze wilde dat ze in de grond zouden verdwijnen.

Walgend keek ze naar Rudy's opgezwollen gezicht. Ze moest denken aan een verhaal over de dood van Attila de Hun, dat Emma haar ooit had verteld. Met een grimmig lachje had Emma gezegd dat hij zijn einde had verdiend; hij was gestorven omdat er een grote slagader was gesprongen terwijl hij een van zijn prachtige maagden ontmaagde. Eenzelfde lot wenste ze Rudy toe, een ware Vandaal in de historische betekenis van het woord, die haar met veel plezier had bedreigd.

Alli merkte dat ze huilde. Om haar heen maakte de regen alles glad en nat. Ze proefde druppels op haar lippen en voelde ze langs haar nek naar beneden glijden. De regen en haar tranen smaakten allebei naar bloed. Ze wist dat ze daar weg moest, maar kon zich niet bewegen. Net als de pistolen lag ze op het naaldentapijt. Haar hart klopte in haar keel. Ze wachtte...

Zo vond Jack haar.

Ze keek hem aan toen hij zich door zijn knieën liet zakken om haar omhoog te hijsen. 'Mijn held,' fluisterde ze. En toen wat harder: 'Je ziet er verschrikkelijk uit.'

Jack lachte.

Op hetzelfde moment reden vanuit het oosten en westen politieauto's met gillende sirenes het terrein van Henry Holt Carson op.

10

Dennis Paull was in Claires appartement in Foggy Bottom toen hij van het debacle op het buitenverblijf van Carson op de hoogte werd gesteld. Via een sms'je. Vol ongeloof keek hij naar het schermpje, waardoor zijn dochter vroeg wat er was.

'Niets.' Hij stopte zijn PDA in zijn borstzak.

'Werk, papa. Altijd werk.' Het klonk meer spottend dan geërgerd.

'De overheid slaapt nooit.'

Lachend zei ze: 'Welnee, pa. *Jij* slaapt nooit.'

Ze legde haar kleine hand op de zijne. Ze zaten op een bank in haar woonkamer. Kameraadschappelijk. Vriendschappelijk. Op een manier waar hij tot een jaar geleden niet van had durven dromen. Toen hadden Claire en hij zich verzoend, toen had hij zijn kleinzoon Aaron voor het eerst gezien. Voor hem was het liefde op het eerste gezicht geweest en volgens hem voor Aaron ook. Op zevenjarige leeftijd had hij een vaderfiguur nodig en Paull had die rol op zich genomen, in plaats van de verwennende opa te zijn. Discipline was niet echt Claires sterke kant en volgens hem had ieder kind daar behoefte aan. Claire was dat blijkbaar met hem eens, want ze accepteerde het. Aan de andere kant zorgde hij ervoor dat hij haar ouderrol niet bekritiseerde, want verder deed ze het uitstekend.

Maar op andere punten had hij nog steeds het idee dat hij op eieren liep. Hij vond het jammer dat hij haar niet beter kende. Toen ze elkaar weer ontmoetten, was ze in bijna alle opzichten een vreemde voor hem. Ze leek niet eens meer op het beeld dat hij van haar had. Hij had haar niet meer gezien sinds ze een meisje was. Zeven jaar later was ze teruggekomen als een volwassen vrouw. Hij had niet verbaasd moeten zijn, maar was het wel. Ze was zijn vlees en bloed. Zijn vrouw en hij hadden haar opgevoed, maar nu voelde het alsof ze de dochter van iemand anders was. Zijn hart verschrompelde bij die gedachte, maar hij liet dat nooit merken. De breuk was grotendeels zijn schuld. Dat erkennen was zijn eerste grote stap naar verzoening geweest. Voor Claire en voor zichzelf.

'Hoe lang denk je weg te zijn, papa?' Claire roerde afwezig in haar koffie. Die dronk ze met melk, zonder suiker, en sterk, had hij ontdekt. Toen ze wegging, had ze nog nooit koffie gedronken. Zoveel verschillen!

Hij zuchtte en zei: 'Ik heb geen idee.'

'Maar zelfs als je het wist, zou je het me niet vertellen, hè?' Ze zei het met een glimlach, zodat hij wist dat ze geen antwoord verwachtte.

Hij keek om zich heen. Het verbaasde hem elke keer weer hoe snel en makkelijk een vrouw een huis gezellig, warm en knus wist te maken met wat foto's, snuisterijen en souvenirs. Het enige wat hij nodig had was een laptop, een makkelijke bank en een goed voorziene bar. O, en zijn verzameling geschiedenisboeken – de geschiedenis van de oorlogsvoering, de val van het Romeinse Rijk, de geschiedenis van de geneeskunde, van de filosofie, van de godsdienstoorlogen tussen katholieken en protestanten, tussen het christendom en de islam. Het was best deprimerend dat het in wezen allemaal over hetzelfde ging: oorlog, moord, dood.

'Wat ga je tegen Aaron zeggen?'

'De waarheid, voor zover ik die tenminste ken.' Ze nam een slok koffie en zette haar kopje neer. 'Van alle ellende heb ik in elk geval één ding geleerd, papa: hoe belangrijk de waarheid is. En van daaruit probeer ik Aaron op te voeden.'

Paull keek naar zijn dochter. Hij wist niet of hij medelijden met haar had of haar bewonderde. Misschien wel allebei. Zo ging het in het leven, dacht hij, het is altijd keuzes maken uit tegenstellingen die je soms kunt oplossen en soms niet. Onderscheid kunnen maken, leren inzien wat wat is, maakt je volwassen.

Maar het feit dat hij medelijden met haar had, bewees vooral hoe lang hij zelf in de schaduw had geleefd. Want daar kon je niet overleven zonder te liegen. Waar hij werkte, moest je kunnen liegen. En al snel – zo snel dat het amper te bevatten was – was het liegen gewoon geworden. Op die manier was hij de man met wie Claire had willen trouwen, ook begonnen te manipuleren. En met welk gevolg? Dat zij tegen hem had gezegd dat hij kon opdonderen toen ze daarachter was gekomen, tóch met de man was getrouwd en later was gescheiden zonder dat Paull het wist. In de tussentijd was zijn vrouw oud en ziek geworden en had hij nergens meer belangstelling voor gehad.

Dat was er met hem gebeurd, peinsde hij. En met heel veel van zijn landgenoten. En de mensen bij wie dat niet was gebeurd, waren dood. Ook zijn eigen vrouw. Maar hij, hij had een tweede kans gekregen met Claire. En met Aaron. En die wilde hij niet verprutsen.

Hij keek nog steeds naar zijn dochter. Ze was zo knap dat hij weleens had gedacht dat hij haar niet had verwekt. Ze leek niet op hem en niet op

Louise. Misschien een beetje op een van de tantes van Louise of op zijn eigen oma, de moeder van zijn vader, die een beeldschone vrouw was geweest. Maar ondanks haar schoonheid had ze niemand. Ze had haar idiote man verlaten en wilde niets meer met hem te maken hebben. Aaron verachtte hem, dus gelukkig hoefden ze het nooit meer over hem te hebben.

'En, hoe is het met de liefde?' vroeg hij.

'O, papa...'

'Laat maar.'

Ze dacht even na, terwijl ze het kopje op het schoteltje ronddraaide. 'Oké. Er is wel iemand.' Ze stak haar hand op. 'En voor je met je inquisitie begint: ik wil het er niet over hebben. We hebben alleen een paar keer wat afgesproken en... nou ja, veel meer is er niet te vertellen.'

'Oké.'

Met haar grijze ogen keek ze hem onderzoekend aan. 'Echt waar?'

Glimlachend knikte hij. 'Je bent een volwassen vrouw, Claire. Je maakt je eigen keuzes.'

Weer legde ze haar hand op de zijne. 'Bedankt, papa.'

Dat zei genoeg over hun vroegere relatie, dacht hij. Dat ze vond dat ze hem moest bedanken omdat hij haar als een individu behandelde. Inwendig zuchtte hij. Nog meer schuld, nog een zonde om voor te willen boeten.

Hij stond op. Ze keek alsof ze wilde gaan zeggen: ga je nu al? Maar ze zei het niet. Ze stond ook op, produceerde een klein glimlachje en gaf hem een zoen op zijn wang.

'Pas goed op jezelf,' fluisterde ze.

Naar de deur lopend zei hij: 'Zeg tegen Aaron dat ik van hem hou.' Hij draaide zich om. 'En ik hou ook van jou.'

Het kleine glimlachje lag nog steeds op haar gezicht toen hij de deur achter zich sloot.

'Fuck, wat is hier gebeurd?'

McKinsey zei het, maar Naomi dacht het. Ze hadden hun best gedaan om Jacks roekeloze rijtempo bij te houden en waren bijna gelijk met de eerste auto's van de staatspolitie gearriveerd. Tijdens hun verplichte ronde om het landhuis van Henry Holt Carson heen was Naomi bang geworden. Overal zag ze staatsagenten en forensisch onderzoekers. Een ware armada van overheidsvoertuigen, zelfs SWAT-trucks, stond op de oprit en de keurige lanen. Een beetje overdreven, dacht ze, tot ze de ravage zag: de kok en de tuinman die bijkwamen nadat ze bewusteloos waren geslagen door één of meer onbekenden, een bewaker met brandwonden op zijn borst, een tweede bewaker met een gebroken neus en de derde...

'Ik krijg hier een heel slecht gevoel over,' zei ze terwijl ze naar het lichaam van Rudy Laine keek.

'Welkom bij de club.' McKinsey keek omhoog en kreeg regenwater in zijn ogen. 'En weer tussen die klotebomen.'

'Het wordt steeds gezelliger.' Ze hurkte naast het lichaam. 'Zoals gezegd: zo dood als een pier.'

'En twee keer zo lelijk.'

Zuchtend stond ze op. 'En weet iemand wat er hier verdomme allemaal is gebeurd?'

'De agenten niet, maar iedereen zegt dat McClure het weet.'

Fronsend keek ze naar het schermpje van haar mobiele telefoon. 'Hij neemt zijn telefoon niet op. Niemand weet waar hij is.'

'Hetzelfde geldt voor Alli.' McKinsey zette zijn handen op zijn heupen. 'Dus waarschijnlijk zijn ze bij elkaar.'

Naomi zei niets, maar vermoedde dat hij gelijk had. Jack handelde wel vaker op eigen houtje, maar dit was wel een bijzonder slecht moment. De staatspolitie van Virginia stond te trappelen om Alli te ondervragen – ze was de belangrijkste verdachte voor de moord op Laine.

'De twee bewakers zeggen dat Alli Laine in de bibliotheek heeft aangevallen, de kamer uit is gerend, Conlon heeft neergeslagen toen hij uit de badkamer kwam en dat Laine en zij toen echt in gevecht raakten. Het gevecht verplaatste zich naar de achterkant van het huis. Ze hoorden schoten. Een bewaker was in de douche de gootsteenontstopper van zijn kleren aan het afspoelen. Hij zegt dat Alli dat over hem heen had gegooid. Maar toen ze daar eindelijk aankwamen, was deze vent dood en was zij verdwenen,' zei McKinsey.

'Stel dat de bewakers liegen?'

McKinsey keek haar sceptisch aan. 'Meid, ik weet dat je een zwak voor het meisje hebt, maar kom op, zeg. En de verhalen van de bewakers kloppen met elkaar.'

'Dat hadden ze kunnen doorspreken voordat de politie hier was.'

'Ze werken voor Fortress, een van de beste, betrouwbaarste bewakingsbedrijven van het land. Alli's oom had ze ingehuurd om haar te beschermen en te bewaken.' Hij spreidde zijn handen. 'Geef nou maar toe: alles wijst naar haar.' Hij keek over zijn schouder naar Henry Holt Carson en Harrison Jenkins, die verhit met een hogere politieman aan het praten waren. 'Moord, mishandeling, overtreding van een federale gerechtelijke uitspraak. Ik weet niet of de contacten van haar oom of de juridische trucjes van zijn beroemde advocaat deze keer haar opsluiting en veroordeling kunnen voorkomen.'

Naomi probeerde haar telefoon aan de praat te krijgen.

McKinsey keek weer naar het lijk van Rudy Laine. 'Allemachtig, voor zo'n klein meisje weet ze aardig van wanten.'

En daar mogen we Jack voor bedanken, dacht Naomi. 'Maar ze is helemaal geen klein meisje.'

'Nou, in elk geval is ze vanaf nu een moordenaar.' Hij keek haar aan. 'En als McClure haar heeft begeleid, is hij medeplichtig.'

Paulls volgende stop was het VIR-gedeelte van DARPA, het Defense Advanced Research Projects Agency. In het VIR-gedeelte lagen nieuwe veldwapens die officieel nog niet in productie waren genomen. Alleen medewerkers op alfaniveau mochten ze gebruiken.

Hij dacht aan het nieuws over Alli's laatste actie, en probeerde te bedenken wat de complicaties voor zijn opdracht konden zijn – ofwel: hoe groot de kans was dat Jack voorlopig zijn missie om Arian Xhafa op te sporen en te vermoorden op de lange baan zou schuiven. Hij had al een paar keer Jacks nummer ingetoetst, maar had steeds voor die had kunnen opnemen, de verbinding weer verbroken. Op dit moment kon hij niets voor Jack en Alli doen en hij had geen zin in Jacks leugens over diens mogelijke betrokkenheid.

Paull had Jack nodig. Absoluut. Uitgaande van wat de president hem had verteld over waar Xhafa toe in staat was, was het geen optie om naar Macedonië te gaan zonder Jacks briljante, tactische gevoel en zijn onvolprezen gave om te weten hoe de vijand denkt, en diens valstrikken, desinformatie en dergelijke te doorgronden. Nee, het was absoluut noodzakelijk dat Jack om middernacht met hem in dat vliegtuig zat.

Ondertussen kon hij wapens regelen die hanteerbaar waren tijdens een moeizame bergtocht in vijandig gebied, en krachtig genoeg om het tegen Xhafa's vuurkracht op te nemen én hem uit te schakelen.

Langzaam en methodisch liep hij met de hem toegewezen DARPA-tovenaar, zoals de ingenieurs ook wel werden genoemd, langs de rekken terwijl de man hem de werking van alle raar uitziende apparaten uitlegde.

Na een tijdje begon Paull zachtjes te neuriën. De president had gelijk – hij was geen bureauman, hoe hoog dat bureau ook mocht staan in de hiërarchie. Hij voelde zich hier in zijn element, als een varken in zijn modderpoel.

93

McKinsey en Naomi wilden net weggaan toen Henry Holt Carson hen wenkte. Hij keek gespannen, waaruit Naomi de conclusie trok dat het gesprek met de politiecommandant niet naar wens was verlopen.

'De politie heeft een aanhoudingsbevel doen uitgaan voor mijn nichtje, in verband met de ramp hier,' viel hij meteen met de deur in huis.

Jenkins keek alsof hij zijn geliefde knuffel was kwijtgeraakt. 'Hank...'

Carson stak zijn hand op. 'Ik wil dat jullie twee Alli opsporen voordat de politie haar heeft gevonden.'

'Hank, dit kun je niet doen,' zei de advocaat. 'Je inlaten met een tweede...'

Carson keek hem even aan. 'Wat heb ik tegen je gezegd?'

'Je betaalt me om je te beschermen.'

'Ik denk nu alleen aan Alli,' snauwde Carson.

'En als we haar vinden,' zei Naomi, 'wat dan?'

'Bel me,' zei Carson. 'En dan vertel ik jullie waar jullie haar naartoe moeten brengen.'

'Hank, ik ben een gerechtsdienaar,' protesteerde Jenkins. 'Ik kan niet meewerken aan iets wat bijna zeker een halsmisdaad is en ik kan ook niet toestaan dat jij aan zoiets meewerkt.'

'Ik versta je niet, advocaat. Je bent hier niet.' Carsons hoofd schoot rechtop. 'Ik ben er eigenlijk praktisch zeker van dat ik net je auto heb horen wegrijden.' Hij keek de twee Geheime Dienstagenten aan en vroeg: 'Harrison Jenkins is hier niet, hè?'

'Nee, meneer,' zei Naomi.

McKinsey schudde zijn hoofd.

'Godsamme.' Hoofdschuddend liep Jenkins naar zijn auto.

'Oké, aan de slag,' zei Carson, en hij haalde diep adem.

'Meneer, met alle respect,' wierp McKinsey tegen, 'maar wij zijn van de Geheime Dienst.'

'Mijn nichtje is nog altijd de dochter van Edward Carson, en de enige overlevende van het presidentiële gezin,' zei Carson kortaf en zwaaide even met een hand. 'Trouwens, ik heb het met jullie baas doorgesproken. Voorlopig rapporteren jullie aan mij. Alleen aan mij. Begrepen?'

'Ja, meneer,' zeiden ze bijna tegelijk.

'Nou, wat doen jullie dan nog hier? Schiet op, aan de slag.'

Alli, gewikkeld in een deken die Jack achter in zijn auto had liggen, keek glimlachend naar Jack en viel weer in slaap. Jack boog zich over haar heen, zoende haar zachtjes op haar voorhoofd, schikte de deken wat beter over haar heen en liep op zijn tenen de kamer uit.

Hij vond Thatë in een andere kamer, terwijl hij op zijn iPod naar Kid Cudi luisterde. Twee goedkope oordopjes sneden hem af van de rest van de wereld. Jack trok aan de snoertjes en toen de dopjes uit de oren van de jongen vielen, zei hij: 'Met die dingen klinkt alles waardeloos.' Thatë haalde zijn schouders op. 'Het moet ook waardeloos klinken. Dat hoort zo.'

Jack had hem graag onder zijn neus gewreven hoe onverschillig hij klonk, maar hij ging tegenover de jongen in een stoel zitten en zei: 'Probeer het eens met deze.' Hij gaf hem de Monster Copper-oordopjes die hij had gekocht om naar de muziek op Emma's iPod te luisteren, een essentieel deel van haar dat hij altijd bij zich had.

Thatë haalde weer onverschillig zijn schouders op, maar plugde braaf het stekkertje in de iPod en duwde de dopjes in zijn oren. Drie tellen nadat hij op *play* had gedrukt, schoten zijn ogen open en riep hij: 'Wauw!'

Jack keek toe hoe hij naar muziek luisterde die hij nog nooit goed had beluisterd. Ze zaten in de keuken-annex-woonkamer, die op een overtuigende manier haveloos en somber was ingericht. Jonge goths zouden het geweldig vinden.

Thatë woonde in een uitgewoond gebouw in een gedeelte van zuidoost-Washington dat net zo goed in Beiroet had kunnen liggen. De buurt was zo kaal als een dode boom in de winter. Buiten, op de smalle, slecht onderhouden straten lag het afval in enorme bergen opgestapeld. Het werd gebruikt als kleding, onderkomen en bescherming tegen een storm. De inventiviteit van de armen was onbegrensd. Binnen hingen kale peertjes aan snoeren en elk moment kon de stroom uitvallen. In een hoek hing de verf van het plafond als de dikke buik van een negen maanden zwangere vrouw. In de kleine badkamer stond een plastic emmer met water naast de wc-pot om door te spoelen. Het appartement rook naar oude pizza's en weed. Overal lag roet, vettig vastgeplakt op alle horizontale oppervlakken. Af en toe hoorde je zachte geluidjes door de muren heen, alsof er kleine wezentjes door de aderen van het gebouw kropen.

Thatë leek zich prima op zijn gemak te voelen op deze plek, die even tijdelijk was als een legertent of een woning in Alaska. Hij was een van die mensen die vuiligheid als een tatoeage of een piercing bij zich droegen, een rebels teken dat uitdagend de middelvinger opstak naar de gemeenschap.

Het was Jack gelukt hem te laten luisteren naar Howlin' Wolf, wat op Emma's iPod stond. Zijn ogen stonden zachter terwijl hij dieper en dieper in de muziek dook. Thatë mocht dan een puber zijn, hij had de ogen van een volwassene die te veel afschuwelijke dingen heeft gezien. Waarschijnlijk had hij zelf ook een aantal afschuwelijke dingen gedaan.

Eindelijk was de muziek afgelopen en trok Thatë de dopjes uit zijn oren. Zijn gezicht was totaal veranderd.

'Shit,' zei hij.

'Ja.' Jack wees naar de koelkast. 'Biertje?'

Nog half in trance knikte de jongen.

Jack stond op en trok de koelkastdeur open, die astmatisch piepte. Bier, Coca-Cola, een paar stukken afgekloven pizza. Dat was het. Gelukkig was het buitenlands bier.

'Dat meisje is veel te jong voor jou,' zei Thatë.

Jack gaf hem een flesje, draaide de dop van zijn eigen flesje en nam een slok. 'Ze is mijn dochter.'

Thatë keek weg en krabde aan een korstje op zijn elleboog.

'Waar zijn jouw ouders?'

Hij nam een slok bier. 'Ik heb geen ouders.'

'Bedoel je dat je geen contact met ze hebt?'

'Ik bedoel dat ik ze nooit heb gezien.' De jongen draaide met het flesje op het tafelblad en maakte zo allemaal natte cirkels. 'Dat is maar goed ook. Anders had ik ze vast gedood.'

'Misschien zijn ze al dood.'

'Christus, ik hoop het.'

'Je gaat niet naar school, zo te zien.'

'Ik ga wel. Ik wil geen problemen met de wet.'

'Wie dokt er dan voor je?'

'Geen flauw idee,' zei Thatë met een sluwe grijns. 'Maar het is maar twintig ballen per dag.'

'Dat denk ik niet.'

'Oké, acht per week dan.'

Op zijn rechterbiceps stonden een omgekeerd kruis en een schedel met een pijl erdoor.

'Waar heb je die tatoeages laten zetten?' vroeg Jack.

Thatë haalde zijn schouders op. 'Hier en daar.'

'Niet in dit land.' En toen Thatë niet reageerde, zei Jack: 'In Albanië.'

'Shit, nee,' zei de jongen verdedigend. 'Rusland.'

Nu begreep Jack het. 'Welke clan?'

De jongen krabde nog steeds aan het korstje. 'Wat?' Zijn vingertop was rood.

'Welke clan van de *grupperovka*?'

Thatë sprong op alsof Jack hem met een gloeiende naald had gestoken.

'Ik ken de Russische maffia,' zei Jack. 'Ik heb met ze te maken gehad.'

'Shit. Echt?'

De jongen keek naar de Monster-oordopjes en gaf ze spijtig terug. Hij ging rechtop zitten, waardoor Jack begreep dat zijn desinteresse gespeeld was.

Jack boog voorover om beter naar de tatoeages te kunnen kijken. 'Initiatie, hè? En welke clan werd jouw familie?' Hij had verleden jaar in Moskou bij Ivan Gurov dezelfde tatoeages gezien. 'Nee, wacht. Laat me raden.'

De jongen lachte, maar ging weer anders zitten. Jack begreep dat hij zenuwachtig was. 'Izmaylovskaya. Heb ik gelijk?'

'Jezus christus!' Thaté keek naar Jack alsof hij de duivel zelf was. 'Fuck! Wie ben jij?'

Jack dronk zijn bier op en zette het lege flesje op tafel. Hij hoefde pas weg als het donker was. 'Ik zal je mijn verhaal vertellen,' zei hij, 'als jij me jouw verhaal vertelt.'

'Volgens mij kunnen we ons beter opsplitsen,' zei Naomi.

McKinsey keek haar sceptisch aan. 'Gaan we dit dan echt doen?'

'Ik wel.'

'Shit, wat schieten wij daarmee op?'

Ze keek hem aan zoals een ander naar een stuk oudbakken brood keek. 'Wat heb jij verdomme ineens?'

'Ik vind het gewoon niet prettig om bevelen van een opgeblazen kwal te krijgen.' Hij haalde zijn schouders op. 'Ik ben maar een simpele werkbij.'

'Ja, hoor. In een Giorgio Armani-pak.'

'Nou en? Ik zie er graag goed uit, ook op mijn werk. Dacht je dat ik dood gevonden zou willen worden in een van die pakjes die de anderen dragen?'

Hoofdschuddend liep Naomi naar hun auto. 'Laat maar. Volgens mij moet je dit met de commandant van de staatspolitie doorspreken, die op deze zaak zit.'

McKinsey trok een wenkbrauw op. 'En jij?'

'Ik ga de achtergrond van de bewaker checken.'

'Pure tijdsverspilling, als je het mij vraagt.'

Naomi trok het autoportier open en ging achter het stuur zitten. 'Dan is het maar goed dat ik het je niet heb gevraagd.'

Nadat ze McKinsey bij zijn eigen auto had afgezet, reed Naomi naar G Street NW, waar Fortress Securities kantoor hield in een van die gigantische stenen gebouwen, verfraaid met kantelen en Dorische zuilen, waardoor ieder mens die de glanzend witte treden oploopt een dwerg lijkt.

Fortress zat op de zesde verdieping. In hun wachtruimte kon je je voorstellen dat je in de receptie van een middelgroot reclamebureau stond. De ruimte werd bijna alleen gevuld door horizontale vlakken van dooraderd wit marmer, geslepen glas, bronzen buizen en glanzend zwart graniet. De enige aanwijzing omtrent Fortress' bezigheden was een basreliëf van een antieke, bronzen Griekse helm, die boven het hoofd van de receptionist hing als een donderwolk.

Toen Naomi haar legitimatie liet zien en vroeg de directeur van Fortress te kunnen spreken, kreeg ze beleefd maar duidelijk te horen dat ze even moest wachten terwijl de receptionist – een jongeman in een donker pak – rustig praatte in de microfoon van de headset die als een halo op zijn hoofd stond.

Even later ging een andere jongeman in een donker pak Naomi voor een gedempt verlichte gang in met tapijt op de grond en schilderijen van beroemde veldslagen aan de muur. Ze herkende Alexander de Grote, de beroemde Spartaanse opstand tegen het Perzische leger van Xerxes, Ajax en Achilles voor de muren van Troje, Napoleon bij Waterloo, George Patton die Europa veroverde, enzovoort, enzovoort. Een oneindige voorstelling van de bloedlust en oorlogszucht van de mens. Ze vond het niet verrassend dat er geen enkele vrouw op de schilderijen stond.

Andrew Gunn, de directeur van Fortress, stond op van achter zijn bureau toen ze de kamer binnenkwam. Haar begeleider verdween onmiddellijk en deed de deur achter zich dicht. Gunn leek op een bidsprinkhaan. Hij was lang en mager, had wit haar en een neus als de steven van een schip. Zijn staalblauwe ogen keken haar aan vanuit een verweerd, pokdalig gezicht vol littekens.

Hij liep om het bureau heen en stak glimlachend zijn hand naar haar uit. Zijn tanden blonken in het zachte middaglicht. Naomi had al eerder te maken gehad met de topechelons van de privébeveiligingsbedrijven. Ze vond ze in twee groepen uiteenvallen: de groep van de ex-mariniers; hard, boos en bloeddorstig, en de groep van de ex-CIA; anoniem, glibberig en bloeddorstig. Ze vond het interessant dat Gunn in geen van deze groepen viel. Hij leek op een goedmoedige, oude Amerikaanse cowboy, zoals Gary Cooper ze speelde of zoals die werd afgebeeld in de Malboro Man-advertenties. Hij rook ook lekker, als nachtelijke bossen.

Hij liep niet terug naar zijn bureau, maar leidde haar naar een informele zithoek: een moderne bank, twee bijpassende stoelen en een salontafel van een dikke plaat wit graniet.

Toen ze zaten, zei hij: 'Mevrouw Wilde, ik neem aan dat uw bezoek samenhangt met de dood van een van mijn mensen en de aanval op twee andere.'

Ze knikte. 'Dat klopt.'

Hij schudde zijn hoofd. 'Tja, dan moet ik zeggen dat ik niet begrijp waarom en hoe de Geheime Dienst daarbij betrokken is.'

'De hoofdverdachte is de dochter van de president.'

'Ah, de nicht van Henry Holt Carson.'

'Klopt.'

Hij keek ernstig. 'Met alle respect, maar ik vind het idee dat zo'n jong meisje drie van mijn mannen zou hebben overweldigd niet overtuigend.'

'Toch is het heel goed mogelijk dat dat gebeurd is, meneer Gunn.'

Hij spreidde zijn handen. 'Echt, er moet een andere verklaring zijn.'

'Daarom ben ik hier.'

'Ik ben bang dat ik het niet begrijp.'

'Ik ook niet, maar misschien kunnen we het samen oplossen.' Ze pakte een memoblokje. 'Zocht meneer Carson direct contact met u?'

'Ja, inderdaad.' De telefoon rinkelde, maar Gunn negeerde het. 'Hank en ik zijn oude vrienden.'

'Dus u hebt eerder zaken gedaan met meneer Carson?'

'Ik zei dat we vrienden zijn.'

Naomi keek hem even aan, omdat ze vond dat Gunn wat geïrriteerd klonk. 'Heeft hij al eerder van uw diensten gebruikgemaakt?'

'Eén keer.'

Alleen omdat ze goed oplette, had ze de lichte aarzeling gemerkt. 'En wanneer was dat?'

Gunn ontvouwde zijn lange lijf en liep naar zijn bureau. 'Wilt u misschien iets drinken?'

'Nee, dank u.'

'We hebben anders onze eigen barista.'

Ze moest lachen. 'Dan graag een dubbele macchiato.'

'Zo mag ik het horen!' Via de intercom bestelde hij een dubbele macchiato en een driedubbele espresso en ging toen weer bij Naomi zitten.

'U hebt mijn vraag niet beantwoord,' zei Naomi.

'Dat doe ik ook liever niet, mevrouw Wilde.'

'En ik haal liever geen dwangbevel, maar als het nodig is doe ik dat. Dit is een serieus onderzoek.'

Gunn knikte ernstig, zoals alle directeuren van bedrijven soms doen. Naomi had zich weleens afgevraagd of ze dat op Wharton hadden geleerd. De jongeman die haar had begeleid kwam binnen en zette een blad met twee kopjes, twee verschillende soorten suiker en zakjes Splenda op tafel.

'Ik waardeer uw vasthoudendheid, mevrouw Wilde.' Hij gaf haar een kop en schotel aan en nam zelf een slokje espresso.

Ineens geïrriteerd zei Naomi: 'Hoor eens, uw vriend Carson heeft aan een van zijn vele touwtjes getrokken. Ik rapporteer nu direct aan hem.'

'Ah. Oké dan.' Gunn zuchtte, leunde achterover en keek naar het plafond. 'Hank heeft me zo'n zes, misschien zeven jaar geleden gebeld. Destijds was hij niet gelukkig met het gedrag van zijn vrouw.'

'Ze bedroog hem.'

'Helaas voor haar bleek dat zo te zijn.'

Naomi zette haar macchiato op tafel en maakte een aantekening op haar notitieblok. 'Ik wist niet dat Fortress ook detectivewerk deed.'

'Dat doen we ook niet. Normaal gesproken.'

'Maar meneer Carson wilde een discretieniveau dat alleen u kon leveren.'

Hij applaudisseerde. 'Ik had het zelf niet beter kunnen verwoorden.'

'En na dit incident nam hij geen contact meer op totdat hij u inhuurde om Alli Carson te bewaken.'

Hij nam weer een slokje en genoot zichtbaar van de espresso in zijn mond voordat hij slikte. 'Dat klopt.'

'Vroeg meneer Carson om specifiek personeel?'

Gunn zette zijn kopje neer en keek haar doordringend aan. 'Hank kent niemand van mijn personeel.'

'Verbetert u me maar als ik het verkeerd heb, meneer Gunn, maar ik kan me niet voorstellen dat meneer Carson zijn nicht laat bewaken door mannen van wie hij niet persoonlijk de dossiers heeft kunnen inzien.'

'Hank vertrouwt me.'

De telefoon rinkelde weer, deze keer langer. Daarna zoemde de intercom.

'Momentje graag,' zei Gunn.

Hij stond op, liep naar zijn bureau en nam de telefoon op. Hij praatte heel zacht, zodat Naomi niets kon verstaan. Terwijl hij aan de telefoon was, bekeek zij het kantoor. Het was groot, maar niet zo groot als ze had verwacht. Maar goed, niets aan Andrew Gunn was zoals ze had verwacht. Hij had niet die typisch agressieve houding van zijn collega's, dat brandende verlangen om de federale overheid elke mogelijke dollar te ontfutselen. En waarom niet? Tenslotte waren er net nog meer groene flappen gedrukt om de exorbitante rekeningen van de beveiligingsbedrijven te kunnen betalen. Nee, Gunn gedroeg zich erudiet, hoffelijk en charmant, terwijl hij ondertussen zo gesloten was als een oester. Ze had gedacht dat ze de man niet zou mogen, maar dat was niet zo. En omdat ze nu toch wat tijd had, ging ze op haar PDA verder met het diepteonderzoek op het web waar ze al mee begonnen was toen ze nog op de plaats delict achter Henry Carsons huis stond.

Gunn kwam terug en ging op precies dezelfde plek als daarvoor zitten. Hij keek haar vriendelijk glimlachend aan en vroeg: 'Waar waren we ook alweer gebleven?'

'Ik vroeg me af,' zei Naomi terwijl ze haar telefoon naast zich neerlegde en haar koffiekopje pakte, 'of meneer Carsons vertrouwen in u voortkomt uit het feit dat u een van de grootste investeerders bent in Inter-Public Bancorp, zijn belangrijkste bedrijf.'

McKinsey volgde Naomi het gebouw in waarin Fortress Securities zat, zag haar de lift in stappen en zag de cijfers oplichten tot ze op de verdieping van Fortress was. Daarna stapte hij zelf in de andere lift en ging naar de derde verdieping. Hij stapte uit de lift, sloeg links af, liep door de gang en klopte op de vijfde deur aan zijn rechterkant, hoewel er een duidelijk zichtbare deurknop was. Vervolgens liep hij naar de volgende deur en bereikte die precies op het moment dat een zoemer aangaf dat de deur open was.

Hij kwam in een kleine, rommelige antichambre boordevol dozen. Sommige waren geopend, andere niet. Aan de linkerkant stond een goedkoop bureautje. Daarop stonden een telefoontoestel voor meerdere lijnen, een Rolodex en een beker met potloden. Er zat niemand op de stoel achter het bureautje en McKinsey wist dat er ook nog nooit iemand op had gezeten.

Hij liep langs het bureautje een kaal, smal gangetje door dat stonk naar natte schoenen, oude koffie en zweet. Aan het eind waren drie kamertjes, waaronder een raamloze kitchenette, waar de koffiestank zo erg was dat die bijna tastbaar werd. In het kamertje daartegenover zat Willowicz, aan een groen metalen bureau dat eruitzag als een afdankertje en dat waarschijnlijk ook was. Hij hing in een even oude kantoorstoel en zijn voeten lagen over elkaar op het bureaublad. Zijn schoenen hadden versleten zolen. Willowicz praatte in zijn mobiele telefoon.

'Het interesseert me niet wat het kost,' zei hij. 'Zorg ervoor dat het wordt gedaan. Nu.'

Hij grijnsde naar McKinsey en gebaarde dat hij binnen moest komen. 'Wetten? Welke wetten?' zei hij in de telefoon. 'Wetten interesseren me geen moer. Als ze jou wel interesseren, doe je het verkeerde werk. Als je wilt, zal ik... Nee, dat dacht ik niet.'

Hij verbrak de verbinding en zei: 'Het is altijd hetzelfde liedje, goede hulp is moeilijker te krijgen dan een kikker met ballen.' Hij grijnsde weer. 'Hoe gaat het binnen?'

'Geweldig.'

Het gedeukte metalen bureaublad was leeg, op een klein plaatje met een bronzen reliëf van een Griekse strijdhelm na.

11

Gunn keek Naomi met een vaag ironische glimlach aan. 'Het is algemeen bekend dat ik investeer in InterPublic.'

Naomi vond het een vervelende glimlach. 'Een van de grootste investeerders.'

'Wat moet ik nu zeggen? Ik heb talent om geld te verdienen.'

'Hm. En wat hebben meneer Carson en u nog meer bekokstoofd?'

'Wat bedoelt u daarmee?'

Naomi haalde haar schouders op. 'Misschien is InterPublic niet het enige wat u samen doet. Misschien zijn er zaken die niet algemeen bekend zijn.'

Gunn keek haar even doordringend aan. 'Probeert u me nu kwaad te krijgen?'

'Helemaal niet.'

'Het lijkt er anders wel op.'

Nu het gesprek een vervelende wending nam, werd het tijd voor Naomi om op te stappen. Ze had nog één punt op haar lijstje staan. Ze stond op, liep naar de deur en draaide zich om. 'Ik zou graag de dossiers van die drie mannen willen hebben die Alli Carson hebben bewaakt.'

Gunn leek onaangedaan. 'Bennett zal ze u geven als hij u uitlaat.'

Glimlachend zei ze: 'Het was me een genoegen, meneer Gunn.' En nog breder glimlachend ging ze verder: 'Die macchiato was zo goed dat ik beloof dat ik nog eens terugkom.'

'De izmaylovskaya rekruteert,' zei Thatë toen Jack zijn verhaal had verteld. 'Ze zoeken hun mensen ook ver weg... in Albanië, Roemenië en heel Oost-Europa, heb ik gehoord.' Hij keek naar zijn handen. Zijn vingers had hij in elkaar gestrengeld. 'Zo hebben ze mij gevonden.' Hij keek Jack aan. 'Waarom zou ik nee zeggen? Ze boden me een thuis, een opleiding, een vaste baan, veiligheid. Allemaal dingen die ik nooit had gehad. En die ik wel wilde hebben, en nodig had.'

'Ik dacht dat de grupperovka Russische nationalisten waren.'

'Misschien ooit.' Thatë stond op, pakte nog twee biertjes en ging weer zitten. 'Maar tegenwoordig staan de clans onder druk van het Kremlin.

Ze moeten buiten Rusland rekruteren om te kunnen overleven.' Hij haalde zijn schouders op en verwijderde de dop van zijn flesje. 'Dat vinden ze niet leuk, maar ja, wat moeten ze anders?'

De dag vergleed in buien van grijze regen en natte sneeuw die op de stoepen landden. Inmiddels had de dag het opgegeven en was overgegaan in de avond. Het werd donker, met laaghangende wolken en ijskoude regen. Hoog boven hen was de lucht vaag verkleurd door de straatverlichting in de betere wijken, maar veel licht gaf dat hier niet. De straatlantaarns werkten hier lang niet altijd; verlichting was duur, wat de straatbendes graag zo hielden.

Jack keek op zijn horloge. 'Bijna showtime.'

'Tijd om te gaan, hè?' Thatë keek over zijn schouder. 'Het meisje is wakker.'

Jack draaide zich om. Alli stond in de deuropening. Ze zat helemaal onder het opgedroogde bloed. Ze leek nog kleiner dan anders, nu echt net een meisje.

'Jack...' Ineens stroomden de tranen over haar wangen.

Hij stond op, liep naar haar toe en hield haar stevig vast terwijl zij rilde en snikte. 'De eerste keer is altijd het ergste.'

Hij voelde haar verstijven. 'Is hij dood?'

'Ja.'

'Ik... ik wilde het niet, maar hij bleef maar achter me aan komen.'

'Wat is er gebeurd?' vroeg Jack vriendelijk.

Alli haalde diep adem en beschreef wat er allemaal was gebeurd in de studeerkamer van haar oom. Hoe Rudy had gewacht tot oom Hank en Harrison Jenkins waren weggereden en toen naar binnen was gekomen en haar met de pook had bedreigd, hoe ze had weten te ontsnappen en wat er was gebeurd toen ze die twee andere bewakers was tegengekomen, hoe ze tijdens haar vlucht de kok had gezien die op de keukenvloer lag en hoe Rudy haar ook buiten had achtervolgd.

'En je weet absoluut zeker dat hij je wilde vermoorden?'

Ze knikte. 'Toen hij me aanviel, zei hij: "Dat is een mooi plekje waar ze je kunnen vinden, opgerold in de haard tussen het roet en de as."'

'En werkte hij alleen of denk je dat ze er allemaal bij betrokken waren?'

Alli dacht aan hoe Conlon en de derde bewaker hadden gereageerd en zei: 'Ze waren er allemaal bij betrokken. Maar volgens mij was Rudy de baas.'

Haar tranen waren opgedroogd en hadden lijntjes in het roet op haar gezicht getrokken. Hij kon zien dat ze zichzelf weer aardig onder controle had. Alleen al wat ze allemaal over haar aanvallers wist te vertellen, bewees dat ze op Fearington op de goede plek zat.

'Oké. Je weet nog opmerkelijk veel.' Hij knuffelde haar en duwde haar daarna zachtjes in de richting van de badkamer. 'Dan mag je je nu gaan wassen.'

Hij draaide zich om en zag dat Thatë hem aanstaarde. 'Wat?'

De jongen keek meteen naar de grond tussen zijn voeten. 'Niets.'

Jack ging tegenover hem zitten en nam een slok bier, dat inmiddels op kamertemperatuur was. 'Gooi het er maar uit.'

Thatë lachte kort. Het klonk als de kreet van een nerveuze hyena.

'Hoe heb je haar zover gekregen dat ze naar je luistert?' vroeg hij. 'Bedreig je haar of zo?'

Jack vroeg zich af waar die vragen vandaan kwamen. 'Ik hoef haar helemaal niet te bedreigen. Alli volgt gewoon mijn advies op.'

'Maar hoe maak je haar dan onderdanig?'

Jack probeerde niet te laten zien hoe hij van die vraag schrok. 'Thatë, ze vertrouwt me.'

'Vertrouwt ze je?'

Achter de gesloten badkamerdeur hoorden ze het douchewater lopen.

Thatë fronste zijn wenkbrauwen. 'Dat snap ik niet.'

'Waarom vraag je het haar niet zelf?'

Toen de jongen opstond, duwde Jack hem lachend weer naar beneden. 'Niet nu.'

'Waarom niet?'

'Omdat ze dan je ballen van je lijf knijpt.'

Thatë keek hem wantrouwend aan. 'Je neemt me in de maling, hè?'

Jack schudde zijn hoofd. 'Ze heeft vandaag een man vermoord – een beroepsbewaker – en twee anderen verminkt.' Hij liet de jongen los. 'Wil je het nog steeds proberen?'

Thatë zei hoofdschuddend: 'Man, ik krijg geen hoogte van jou.'

Op dat moment ging de badkamerdeur open en door een stoomwolk heen zei Alli: 'Ik heb schone kleren nodig.'

Jack keek naar de jongen, die onwillekeurig grote ogen opzette voordat hij naar de slaapkamer liep. Jack hoorde dat hij laden opentrok. Alli en hij keken elkaar aan, maar hij wist niet hoe ze zich voelde of wat ze dacht tot ze zei: 'Emma...'

'Wat is er met haar?' fluisterde hij.

Alli huiverde even. 'Ik voel haar.'

Thatë kwam terug met kleren: een zwarte spijkerbroek met smalle pijpen, een zwart-wit vest met WIG-OUT op de borst en een paar dikke sokken.

Alli besnuffelde ze.

'Ze zijn schoon,' zei de jongen. 'Ik zorg goed voor mezelf.' Hij stak zijn kin naar voren. 'Maar ik heb geen ondergoed voor je.'

'Geen probleem,' zei Alli en nam het stapeltje van hem over. 'Het lukt wel zonder.'

Naomi stond tussen twee zuilen naast de toegangsdeur van het Fortress Securities-gebouw, onzichtbaar voor iedereen die naar binnen of buiten ging. Ze bladerde in de dossiers van de drie bewakers in de hoop een aanwijzing te vinden, iets opvallends waar ze mee verder kon. De avond hing als een deken over de stad. Vanaf de lantaarnpalen vielen stralen licht op de stoep. Koplampen rolden naar haar toe en rolden langzaam langs haar heen in het drukke verkeer.

Ze had haar best gedaan met Gunn. Als het gesprek tot iets zou leiden, wilde ze dat weten. Ze had een schot voor de boeg gegeven en nu wachtte ze tot Gunn verscheen. Als hij was geschrokken van wat ze had gezegd, dan zou hij Henry Holt Carson persoonlijk willen spreken, en hij was veel te ervaren om dat telefonisch te doen.

Opeens vroeg ze zich af hoe ver Peter zou zijn. Ze pakte haar mobiele telefoon en toetste zijn snelnummer in. Hij nam meteen op. Niets te melden.

'Ik heb die dossiers van Fortress,' vertelde ze. 'Als je vrij bent, moeten we ze samen doornemen.'

'Prima. Twee paar ogen zien meer dan een. Tot over twintig minuten op kantoor dan.'

Ze verbrak de verbinding, las nog wat verder en zuchtte. Nog steeds geen Gunn. Ze keek op haar horloge. Shit, misschien had ze hem verkeerd ingeschat. Hopelijk had Peter iets ontdekt wat zij had gemist.

Ze wilde net de dossiers wegstoppen en daarna naar kantoor lopen, toen ze een bekende gestalte uit het gebouw zag komen en de treden af zag lopen.

Peter McKinsey liep op nog geen drie meter afstand langs haar heen. Ze was verbijsterd.

Thatë wees met zijn kin. 'Wat staat er nog meer op je iPod?'

Jack stak hem de iPod toe, de jongen pakte hem aan, stak Jacks Monster-oordopjes in zijn oren en scrolde naar beneden.

'Ik ken niets van deze shit,' zei hij een beetje te hard, zoals de meeste mensen doen die met oordopjes naar muziek luisteren. Blijkbaar vond hij toch iets wat hem aanstond, want hij zette het volume harder. Zijn hoofd knikte ritmisch mee.

Jack moest zichzelf eraan herinneren dat het joch pas zeventien was. Hij beheerste het Amerikaanse straattaaltje bijna perfect, een eersteklas imitator. Alli kwam binnen, ze zag er grappig uit: ze had de pijpen van Thatë's spijkerbroek opgerold tot een soort oversized boeien. Het vest hing bijna op haar knieën.

'Niet lachen,' waarschuwde ze.

'Ik zou niet durven.'

Ze pakte een stoel en kwam naast hem zitten. Thatë zag haar wel, maar was te veel bezig met zijn muziek om veel aandacht aan haar te schenken.

'Hoe zit het met onze verloren puber?' vroeg ze.

'We zitten in de shit, Alli. De politie van Virginia heeft een arrestatiebevel tegen je uitgevaardigd en ik weet zeker dat je oom ons ook graag wil hebben. Thatë heeft ons een veilige haven bezorgd waar niemand naar ons zal zoeken.'

'Weer een andere haven in de storm?'

'Dit is wel wat heftiger dan een storm,' zei Jack ernstig.

Alli trok haar stoel dichter bij Jack en ging nog zachter praten, hoewel Thatë haar onmogelijk kon horen. 'Ik snap het niet. Oom Hank heeft die mannen ingehuurd om me te beschermen. Maar ze wilden me vermoorden. Jezus.'

'Ben ik met je eens. Daarom heb ik je daar weggehaald, en daarom wil ik niet dat je jezelf gaat aangeven. Er zit iets helemaal mis in deze zaak en tot ik weet wat er allemaal gebeurt, vertrouw ik niemand, zelfs jouw oom Hank niet.'

'Je wilt toch niet zeggen dat hij...'

'Op dit moment weet ik niet wat ik moet denken. Behalve dat ik deze jonge aspirant-crimineel meer vertrouw dan wie dan ook.'

'Dan zitten we echt in de shit.'

Jack knikte.

'Maar we kunnen hier niet eeuwig blijven.'

'Dat ben ik ook niet van plan,' zei Jack. Hij praatte haar bij. Vertelde over de moorden bij Twilight en dat hij harde bewijzen had gevonden die deze aan Billy Warrens dood linkten. Hij liet het achthoekige speldje en Thatës identieke hanger zien.

'De tekst erop is Albanees, de afbeelding is van een ondergrondse club waar zelfs Thatë zenuwachtig van wordt. Daar hoop ik er onder andere achter te komen wie Billy heeft vermoord en waarom.'

Thatë had dat moment uitgekozen om uit zijn muziektrance te komen.

'Coole shit,' zei hij terwijl hij de dopjes uit zijn oren trok. 'Uit de oude doos, man. Veel mensen vinden het niets, maar ik wel. De hip-hop komt voort uit de blues, weet je dat?' Hij keek Alli grijnzend aan. 'Zo, *vajzë e bukur*, hoe gaat het?'

Alli keek even naar Jack, die zei: 'Hij vindt je prachtig.'

Ze liet de jongen haar tanden zien.

Volgens Thatë zat de Stem in Chinatown.

'De stad is de beste dekmantel,' zei hij toen hij de verbaasde gezichten van zijn tijdelijke huisgenoten zag. 'Bakken toeristen, iedereen ziet er raar uit...'

Op het moment dat ze op H Street NW liepen, kreeg Alli een déjà vu. Toen ze Fifth Street overstaken en naar Fourth liepen, hapte ze naar adem toen ze het vierkante uithangbord van het restaurant zag waar Thatë hen naartoe bracht.

'Wat is er?' vroeg Jack.

Alli schudde haar hoofd. 'Ik zag een afhaalmenu van dit restaurant, First Won Ton, in de studeerkamer van oom Hank.'

'Zijn huis staat anders niet echt in de buurt van Chinatown,' zei Jack.

Alli knikte. 'Ik vond het ook een beetje raar.'

Jack vroeg aan Thatë: 'En de Stem?'

'In de kelder onder het restaurant.'

Nu zei Jack tegen Alli: 'Wat weet je nog van die menukaart? Stond er iets op geschreven, iets omcirkeld, alsof mensen dat wilden bestellen?'

Alli dacht diep na. Een van de dingen die ze op Fearington had geleerd, was het bijna woordelijk terughalen van gesprekken en plaatsen delict. De studeerkamer van haar oom was geen van beide, maar de menukaart was zo raar, zo opvallend, dat ze het ding goed had bekeken. Ja, er was iets omcirkeld.

'Pikante eend met kersen.'

Jack keek naar de puber. 'Zegt jou dat iets?'

Thatë schudde zijn hoofd.

'Oké,' zei Jack. 'We gaan naar binnen.'

Het restaurant lag onder het straatniveau, net zoals zoveel restaurants in Chinatown. Een aantal afgebrokkelde, betonnen treden, donker van het vet en stadsvuil, leidden naar een glazen deur. Voor een raam aan de rechterkant hingen geroosterde eenden met hun nek aan metalen haken, roodbruin van kleur en glimmend van het vet. Daaronder lagen op metalen bladen roodgekleurde spareribs, klaar voor het vuur.

Jack had goed nagedacht of hij Alli mee moest nemen. Maar hij moest met verschillende dingen rekening houden en die beperkten stuk voor stuk zijn mogelijkheden. Om te beginnen wilde hij haar niet alleen achterlaten in een onbekend huis in een bar slechte buurt. Thatë dealde. Dat soort mensen was altijd het doelwit van rivalen of vijanden. Ook kon hij zich niet voorstellen dat Alli zou accepteren dat hij haar daar achterliet. Trouwens, ze had zich allang bewezen als het op vechten aankwam. Hij moest eens ophouden met haar te zien als het verlegen jonge meisje dat hij in eerste instantie had leren kennen, het meisje dat niet voor zichzelf kon zorgen. Alleen al het afgelopen jaar was ze enorm gegroeid. Ze was iemand geworden om rekening mee te houden.

Niets van dit alles, of het nou om feiten of om logisch denken ging, of om een combinatie van die twee, maakte hem minder bezorgd om haar veiligheid, maar zo werd het spel nou eenmaal gespeeld.

Het restaurant bleek lang en smal te zijn. Aan de formica tafeltjes zaten Chinese gezinnen en toeristen die in hun reisgidsjes zochten naar tips over eten bestellen. Niemand besteedde aandacht aan hen, ook de knappe Chinese vrouw achter de kassa niet, die thee dronk. Obers liepen druk en gehaast tussen de tafeltjes door met enorme dienbladen met borden, of met opgestapelde schalen met donkere, gelatineachtige substanties.

'Deze kant op.' Thatë liep het restaurant door naar een smal gangetje dat eindigde bij de wc-deur. Daar vlak voor, aan de rechterkant, leidde een steile trap naar de vochtige kelder.

De jongen stak zijn hand uit en Jack gaf hem zijn achthoekige hanger terug, die hij om zijn nek hing.

'Heb je het speldje?' vroeg hij toen Jack naar de trap liep.

Jack liet de palm van zijn hand zien. Daar lag het speldje dat hij uit de hand van Mathis, de manager van Twilight had gewrikt.

Thatë knikte. 'Dat moet je straks laten zien.' Terwijl hij naar beneden liep, pakte Jack hem vast en draaide hem om. 'Je belazert me niet, begrepen?'

Zonder met zijn ogen te knipperen keek Thatë hem aan. Vervolgens knikte hij kort en liep verder de trap af. Zijn stem dreef uit de schemering omhoog: 'Hou het meisje de hele tijd dicht in je buurt.'

'Wat bedoelt hij daar nou weer mee, verdomme,' fluisterde Alli.

Ze liepen de trap af. Thatë was als eerste beneden. Hij klopte op de deur. Die ging krakend op een kiertje open en een barse mannenstem zei: 'Hé, Flyboy.'

De jongen moest zijn hanger laten zien voordat de deur ver genoeg openging om hem binnen te laten. De deur ging alweer dicht toen Jack zijn voet ertussen zette.

'Ja? Wat moet je?' vroeg de stem, die hoorde bij iemand die hem achterdochtig van top tot teen opnam.

Jack had het speldje in een hand en met de andere hield hij Alli stevig vast.

'Ik ken jou niet.'

'Mathis stuurt me. Hij is geveld door de griep.'

'Klotegriep.' Hij keek Jack recht aan en bekeek hem daarna weer van top tot teen. 'Mathis zou Mbreti's geld brengen. Heb jij dat bij je?'

Mbreti betekende 'koning' in het Albanees. Jack tikte op zijn borstzakje om aan te geven dat daar het geld zat.

'Als de donder naar binnen dan.' Net als eerder bij Thatë ging de deur net ver genoeg open om Jack naar binnen te laten glippen met Alli pal achter zich.

De portier was een enorme, donkere man. Albanees of Macedonisch, vermoedde Jack. Zijn ogen gingen wijd open toen hij Alli zag en er verscheen een brede glimlach op zijn gezicht.

'Ik waardeer de vorm van Mbreti's geld.' Met een behaarde klauw gebaarde hij dat ze verder konden lopen. Hij had lange apenarmen en door zijn lage wenkbrauwen leek hij op een aambeeld.

Jack had een grote balzaal verwacht boordevol mensen, maar de ruimte waar ze door liepen was zo klein en slecht verlicht als een kerker. Er was niemand. Een kaal peertje bengelde aan een draad aan het plafond. Ze liepen eronderdoor en bereikten een haveloze deur, het leek de deur van een bezemkast. Maar er bleek een grotachtige ruimte achter te liggen, die leek uitgehouwen in de steenlaag onder de stad. Ruwe, stenen treden leidden naar de ruimte, van waaruit harde mannenstemmen opklonken en die gevuld was met blauwige sigaretten- en sigarenrook. Het stonk naar dicht op elkaar staande mensen, al waren er niet veel mensen. Uit de muziekinstallatie schetterde techno en trance. Jack zag geen opzichtig geklede lichamen die om elkaar heen kronkelden, en waar waren de dansvloer, de bar, de drugs?

Thatë was het trapje al afgelopen, maar Jack en Alli stonden nog boven. Midden in de ruimte was een boksring gemaakt waar een man of tien, twaalf in zijden pakken omheen stonden. In het midden van de ring hing een microfoon vanaf het plafond naar beneden, die werd vastgehouden door een slanke jongeman met sluik achterovergekamd haar die gekleed was als een ondernemer. Er stonden geen boksers in de ring, geen mannen in de hoeken met hun bloedstelpende middelen, flessen koud water en krukjes.

Er hing wel een broeierig sfeertje. En er stond wel vrouwelijk vlees in. Voor de ceremoniemeester stonden zes meiden – lang, smalle heupen, kleine borsten, blond en bruin. Allemaal naakt. Jack dacht dat minstens de helft van hen minderjarig was. Met gebogen hoofd keken ze naar het canvas voor hun voeten. De lange jongeman begon te praten in het staccato-jargon van een veilingmeester en toen pas begreep Jack wat voor zaken de Stem deed.

'En nu, ons eerste kersje is een smakelijk hapje, vers van de kust bij Odessa.' De veilingmeester liep naar het eerste meisje aan zijn rechterkant. 'Pas twaalf jaar en gegarandeerd maagd, mijn beste heren, dus met dat in gedachten begint het bieden bij vijftigduizend dollar.' Hij legde zijn hand onder haar kin en tilde haar hoofd op. 'Kijk eens naar dit kersje! Kijk eens in die blauwe kijkers, kijk eens naar dat blonde haar, het zachte huidje. En heren, dit kersje is gegarandeerd zonder luizen!' Hij praatte maar door op die afschuwelijke, mensonterende manier, alsof hij Texaanse stieren of Arabische paarden aan de man probeerde te brengen.

In trance liep Jack het trapje af en hield Alli's hand stevig vast. Een deel van hem wilde haar hier zo snel mogelijk weg hebben, maar een ander deel wist dat dat niet meer kon. Als ze nu omdraaiden en weggingen zou dat alleen maar ongewenste aandacht oproepen. Hij zei tegen zichzelf dat ze hier waren vanwege een driedubbel moordonderzoek waarin Alli hoofdverdachte was. Ze moesten verder.

Op dat moment fluisterde Alli iets in zijn oor. Nu ze dichter bij de ring waren, zag hij ook wat zij al had gezien. Alle meisjes hadden brandplekken of striemen op hun huid. Sommige waren oud, maar andere zo te zien nieuw. Het was een afschuwelijk, onsmakelijk gezicht en alleen door Alli's aanwezigheid bleef hij rustig.

Op dat moment riep de veilingmeester: 'Aan jou de eer, Sergei. Nee? Honderdtwintig dan. Eenmaal, andermaal... verkocht!' en hij wees naar een man met een zonnebril op die met zijn armen over elkaar in een hoek hing.

Een man klom in de ring en nam het meisje mee. De veilingmeester wilde met het volgende meisje beginnen toen hij ineens Alli zag staan.

'En wat hebben we daar?'

Hoofden draaiden hun kant op. 'Mathis' hulpje is hier met iets vers, zo te zien.' Hij boog naar Jack en zei met schallende stem: 'Kom, breng dat nieuwe kersje hiernaartoe! Ik weet zeker dat ze een lekker sommetje zal opbrengen, meneer, een zeer lekker sommetje!' Met de microfoon in zijn hand liep hij naar voren.

Alli klemde zich aan Jack vast, maar de man die het eerste kersje uit de ring had geleid, stond nu naast Alli en greep haar arm zo hard vast dat ze gilde van de pijn. Jack draaide zich meteen om en ramde zijn elleboog op de neus van de man. Het bloed stroomde over zijn gezicht terwijl hij neerging. De veilingmeester maakte een gebaar en er kwamen twee grote mannen uit de schaduw naar voren. Een hield een Glock in zijn hand, de ander liet zijn vuisten zien.

'Zij gaat de ring niet in,' zei Jack.

'O, jawel hoor,' zei de man met het pistool.

Jack schopte hem tegen zijn wreef en sloeg tegelijkertijd met de zijkant van zijn hand tegen de pols van de schutter. De Glock viel op de grond en de schutter kreunde van pijn, maar de andere man had zijn arm al om Jacks keel geslagen.

'Nog één beweging en ik breek je nek.'

Alli boog zich om de Glock te pakken, maar de schutter hield haar tegen door de achterkant van haar vest te pakken en haar omhoog te trekken. Jack moest hulpeloos toekijken hoe de schutter haar naar de ring duwde. De meisjes keken bevend en met glazige ogen naar haar. Maar toen de schutter Alli het houten trapje op wilde sleuren, struikelde ze. En toen hij zich bukte om haar overeind te trekken, trapte ze hem achterwaarts in zijn maag. Hij viel haar kant op en ze draaide snel weg, waardoor hij tegen de metalen rand viel die om het canvas heen zat. Ze pakte zijn hoofd, ramde dat nog een keer tegen de metalen rand en pakte toen zijn pistool.

Met de Glock in de aanslag draaide ze zich om naar de man die zijn arm om Jacks nek had geslagen. Die verstevigde zijn greep.

'Laat hem los,' zei Alli, 'anders jaag ik een kogel in je hersenen.'

'Als je dat al lukt, is hij allang dood,' zei de man en trok Jacks hoofd achterover.

Het werd doodstil in de ruimte. Zelfs de gladde veilingmeester hield zich gedeisd. Alli en de man keken elkaar aan. Niemand durfde zelfs maar adem te halen. Jack vroeg zich af waar Thaté was. Door de schok van de ontdekking dat hij naast een ring met blanke slavinnen stond, was hij de jongen helemaal vergeten. Maar nu zou hij hem goed kunnen gebruiken.

Achter in de ruimte zwaaide een deur open en een stem zei: 'Niemand heeft wat aan deze Mexicaanse patstelling.' Er verscheen een schaduw in de deuropening. 'Gooi dat pistool weg en dan praten we. Niemand wordt gemolesteerd, toch, Evan?'

De grote man knikte. 'Als jij het zegt.'

'Jij houdt op, Evan, en het meisje gooit het pistool weg, duidelijk?'

'Ik gooi helemaal niets weg,' zei Alli.

De schaduw in de deuropening zuchtte. 'Thaté.'

De jongen ging naast Alli staan. 'Jij wilt helemaal niemand neerschieten,' zei hij tegen haar. 'Want dan zijn jullie allebei dood.'

'Zeg hem dat hij Jack los moet laten en meer dan een meter aan de kant moet gaan.'

Thatë keek naar de schaduw in de deuropening.

'Doe wat ze vraagt,' zei de schaduw.

Evan haalde zijn arm weg. Jack haalde piepend adem en begon te hoesten.

'Weg daar,' zei Alli en gebaarde met de loop van de Glock.

Ze volgde Evan met het pistool toen hij achteruitliep. Toen hij op voldoende afstand van Jack was, draaide ze de Glock in de richting van de schaduw in de deuropening. 'En nu wij...'

De woorden stierven op haar lippen, want Thatë drukte de loop van een .25 tegen haar slaap. 'Hier met dat pistool.' Toen ze doodstil bleef staan, ging hij verder: 'Het mag dan een licht pistool zijn, maar er zitten koperen Tokarev-kogels in, met zuur, Brendan-stijl, 87-punts loden kern. Met andere woorden: full metal jacket ammo die van dichtbij je halve kop wegblaast.'

Alli zuchtte en keek even naar Jack alsof ze wilde zeggen: 'Zie je wel: verraad. Ik wist het wel.' Ze richtte de loop van de Glock naar de vloer. De jongen nam het wapen van haar over.

'Thatë,' zei de stem, 'breng ze naar mij.'

'Ik moet zeggen dat ik je heel intrigerend vind. Héél intrigerend.'

De man die nu hun gastheer was in het kleine, afgesloten kamertje naast de veilingruimte sprak Engels met een zwaar accent, en alleen tegen Alli. Hij negeerde Jack volledig, hoewel Alli en hij naast elkaar stonden. Thatë, met de .25 nog steeds in zijn hand, stond met zijn rug tegen de dichte deur.

In het kamertje, bijna claustrofobisch klein, stonden een antiek bureau, een stoel en een bureaulamp. Geen telefoon, nog geen paperclip lag er op het bureau. Aan een muur hing een horizontaal schilderij, veel te groot voor de ruimte, getiteld *Korab*, met daarop tot in detail de met ijs en sneeuw bedekte bergkam onder een stralend blauwe lucht.

De man tikte met zijn lange wijsvinger tegen zijn lippen. 'Jij bent klein, maar reageert bijzonder alert.'

Hij was lang, had vierkante schouders en de smalle heupen van een danser. Hij zat half op zijn bureau, wat naar voren gebogen, met zijn handen in de zakken van zijn gestreepte broek. Hij had grote ogen die langzaam en sluw in hun kassen bewogen. Reptielenogen, die alles in een oogopslag leken te zien. Zo te zien was zijn neus meerdere keren gebroken en hij had een rossige huid als van slecht gelooid leer. Zijn priesterlijke rand van wit haar was ronduit misplaatst en viel moeilijk te rijmen met de rest van zijn gezicht.

'Hoe heet je?' wilde hij weten.

'Alli.'

'O, maar ik ken die naam.'

'Hoe kan dat?' vroeg Alli.

Hij dacht er even over na. 'Ik vind dat je het recht hebt dat te weten. Ik heet Dardan.'

Zonder het te willen hapte Alli naar adem.

'Ja, ja.' Er gleed een vlijmscherp lachje over zijn lippen. 'Ik zie dat je mijn naam kent.'

Hij liep naar het schilderij, haalde het van de muur af en zette het op de grond. Ze zagen een raam dat door het schilderij aan het oog werd onttrokken. Dardan drukte op een knop en de kamer aan de andere kant van het raam werd hel verlicht.

'O mijn god!' riep Alli, en ze legde haar handen tegen het glas.

Jack zag een jonge vrouw liggen. Blond en volmaakt. Een gave, bleke porseleinen huid. Ze lag op een zwarte baar. Haar huid was parelwit en haar bloedeloze lippen lichtten blauw op in het felle licht. In haar haren zat bloed.

'Arjeta!' riep Alli.

'Arjeta Kraja?' zei Jack. De mysterieuze vrouw die met Billy Warren in Twilight was geweest, de vrouw naar wie iedereen op zoek was.

'Ik zie dat je haar kent,' zei Dardan. 'Ze is een paar maanden mijn speeltje geweest, maar toen...' Hij maakte de zin niet af en haalde zijn schouders op.

Jack draaide zich naar hem om. 'En toen wat?'

Eindelijk keek Dardan Jack aan. 'Het was een slecht idee om haar mee te nemen.'

'Vooral slecht voor jouw mannen daarbuiten,' zei Jack. Hij liet zijn legitimatie zien. 'Het ziet er niet goed voor je uit.'

Dardan haalde weer zijn schouders op. 'Thatë zal je zonder aarzelen in je rug schieten.' Hij strekte zijn hals uit. 'Toch, Thatë?'

'Zeker weten,' zei de jongen en richtte zowel de Glock als de .25.

Alli keek Jack aan. Haar ogen waren rood, maar ze had geen traan vergoten.

'Jij zou een federale agent niets doen,' zei Jack. 'Want dan wordt die schijnwerper op je smerige handel gericht en ben je voor eeuwig uit de running.'

'Ach, dat denk ik niet.' Dardan stak zijn wijsvinger op. 'Want, weet je, ik word beschermd, meneer McClure. Zelfs de dood van een federale agent verandert dat niet. De resultaten van het onderzoek dat daarop volgt, zullen worden aangepast... elders.' Weer haalde hij zijn schouders op. 'Dus je begrijpt dat ik met je kan doen wat ik wil. Maar...' hij kwam van het bureau af, '... dit brutaaltje – dat is toch het goede woord? – interesseert me.'

Terwijl hij naar Alli liep, haalde hij zijn handen uit zijn zakken. Hij liet zijn vinger langs haar wang en haar kaaklijn glijden en duwde toen een vingertop tussen haar lippen. Ze maakte een keelgeluid en trok haar gezicht weg.

'Niet doen.' Dardan had ineens een stiletto in zijn handen, en liet het lemmet eruit springen. Het lange mes glom en hij bracht het naar Alli's keel. 'Ik stel voor dat ik me met haar ga amuseren, meneer McClure, terwijl jij toekijkt. Klinkt dat niet gezellig?'

Jack tikte tegen Alli's rechterheup en onmiddellijk dook ze weg bij Dardan. Jack schoot naar voren. Instinctief richtte Dardan het mes op Jacks gezicht, maar die dook onder het mes door en gaf Dardan een harde duw, waardoor die tegen het bureau viel.

Meteen zat Jack boven op hem, hij klemde de hand met het mes vast en stootte zijn knie in Dardans kruis.

Alli draaide zich razendsnel om naar Thatë, maar tot haar verbazing had hij zijn wapens niet getrokken.

Toch zei ze: 'Niet doen.'

Grijnzend stak Thatë zijn lege handen omhoog.

Achter haar wrong Dardan zijn hand los en haalde uit met het mes, dat al door Jacks jasje en overhemd sneed en op zoek was naar zijn ribben. Jack voelde het warme bloed langs zijn zij stromen toen hij tegen de binnenkant van Dardans linkerknie trapte. Het mes miste zijn doel, maar Dardan ramde zijn vuist in Jacks solar plexus. Jack sloeg dubbel.

Dardan ramde hem tegen de rand van het bureau en duizelend viel Jack op zijn knieën. Dardan haalde uit met het mes, richting Jacks keel, maar de pijn sneed door Jacks duizeligheid heen en hij sloeg met de zijkant van zijn rechterhand tegen Dardans pols. Tegelijkertijd trok hij zijn hoofd naar achteren. Het mes schoot pal langs zijn gezicht. Jack, die wankelde en wanhopig naar houvast zocht, greep het mes vast. Terwijl de rand van het blad in zijn handpalm sneed, schoof hij de punt verder omhoog. Het schoot net boven Dardans wang in zijn oog. De man gilde en Jack duwde het blad dieper in zijn hoofd. Toen liet hij zich vallen. Zijn hart bonkte in zijn keel, de adrenaline gierde zo hard door zijn lijf dat hij dacht dat hij moest overgeven.

Toen duwde Alli het lichaam van hem af, trok hem omhoog en van het lijk weg.

'Fuck.' Thatë staarde naar Dardans lijk.

'We moeten hier weg,' zei Alli.

Een driftig geklop op de deur haalde de jongen uit zijn trance. 'Ik weet een vluchtweg. Maar dan moeten jullie me beloven dat jullie me meenemen.'

Zijn ogen waren wijd opengesperd. Jack, die weer een beetje bij zijn positieven kwam, zag dat de jongen doodsbang was.

Het geklop ging door en ze hoorden nu ook mensen roepen; vloeken, verwensingen.

'We moeten opschieten,' zei Thatë. Het geklop werd harder. 'Zonder mij zitten jullie hier vast. Nemen jullie me mee of niet?'

Een kogel schoot door de deur. Het boze geroep werd harder en harder. Er werd nu op de deur gebonkt. De deur rammelde.

'Ja,' zei Jack. 'Oké.'

Thatë knikte, zette zijn schouder tegen het bureau en duwde het voor de deur. In de vloer waar het bureau op had gestaan, was een luik. Hij trok aan een ijzeren ring en het luik ging omhoog.

'Snel,' zei hij. 'Snel, anders sterven we hier.'

Ze zagen een ijzeren ladder die in het duister verdween. Alli ging eerst, Jack volgde. Thatë ging als laatste en sloot het luik aan de binnenkant af. Het was nu aardedonker.

'Blijven lopen.' Thatës stem dreef door de leegte.

Om hen heen was het vochtig en het rook er naar rottende dingen.

'Thatë,' vroeg Jack toen hij de grond had bereikt, 'wat is er zonet nou gebeurd?'

Hij hoorde de jongen ademen. Uiteindelijk zei hij: 'Heb je weleens gehoord van een man die Arian Xhafa heet?'

Jack voelde een rilling door zijn lijf trekken.

Thatë haalde diep adem en blies de lucht weer uit. Jack voelde het op zijn wang.

'Dardan, de man die je net hebt vermoord, was Arian Xhafa's broer.'

DEEL II

BLOEDBANDEN

Vijf dagen geleden

Het ergste aan alleen sterven, zei hij altijd, is dat je geen tot ziens kunt zeggen

The Skating Rink, Roberto Bolaño

12

'Je bent zo goed als dood, Jack, dat weet je zelf ook.' Dennis Paull schudde zijn hoofd. 'Jullie allemaal. Jij, Alli en die knul.'

Jack zocht een gemakkelijke houding, zodat hij zo min mogelijk last had van de pijn in zijn zij. Hij was bij een arts geweest. De snee was oppervlakkig, in zijn hand zaten een paar hechtingen en hij had antibiotica gekregen.

'Als ik het al weet, waarom zeg je het dan nog?'

'Omdat het nu een race tegen de klok is geworden. We moeten Arian Xhafa geëlimineerd hebben voordat een van zijn mensen een paar sluipschutters op jullie zet.'

Jack en Paull zaten dertig kilometer boven de Atlantische Oceaan naast elkaar in het voorste gedeelte van de luxueus ingerichte 757. In het ruim onder hen lag, ingepakt en klaar voor gebruik, een heel arsenaal DARPA-wapens dat Paull had uitgezocht voor de eerste missie van Chimaera.

Alli en Thatë zaten achterin met een pizza en blikjes cola. Het zag er wat ongepast uit, vond Jack, net alsof ze in een hamburgertent zaten. Als hij naar ze keek, leek het alsof de afschuwelijke dingen van de laatste vierentwintig uur niet waren gebeurd.

Paull keek naar Thatë. 'Dat klotejong. Ik wou dat je hem niet had meegenomen.'

'Ik heb het hem beloofd. Ik had geen keus.'

'Natuurlijk had je een keus.' Paulls stem klonk genadeloos. 'Je had hem zo snel mogelijk moeten dumpen.'

'Zodat hij door Dardans mannen kon worden opgepikt?'

'Hij heeft nog steeds die Stem-hanger.'

'Hij heeft niets gedaan om Dardan te beschermen.' Jack schudde zijn hoofd. 'Nee. Hij is eerlijk, voor zover dat mogelijk is.'

'Maar toch.'

'Ooit wordt dat cynisme van je nog eens je dood.'

Paull snoof. 'In ons werk bestaat geen vertrouwen.'

Jack glimlachte ironisch en zei: 'Dat zal ik onthouden voor de komende dagen.'

'Maar toch,' hield Paull vol. 'Waarom heb je Alli in zulk groot gevaar gebracht?'

'Ik heb niets gedaan. Dat deed ze zelf.'

'Hoe graag wil ze dood?'

'Ze was een absolute ramp in de Oekraïne.'

'Als ik ontvoerd was en een week gevangen was gehouden, dan zou mijn doodswens zo groot zijn als de staat New Jersey,' zei Paull.

En dat was ook zo geweest. 'Maar het gaat nu goed met haar, Paull.'

'Dus je hebt genoeg bewijzen om haar vrij te pleiten van de moord op Billy Warren. Maar hoe zit het met dat beveiligingsteam van haar oom?'

'Vertrouw me.'

'Vergeet niet wat ik net over vertrouwen heb gezegd, Jack. Maar van alle mensen die ik ken, ben jij de enige die ik wél vertrouw. Daarom heb ik dat aanhoudingsbevel voor haar bevroren... tot we terug zijn. Het heeft me veel politieke goodwill bij de president gekost.'

'Dat waardeer ik, Dennis.'

'Kul. Je had me klem. Vertel me eens: zou je echt geweigerd hebben om te komen?'

'Ik heb het gezegd en ik meende het.'

'Je moet meer van dat meisje houden dan van je eigen leven.' Paull schudde zijn hoofd. 'Jij bent me er eentje.'

'Ik waardeer je compliment.'

Paull keek nog steeds boos. 'Is het ooit bij je opgekomen dat die jongen Warren wel vermoord kan hebben?'

'Heel even.'

'Waarom laat je ze dan bij elkaar zitten?'

'Ze kan heel goed op zichzelf passen. En...' Hij zag dat Alli hun kant op kwam.

'Stoor ik?' vroeg ze terwijl ze in een van de lege stoelen tegenover hen plofte.

'We hadden het net over je,' zei Jack. 'Wat is je oordeel?'

Alli keek even ondeugend naar Paull voordat ze tegen Jack zei: 'De jury is er nog niet uit.'

'En dat betekent?'

'Hij heeft niet recht in mijn gezicht gelogen, maar hij houdt iets achter. Hij is duidelijk bang en ontzettend overstuur van Dardans dood.'

'Denk je dat hij Billy heeft vermoord?'

'Weet ik nog niet.'

Jack zag haar blik en vroeg: 'Wat is er?'

'Hij vertrouwt ons niet, of in elk geval niet helemaal.'

'Slim van hem. Hij heeft ook geen enkele reden om ons te vertrouwen.'
Alli keek even over haar schouder. 'Ik doe mijn best om dat te veranderen.'
'Doe rustig aan,' zei Jack. 'Hij is bang.'
Alli knikte en stond op. Jack pakte haar hand vast.
'Met mij is alles goed. Met jou ook?' Ze raakte zijn ingepakte hand aan.
Jack knikte.
Glimlachend liep ze terug naar Thatë.
Paull had verbaasd toegekeken. 'Wat zijn jullie? Een team?'
Glimlachend zei Jack: 'Laat ik zeggen dat we elkaar begrijpen.'
'Jezus, ik wou dat mijn dochter en ik elkaar zo goed begrepen.'
'Elke relatie kent zijn problemen.'
'Maar toch: wat is jullie geheim?'
Het geheim, dacht Jack, is Emma, die vanuit haar onrustige bestaan na haar dood met ons allebei contact zoekt. Maar dat was een verklaring waar Paull niets aan had.
'Er is geen geheim.'
'Natuurlijk wel. Maar dat is privé. Ik snap het.' Paull knikte afwezig en nam een slokje single malt uit het glas naast zijn rechterelleboog. 'Weet je waarom die Warren is vermoord?'
'Ik weet alleen dat Dardan de opdracht heeft gegeven.'
'Waarom?'
'Billy Warren was iets met Arjeta Kraja begonnen, maar Arjeta was van Dardan. Dat is reden genoeg voor zo'n man.'
'Dus Dardan liet hem vermoorden.'
'Zou het dan niet keurig netjes zijn opgelost?'
Paull keek hem aan. 'Vind jij van niet?'
'Zeker weten van niet. Dardan heeft Billy Warren laten martelen. Waarom? Om hem een lesje te leren voor hij stierf? Ik denk van niet. Nee, Billy werd om de bekende reden gemarteld: informatie. Of hij had iets ontdekt over Dardan, of hij had iets in zijn bezit wat Dardan wilde. En volgens mij wist Arjeta er ook van, want Billy heeft het haar denk ik verteld op de avond dat hij werd vermoord. Weet je nog dat Alli een paniektelefoontje kreeg van Billy? Toen ze bij Twilight aankwam, zag Alli ze samen weglopen.'
Paull trok zijn schouders recht. 'Wat was die informatie dan?'
'Tja, dat is de hamvraag.'

Naomi en McKinsey bleven tot laat op kantoor om de achtergronden van de drie Fortress-mannen na te lopen, en een tijdslijn samen te stellen van de moorden op basis van de aantekeningen en informatie die ze tot nu toe hadden verzameld.

'Er staat niks in het forensisch rapport over Alli's kamer in Fearington,' zei McKinsey.

Naomi pakte een plastic bewijszakje. 'Behalve dan dit idiote medicijnflesje waar de roofies in zaten.'

'Met haar vingerafdrukken erop.'

'Alleen haar vingerafdrukken.' Naomi schudde met het zakje en het schelle licht viel op het geelachtige plastic. 'Jack vond dat raar, en ik ook.'

'Een set-up?'

Naomi knikte. 'Maar door wie? En waarom?'

McKinsey keek naar het whiteboard, waar ze diverse mogelijke motieven op hadden geschreven, en schudde zijn hoofd.

'Hoe is het met jouw onderzoek naar onze vrienden O'Banion en Willowicz?' vroeg ze.

'Dat is er niet. De recherche die ons vandaag heeft ondervraagd, heeft me daarvan afgehaald. Ze zeiden dat aangezien de echte Willowicz en O'Banion met verlof waren, het een interne aangelegenheid is.'

'Geloof je ze?'

'De recherche jaagt geen spoken na, Naomi.' Hij haalde zijn schouders op. 'Het zijn twee mannen zonder namen.'

Ze keek hem aan. 'En daarmee bedoel je?'

Weer haalde hij zijn schouders op. 'Voor zover we kunnen nagaan, bestaan ze niet.'

Ze keek hem geërgerd aan. 'Natuurlijk bestaan ze. Alleen niet onder de namen Willowicz en O'Banion.'

'Het is onze zaak niet meer.'

'Daar kan ik echt kwaad om worden,' zei ze, 'dat die twee gewoon mogen rondlopen en kunnen doen wat ze willen.'

'Laat het los, Naomi. We moeten grotere ratten vangen.'

Ze zwegen. De airco rammelde en zoemde en buiten op de gang ratelde een schoonmaakkarretje voorbij. Het kantoor stonk naar hamburgers, zweet en angst. In stilte gingen ze verder met hun werk. De wijzers van de klok draaiden langzaam verder.

Rond middernacht zei McKinsey: 'We gaan die Arjeta Kraja nooit vinden.' Hij wierp een bekertje koude koffie in de prullenbak. 'Dat weet jij ook, hè?'

Zuchtend moest ze toegeven dat hij gelijk had. 'Ze ligt waarschijnlijk ergens diep begraven.'

'Het is nog waarschijnlijker dat ze in mootjes is gesneden.'

Naomi leunde achterover en keek naar de stapels papieren, rapporten en foto's van plaatsen delict, die als een kermisrad onder haar ogen leken te draaien. 'Eén persoon heeft Billy Warren en die kerels in Twilight vermoord. Dat bewijst de modus operandi die Jack heeft ontdekt. Toch hebben we geen enkele goede aanwijzing.'

'We hebben niet eens een slechte. En geen motief. Ik bedoel: waarom zijn die mensen vermoord? Wat wisten ze? Carson gaat ons een heleboel vragen stellen en we hebben geen enkel antwoord.'

'Hij kan doodvallen.'

'Dat zeg je nu.' McKinsey rekte zich uit. 'Pff, ik moet hier weg.'

Naomi knikte. Ze had het zelf ook gehad. En ze had ook nog een andere agenda. 'Ik sterf van de honger. Zullen we wat gaan eten?'

'Echt? Wil je met mij uit eten?'

'Ik wil eten.' Ze stond op en pakte haar jas. 'Ga je mee of niet?'

Hij stond ook op. 'Natuurlijk. Een afspraakje met jou zou ik nog niet willen ruilen voor alle porno op internet.'

Inwendig glimlachte ze. Ze kon niet wachten om hem eens goed onder handen te nemen.

Ze gingen naar Marco's, een Italiaanse tent die zo uit *The Godfather* had kunnen komen, behalve dat het eten er middelmatig was. Maar het lag vlak bij kantoor en was goedkoop. En het had een eersteklas bar.

De keuken had wel een paar lessen van Pete Clemenza kunnen gebruiken, dacht Naomi toen ze aan een tafel met een rood-wit geblokt tafelkleed gingen zitten. Ze was een liefhebster van eten. Zeer frustrerend voor iemand met haar salaris. Hoeveel restaurants had ze al niet voorbij moeten lopen omdat ze wist dat ze er nog geen caesarsalade of crudo zou kunnen betalen?

Ze begonnen met ieder een whisky. Daarna stelde McKinsey een goedkope wijn voor, typisch iets voor hem, maar dat weigerde Naomi en ze koos een chianti, waarvan haar mond zich niet zou samentrekken. Toen de fles kwam, viel McKinsey erop aan alsof het geroosterde kip was, hij had al een derde van de fles op toen zij nog aan haar tweede glas was. Ze bespraken de zaak, en het feit dat alle drie de Fortress-mannen met wat ze wisten konden worden afgevoerd. Toen Naomi hem vroeg wat hij van de informatie in hun dossiers vond, haalde hij zijn schouders op alsof hij wilde zeggen: als je één dossier hebt gelezen, heb je ze alle drie gelezen.

'Ik moet zeggen dat ik vind dat je je deze zaak nogal persoonlijk aantrekt,' zei hij.

'Vind je dat raar?'

Weer haalde hij zijn schouders op. 'Een beetje wel. Op de Ranch sta je bekend als een kouwe.' De Ranch was het 'clubhuis' van de Geheime Dienst, een mannenbijnaam waar ze van gruwde. Het bewees maar weer eens dat haar mannelijke collega's zich heel puberaal konden gedragen.

'En wat wordt daarmee bedoeld, verdomme?'

'Wees eerlijk, Naomi. Jij voelt je nooit betrokken... bij niets.'

'Jezus, Pete, ik herken de codewoorden als ik ze hoor. Wat jouw jongensclubje bedoelt, is dat ik met geen van allen het bed in wil duiken.'

Hij keek haar even doordringend aan en begon toen te lachen. 'Weet je, je hebt waarschijnlijk gelijk. Ze zitten er constant over door te zagen. Ik neem aan dat dat een compliment is.'

'Wat een shitcompliment, zeg.'

Hoofdschuddend zei hij: 'Ik snap niet waarom jij niet wilt zien dat je knap bent... en heel sexy.'

'Dat komt omdat jij geen vrouw bent,' zei ze scherp. 'Tieten, kont, benen. De rest interesseert jullie niet. Heb je enig idee hoe hard ik heb moeten werken voordat mannen me serieus gingen nemen?'

'Niet echt,' zei hij droog. 'Want ik let alleen maar op je tieten, kont en benen.'

'Hufter,' zei ze en ze lachten allebei.

Er kwamen schone glazen en een nieuwe fles wijn. Lambrusco deze keer. De ober schonk een beetje in Naomi's glas om haar te laten proeven. Ze liet de wijn in haar glas ronddraaien, rook eraan en nam een slokje. Hij smaakte lekker en ze knikte tevreden.

McKinsey trok een gezicht. 'Zie je, dat bedoel ik nou. Jij kunt zo'n akelige snob zijn.' Hij nam een paar grote slokken van zijn wijn. Hij keek niet meer zo helder uit zijn ogen en zijn haar zat door de war. 'Ik weet eigenlijk niet waarom ik met jou blijf samenwerken.'

'Laat ik nou precies hetzelfde denken.'

Hij bekeek het menu. 'Tja, ik kan natuurlijk een nieuwe partner vragen, maar niemand wil met jou werken.'

Naomi begroef haar gezicht in het menu om hem niet te laten merken hoe gekwetst ze zich voelde.

Hij legde zijn menu weg en zei: 'En er kan natuurlijk niemand aan je tippen.'

Ze keek omhoog en zag zijn strakke grijns. Alles aan Pete was strak. Hij sportte drie dagen in de week in de sportschool. Als hij niet bij de Geheime Dienst had gewerkt, was hij vast sportschoolinstructeur geworden.

Ze bestelden bij de ober, die hun menu's aannam en wegliep. Het was druk in het restaurant, veel te druk voor het late tijdstip, maar de eters waren dan ook niet normaal. Iedereen hier werkte bij de federale over-heid en driekwart van hen – misschien wel meer – was blank. En soort zocht soort: de veldagenten zaten daar, de computermensen hier en de codekrakers zaten als een stel oude wijven achterin. Midden in de ruim-te stond een tafel met vier hoge piefen eraan – wie zou hun echte rang weten? – en die werd door iedereen vanuit hun ooghoeken in de gaten gehouden.

'De bisschoppen zijn van plan het departement te reorganiseren,' zei McKinsey. Bisschop was de bijnaam voor de bazen, van het departement tot ministeriebobo's tot aan onderministers in hun ruime behuizing, hoog boven het geruzie, naast de president.

'Die zijn altijd iets aan het reorganiseren,' zei Naomi. 'Dan hebben ze wat te doen.'

McKinsey knikte instemmend. 'Strategie binnen de strategieën.'

En nu we het daarover hebben, dacht Naomi, bij wat voor strategieën ben jij betrokken? Er kwam een glimlach op haar gezicht. 'Pete, we zijn al een paar jaar partners, maar wat weten we nou eigenlijk van elkaar?'

Hij haalde zijn schouders op. 'We hebben elkaar altijd geholpen en ge-steund. Wat moet je als partners nog meer van elkaar weten?'

Het eten kwam en ze zei niets tot de ober weer was weggelopen. Ze keek naar haar bord en zag dat ze een fout had gemaakt. De rode saus leek veel te veel op bloed en de noedels – tja, daar wilde ze niet eens aan denken.

McKinsey werkte al enthousiast zijn kalfsvlees naar binnen. 'Wat is er?'

Zuchtend legde ze haar vork neer. 'Ik heb geen honger meer.'

Hij liet zijn vork voor zijn mond in de lucht hangen. 'Dat is helemaal niets voor jou, Naomi. Wat is er?'

'Ach, van alles. Wat Billy Warren is aangedaan, vier lijken binnen twaalf uur, Alli als hoofdverdachte van die martelmoord op Billy.'

Hij keek haar recht aan. 'Je hebt een zwak voor dat meisje, hè?'

Ze keek terug. 'Ik was erbij toen ze haar vader verloor en toen ze haar moeder aan boord van de Air Force One brachten. Binnen een jaar heeft ze allebei haar ouders verloren. Ik heb medelijden met haar. Haar wereld stond ineens totaal op zijn kop. En dan nu dit.'

'We hebben het allemaal weleens moeilijk, Naomi.' Hij propte een vork vol kalfsvlees in zijn mond. 'Ze is op dat gebied niet zo heel veel anders dan wij.'

Naomi bedwong de neiging om te zeggen: Alli is op heel veel gebieden heel anders dan wij. Ze hield zich aan haar plannen en zei: 'Heb jij dan nooit moeilijke tijden gekend, Pete?'

'Natuurlijk.' Hij rolde met zijn schouders zoals sportschoolfanaten altijd deden. 'Ooit, toen ik acht of negen was, ben ik verdwaald. En dan bedoel ik écht verdwaald. Mijn ouders hadden een huisje in de Smoky Mountains gehuurd. Het was nog voor de scheiding, maar de problemen waren al begonnen. Ik neem aan dat ze dachten dat een vakantie goed zou zijn voor hun relatie. Maar ze merkten juist toen pas hoe ongelukkig ze waren. Elke avond hadden ze ruzie, steeds erger en erger. Ik kon er niet meer tegen, dus ging ik weg.' Hij nam nog een hap kalfsvlees met kaas. 'Niet dat ik weg wilde lopen, hoor, maar ik wilde dáár weg. Ik was zo overstuur, dat ik niet eens een zaklantaarn en een jas had meegenomen. Ik rende het bos in zoals je in een nachtmerrie belandt: geen geluid te horen, alleen je hart dat zo hard bonkt dat je zeker weet dat het gaat exploderen.

Ik weet nog dat de maan scheen. Dat koude licht viel tussen de dennentakken en maakte plasjes licht op de grond. Verder was het aardedonker, allemachtig, als ik daar nog aan denk. Na een tijdje was ik buiten adem, dus stopte ik, bukte me, legde mijn handen op mijn knieën en probeerde op adem te komen.

Na even kwam ik overeind en keek om me heen. Ik had geen idee waar ik was. En nog erger: ik wist niet meer van welke kant ik was gekomen. Er was niemand, helemaal niets of niemand die me thuis kon brengen. Jezus, op dat moment hád ik helemaal geen thuis.' Zijn vork met eten hing stil in de lucht, afwachtend.

'Wat moest ik doen? Naomi, ik ben nog nooit in mijn leven zo bang geweest als toen. De adrenaline schoot door mijn lijf, en plotseling hoorde ik allemaal enge geluiden, en ik zag blaadjes bewegen alsof er onzichtbare dieren langsliepen.' Hij legde zijn vork neer en keek haar aan. 'Heb je ooit een beer in het wild gezien?'

'Nee.'

'Dat is een verbijsterende ervaring. Want dat kwam er onder die bomen uit, Naomi, een beer. Een zwarte beer. Een menseneter.'

'Wat gebeurde er?'

McKinsey zette zijn ellebogen op tafel en sloeg zijn handen in elkaar. 'Begrijp één ding heel goed: je weet nooit wat een beer zal gaan doen. Hij geeft geen aanwijzingen. Zijn gedrag is totaal onvoorspelbaar. En dat komt vrij aardig overeen met hoe het leven in elkaar zit; dat is zo verdomde onvoorspelbaar dat je alles op alles moet zetten om te voorkomen dat je levend wordt opgevreten.'

Naomi keek hem aan en pas na een tijdje begreep ze dat hij haar net zijn motivatie voor zijn werk voor Fortress Securities had gegeven.

Je moet alles op alles zetten om te voorkomen dat je levend wordt opgevreten. Nu wist ze dus waarom, maar nog niet wát. Wat deed Pete bij Fortress en was het toevallig dat Fortress het bedrijf was waarvan de baas meer dan goed bevriend was met Henry Holt Carson? Naomi geloofde niet in toeval. In haar wereld werd je vermoord als je in toeval geloofde.

'Hoe eindigde het?'

McKinsey schonk de fles leeg. 'Het eindigde niet, maar ik snap wat je bedoelt.' Hij lachte en ze zag zijn tanden, zijn mooie ivoorkleurige tanden. 'Op het moment dat hij me zag staan, ging de beer op zijn achterpoten staan. We stonden allebei doodstil en keken elkaar aan. Ik hoorde alleen het geluid van mijn eigen ademhaling. Doodsangst, dat was wat ik voelde op dat moment, pure doodsangst. Ik heb geen flauw idee hoe lang we daar hebben gestaan. Maar uiteindelijk zette de beer zijn voorpoten weer op de grond, draaide zich om en verdween in het struikgewas.'

McKinsey likte zijn lippen af. Naomi was blij dat hij genoeg had gegeten.

'Ga verder, Pete.'

'Die verdomde beer.' Hij schudde zijn hoofd. 'Ik heb hem nooit meer gezien.' Hij praatte nu heel zacht, zodat Naomi zich over de tafel heen moest buigen. 'Maar 's avonds laat of 's ochtends heel vroeg, of als de zon ondergaat, hoor ik hem pal naast me ademhalen, ruik ik zijn gore adem, voel ik zijn enorme aanwezigheid. Als de dood.' Hij keek haar met rode ogen aan. 'Daar kun je niet aan ontsnappen, weet je. Nooit.'

Jack en Alli zaten zachtjes naast elkaar te praten. Om hen heen hing een stilte zoals die alleen in vliegtuigen voorkomt.

'Vertel me over Billy Warren,' zei Jack.

Alli haalde haar schouders op.

'Wat vond je aantrekkelijk aan hem?'

'Hij was aardig, en oprecht. Hij hield zijn handen thuis, in tegenstelling tot de anderen. En hij was een beetje ouderwets.'

'Wat bedoel je?'

'Nou, hij hield bijvoorbeeld wel van sorbets, maar niet van Jell-O-shotjes. En ondanks zijn werk was hij een echte computerhater. Hij haatte het hoe makkelijk data kon worden gestolen, vervangen en bedacht. "Ik zou mijn computer zó inruilen voor een blaadje papier en een pen," zei hij altijd.' Ze keek nadenkend voor zich uit. 'Het is afschuwelijk wat er met hem is gebeurd. Ik bedoel: hij was een goed mens, Jack. Hij was alleen niet voor mij.'

'Er zijn nog genoeg andere mannen, Alli. En je hebt nog zoveel tijd...'

Ze keek van hem weg.

Emma kwam naar Jack toen het donker was in het vliegtuig en de anderen sliepen. Hij keek door het raampje naar het oneindige duister. Diep onder hem ploeterden grote schepen vol olie, elektronica, wasautomaten en auto's door de golven. Mannen rookten en aten, sliepen en maakten grapjes, kaartten of keken porno op hun draagbare dvd-spelers. Het was een andere wereld, een wereld die hij totaal niet kende, ook niet van toen hij jonger was. Hij was als buitenstaander geboren en zou altijd een buitenstaander blijven, dacht hij.

Hij voelde zijn dochter eerst als een koud briesje, daarna als kippenvel op zijn arm en toen zat ze opeens naast hem, terwijl Paull drie rijen voor hem diep in slaap was gevallen.

'Jij was er ook, hè?' fluisterde Jack, 'in dat illegale dodenhuis.'

Ja.

'Waarom?'

Ik kan bij dit soort dingen niet kiezen. Ik zit vast aan de dood, de bijnadood in jullie geval.

Jack wreef met een hand over zijn gezicht, alsof hij deze hallucinatie, of wat het ook mocht zijn, kon wegvegen.

'Ik wil dit niet. Ik wil dat je veilig bent.'

Emma lachte.

Als er een veiliger plek dan deze bestaat, dan ken ik die niet.

Ik wil haar vasthouden, dacht Jack. Ik wil haar terug. Maar hij zei: 'Die moorden hebben met elkaar te maken. Ik zie een patroon ontstaan, Emma, maar ik heb nog niet genoeg stukjes. Wie martelde en vermoordde Billy Warren? En die twee mannen in de Twilight? Ik weet zeker dat Dardan dat soort vragen had kunnen beantwoorden.'

Papa, ik dacht dat je het nu toch wel wist: ik ben geen ziener.

'Jij kunt dingen zien. Je wist van je moeder en mij.'

Ik ben met jullie allebei verbonden. Hoe had ik niet kunnen weten dat jullie gingen scheiden?

Je mist haar niet, hè papa?

'Nee, inderdaad.'

Maar Annika wel.

'Dat is niet waar, Emma.'

Ik zou nu graag zeggen dat ik het helemaal niet erg vind dat je dat niet wilt toegeven, maar ik vind het wél erg.

'Ze is slecht.'

Je weet dat dat niet waar is.

'Ze heeft senator Berns vermoord.'

En hoeveel mensen heeft jouw vriend Dennis Paull vermoord?

'Altijd uit zelfverdediging of vanwege een missie. Allemaal begrijpelijk, allemaal binnen het protocol.'

O, papa, het protocol? Echt waar? Oké, als je het zo wilt spelen. Annika's moord wás protocol: vanwege een missie, of vanwege haar opa.

'Nou, maar die man – Dyadya Gourdjiev – díe is in en in slecht, die is de duivel zelf.'

En vergeleken met haar vader? Ze had reden genoeg, zou je zeggen.

Jack zuchtte. Haar vader, de overleden, niet-betreurde Oriel Jovovich Batchuk had Annika bij haar moeder weggehaald, gevangen gehouden en onuitsprekelijk gewelddadige seksuele dingen met haar lichaam gedaan.

'Dat is allemaal verleden tijd. Waar wil je naartoe?'

Waar ik nu ben is geen verleden, toekomst of heden. Dat is allemaal hetzelfde. Tijd is iets wat mensen hebben uitgevonden om niet gek te worden.

Glimlachend vroeg hij: 'Was je vroeger ook al zo? Zo allemachtig filosofisch?'

Ze lachte.

'Ook iets wat ik zo van je mis, Emma.'

Iedereen mist het, papa, alleen Alli niet.

Hij voelde zich ineens ontzettend moe. 'Ik wil wat slapen, maar ik weet niet of het me gaat lukken.'

Zijn dochter lachte haar doorschijnende lach. *Daar kan ik je wel mee helpen.* Ze spreidde haar armen. Hij sloot zijn ogen. *Welterusten, papa.*

13

Krijgshaftig getrommel klonk in Andrew Gunns droom. Een lange, grijze sliert skeletmagere mensen met weggebombardeerde gezichten marcheerde over de oever van een kronkelende rivier naar hem toe. Die rivier stond in brand, er schoten lange vlammen uit omhoog. De hitte was bijna tastbaar. Blackhawks vlogen af en aan en daalden snel, hun wapens glommen in het zonlicht, maar er was geen helm te zien. De bomen die over de rivier hingen stonden in brand en de huid van de skeletmensen krulde op, werd zwart en viel op de grond. De lange sliert liep in de pas van het ritme van de onzichtbare trommel, die harder en harder klonk, totdat...

Gunn werd wakker van gebonk op zijn voordeur. Nog half in slaap zag hij dat hij had liggen woelen. Het gebonk ging maar door, werd alsmaar harder.

Hij liet zich uit bed rollen, trok een met verf besmeurde broek aan en een katoenen overhemd, dat hij niet dichtknoopte terwijl hij door de woonkamer en door het korte gangetje liep en de voordeur opendeed.

'Jezus christus,' zei hij, 'had ik niet gezegd dat je hier nooit naartoe moest komen?'

'Kop dicht.'

Vera Bard duwde hem naar binnen. Ze droeg een mooie, zwarte jas met een brede ceintuur, die zo lang was dat hij bijna tot over haar hooggehakte schoenen hing. Ze leek in niets op een FBI-rekruut.

Zuchtend sloot hij de deur en liep achter haar aan naar de woonkamer, waar het vroege ochtendlicht door de ramen aan de zuidkant naar binnen stroomde. Diep onder hen lagen Washington en de Potomac glinsterend in een vaag ochtendlicht met grijze en vaalbruine kleuren.

'Wat kom je hier doen, Vera? Hoe ben je uit Fearington weggekomen?'

Alli's kamergenote zag er heel wat beter uit dan toen Jack haar de vorige dag in de ziekenboeg had bezocht. Haar lange, donkere haar glansde zacht en haar chocoladebruine ogen stonden weer helder en scherp.

'Ik heb een week medisch verlof.' Ze brieste bijna. 'Ik heb bezoek gekregen van ene Jack McClure. Ken je hem?'

'Van naam.' Gunn haalde zijn schouders op. 'Hoezo?'

'Ik denk dat hij iets vermoedt.'

Gunn moest lachen. 'Hoe kan hij nou iets vermoeden?'

'Hoe moet ik dat weten? Jij bent het brein achter dit avontuur.' Vera Bard keek kwaad. 'Ik mag hem niet. Ik wil hem niet meer zien. Hij lijkt in mijn hoofd te kunnen wroeten.'

'Dat lijkt me pijnlijk.'

'Ha, ha, ha. Maar zorg ervoor dat hij uit mijn buurt blijft.'

Zuchtend zei hij: 'Dit had je net zo goed kunnen doorbellen met die versleutelde telefoon die ik je heb gegeven.'

'Helemaal waar.' Ze legde haar handen op de riem van haar lange jas. 'Maar dan had ik je dit niet kunnen laten zien.'

De riem viel los, de jas viel open en Vera Bards glimmende, naakte lichaam stond in al haar perzikkleurige schoonheid voor hem.

'Tja,' zei Gunn, en hij liep naar haar toe, 'dit is een verzoek dat ik niet kan weigeren.'

'Je bent toch niet bang aan het worden, hè?' vroeg Gunn haar naderhand.

'Ik weet niet wat bang zijn is. Dat weet je.'

Ze lag boven op hem, half onder de lakens en ruikend naar de muskusgeur van seks en zweet. Haar tepels waren nog hard en toen hij ze langs zijn huid voelde wrijven, trokken de spieren in zijn bovenbenen.

'McClure heeft je anders wel laten schrikken,' zei hij kalm.

Vera lachte op een manier waar zijn bloed van ging koken. Eigenlijk ging zijn bloed koken van alles wat ze deed of zei, vooral haar geur. Vanaf het moment dat hij haar had gezien, wist hij dat hij haar moest hebben. Wist dat hij hemel en aarde zou bewegen als het nodig was.

Het bleek dat zoiets dramatisch helemaal niet nodig was. Ze hadden elkaar een paar jaar geleden – drie of vier, in zijn afterseksroes wist hij het niet meer precies – op een liefdadigheidsbal van de ambassadeur van Kenia ontmoet. Hij was uitgenodigd omdat hij daar iets belangrijks had gedaan; zij was met iemand meegekomen, met een of andere ambtenaar van Defensie. Wat ze bij hem deed, was hij nooit te weten gekomen. En het interesseerde hem ook niet. Het interesseerde hem evenmin dat hij het territorium van die ambtenaar schond. Het was voldoende dat ze een paar uur later bij hem thuis zat. En al lang daarvoor was die Defensiefiguur in de omgeving opgegaan; in de drukte, het gebabbel in allerlei talen en de eindeloze regels van het protocol dat Washington nu eenmaal voor dit soort bijeenkomsten had. Toen was ze tweeëntwintig geweest, twaalf jaar jonger dan hij, een rozenknop die op uitkomen stond. Hij zag haar mogelijkheden en, dat moet gezegd, zij zag de zijne ook. Ze hadden elkaar nodig als water en bloemen.

Gunn gleed met zijn vingers door haar dikke, glanzende haar. Hij was er gek op, net zoals het kuiltje in haar hals zijn liezen in brand zette. 'Kan ik je vertrouwen?'

Vera liet haar arm langzaam naar zijn buik glijden. 'Heb ik je dan ooit verraden?' vroeg ze glimlachend. 'Heb jij mij ooit verraden?'

Hij hield haar hand tegen voor haar vingers het hem onmogelijk maakten om logisch te denken. 'Geen grappen nu, Vera. Geen gesodemieter.'

'Ik zou knettergek zijn als ik op het spel zette wat je me hebt geleerd en wat we hebben.' Haar chocoladebruine ogen priemden als zoeklichten in de zijne. 'Ik vind nooit meer iemand als jij.' Ze duwde zijn hand tussen haar benen. 'Niemand heeft dit ooit met me gedaan en niemand zal dat gaan doen.'

Toen hij voelde hoe nat ze was, ging Gunns hart als een razende tekeer. Het was alsof hij in brand stond, alsof hij geen adem kreeg.

'Ik hou Jack McClure bij je weg.' Zijn tong voelde dik. Ze rolden om tot hij bovenop lag. 'Maar vergeet niet dat het moeilijkste deel nog gaat beginnen.'

'Hoe kan ik dat vergeten? Je instructies staan in mijn hersenen gegrift.'

'Dan hoeven we verder alleen nog ons werk goed te doen.'

Hun lippen raakten elkaar, hun tongen zochten elkaar, toen er werd aangebeld. Gunn kon niet goed nadenken en negeerde het eerst. Maar het gebel werd steeds dringender.

'Godsamme!'

Hij duwde haar vochtige warmte van zich af, stapte uit bed, trok zijn broek aan en liep weer door de woonkamer en het gangetje naar de deur. 'Ik kom eraan,' riep hij, in de hoop dat in elk geval het geluid van de bel zou ophouden. Hij keek door het kijkglas en trok meteen zijn hoofd weg. Is het al zo laat? vroeg hij zich af.

Hij draaide de sloten en de deur open en liet Henry Holt Carson binnen. Carson keek oplettend om zich heen, snoof toen twee keer en zei: 'Ga die stank van je af wassen, Andrew.'

Gunn knikte, liep naar de badkamer en deed de deur achter zich dicht.

Zodra hij de douche hoorde lopen, liep Carson zachtjes de woonkamer door. Op de drempel van de slaapkamer bleef hij staan en keek naar binnen. 'Ik vermoedde al dat jij het was.' Hij liep de donkere kamer in, naar de persoon in het verkreukelde bed. 'Jack McClure heeft je behoorlijk laten schrikken, hè?'

Vera tilde haar slaperige hoofd op. 'Hoe weet jij dat nou?'

'Dat effect heeft hij op mensen.' Zijn ogen lieten haar niet los. 'Trek alsjeblieft wat kleren aan.'

'Ik heb geen kleren bij me.' Ze zat op de rand van het bed met bengelende benen en deed geen enkele poging om het donkere plekje tussen haar benen te bedekken.

Carson bleef angstvallig naar haar ogen kijken.

Vera moest lachen. 'Moet je jezelf nu eens zien.' Ze stond op en drukte zich tegen hem aan. Vlug deed hij een stap achteruit. Hij had inmiddels een vuurrood hoofd en beefde. Elke keer als hij haar zag, beloofde hij zichzelf dat hij zich niet gek zou laten maken, maar het lukte haar elke keer weer.

Ze deed haar benen uit elkaar. 'Wil je niet eens lekker naar mijn honingpotje kijken?'

'Wat heb je toch een vulgaire geest.'

Ze schudde haar haren uit haar gezicht. 'Hebben we dat niet allemaal?'

Hij keek weg. 'Nee.'

'Doe niet zo hypocriet. Ik ken je veel te goed.'

Carson zette onwillekeurig een stap haar kant op. 'Waar is ze, Vera? Waar is mijn dochter?'

'Ik heb geen idee.'

'Iemand moet het toch weten.'

'Ja, maar wie? Alli Carson niet.'

'Misschien heeft ze je voorgelogen.'

'Onmogelijk.' Haar ogen priemden in zijn ogen. 'Ik heb de beste leermeesters gehad.'

Hij sloeg zijn ogen neer. 'Je vergist je in me.'

Ze zocht onder de lakens naar haar string, maar herinnerde zich toen dat ze er geen aan had gehad. 'De wreedste mensen zijn zij die het ontkennen, HH. Misleiding is een groot bestanddeel van wreedheid: je overtuigt jezelf ervan dat de situatie schreeuwt om bepaalde maatregelen. En zelfmisleiding, tja, dan wordt de wreedheid helemaal extreem, omdat je zeker weet dat wat je doet het beste is.'

'En je denkt dat dit op mij van toepassing is?'

'Nee, HH, ik *weet* dat dat zo is. Ons verleden zit boordevol met voorbeelden ervan.'

Hij wilde zich omdraaien, wilde elk woord van haar tegenspreken, maar hij kon het niet. Hij vond haar net zo fascinerend als een knaagdier een slang.

'Hou je kop,' zei hij, met het gevoel van ademnood dat hij maar al te goed kende.

'Sla me dan.' Ze leunde naar hem toe en stak hem haar kin toe. 'Dat wil je toch?' Haar glimlach was vlijmscherp. 'Al die macht, HH en je kunt er helemaal niets mee. Hoe voelt het om vastgebonden en hulpeloos te zijn?'

Carson keek haar verslagen aan. 'Waarom moet je me zo kwellen?'

Vera lachte. 'Wie weet dat beter dan jijzelf?'

Carson keek even over zijn schouder. Nog geen spoor van Gunn. 'Wat heb je ontdekt?'

Ze liet hem nog even wachten. 'Je bent iemand die nooit tevreden is met wat hij krijgt, want jij wilt alles. Je wilt altijd meer weten, en meer en meer. Het houdt nooit op.' Haar glimlach werd breder.

'Geef me alsjeblieft antwoord.'

Haar plagerige toon verdween. 'Er is iemand. Dat weet ik zeker.'

'Dus ik had gelijk.'

'Jij hebt altijd gelijk, dat weet je.'

Hij fronste zijn wenkbrauwen. 'Wat bedoel je? Ik begrijp het niet.'

'Ja, dat weet ik. Met jouw inzichtsvermogen heb je alles al uitgewist. Alsof het nooit is gebeurd.'

Hij keek haar net zo lang aan tot ze zei: 'Andy doet heel geheimzinnig.'

'Volgens mij is zijn hele leven een groot geheim.'

'Als jij het zegt.'

'Wie stuurt hem aan?'

'Dat moet nog bepaald worden.'

Ze keek hem weer aan. 'Dus jij wilt dit zelf doen? Nee? Dat dacht ik al.' Ze schudde haar hoofd. 'Mensen zijn gecompliceerd, een relatie is gecompliceerd.'

'Hier hebben we geen tijd voor, Vera. Ik wil weten...'

'Jij wilt altijd alles weten. Waar is Caroline? Voor wie werkt Gunn achter jouw rug om? Waar houdt dat op?'

'Het kan niet ophouden. Het is mijn leven, Vera.'

'Triest.' Ze liep langs hem heen de woonkamer in.

'We zijn nog niet klaar. Kom terug.'

Toen ze hem negeerde, liep hij achter haar aan. 'Je moet voorzichtig zijn, Vera,' zei hij.

Ze keek hem ongelovig aan. 'Maak jij je ineens zorgen om mijn veiligheid? Nu?'

Zijn ogen zochten de hare. Hij leek iets te gaan zeggen, maar veranderde van gedachten. 'Je hoort het nooit aankomen.'

'Wie wel?'

'Wie wel wat?' zei Gunn. Hij had een badlaken om zijn middel geslagen en droogde zijn haren af met een bijpassende handdoek. Hij keek van Vera naar Carson en knikte. 'Is het weer zover?'

'Hij kan er niets aan doen.' Vera ging aan de kant toen Gunn de slaapkamer in liep om zich aan te kleden. Ze plukte aan haar jas, die op de grond lag, zodat Carson een goed zicht op haar naakte lichaam had. Toen ze hem zijn adem hoorde inhouden, lachte ze in zichzelf.

'Ik heb je bedolven onder cadeaus en gunsten,' zei hij.

'En wat heb ik daaraan?'

'Wat wil je dan?'

'Een gezin,' snauwde ze. 'Maar het enige wat ik krijg, zijn Andy en jij.'

'Arme jij.'

Ze grimaste toen ze de jas aantrok en dichtknoopte.

'Ga je niet douchen?' vroeg Carson.

'Waarom?' Ze stapte in haar schoenen. 'Ik hou van de geur van ochtendseks.'

Zonder nog iets te zeggen of zich om te draaien, liep ze de deur uit. Alsof de wereld waar ze net in had rondgelopen niet meer bestond.

Inmiddels had Gunn een donkerblauwe broek, een gestreept overhemd en dure loafers aangetrokken.

'Jezus, Andrew, ze is jong genoeg om je...'

'Nee, hoor.' Gunn trok een krokodillenleren riem door de lusjes van zijn broek en maakte die dicht.

'Je neemt een behoorlijk risico.'

'Ah! Nu komen we bij de kern van je ongenoegen.' Gunn liep door de woonkamer naar de keuken en pakte een pak koffiebonen uit de vriezer.

Carson liep achter hem aan de goed verlichte keuken in. 'Ze heeft niet eens koffiegezet.'

'En dan vraag jij je nog af waarom ze je niet mag.' De volgende minuten besteedde hij aan het malen van de bonen, water laten koken en dat allebei in een Pyrex cafetière te doen. Uit een kast haalde hij twee kopjes.

'Ik wil haar vermoorden.'

Gunn pakte een pot koffiecreamer en een potje rietsuiker. 'Nee, dat wil je niet. Jij wilt wat ze je niet wil geven.'

Carson draaide Gunn om. 'Luister eens, het is verdomde gevaarlijk om hierin te gaan wroeten.' Hij tikte met zijn wijsvinger tegen zijn slaap. 'Veel gevaarlijk dan je denkt.'

Ze keken elkaar aan tot Gunn zonder iets te zeggen naar de cafetière liep en de zuiger naar beneden duwde.

'Melk en suiker,' zei Carson.

Gunn keek naar de twee lege kopjes. 'Dat hoef je me niet nog een keer te vertellen.'

'Er is helemaal niets hier,' zei McKinsey.

Naomi trok haar neus op. 'Behalve dan de ammoniakstank van een sterk schoonmaakmiddel.'

'De manager van First Won Ton zei boven dat ze een ongedierteprobleem hadden.'

Naomi, die met haar zaklantaarn over de betonnen vloer en muren scheen, zei: 'Ik heb hem gehoord, Pete.'

'Maar je gelooft hem niet.'

'Inderdaad, ik geloof hem niet.'

Hij scheen met zijn eigen zaklantaarn heen en weer. 'Misschien heeft McClure het mis.'

Naomi keek hem even aan. 'Meen je dat nou? Het mis over een doorgangshuis voor slavinnenhandel, het mis over het lijk van Arjeta Kraja?'

'Zie jij daar dan bewijzen van?' McKinsey keek bedenkelijk. 'Heeft hij nog verteld waarvandaan hij belde?'

'Nee.' Naomi liep naar het achterkamertje, dat niet veel groter was dan een grote wc. 'Hij was bij Dennis Paull en Alli.'

'Gps?'

'Die heeft hij uitgezet op zijn telefoon. Het signaal komt niet binnen, dus hij kan niet getraceerd worden. Maar hij moet onderweg zijn, want het signaal blijft weg.' Ze keek naar een schilderij van blauwe en grijze bergen. De spitse bergtoppen leken in de blauwe lucht te snijden. 'Wat doet dit ding hier in vredesnaam?' Ze keek rond. 'Geen andere schilderijen, posters of kalenders. Noppes. Nada. Maar Jack zei dat Arjeta Kraja in een andere kamer lag, zo dood als een pier.'

'Ik zie helemaal niets,' zei McKinsey. 'Is het bij je opgekomen dat hij ook uit zijn nek kan lullen?' En toen ze hem kwaad aankeek, zei hij: 'Even tussen ons: Alli Carson kan ook heel goed een seriemoordenaar zijn en ze is niet eens gearresteerd.'

'Doe niet zo lullig.' Ze liep naar het schilderij en voelde erachter. 'Er zit hier wat.'

McKinsey tilde het schilderij van de muur en zette het op de grond. Ze keken allebei naar het spiegelglas, zetten hun handen om hun ogen en probeerden erdoorheen te kijken.

'Wat krijgen we nou?' zei McKinsey.

Naomi drukte op de schakelaar op de muur, maar er gebeurde niets. 'Ga de manager eens halen,' zei ze.

Toen hij weg was, keek ze goed rond, op zoek naar een manier om in de ruimte achter het spiegelglas te komen. Ze vond niets, en dus was dat de eerste vraag die ze aan de manager stelde.

Hij was een magere Chinees van midden vijftig met een plat gezicht en ogen die heen en weer schoten als die van een bange muis. Hij likte constant over zijn lippen en wreef in zijn handen.

'Ik weet het niet,' zei hij zenuwachtig, hij leek er echt niets van te snappen. 'Ik wist niet eens dat die ruimte er was.'

'Maar u bent de eigenaar,' zei ze.

Hij knikte. 'Ja, maar dit hier wordt niet door het restaurant gebruikt. Ik heb het verhuurd. Tenminste: dat deed ik.'

'Wie huurde het?' vroeg McKinsey.

'Een bedrijf. Quershi Holdings.'

'Verdomme, wie zijn dat nou weer?'

De manager spreidde zijn handen. 'Ik heb geen flauw idee.'

'Met wie van Quershi Holdings had u contact?'

'Ik had alleen maar contact met een stem aan de telefoon.'

'En dat was genoeg voor u?' vroeg Naomi sceptisch.

'Hij stuurde geld, volgens afspraak. Twee maanden.' De manager haalde zijn iele schouders op. 'Daarvoor stond het hier alleen maar te verstoffen. En hoewel ik er veel mee geadverteerd heb, raakte ik het niet kwijt. In mijn branche luister ik als het geld spreekt.'

McKinsey keek om zich heen. 'Oké. En wat gebeurde er hier allemaal?'

De manager haalde zijn schouders op.

'U werd nooit nieuwsgierig?' vroeg Naomi.

'Ik werd goed betaald om niet nieuwsgierig te zijn. Een voorwaarde van mijn huurder.'

Naomi tikte met een pen tegen de zijkant van haar smartphone. 'Dus het komt erop neer dat ze hier heel goed meisjes hadden kunnen verkopen zonder dat u het wist.'

De manager reageerde niet.

'We zijn via het restaurant hier gekomen,' zei McKinsey.

'Er is ook een achteringang. Daar moest ik de lichten uit houden.'

'En waar is iedereen?' vroeg Naomi.

'Ze zullen gisteravond vertrokken zijn. Ik was hier tot sluitingstijd – tot rond middernacht – en ik heb niets gezien.'

'Natuurlijk niet,' mompelde McKinsey.

'Sorry?' vroeg de manager.

'Hoe komen we in de ruimte aan de andere kant van het glas?' vroeg Naomi.

'Zoals ik al zei...' Hij slaakte een kreetje toen McKinsey het glas met zijn elleboog insloeg en de scherven uit de sponning trok. Naomi scheen met haar zaklantaarn naar binnen. Het was vierkant, klein en het rook er bedompt en weeïg.

'Het stinkt er naar dood,' meldde ze.

De manager stak jammerend zijn handen omhoog. 'Ik wil geen toestanden.'

'Daar is het nu te laat voor,' zei McKinsey, die toekeek hoe Naomi door het raam klom. 'En?'

'Niks.' De straal van haar zaklantaarn gleed langs de hoeken van het kamertje. 'Raar, de vloer is hier van hout.'

'Een ouder stuk van de kelder?' stelde McKinsey voor.

'Zoiets.' De straal bevroor. 'Wacht even.' Ze ging op haar hurken zitten en trok latex handschoenen aan.

McKinsey leunde naar binnen. 'Wat zie je?'

'Er ligt iets op een van de planken.' Ze scheen er met haar zaklantaarn op. 'Pete, ik denk dat het bloed is.'

Ze tilde een andere plank op en scheen in de ruimte daaronder. Ze boog voorover om beter te kunnen kijken en hoestte ineens. 'Vers bloed.'

14

Het zwaard hing in de lucht, glinsterend en ver weg. Af en toe werd het zichtbaar door een scheur in het dikke wolkendek, een zwaard met blauwwitte sterren. Jack ademde de vochtige lucht in, vol vreemde geuren, net zoals de nacht vol vreemde geluiden was.

Achter hem stond het vliegtuig op een landingsbaan waarvan Jack zeker wist dat die op geen enkele kaart stond en niet in de buurt van stedelijke bebouwing lag. Het was stil en donker. Iets verderop zag hij de zoom van een dik dennenbos, de kruinen aapten als graaiende vingers de bergtoppen van het Korab gebergte na. Nog wat verder lag Tetovo, onneembaar, boordevol met Xhafa's mannen die pronkten met hun high-tech wapens.

Ze waren in West-Macedonië, achter de vijandelijke linies. Hun wereld was gekrompen tot een rode zone, een mogelijk *killing field*. Het was absoluut noodzakelijk, had Paull hen voor de landing meegedeeld, dat ze dat goed in hun hoofden prentten, elke minuut van elke dag, tot ze hier weer terug waren en het vliegtuig opgestegen was.

Terwijl Paull hun wapens en kleding voor de tocht uitlaadde, nam Jack Alli apart.

'Ik wil dat je die jongen goed in de gaten houdt.'

Ze keek hem met haar heldere ogen aan. 'Je denkt toch niet echt dat ik Billy heb vermoord, hè?'

'Doe niet zo idioot.' Hij haalde diep adem. 'Maar ik snap niet waarom je hebt gelogen over Arjeta Kraja. Want die heb je gekend.'

'Billy heeft me aan haar voorgesteld.'

'Dacht je dat je haar zo beschermde?'

'Toen ze me hadden laten zien wat er met Billy was gebeurd, wist ik dat haar leven in gevaar was. Ik dacht dat ze, als niemand wist dat ze erbij betrokken was, een kans had om in leven te blijven. Maar ineens zaten de politie en de Feds achter haar aan, toen wist ik dat ze binnen vierentwintig uur dood zou zijn.'

'Dus dan kende je Dardan ook.'

Ze schudde haar hoofd. 'Billy en Arjeta hebben geen van beiden zijn naam genoemd, en ook die slavinnenveiling niet. Ik kende dat gebouw ook niet.'

'Waarom zou je oom een afhaalmenu van First Won Ton hebben? En waarom was die kruidige eend met kersen omcirkeld? Kersen. Misschien kende hij de Stem.'

'Ik heb echt geen flauw idee.'

'Jij kent hem beter dan ik, beter dan bijna iedereen hem kent.'

'Niet echt, hoor. Mijn ouders namen me vroeger wel mee naar zijn huis, maar hij zei zelden iets tegen me. Ik had het idee dat hij niet van kinderen hield, ook niet van zijn eigen dochter.'

'Heeft hij een dochter?'

'Caroline. Caro was een vreemd meisje.'

'In wat voor opzicht?'

Even was ze in gedachten verzonken. 'Nou, ze had geen interesse voor de normale dingen... je weet wel: muziek, films, telefoongesprekken, kleren kopen, jongens.'

'Waarin dan wel?'

Alli haalde haar schouders op. 'Weet ik veel. Geheimen?'

'Geheimen?'

'Ja, ze verdween constant; niemand wist dan waar ze was. Ook oom Hank en haar moeder Heidi niet. Ze werden er gek van, vooral oom Hank, want die wil altijd dat alles op zijn manier gebeurt. Ik denk dat Heidi daarom is weggegaan.'

Jack dacht even na. 'Heb je enig idee wat er met Caroline is gebeurd?'

'Nee. Het leek wel alsof ze van de wereld was verdwenen. Op een avond liep ze van huis weg, en ze is nooit meer teruggekomen.'

'Hoe oud was ze toen?'

Alli beet op haar lip. 'Dertien of zo. Het gebeurde negen, tien jaar geleden.'

'Dus dan is ze nu twee-, drieëntwintig. En niemand heeft ooit nog iets van haar gehoord?'

Alli zei hoofdschuddend: 'Of ze nog leeft, of niet, niemand weet het.'

'Iemand moet het toch weten?'

'Denk je dat haar verdwijning iets te maken kan hebben met de moord op Billy?'

'Dat weet ik niet,' zei Jack. 'Maar ik kom steeds maar weer terug op dat afhaalmenu dat je in de studeerkamer van je oom hebt gevonden.'

'Dat ding lijkt irrelevant, en toch ook weer niet. Ik bedoel: hij propte zich toch niet dagelijks vol met Chinese afhaalmaaltijden?'

'Daarom blijft het in mijn kop hangen. Rare dingen zijn altijd belangrijk.'

Alli keek hem doordringend aan. 'Waar denk je aan?'

'Ik vraag me af of er een verband is tussen de Stem, dat afhaalmenu en Caroline.'

'Denk je dat Caroline ontvoerd en geveild is?'

'Ik vraag me af of je oom dat denkt.'

'Maar als hij weet wat er in de Stem gebeurt, waarom heeft hij die dan niet laten sluiten?'

'Dat is een interessante vraag,' zei Jack.

Alli voelde in haar zak. 'Misschien helpt dit ons wat verder.' Ze gaf Jack de telefoon. 'Die heb ik ook in de studeerkamer van oom Hank gevonden.'

Jack wilde hem net openklappen toen Paull naar hen toe kwam.

'Oké. Alles is klaar. Jullie moeten nu je berguitrusting aantrekken.'

Jack stopte de telefoon in zijn zak terwijl hij naar de afschrikwekkende bergen keek. 'Hoe komen we in Tetovo?'

Paull trok een geplastificeerde kaart tevoorschijn, vouwde die open, klikte een penzaklampje aan en wees met de straal op de kaart. 'Dit is de beste route volgens onze geotechneuten.'

Jack knikte. Hij deed niet eens moeite om op de kaart te kijken, want hij zou er toch niets van snappen. 'En de jongen?'

Paull keek somber en op zijn hoede. 'We vertrouwen hem niet genoeg om hem mee te nemen.'

'Je kunt hem hier toch niet achterlaten?'

'Hij blijft bij het vliegtuig tot we terug zijn,' zei Paull kortaf.

'Dat zou een vergissing zijn.'

Ze draaiden zich alle drie om en zagen Thatë achter Paull staan.

'Ga weg,' zei Paull woedend.

Alli stak haar hand op. 'Wacht.'

Paulls hoofd schoot haar kant op en hij keek haar woedend aan. 'Luister goed, dametje. Jack mag dan onbegrijpelijk coulant met je zijn, maar de besluiten die hier genomen worden, neem...'

'Thatë is hier eerder geweest,' vertelde ze. 'Hij kent de bergen, hij kent dit gedeelte van Macedonië.'

'Is dat zo?' vroeg Jack aan de jongen.

Thatë knikte. 'Ik heb achttien maanden in de bergen gewoond voordat ik naar Washington kwam.'

Jack wenkte hem met zijn vinger en de jongen kwam bij hen staan. 'Laat hem de route zien die we willen nemen, Dennis.'

Toen Paull niet reageerde, liet Alli de route zien.

Thatë schudde zijn hoofd. 'Er zijn minstens twee goede redenen waarom jullie die niet moeten nemen. Dit is de eerste.' Zijn wijsvinger wees een plek aan. 'Dit dorpje, Dolna Zhelino, is van Xhafa. Zodra jullie daar in de buurt komen, weet hij binnen een uur dat jullie hier zijn.'

Paull rolde met zijn ogen.

'En de tweede?' vroeg Jack.

'De route loopt over deze kam boven de Vardar.' Zijn vingertop volgde een lijn. 'Deze rivier hier.'

'Dit is de meest directe route,' zei Paull. 'Anders verspillen we tijd door kilometers om te lopen.'

'Het is pas tijdverspilling,' zei Thatë, 'als je in een rotsspleet valt en daar omkomt.'

Paull maakte een keelgeluid. 'Alli, zet die jongen in het vliegtuig.'

Toen ze via de vliegtuigtrap in het vliegtuig waren verdwenen, vroeg Jack: 'Wat is je probleem, Dennis?'

'Mijn probleem is die jongen.'

'Echt waar? Want het lijkt me handig om hem erbij te hebben.'

'Verdomme, waarom zou ik geloven wat hij allemaal vertelt?' Paull keek Jack aan. Hij had diepe wallen onder zijn ogen en er liepen gespannen groeven over zijn gezicht. 'Mijn gevoel zegt me dat hij voor Xhafa werkt en als dat gevoel klopt, leidt hij ons recht in een dodelijke val.'

'Maar stel dat hij de waarheid spreekt.'

'Jack, hij is absoluut niet van plan de waarheid te spreken, en als wij denken van wel, zijn we er geweest.'

In het vliegtuig ging Alli pal naast de deur zitten. Thatë kwam naast haar zitten.

'Dennis Paull,' zei ze hoofdschuddend. 'Wat een blaaskaak.'

Lachend zei hij: 'Jij bent echt nergens bang voor, hè?'

'Pff, ik ben bang voor alles, hoor.'

'Je liegt.'

Zachtjes lachte ze hem uit.

'Nou, dan weet je die angst goed te verbergen.'

'Ik heb veel geoefend.' Alsof ze zich realiseerde dat ze misschien te veel had onthuld, schakelde ze vlug op een ander onderwerp over, nog voordat hij had kunnen reageren. 'Wat deed je eigenlijk in de buurt van Tetovo?'

Thatë keek strak voor zich uit. 'Ik werd hiernaartoe gestuurd door de mensen die me trainden. Russen. Grupperovka.' Hij keek haar even aan en toen hij zag dat ze niet zichtbaar reageerde, vroeg hij: 'Weet je wat dat is?'

Alli knikte. 'Ja. Maffia. Complete clans.'

Hij reageerde verrast. In het gedempte licht van het vliegtuig glommen zijn ogen als marmer.

'Ik ben in Moskou geweest,' legde ze uit. 'Waarom heeft de grupperovka je hiernaartoe gestuurd?'

'Om te trainen met de vrijheidsstrijders van Xhafa.'

Alli had de lichte aarzeling opgemerkt en hoefde niet naar zijn gezicht te kijken om te weten dat hij loog.

Paull schudde zijn hoofd. 'Het verbaast me dat jij en ik niet op dezelfde golflengte zitten.'

'Ik heb een goed gevoel over hem, Dennis.'

'Jack, verdomme, hij is de vijand.'

'Als je zo denkt, dood hem dan. Nu. Hier. Schiet hem in zijn achterhoofd, zoals de Russen doen. Als hij de vijand is, verdient hij niet beter.'

De twee mannen stonden pal tegenover elkaar en keken elkaar recht aan. Het glimmende zwaard was verdwenen. Daarvoor in de plaats was een lucht met laaghangende wolken gekomen. Er blies een koude wind tussen de bomen door, waarvan de naalden ritselden alsof er een armada insecten doorheen vloog. Paull had de penlantaarn uitgedaan. Het was praktisch donker. Door de verstikkende lucht leek het alsof ze op de bodem van de oceaan stonden. Ergens in de buurt riep een uil.

'Ik ga niet toegeven, Jack. En ik ga hem ook niet vermoorden. We laten hem gaan als we hier weer terug zijn. Tot die tijd zijn de piloot en de bemanning prima in staat om op hem te passen.'

Jack zei zacht: 'Je zei dat je me vertrouwde. Nou, ik heb een goed gevoel over hem, Dennis. Ik denk dat hij ons kan helpen bij Xhafa te komen.'

'Daar hebben we de geotechneuten voor.'

'Is een ervan ooit in Macedonië geweest? Laat staan in de buurt van Tetovo?'

'Dat hoeft ook helemaal niet,' snauwde Paull. 'Ze hebben computers...'

Jack boog naar voren. 'Dennis, je snapt het niet, hè? Computers betekenen hier niks. Dit is de rimboe, een zone die roder dan rood is. Dacht je dat de SKOPES-eenheden op computerdata vertrouwden?'

Paulls mond was een dunne streep. 'Ik wil dit niet horen.'

'Je bent al jaren niet in het veld geweest, Dennis. Doe niet zo stom. Het lot heeft ons een kans gegeven waar een SKOPES-eenheid alleen maar van kan dromen. En die kans wil jij negeren?'

Paull wilde iets zeggen, maar sloot zijn mond weer. Langzaam en bewust liet hij zijn adem ontsnappen, alsof hij inwendig tot tien telde om rustig te blijven.

'Hier zit een luchtje aan, Jack.'

'Misschien wel, misschien niet.'

Paull keek alsof hij Jack wilde slaan. 'We nemen mijn route. Klaar.'

'Je denkt niet helder, Dennis.'

'Hij blijft bij het vliegtuig.'

Jack las de koppigheid van zijn gezicht en begreep dat zijn baas wilde voelen dat hij de baas was. Dit was zijn eerste veldmissie in jaren, natuurlijk was hij zenuwachtig. Hij had de details van zijn plan helemaal uitgewerkt; daar nu van afwijken vond hij roekeloos en gevaarlijk. Dit gevecht kon hij niet winnen. Als hij Paull nog verder zou pushen, dan ging dat ten koste van hun relatie.

'Jij bent de baas.'

Paull tikte met een vinger tegen Jacks borst. 'Dit komt voor jouw rekening. En als hij ook maar een verkeerde stap zet, hebben mijn mannen bevel om hem te overmeesteren. Niet om hem te verwonden, want dan ben jij degene die hem een kogel door zijn achterhoofd mag schieten.' Hij keek Jack woedend aan. 'Is dat duidelijk?'

'Helemaal. Maar Alli gaat ook met ons mee.'

Paull wees met zijn duim over zijn schouder. 'Denk je nou echt dat ik het leven van de dochter van mijn vriend in gevaar ga brengen?'

'Ze kan ons helpen,' zei Jack. 'Ze heeft unieke...'

'Nee!'

'Ze kan heel goed op zichzelf passen.'

'Dat hebben we gezien, ja.'

Jack dacht even na. 'Oké. Wat vind je hiervan: als ze jou tegen de grond kan werken, gaat ze mee. Als jij háár tegen de grond werkt, blijft ze hier.'

Paull snoof. 'Dat meen je niet. Eén keer blazen en ze ligt.'

'Je bent toch niet bang, hè?'

'Shit, nee. Maar...'

'Geen gemaar.'

Jack liep naar de trap en riep haar. Toen Alli naar beneden kwam, vertelde hij wat hij had voorgesteld.

Ze keek hem recht aan. 'Ben je gek geworden?' fluisterde ze.

'Wil je met ons mee of niet?'

Hij nam haar mee naar Paull. Ze verspilde geen seconde, brak dwars door Paulls afweer heen, stak haar linkerbeen uit, haakte haar schoen om zijn enkel en trok hem naar de grond.

Hij sprong op en kwam op haar af. Alli wachtte rustig af en toen hij haar wilde vastpakken, pakte ze zijn arm met haar linkerhand en trok hem naar voren. Ze gebruikte zijn eigen vaart tegen hem, trok hem mee en toen hij wankelde, liet ze hem struikelen. Hij viel op zijn gezicht.

Daar bleef hij even liggen met een hand onder zijn lichaam. Toen hij omrolde, had hij een Sig Sauer op haar gericht.

Alli trapte ernaar, haar schoenzool drukte de pols van zijn hand waarin het pistool zat tegen de grond.

Vanaf de grond keek Paull Jack aan. 'Klootzak,' zei hij.

Observaties waren het ergst, vond Naomi toen ze ging verzitten achter het stuur. Eerst word je gek van je volle blaas, daarna gaan je benen verkrampen en vervolgens worden je enkels dik door een combinatie van te weinig beweging en te veel zoute snacks die je uit verveling naar binnen werkt.

Ze stond op een paar auto's afstand van de ingang van het gebouw waarin McKinsey woonde en dacht aan het bloed dat ze in de Stem had gevonden. Was het Arjeta Kraja's bloed? Had Jack gelijk, was ze dood?

Ze werkte bij de Geheime Dienst, ze was geen rechercheur Moordzaken. Ze wist weinig van moordonderzoeken; ze wist sowieso weinig van moord. Ze was opgeleid om levens te redden, om haar eigen leven op te offeren om dat van de president en de first lady te beschermen. Gruwelijke moorden vielen niet binnen haar werkgebied, en nu ze rillend in de avondkoude zat te wachten tot er iets – maakte niet uit wat! – zou gebeuren, spookten niet alleen de moorden op Arjeta Kraja, Billy Warren en de twee mannen in Twilight door haar hoofd, maar ook de vraag wat voor persoon of personen tot dergelijke wandaden in staat waren. Wat waren dat voor mensen en wat deden die haar land aan? Ze was tegelijkertijd bang en woedend. Ze droomde ervan om hen hetzelfde te laten voelen wat ze hun slachtoffers hadden aangedaan. Jezus, dacht ze, wat is de wereld toch een afgrijselijk oord. En blijkbaar had die wereld besloten zich aan háár keer op keer van zijn slechte kant te laten zien. Niet aan haar zus Rachel, gelukkig getrouwd met een echtscheidingsadvocaat die een bedrag met zes nullen per jaar verdiende. Ze woonde in een enorm huis in Maryland, had twee prachtige kinderen, een airedale die Digger heette en een BMW-limo. Voor Rachel was de wereld een vleesgeworden droom vol rozengeur en maneschijn. Naomi had daar jaloers op kunnen zijn, maar ze vond dat banale leven verstikkend. Ze wist heel zeker dat ze niet geboren was om een moeder van twee kinderen te zijn. Toen ze jonger was, was ze jaloers geweest op Rachel, maar nu moest ze er niet aan denken haar leven zo te moeten leiden.

Toen ze weer ging verzitten, kreunde ze zacht. Haar kont deed pijn en ze zou graag uitstappen om even de benen te strekken. Maar ze kon het risico niet nemen om gezien te worden. Dus bleef ze zitten, als een spin in haar web die wachtte tot er een vlieg in de plakkerige draden vloog.

Ze dacht weer aan de Stem en de slavinnenveiling. Die Dardan was erbij betrokken geweest, uiteraard, maar Jack had ook ene Mbreti genoemd in hun telefoongesprek. Mbreti, Albanees voor 'koning'. Wie was die Mbreti? Ze had zo weinig om mee aan de slag te gaan, alleen een naam, het was echt zoeken naar de beruchte naald in de hooiberg.

En dan McKinsey. Het kon geen toeval zijn dat ze Pete uit het gebouw van Fortress Security had zien komen. Hij had banden met Fortress, dus moest hij meer weten over de drie bewakers dan zij, maar tijdens het eten had hij daar niets over gezegd. Hij verborg iets voor haar, misschien wel meerdere dingen. Die gedachte maakte haar bang. De enige persoon die ze op dit moment zou moeten kunnen vertrouwen, leek nu volkomen onbetrouwbaar. Met de minuut voelde ze de grond onder haar voeten verder afbrokkelen.

Ze had al een paar keer geprobeerd Jack terug te bellen, maar óf hij wilde niet opnemen, óf hij had geen bereik. Hij had niet verteld wat hij met Dennis Paull deed en ze wist dat ze dat niet moest vragen. Toch zou ze willen dat ze even met hem kon praten, wilde ze eigenlijk dat hij bij haar was, want hij leek de enige die de raadsels kon ontrafelen waar ze mee zat. Om niet langer aan Jack te denken – en aan wat ze voor hem voelde – richtte ze haar gedachten weer op Pete McKinsey. In haar woede voelde ze zich veilig voor emoties die ze anders zou voelen, emoties waar ze liever niet aan wilde denken.

Maar toen hoorde ze Rachels stem: *Je maakt er een obsessie van om niets meer voor iemand te willen voelen. Jij denkt dat je geen diepe gevoelens hebt, maar dat is niet waar. Je bent alleen bang; je denkt dat je dan gekwetst zult worden.* Ze schudde haar hoofd. *Maar daar ben je veel te sterk voor, Nomi. Je bent onverwoestbaar, als een tank.*

Tot haar afgrijzen merkte Naomi dat ze huilde. O, god, nee, hè, dacht ze, maar wist dat het hart wilde wat het hart wilde. En helaas wilde haar hart iets onbereikbaars.

Ze veegde haar ogen droog en schudde haar hoofd. Word volwassen, zei ze tegen zichzelf. Word nou eindelijk eens volwassen.

Was dat haar stem, of die van haar broer? De oudste van de drie, Damon, had een ijzeren persoonlijkheid, een wispelturig karakter en hield zielsveel van zijn zusjes. Al was zijn idee van liefde om nog strenger voor hen te zijn dan de wereld al was.

'Meisjes zijn de pineut,' zei hij altijd, 'en weten jullie waarom? Omdat meisjes zwak zijn, ze buigen altijd voor de mannen, ze kunnen de klappen van het leven niet aan. Oftewel: ze zijn niet taai genoeg.' Rachel had gezegd dat hij de boom in kon, maar Naomi had onbewust zijn filosofie aanvaard en overgenomen.

'Daarom heb jij altijd problemen,' had Rachel haar ooit eens verteld. 'En daarom ben je alleen.'

Tegen die tijd was Damon al dood, zijn lichaam kwam vanuit Afghanistan naar huis. Hun moeder was van verdriet ingestort en nooit meer de oude geworden. Dertien maanden later overleed ze. De dokter zei dat het een beroerte was, maar Naomi wist dat haar hart gebroken was.

Naomi dacht vaak aan haar broer en elke keer dat ze dat deed, werd hij groter. Elke maand ging ze naar Arlington Cemetery om een krans op zijn graf te leggen en met hem te praten. Ze miste hem zoals een kind zijn vader mist, haar verdriet was bitter en eindeloos.

De nacht liep ten einde. De grijze lucht, breekbaar als een eierschaal, liet aarzelend het ochtendlicht door. Op Cathedral Avenue, waaraan het enorme art deco appartementengebouw waarin McKinsey woonde als de boeg van de *Titanic* verrees, kwam het verkeer tot leven. Het regende een beetje, wat even abrupt stopte als het was begonnen, maar het had de straat en stoepen glad als een skatebaan gemaakt. McKinseys Ford stond nog steeds voor het gebouw geparkeerd. Koud en eenzaam, haar uit te dagen.

Een windvlaag blies afval door de lucht, een onverwachte beweging in de verlaten straat, en ze rilde weer. Ze was doodmoe; zelfs haar botten waren moe. De afgelopen twee dagen had ze non-stop gewerkt, zonder enige slaap. Zonder dat ze het merkte zakte haar hoofd achterover, vielen haar ogen dicht en soesde ze weg, tot ze weer wakker schrok. Ze keek in haar achteruitkijkspiegeltje en zag dat ze zo bleek en ingevallen was als een lijk.

Verdomme, dacht ze, ik ben aan vakantie toe.

Op dat moment zag ze een metaalkleurige flits toen de deur van het gebouw waarin McKinsey woonde openging. Er verscheen een jonge vrouw met een breedgerande hoed, op schoenen met naaldhakken en een modieuze regenjas. Op een arm droeg ze zo'n minipoedeltje met een met kristalletjes versierde riem. Ze zette het beestje op straat en maakte de riem vast. Terwijl zij lopend uit haar beeld wandelden, kwam McKinsey naar buiten en keek om zich heen. Naomi verstijfde op haar stoel en durfde amper adem te halen.

Hij was blijkbaar tevreden, liep de trap af en wandelde rustig naar zijn auto. Ze boog naar voren, hield haar hand op het contactsleuteltje en haar rechtervoet op het rempedaal. Ze wilde de auto tegelijk starten met die van McKinsey, zodat hij het niet zou horen. Haar ogen volgden hem terwijl hij in zijn auto stapte en achter het stuur ging zitten. Toen ze zag dat hij over het stuur boog om de auto te starten, deed zij hetzelfde. Even later was hij weg. In stilte telde ze tot tien en voegde toen ook in op het verkeer op Cathedral Avenue.

Ze reden eerst in zuidelijke richting en bogen daarna naar het westen, naar Georgetown. Hij sloeg links af naar M Street, reed door tot het water, parkeerde daar, draaide het raampje aan zijn kant naar beneden en stak een sigaret op. Zonder enige haast keek hij naar het water.

Om precies 6.14 uur stapte hij uit de Ford en liep naar de waterkant. Met zijn ellebogen op het hek keek hij naar het water onder zich. Naomi stapte ook uit en liep over de stoep naar het Sequoia Center. Terwijl ze dat deed, ging McKinsey op het hek zitten en liet zich in het water vallen.

Naomi begon direct te rennen. Ze hoorde een motor tot leven komen en was net op tijd bij het hek om te zien dat McKinsey naast een man in een kleine motorboot stond. Ze koersten de kant van Theodore Roosevelt Island op. Heel even ving ze een glimp van de bestuurder op. Hij was midden dertig, atletisch gebouwd, met dik, donker haar dat krulde in zijn nek en een grote baard. Ze zag in een flits diepliggende, donkere roofdierogen, voordat een dichte wolk opspattende waterdruppels haar het zicht benam.

Terwijl ze met haar vuisten op het hek sloeg, vroeg ze zich vertwijfeld af waar haar partner in vredesnaam mee bezig was.

Ze waren al behoorlijk diep in het voorgebergte van het Korab gebergte doorgedrongen toen de tentakels van de dageraad aan de oostelijke horizon krabden. Eerst zagen ze alleen een dunne streep rood en toen ineens, binnen een paar tellen, baadde het hele terrein in een gouden licht zo fel dat ze hun zonnebril moesten opzetten.

Alli liep met Paull voorop en Jack liep daarachter. Ze hadden allemaal klimschoenen, een spijkerbroek en een lichtgewicht camouflagejack aan. Verder hadden ze ArmaLite AR 25 geweren bij zich, lichtgewicht rugzakken vol voedsel en water en de DARPA-wapens die Paull had geregeld.

De hellingen werden steiler, de ravijnen smaller en de wegen slechter. Het kronkelpad lag vol rotsblokken en losse aarde, die onder hun schoenzolen knerpte en waarover ze soms uitgleden en achterwaarts van de helling naar beneden vielen. De bomen waren gebogen als oude mannetjes, zo gevormd door stormwinden. De schors had een doffe kleikleur, waardoor de bomen er meer dood dan levend uitzagen. Hoog boven hun hoofden cirkelden valken in de thermiek, op zoek naar een prooi.

Toen het daglicht volop scheen, gaf Paull het stopteken en ze maakten een tijdelijk kamp in de schaduw van een grote rots die als een reuzentand tegen de helling leunde. Ze aten en dronken wat en stonden om de beurt op wacht terwijl de rest wat probeerde te slapen. Toen het Alli's beurt was, voegde Jack zich bij haar.

'Heb je nog iets interessants gevonden op het mobieltje van oom Hank?'

Ze praatte zacht en snel en haar ogen gleden constant over het terrein, op zoek naar een beweging of iets opvallends.

'Ja en nee. Er staan maar twee nummers op het toestel, wat op zich al raar genoeg is, maar om het nog geheimzinniger te maken staat voor allebei alleen een letter, geen naam. A en D. Dat kunnen de eerste letters van namen zijn of een code van je oom. Hier is het onmogelijk om contact te krijgen met die nummers, dus dat kan ik later pas controleren.'

Alli keek hem even aan. 'Denk je dat hij van de Stem weet? En van Dardan?'

'Deze telefoon en die gecodeerde nummers kunnen net zo goed met iets heel anders te maken hebben, Alli. Het is nog veel te vroeg om daar iets over te zeggen.' Nu Henry Holt Carson ter sprake was gekomen, werd Jack ook weer herinnerd aan een plicht die hij liever vergat. Dit was het beste moment, dacht hij. Maar het trauma dat Alli pas zo kort geleden had moeten meemaken, maakte het niet makkelijker voor hem.

'Alli, ik moet je nog iets vertellen. Ik weet dat je oom het je nog niet wilde vertellen.' Hij haalde diep adem. 'Die avond dat Billy werd vermoord... toen is je moeder overleden.'

Alli zei niets. Ze keek nietsziend over het onbekende terrein naar een lucht die zo felblauw was dat het pijn deed aan je ogen. Loofhout, dennenbomen, kilometers graniet, in stukken en stukjes. Geen enkel teken van menselijk leven.

Jack hoorde haar ademhalen. 'Het spijt me zo voor je.'

'En oom Hank wist het?'

'Natuurlijk. Hij werd naar het ziekenhuis geroepen. Net als Dennis en ik. Ze hebben nog geprobeerd contact met jou te krijgen, maar Fearington was afgegrendeld.'

Nu leek ze sneller te ademen. 'Waarom heeft hij het me verdomme niet verteld?' Ze keek Jack aan. De tranen blonken in haar ogen. 'Toen ik bij hem thuis was, toen hij me in zijn studeerkamer opsloot, waarom heeft oom Hank het toen niet verteld?'

'Dat weet ik niet. Maar misschien is het op dit moment niet zo handig om kwaad op hem te zijn.'

Ze gaf geen antwoord.

'Alli?'

Ze schudde woest haar hoofd. 'Ik kan nu niet aan ze denken... aan allebei niet.'

'Dat lukt wel weer, ooit.' Hij praatte zacht en vriendelijk. 'Hoe langer je wacht...'

'Shit,' zei ze en liep weg.

Jack keek haar na: een ranke, eenzame wacht. Ze liep kaarsrecht, met de houding van een gevechtsklare soldaat.

Hij schrok van een beweging naast zich.

Ze is een raadsel, hè, papa?

'Dat is ze, Emma.'

Zelfs voor zichzelf.

Naomi bracht een frustrerende dag met Pete door toen ze alle informatie die ze hadden samen doornamen, waaronder het forensisch rapport over het mes dat achter in Alli's kamer in Fearington was gevonden en waarop inderdaad bloed van Billy zat. Het feit dat het heft was schoongeveegd, leek te wijzen op een moord met voorbedachten rade en op een samenzwering tegen Alli.

'Dit lijkt echt op een ontzettend klunzige poging om Alli erin te luizen,' zei ze toen ze tegenover elkaar achter hun bureau zaten. 'Dat snap ik gewoon niet.'

Hij keek op van de stapel paperassen die hij aan het lezen was. Hij zag er schoon en netjes uit. Gladgeschoren. Ze meende zelfs te zien dat hij zijn nagels had gelakt. 'Hoe bedoel je?'

'Om te beginnen dat flesje met roofies met Alli's vingerafdrukken erop dat onder haar bed is gevonden. Behoorlijk verdacht, hè? En dan dat mes met het bloed. Iemand met een beetje gezond verstand verstopt toch geen moordwapen op de plek waar hij woont?'

'Naomi, je moet niet vergeten dat ze geestelijk niet gezond is. Al een tijdje niet. Al vanaf dat ze is ontvoerd.'

Ze keek hem ongelovig aan. 'Je ziet het niet, hè?'

'Wat?'

'Zo lijkt het toch alsof het de bedoeling was om haar erin te luizen?'

'Dat ben ik niet met je eens.' Hij pakte een sigaret, maar toen hij zich herinnerde dat hij hier niet mocht roken, stopte hij die weer terug in het pakje. 'Waarom zou ze zich zorgen maken of wij het moordwapen vinden als haar vingerafdrukken er niet op staan?'

Onbewust streek ze met een hand door haar haren. Ze was hem ineens spuugzat.

'Wat heb je gevonden over Quershi Holdings, dat bedrijf dat die ruimte huurde waar de Stem hun veiling hield?'

'Nul komma nul.' Naomi hoorde zelf hoe vlak haar stem klonk. Ze vond het vreselijk als er iets niets lukte. Degene die had gezegd dat je nooit succes zou aankunnen tot je een keer had gefaald, kletste uit zijn nek. 'Het is een papieren bedrijf en het werkt vanuit de Kaaiman-eilanden.'

'Welke plaatselijke bank gebruiken ze? De banken op Kaaiman zijn tegenwoordig toch veel behulpzamer?'

Naomi zei zuchtend: 'Was dat maar zo. Nee, ik heb alleen maar een postbus gekregen.'

'Een doodlopend spoor dus.'

Ze knikte. 'In elk geval voorlopig.'

De rest van de middag schreven ze hun eerste rapport voor Henry Holt Carson. Geen eenvoudige taak, aangezien ze weinig tot geen harde bewijzen hadden en maar één nieuwtje, waarover hun opdrachtgever waarschijnlijk woedend zou worden.

Hoe langer ze bezig waren, hoe onrustiger Naomi werd. 'Laten we dat vage beeld dat uit de bewijzen naar voren komt maar goed uitwerken. Dat zal hij leuk vinden.' En na een grom van McKinsey ploeterde ze verder: 'En misschien moeten we het gedeelte dat Alli bij Jack is maar weglaten.'

'Wat?' McKinsey's hoofd schoot omhoog. 'Ben je gek? Dat is zo ongeveer het enige echte nieuws dat we voor hem hebben. Ze is niet verdwenen en ze is niet alleen.'

'Ze is bij Jack. Precies wat hij niet wil. Hij zal razend zijn.'

McKinsey veegde haar voorstel van tafel. 'Dat is niet onze zorg. Het komt in het rapport. Punt.'

Naomi keek naar haar rapport. Hij had gelijk – natuurlijk had hij gelijk. Maar ze had het idee dat Jack op die manier boven aan de lijst van Henry Holt Carsons vijanden kwam te staan. Toen ze verder wilde tikken op haar toetsenbord, merkte ze dat haar vingers niet meewerkten. Nadenkend keek ze naar het computerscherm, ze voelde dat McKinsey naar haar keek. Ze duwde haar stoel achteruit en stond op om koffie te halen. De bittere koffiesmaak paste goed bij hoe ze zich voelde. Wat geeft het ook, dacht ze en deed er halfvolle in plaats van magere melk bij, en drie lepeltjes echte suiker in plaats van zoetjes. Ze dronk het bekertje al half leeg voordat ze naar haar bureau liep. Het kon maar beter heet zijn in plaats van lauw.

Toen ze weer zat, realiseerde ze zich dat ze het verschrikkelijk vond om voor Carson te werken. Christus, ze haatte Carson. Hij was zo anders dan zijn broer, over wiens plotselinge en schokkende dood ze nog steeds nachtmerries had.

McKinsey keek op. 'Je denkt nog steeds aan hem, hè?'

Ze zei niets, maar kon hem niet aankijken.

'Je brengt jezelf in moeilijkheden. Dat weet je toch, hè?'

Haar ogen schitterden. 'En wat wil je daar verdomme mee zeggen?'

Met zijn ellebogen op zijn bureau leunde hij naar voren en zei: 'Naomi, je gevoelens voor McClure zijn één ding, maar als die je professionele oordeel gaan beïnvloeden...'

'Boodschap ontvangen,' zei ze kortaf. 'Laat verder maar zitten, oké?'

Hij keek haar nog even aan en ging toen weer verder met zijn werk.

Naomi dwong haar vingers te gaan tikken. Ze was woedend. Wat voor recht had Pete om zo tegen haar te praten, als hij er zelf een eigen agenda op na hield? Maar ze kon niets zeggen. Ze moest eerst weten waar hij bij betrokken was voor ze hem ermee kon confronteren.

Na een goedkoop, ongezellig diner reden ze naar Twilight. Ze zeiden niets tegen elkaar. Naomi was nog steeds boos na de lange, saaie dag.

In de club ondervroegen ze tot middernacht meerdere bezoekers. Velen herinnerden zich Arjeta Kraja, maar niemand was met haar bevriend of kende vrienden van haar. En niemand wist iets over haar familie. Het leek erop dat Schiltz gelijk kreeg: een illegale immigrant en aangezien ze niet veel vrienden had, waarschijnlijk nog niet lang in Amerika. Iets na middernacht vonden ze het welletjes en ging Naomi gefrustreerd en moe naar huis.

Maar haar poging tot slapen bleek vergeefs. Uiteindelijk kleedde ze zich maar weer aan, stapte in haar auto, reed naar Cathedral Avenue en parkeerde tegenover Petes appartementengebouw. Daar ging ze met over elkaar geslagen armen woedend en verward zitten wachten.

Na wat een eindeloze tijd leek, werd het grijs op straat wat lichter. De voorkant van het enorme gebouw glansde alsof het huilde. Naomi keek naar de ingang. Het glas in de deur reflecteerde de spaarzaam voorbijrijdende auto's en vrachtwagens.

Ineens zag ze een lichtflits, misschien van een lucifer of aansteker, en ze ging rechtop zitten. Ze dacht vaag Pete achter de deur te zien die een sigaret rookte. Had hij haar gezien? Het zweet brak haar uit.

Even later draaide de deur open en liep de jonge vrouw met haar minipoedeltje de trap af. Ze liepen een paar meter door tot het poedeltje haar naar de stoeprand trok. Ze wachtte geduldig en rookte een sigaret terwijl het beestje in de goot plaste. Ze had dezelfde modieuze regenjas en schoenen met naaldhakken aan, maar had deze ochtend geen hoed op. Haar blonde haar leek op vloeibaar goud. Naomi fronste haar wenkbrauwen. Er was iets bekends aan dat gezicht, vooral aan de ogen, die niet lichtbruin of grijs waren, maar een onbestemde kleur hadden. Ineens begon haar hart te bonzen. De vrouw keek haar kant op. Het poedeltje was klaar. Ze stapte van de stoeprand af en stak diagonaal de straat over, recht op Naomi af.

Ze nam lange, bijna mannelijke stappen en haar sterke bovenbenen werkten als zuigers. Haar hooggehakte schoenen lieten afdrukken achter op het natte asfalt. Naomi activeerde de centrale deurvergrendeling. De jonge vrouw bukte en tikte met een vingernagel op het raampje.

'Doe de deur open,' mimede ze. 'Laat me erin.' Zonder zich te verroeren keek Naomi naar haar. Even later had de vrouw een zilverkleurige .25 in haar hand. Toen ze weer op het raampje tikte, deed ze dat met de loop van dat pistool.

Snel berekende Naomi hoeveel tijd het haar zou kosten om het pistool te gebruiken, en voor zichzelf om de auto te starten en weg te scheuren. Geen schijn van kans. Dus deed ze het portier open en de vrouw ging op de passagiersstoel zitten. Ze klopte even op haar schoot en het poedeltje sprong erop. Ze had kortgeknipte nagels, als van een man; ze droeg helemaal geen juwelen.

'Ga je het McKinsey vertellen?' vroeg Naomi.

'Waarom zou ik dat doen?'

Haar stem deed aan exotische oorden denken. Naomi vermoedde dat Engels niet haar moedertaal was. Van dichtbij hadden haar ogen de verbijsterende roodoranje kleur van kornalijn. Ze had een brede, sensuele mond waar Naomi een moord voor zou doen, en er ging een ongelooflijke kracht van haar uit.

'Jullie werken samen.'

De vrouw keek haar recht aan. 'Hoe kom je daarbij?'

'Gisteren kwam je praktisch op hetzelfde moment als Pete uit dat gebouw lopen. Het was toen heel vroeg.'

'Nou, dan zijn we blijkbaar alle drie vroege vogels.'

Naomi keek haar aan, probeerde de loop van de .25 die op haar borst gericht was te negeren en vroeg: 'Beweer je nou dat McKinsey en jij elkaar niet kennen?'

'Helemaal niet. Maar we werken niet samen.'

Naomi hield haar hoofd een beetje schuin. 'Hoe wist je dat ik hier was?'

'Peter was zo stom om zich te laten betrappen toen hij Fortress verliet.'

'Dus je hebt mij gevolgd. Wie ben je?'

Er verscheen een klein glimlachje op het gezicht van de vrouw. 'Bedoel je dat je me niet herkent?'

'Ik moet toegeven dat je er bekend uitziet.'

'Maar je weet niet waar je me van kent.'

Onzeker knikte Naomi. Het antwoord lag bijna op haar lippen. 'Ik geloof niet dat we elkaar eerder hebben ontmoet.'

'Nee.' Het poedeltje kefte en de vrouw krabbelde achter zijn oren. Het beestje stak een roze tongetje uit en likte haar vingers. 'Dat hebben we niet.'

'Maar waar...'

'Maar je hebt me wel eerder *gezien*, Naomi.' De glimlach werd breder. 'Waar, waar, waar, vraag je je nu af. Ik zie het.' Ze draaide het raampje open en gooide de peuk in de goot. 'In Moskou. Veertien maanden geleden. Pal voor de laatste wintersneeuw.'

'Goeie god!' De herinneringen schoten door Naomi's hoofd, koppelingen werden gemaakt en ineens leken haar hersenen te imploderen. Ze stond links achter de first lady in de enorme hal van het Kremlin, tijdens de receptie die volgde op de ondertekening van het veiligheidsakkoord tussen de Verenigde Staten en Rusland. Er hing een vrolijke sfeer, overal was het harde, onverstaanbare Russisch te horen. Jack stond ook ergens in de buurt. En later, toen de president dood was en de first lady in coma lag, nadat ze met de Air Force One waren thuisgekomen, verdrietig en rouwend, had Jack haar verteld...

'Maar dat kan toch niet.'

De vrouw leek opgetogen. 'Het is zo!'

'Jij bent Annika Dementieva.'

15

Hij staat in het donker. Alli kan hem niet zien, maar wel voelen. Wat veel erger is. Hij is een levend geworden nachtmerrie. Ze heeft het gevoel dat haar leven voorbij is, en hoewel ze slim genoeg is om te beseffen dat dat precies is wat hij wil dat ze voelt, kan ze er niets tegen doen. Ze heeft de situatie niet onder controle.

Als ze voelt dat hij naar haar toe komt, worstelt ze met de boeien, maar ze is met haar polsen en enkels geboeid aan de metalen stoel die in de vloer is verankerd. Ze heeft aan wat ze aanhad toen hij haar uit haar bed op school ontvoerde: een onderbroek en een mannen-T-shirt. Wat ze nog aan waardigheid voelde toen ze hier aankwam, is inmiddels verdwenen. Hij heeft elke vierkante millimeter van haar lichaam gezien... of niet zozeer gezien maar geobserveerd, als een chirurg die zijn patiënte bestudeert, als een ding dat opengesneden gaat worden. Maar deze man heeft niet de intentie om haar te genezen, hoewel hij dat natuurlijk wel beweert. Later in haar gevangenschap zal ze het met hem eens zijn. Zal ze haar ouders verloochenen, haar hele leven tot dat moment. Ze zal precies doen wat hij zegt.

Ze voelt de koude Moskovitische lucht als ze de limo waar haar vader in zit, naar het vliegveld ziet scheuren en tegen de elektronische slagboom ziet rijden. Ze ziet haar moeder naar adem happen en haar vader, bleek en dood, op een geïmproviseerde brancard in de Air Force One liggen als ze aan de terugweg naar Washington beginnen. Ze hoort het vertwijfelde geroep van de artsen die het leven van haar moeder proberen te redden, te midden van alle drukte huilt er iemand. Jack is bij haar. Naomi ook. Maar ze voelt niets. Ze zit in haar bekende ijzige schelp. Er zijn veel te veel dingen die ze voelt over haar ouders, botsende gevoelens die op haar inbeuken alsof ze een zeilboot in een Atlantische storm is. Elke keer dat ze dreigt om te slaan kan ze alleen maar in het duister verdwijnen.

Ze weet dat haar ouders van haar houden, maar de manier waarop doet pijn en vindt ze teleurstellend. Gefixeerd op haar kinder- en pubertijd zijn ze haar individualiteit vergeten en is ze een verlengstuk van de Edward Carson-groep geworden.

Ze heeft zich voorbereid op een verkrachting; in feite op elke vorm van seksuele perversie die hij ongetwijfeld van plan is. Ze is doodsbang voor wat haar te wachten staat, maar ze weet dat ze een deel van haar geest kan afsluiten, veilig kan stellen voor wat hij met haar van plan is. Emma heeft haar geleerd hoe ze dat moet doen; Emma was een meester in het zich afsluiten.

Maar ze is totaal niet voorbereid op hoe diep en volledig hij haar leven is binnengedrongen. En meteen vanaf het begin gebruikt hij zijn kennis om haar hersenen binnen te dringen en zich daar te nestelen.

Zijn warmte hangt in de lucht en ze ruikt hem als hij zich over haar heen buigt. Zijn ruwe, schilferige handen bedekken de hare, zijn lippen glijden over de haargrens op haar voorhoofd.

'Ik heb je op de campus met Emma McClure zien lopen. Ik weet dat jullie kamergenoten zijn.' Hij lacht, zacht maar onaardig, en ineens ruikt ze de stank van rottend vlees en moet ze kokhalzen. 'Oké, iedereen op Langley Fields weet dat jullie kamergenoten en goede vriendinnen waren. Maar ik weet meer.'

Ze sluit haar ogen tegen de aanval van zijn stem, maar die dringt toch tot diep in haar door. En tegen wat hij vervolgens zegt, heeft ze geen verweer.

'Ik weet dat Emma en jij geliefden waren. Hoe ik dat weet? Ik heb jullie horen kreunen van genot. Ik heb je haar naam horen roepen vlak voor je klaarkwam. Ik heb haar zacht horen vloeken toen je die dingen deed waar ze het meest van hield.'

Eigenlijk wil ze geen antwoord geven, maar ze kan er niets aan doen... De woorden persen zich als een snik uit haar keel. 'Hoe? Hoe?'

Hij ademt weer over haar heen, het lijken zuchten van plezier, maar waarschijnlijk is het van tevredenheid. 'Ze was een goede lerares, hè Alli? Een vriendelijke, liefhebbende lerares. Toch?'

Alli begint te huilen. Hete tranen biggelen over haar wangen terwijl ze denkt: o, mijn god, Emma. Emma!

'Net zo vriendelijk en liefhebbend als ik zal zijn, Alli. In de komende dagen zal ik je laten zien wat een leugen je leven tot nu toe is geweest, hoe je verraden bent door degenen die beweren dat ze het meest van je houden. Je ouders houden niet van je, Alli; dat hebben ze nooit gedaan. Ze hebben je gebruikt voor hun eigen ambities, hun politieke agenda. Je hebt ze altijd gehaat, je moet je daar alleen nog bewust van worden. Ze hebben je vernederd, je identiteit gestolen, je menselijkheid. Ik zal die kostbare dingen aan je teruggeven. Ik ben de enige die dat kan. Misschien begrijp je dat nu nog niet, maar op den duur wel. Dat beloof ik je.

En de eerste stap is dat je ze verloochent. Dat is de enige manier om terug te krijgen wat ze je hebben ontnomen. Het zal je lukken. Ik weet dat het je gaat lukken. Ik heb alle vertrouwen in je, Alli.

Er is een nieuwe dag begonnen. Vanaf dit moment is je leven veranderd. Zei Emma dat ook niet tegen je, die avond dat ze je in haar armen hield, een warm been tussen jouw benen stak en je in slaap wiegde?'

Omringd door de hoge rotsen van het Korab gebergte cirkelden valken en zwarte wouwen in de lucht. Terwijl haar wangen pijn deden van de gure wind en het losse zand van het steile pad, voelde Alli als een rottende golf de misselijkheid weer opkomen. Ze moest kokhalzen en braakte bijna uit wat er in haar maag zat. Maar er kwam alleen maar maagzuur en gal. Ze voelde zich duizelig en zo ziek dat ze alleen nog wilde liggen. Ze wilde terug in het verleden. Ze wilde met een tang de tong van haar vernietiger uitrukken; wilde haar duimen net zo lang in zijn ogen drukken tot ze een bloederige massa waren; wilde eindelijk zijn zielige gesmeek om genade negeren.

Ze wilde terug om haar ouders te kunnen zien zoals ze ze nu ziet, beter in de tijd geplaatst. Had ze ooit tegen ze gezegd dat ze van hen hield? Ze kon het zich niet herinneren en dat alleen al vond ze vreselijk. Ze miste hen nu, maar op een vreemde, onverklaarbare manier. Kun je pas van mensen houden als ze zijn overleden, vroeg ze zich af. Van die gedachte werd ze weer misselijk en ze boog zich over een rotsblok, hoewel er niets meer in haar maag zat om uit te braken.

Ze huilde nu om hen, om haarzelf, om de normale jeugd die ze zo wanhopig graag had gewild maar nooit had gehad. Ze haatte hen, vergaf hen en hield van hen. Misselijk en verward zwoegde ze verder, uit het zicht van de anderen. Ze wilde per se niet dat anderen haar zo zagen. Ook Jack niet. Ze zou willen dat ze met Annika kon praten, want Annika begreep hoe je een ouder tegelijkertijd kon haten en liefhebben. En als ze het begreep, kon ze het haar misschien uitleggen.

Dus huilde ze om het verlies van haar ouders en van zichzelf, maar ook het verlies van Emma. Want het allermeest wilde ze het moment veranderen dat Emma haar om hulp had gevraagd, dat ze Alli had gevraagd bij haar in die auto te stappen, de auto die dat ongeluk had gekregen, het ongeluk waarbij ze was overleden. Ze wilde Emma terug. Billy was een experiment geweest. Het was leuk geweest, want hij had echt om haar gegeven en was aardig geweest. Maar hun relatie had alleen maar onderstreept hoe erg ze Emma miste.

Ze wilde Emma terug. Mijn beste vriendin, mijn enige geliefde.

Ineens stond Jack naast haar.

'Het is oké,' perste ze eruit. 'Alsjeblieft...'

Maar zijn sterke arm die haar stevig vasthield ontwapende haar en snikkend begroef ze haar gezicht tegen zijn borst.

'Ik wil niet...'

Ze was slecht te verstaan, Jack voelde de woorden meer dan hij ze hoorde.

'Alli.' Hij boog zijn hoofd naar haar toe. 'Het is oké.'

Haar tranen smaakten bitter in haar mond.

'Ik verdien het niet om te leven.'

'Ik had nooit verwacht dat je hier terug zou komen,' zei Naomi.

Annika keek haar doordringend aan.

'Ik heb de e-mail gelezen die je naar Jack hebt gestuurd. Ik weet dat je senator Berns hebt vermoord.'

Even vloog er een schaduw over Annika's gezicht.

Ze zaten nog steeds in Naomi's auto. Aan de overkant van Cathedral Avenue was het druk geworden bij de ingang van het appartementengebouw van McKinsey. Alle bewoners gingen naar hun werk. Het beton en asfalt waren niet meer nat.

Annika lachte. 'Iémand heeft een e-mail verstuurd waarin hij me ervan beschuldigde dat ik die senator vermoord zou hebben...'

'Grappig,' zei Naomi.

'Je hebt geen bewijs.' Annika streelde het dunne ruggetje van haar hond. 'Die e-mail kan niet getraceerd worden.'

Dat leek een opening en Naomi greep haar kans. 'Hoe weet je dat?'

Annika haalde haar schouders op. 'Alleen een idioot maakt zichzelf kwetsbaar door een elektronisch spoor achter te laten.'

Eindelijk keek Naomi naar de loop van de .25. 'Wat wil je van me, Annika?'

'Waar is Jack?'

Even verstijfde Naomi. Toen zei ze: 'Jack wil je niet meer zien.'

'Wie ben jij? Zijn moeder?'

'Ik weet waar hij is.' Hoewel ze vermoedde dat het dom en gevaarlijk was om tegen deze vrouw te liegen, had ze er genoeg van om zich hulpeloos te voelen.

'Dan kun je me dat maar beter vertellen.'

'Wat is dat? Bedreig je me nu?'

'Luister eens, Naomi, het is al bekend geworden dat Jack de broer van Arian Xhafa heeft vermoord.'

'Ik weet niet waar je het over hebt.'

'Kom op, Naomi. Jack zit in grote problemen.'

Naomi's hart begon te bonken. 'Ik meen het: ik weet niet wie Arian Xhafa is.'

Annika keek haar doordringend aan om te bepalen of ze de waarheid sprak. Uiteindelijk zei ze zuchtend: 'Dan neem ik aan dat hij je niets heeft verteld om je te beschermen.'

Naomi voelde het bloed in haar oren suizen. Haar borst deed pijn van de hoop dat Annika meer zou vertellen. Maar de ironie dat haar bron een beroepsleugenaar was, ontging haar niet.

'Heeft hij je niet verteld dat hij in de Stem een man heeft vermoord?'

Hoe weet je dat allemaal, vroeg Naomi zich in stilte af. Maar ze was slim genoeg om te weten dat Annika haar dat nooit zou vertellen. Eigenlijk zou ze het niet raar moeten vinden dat de vrouw op de hoogte was, gezien de dingen die Jack over Annika Dementieva had verteld, maar ze kon er niets aan doen. Deze vrouw had een bovennatuurlijk intellect. Ze had het gevoel dat Annika drie stappen voor lag op iedereen die aan dit spel meedeed.

Ze knikte. 'Ene Dardan.'

'Die Dardan is – was – de broer van Arian Xhafa.' Annika pakte weer een sigaret en keek naar het uiteinde. 'Arian Xhafa is een van de meest gevreesde krijgsheren van Oost-Europa. Zijn macht en invloed nemen elke dag nog toe.'

'Stond hij aan het hoofd van die slavinnenveiling die in de Stem werd gehouden?'

'Ah! Je weet gelukkig wel íéts.' Annika keek naar opzij. 'Ja. Arian Xhafa handelt in jonge meisjes uit Rusland, de Balkan, Macedonië, Albanië, eigenlijk uit heel Oost-Europa. Hij verkoopt ze naar Italië, Scandinavië en natuurlijk naar Amerika. Het is een miljoenenbusiness, en het is vrij eenvoudig doordat de internationale wetten amper worden gecontroleerd. De meisjes zijn weglopertjes, hoertjes en meisjes die als slavin zijn verkocht zodat hun familie eten en zo kan kopen. Of ze nou als slavinnen moeten leven, doodgeslagen worden, constant verkracht worden of aan aids of een overdosis sterven; het interesseert de politie van geen enkel land geen bal.'

'Maar er zijn wetten, soms nieuwe, die speciaal zijn opgesteld om...'

'Wetten zijn alleen maar juridische papiertjes, Naomi. Die werken niet als ze niet worden gecontroleerd. En dat worden deze wetten niet. In arme landen worden ze meestal genegeerd, zelfs in de grotere steden, maar vooral op het platteland. In de wat meer ontwikkelde landen bestaat er een heel netwerk van corrupte overheidsambtenaren en politiemensen, voortkomend uit hebzucht en afpersing, waardoor de sekshandel ongestoord kan floreren.'

Naomi ging verzitten. Ze had artikelen gelezen over de toename van de internationale handel in meisjes en over de groeiende wereldwijde bezorgdheid daarover. Maar ze had aangenomen – te idealistisch wellicht – dat de nieuwe wetten in veel landen daar iets aan zouden doen. Ze vond het schokkend om te horen dat die wetten werden geschonden.

'Maar deze sekshandel...'

'Dat is een verkeerde benaming. We hebben het over slavernij.' Annika duwde de sigaret terug in het pakje en keek Naomi aan. 'Ik zal je een vraag stellen. Heb je enig idee hoeveel meisjes en vrouwen er op dit moment slavinnen zijn?'

Naomi dacht na. 'Honderdduizenden, neem ik aan. Misschien een miljoen.'

'Zevenentwintig miljoen.'

'Mijn god!' Naomi schrok oprecht.

'Om dat getal even in perspectief te zetten: dat is de hele bevolking van New York en Los Angeles en dan nog negen miljoen meer.'

'Dat kan toch niet kloppen.'

'Denk je dat? Een miljoen kinderen wordt elk jaar tot prostitutie gedwongen. En dat is alleen nog maar prostitutie. Slavernij is veel breder, dat hoeft niet alleen seksueel te zijn.' Ze klapte haar aansteker open, de weerspiegeling van de vlam brandde in haar ogen. 'Maar slavernij betekent in alle gevallen het einde van het individu, door middel van vernedering, perversie, marteling en ja, vaak door verkrachtingen. Het komt altijd neer op totale afhankelijkheid, doordat alle hoop de grond in wordt geboord.'

Naomi merkte dat ze haar adem inhield. Uitademen bracht even opluchting. 'En Arian Xhafa zit in dat werk.'

'Ja.'

'Waarom interesseert dat jou?'

'Ik ben een vrouw.'

Naomi zei hoofdschuddend: 'Ik ben niet dom, hoor.'

Annika glimlachte. 'Ik wil Jack.'

'Je hebt hem bedrogen.'

'Of ik dat wel of niet heb gedaan, gaat jou niets aan.'

'Jack is mijn vriend.'

Annika's glimlach bevroor op haar gezicht. 'O, dat is heel duidelijk te zien.'

Naomi keek naar haar handen op het stuur. 'En waarom zou ik jou geloven en vertrouwen?'

Annika streelde het poedeltje. 'Dat hangt ervan af hoe graag je Mbreti wilt vinden.'

Naomi probeerde haar hoofd koel te houden. 'Ik wil Mbreti.' Ze keek naar Annika, maar vond het moeilijk om zich niet geïntimideerd te voelen. 'Wat weet je over hem?'

Annika dacht even na. Toen knikte ze en gebaarde met de loop van de .25. 'Ik vertel het je wel onder het rijden.'

Naomi startte de motor, draaide aan het stuur en voegde in het verkeer in. Na een poosje zei ze: 'Ik rijd beter als er geen pistool op me gericht is.'

Glimlachend legde Annika het pistool naast het hondje. 'Wat heeft Jack over me verteld?'

'Genoeg om te weten dat je niet te vertrouwen bent.'

'Niemand is te vertrouwen, Naomi. Niet in onze wereld.' Ze bleef glimlachen. 'Ga hier rechtsaf, dan de volgende links en dan weer links.'

'Waarom?'

'Ik wil er zeker van zijn dat we niet gevolgd worden.'

Naomi keek in het achteruitkijkspiegeltje. 'En wie zou ons moeten volgen?'

'Peter McKinsey bijvoorbeeld.'

Naomi dacht even na. Direct vanaf het moment dat ze Annika Dementieva had herkend, voelde ze zich Alice in het konijnenhol. *En als je konijnen gaat jagen, en je weet dat je gaat vallen...* zong Grace Slick in haar hoofd.

'Hoe is het met Alli?' vroeg Annika.

'Ken jij Alli?' Stom. Natuurlijk, Annika was met Jack in Moskou geweest en was met hem en Alli naar de Oekraïne gegaan.

Annika's glimlach werd breder. 'Beter dan jij haar kent, lieverd.'

Naomi huiverde. Annika kon liegen – dat was zelfs heel waarschijnlijk – maar de gedachte dat ze gelijk had, dat ze Alli goed kende, gaf Naomi de kriebels. Die arme meid, dacht ze. Ze heeft alleen Jack en die bazige, verschrikkelijke oom nog. Wat erg als deze liegende moordenares daarbij komt.

'Alli is bij Jack,' zei Naomi, defensiever dan haar bedoeling was. 'En daar hoort ze ook.'

'Ben ik helemaal met je eens.' Annike keek recht voor zich uit. 'En waar is dat precies?'

Naomi reageerde niet.

'Oké, nu we in Georgetown zijn,' zei Annika, 'weet jij de weg beter dan ik.'

Naomi keek haar even aan en reed toen in de richting van het water.
'Je hebt gisteren gezien dat ik Pete volgde.'
'Ik weet dat je hem in die boot hebt zien springen.'
'Roosevelt Island?'
'Het is daar ruig gebied.' Annika wees naar de parkeerplaats van een gebouw naast Tidewater Lock. 'Een perfecte plek voor een rendez-vous.' Weer die glimlach toen Naomi de auto afsloot. 'En geheimen.'

Thatë hield de bemanningsleden in de gaten die in de achterste ruimte pokerden, maar had er zijn gedachten niet bij. Hij dacht tot in de kleinste details aan hoe Alli Dennis Paull had verslagen. Niet één keer, maar drie keer. Hij vond het prachtig zoals ze zich had bewogen, als een geest, of een rookpluim. Hij had nog nooit iemand op die manier zien vechten – die snelle, draaiende bewegingen fascineerden hem. Of misschien was het Alli zelf die hem fascineerde.

Hij schraapte zijn keel, stond op en vroeg om een kussen en een deken. Een van de bemanningsleden legde zijn kaarten neer, trok een kastje boven zijn hoofd open, en gaf hem het gevraagde. Thatë ging op een bank een eindje van hen vandaan liggen, trok de deken over zich heen en legde zijn hoofd op het kussen.

Hij doezelde wat, een uurtje. Toen hij zijn ogen opendeed, zag hij op de bank tegenover hem een bemanningslid zitten dat hem in de gaten hield. Op zijn schoot lag een pistool, dat hij pakte toen Thatë opstond.

'Ik moet piesen.'

'Schiet dan maar op.'

Thatë sloeg de deken om zich heen en liep tussen de banken door. Hij merkte dat de man achter hem aan liep.

Zo gaat dat dus, dacht hij.

Het voorste toilet lag praktisch tegenover de trap naar beneden. Hij trok de deur open. Toen het bemanningslid naar voren stapte, gooide Thatë de deken over hem heen, ramde zijn voorhoofd tegen de neus van de man en sleepte hem het toilet in. De hele operatie had maar een paar tellen geduurd. Voorzichtig keek Thatë over zijn schouder. De andere bemanningsleden zaten nog te pokeren en hadden niets gemerkt van wat er was gebeurd.

Annika stapte snel uit de auto en Naomi volgde haar zacht vloekend. Op haar arm droeg Annika het poedeltje. Naomi zag haar .25 niet, maar wist dat ze dat ding bij zich had. Het was raar, en een beetje eng, dat het haar totaal niet leek te interesseren dat Naomi ook gewapend was. Haar zelfvertrouwen bezorgde dat van Naomi een behoorlijke deuk.

Al lopend naar de kade liet Annika het poedeltje los. Dat rende meteen naar een bepaald gedeelte en sprong. Rustig liep Annika erachteraan. Op de rand trok ze haar schoenen uit, gooide die achter het hondje aan en stapte in een glimmende, blauwwitte powerboat. Met het sleuteltje dat op een zwemband lag startte ze de motor en gooide toen het boegtouw los.

'Gooi het achtertouw los als ik het zeg,' zei ze zonder naar Naomi te kijken.

Naomi stond bij de achtersteven van de boot. Het had geen zin, in elk geval niet op dit moment, om boos te worden, zei ze tegen zichzelf. Ze zou meewerken aan wat Annika van plan was en vooral niet vergeten dat haar dienstwapen, de 9mm Glock, vanaf deze afstand een groot gat in Annika's hoofd kon maken. Dat vond ze een bevredigende gedachte.

'Nu!' zei Annika.

Naomi liet het nylontouw van de metalen kikker glijden en stapte aan boord. Precies op dat moment duwde Annika de handel naar voren en zette koers naar de groene bebouwing van het eiland. Naomi wankelde naar voren en ging naast Annika staan. Ongeveer op dezelfde plaats als Peter de ochtend ervoor naast de onbekende man had gestaan.

Het reisje duurde niet langer dan vijf minuten. De zon was een vage ellips, die half schuilging achter een laag wolkendek. Net als de ochtend ervoor voeren er geen andere boten. Het water was rustig, een soort blauw laken dat haar geheimen wilde bewaren.

Annika deed het poedeltje aan de riem, en het beestje ging liggen, zuchtte diep en viel in slaap. Op het eiland stapten ze uit. Naomi op haar dunne schoenen, Annika op haar blote voeten. Het werd snel warmer. Naomi zag dat Annika haar regenjas niet had uitgetrokken, misschien omdat daar haar .25 in zat.

Annika liep naar links en Naomi volgde haar. Ze liepen in oostelijke richting langs de kust, maar al snel liep Annika het binnenland in. Naomi probeerde zich op de vorm van het eiland te concentreren. Er stonden geen gebouwen op, alleen een gedenkteken voor Teddy Roosevelt aan de kust aan de andere kant. Verder was het hele eiland een rimboe. Ze werkten zich door struikgewas heen en liepen onder zware, dikke takken door. De stank van vochtige aarde en rottende bladeren was overweldigend. Ze liepen in de diepe, koele schaduw.

Uiteindelijk bereikten ze een soort steiger van witte planken en liepen die af tot Annika rechtsaf een aftakking opliep. Die leidde naar een platform dat uitkeek over een smal, troebel water met daarachter dichte bebossing, die het merendeel van het eiland bedekte. Ze zagen niemand en behalve de kwetterende vogeltjes die van boom naar boom vlogen, bewoog er ook niets.

Naomi keek om zich heen en zag niets opvallends. 'Is Pete hier gisteren ook heen gegaan?'

'Dat zou kunnen.' Annika keek naar rechts.

Naomi volgde haar blik, maar zag nog steeds niets opvallends. 'Waarom, Annika? En wie bestuurde die boot?'

'Ik hoop dat je het niet erg vindt dat je natte voeten krijgt,' zei Annika, en ze stapte van het platform op een hoog uitstekende boomwortel en van daaraf in het water. De zoom van haar regenjas liet het water rimpelen. Ze stond tot aan haar knieën in het water.

Naomi schopte haar schoenen uit, pakte de boomstam vast, liet zich ook op de wortel glijden, die glibberig was geworden door Annika's voeten, en stapte ook in het water. Meteen liep Annika door het smalle water naar het noorden. De bodem was zacht en de modder sijpelde tussen Naomi's tenen door. Het water was verrassend warm en dik als vissoep. Wat zou ze met elke voetstap loswerken? Kleine visjes en rottende bladeren draaiden om haar enkels en kleurden het brakke water roodachtig. Ze schrok van een schaduw boven zich en dook weg. Bijna meteen hoorde ze een vogel kwetteren, alsof hij haar uitlachte.

'Schiet op!' riep Annika. 'Je moet hier niet verdwalen!' Ze klonk vlak, zonder echo. Alsof ze een vreemde, onbekende plek hadden betreden waar de natuurwetten niet meer golden.

Naomi liep zo snel als ze kon verder, maar de bodem was hobbelig en door de modder gleden haar voeten vaak weg, vooral toen het water dieper werd. Een paar keer viel ze bijna en kon ze nog maar net voorkomen dat ze kopje-onder ging door snel een overhangende tak vast te pakken. Het water was inmiddels niet meer warm of koud, het had ongeveer haar lichaamstemperatuur.

Voor zich zag ze af en toe Annika's regenjas oplichten als de schubben van een reptiel dat langzaam, maar onverbiddelijk op zijn doel afging. Nu gebruikte ze de takken om zichzelf vooruit te trekken en vertrouwde ze als een chimpansee meer op haar armen dan op haar benen.

Na een flauwe bocht naar rechts stond ze stil. Annika stond met één voet op de lage oever. Eén been had ze opgetild. De regenjas was opengevallen en langs haar knie gegleden, waardoor een stuk naakt bovenbeen zichtbaar was. Wat droeg Annika onder die jas, vroeg Naomi zich af.

'Dichterbij,' zei Annika en ze wenkte Naomi.

Toen die achter haar stond, zag ze dat Annika iets in de modder had uitgegraven. Gebukt gooide ze er handenvol water op. Er verscheen een bleke, glimmende vlek toen de modder en rottende bladeren waren verdwenen.

Het was een stuk van een hand.

Naomi's hart bonkte in haar keel. Ineens moest ze denken aan de bloedspetters op de oude, houten steigers diep onder de straten van Chinatown. Annika ging aan de kant toen ze zich op haar knieën liet vallen zonder op het water en de modder te letten. Met haar blote handen veegde ze nog meer aarde weg. Het lijk lag begraven in een V-vormig gat tussen twee dikke boomwortels. Een soort hangmat van ruimte.

De hand was slank en de vingers waren rank, dus wist Naomi dat het om een jong meisje ging. Ze begon fanatiek aarde weg te vegen, scheurde een nagel, en nog een, maar ging door. Het enige waar ze aan moest denken was dat ze het gezicht van het meisje vrij moest maken. Alsof ze nog leefde, niet begraven was en weer tot leven gebracht kon worden. Alsof ze geen nieuw slachtoffer van de slavenhandelaars was.

Als eerste verscheen er een wenkbrauw, daarna een prachtig jukbeen. Naomi hapte naar adem toen ze de gebroken neus zag, helemaal blauw en opgezwollen tot wel twee maal de normale grootte. Doordat het gezicht amper ontbonden was, realiseerde ze zich ineens dat het meisje nog niet lang dood kon zijn, misschien wel minder dan achtenveertig uur, hoewel alleen een lijkschouwer dat precies zou kunnen bepalen.

Toen ze de linkerkant van het gezicht schoonveegde, zochten haar vingertoppen naar de verraderlijke breuk onder de linkeroogkas. En die vonden ze, net als bij Billy en de twee mannen in Twilight.

'Zelfde modus operandi, zelfde vent,' mompelde ze.

'Klopt,' zei Annika pal achter haar.

Plotseling werd er een arm om haar keel geslagen, en de binnenkant van een duim drukte tegen het bot pal onder haar linkeroog. Terwijl de druk toenam, hoorde ze Annika's stem vlak bij haar oor zeggen: 'En zo is dat gedaan.'

16

'Iemand levert haar informatie,' zei McKinsey met gedempte stem.

'Naomi is slim,' zei Henry Carson. 'Dat heb ik je al meteen gezegd.'

'Pff, zo slim is ze ook weer niet.'

'We mogen haar niet onderschatten.'

Ze zwegen toen de grote deur van de Nationale Kathedraal openging en er iemand binnenkwam. Een oudere vrouw liep door het middenpad naar voren, bleef halverwege staan, sloeg een kruisje en nam plaats op een van de kerkbanken. Ze vouwde haar handen en boog het hoofd.

'Doe niet zo idioot.' Carson zei het op fluistertoon, maar zijn stem klonk dreigend en scherp. 'Zoek uit wat ze weet.'

'Dat zal niet eenvoudig zijn,' zei McKinsey.

'Als je missie eenvoudig was,' antwoordde Carson, 'hadden we die wel door een aap laten doen.'

Ze zwegen toen een geestelijke de kathedraal binnenkwam, een kruisje sloeg en de verhoging op stapte om het altaar voor de mis klaar te maken. Ze zaten op de laatste rij en konden niet lang meer blijven, maar voorlopig hoefden ze nog niet bang te zijn voor nieuwsgierige ogen en oren.

'Hoor eens, Peter, er is nóg een speler op het veld.'

McKinsey draaide zijn hoofd en voor het eerst keek hij Carson aan. 'Wie?'

'Als ik dat wist, had ik jou niet nodig. Ga door met waar je mee bezig was en zoek uit wie het is.'

'En als ik dat ontdek?'

'Dan neutraliseer je hem,' zei Carson.

De deur achter hen ging open en ze bogen het hoofd toen er weer iemand binnenkwam. Toen de man een plekje op een van de kerkbanken had gevonden, zei McKinsey: 'Het spijt me van je nicht.'

Carson staarde naar de geestelijke, die zijn religieuze attributen op het altaar rangschikte. 'Het zal consequenties hebben.'

McKinsey beet op zijn onderlip. Hij snakte naar een sigaret. 'Heeft het invloed op je plannen?'

'Geen enkele.' Carson haalde diep adem en zuchtte. 'Tijd om te vertrekken, Peter.'

'Ja.'

Carson bleef nog even zitten nadat McKinsey vertrok. Hij staarde naar de symbolen van macht en onschendbaarheid aan de muren. De katholieke Kerk was dankzij de vele misstanden op een pijnlijke manier op weg naar zijn eigen ondergang. Voordat hij wegging, beloofde hij zichzelf dat hij die weg niet zou inslaan.

'Zie je hoe het werkt?' vroeg Annika. 'Zie je hoe gemakkelijk het is om op deze manier de *occipitalis* te breken?' Ze bleef druk uitoefenen op de plek onder Naomi's linkeroog. 'Zowel het jukbeen als de rand van de oogkas, hier, waar de zenuwen en bloedvaten langs lopen, is kwetsbaar. Dubbel dodelijk, zou je kunnen zeggen.'

Ze haalde haar arm en duim weg, maar Naomi's hart bleef als een razende tekeergaan. Ze had de misselijkheid voelen opkomen zodra Annika achter haar was komen staan en de dodelijke greep – die de moordenaar in de afgelopen zesendertig uur al vier keer had gebruikt – op haar had toegepast. Een bespottelijke gedachte schoot als de knikker van een flipperkast door haar hoofd: was Annika de moordenaar? Zij had senator Berns vermoord, maar hoeveel slachtoffers had ze daarvóór gemaakt?

Naomi slikte moeizaam. Haar ogen traanden en haar neus liep. Zonder acht te slaan op de pijn keek ze naar het hoofd en de hand van het meisje dat tussen de wortels van de dikke boom was begraven.

'Wie is dit?' Haar stem klonk hol en haar tong leek te groot voor haar mond. 'Weet je hoe ze heet?'

'Maakt dat iets uit?'

Met een ruk draaide Naomi zich om. 'Natuurlijk maakt dat iets uit.'

'Ze heet Arjeta.' Annika keek naar Naomi, niet naar het dode meisje. 'In het Albanees betekent dat "gouden leven".'

Naomi kwam overeind. Ze voelde zich licht in het hoofd. Haar hart bleef maar jagen. Ze haalde een paar keer diep adem.

'Je ziet bleek,' zei Annika. 'Voel je je wel goed?'

Wat kan jou dat verdomme schelen, had Naomi willen zeggen, maar ze knikte alleen.

'Heb jij haar vermoord?'

Nu ging Annika's blik naar het lijk van het meisje. 'Je wordt er verdrietig van, vind je niet? Wat een verspilling.'

Naomi balde haar handen tot vuisten. 'Ik vroeg je iets.'

'Ik heb geprobeerd Arjeta te beschermen.' Ze keek Naomi weer aan. 'Ik kende haar twee zussen, Edon en Liridona. Ze zijn allebei jonger dan

Arjeta. Edon hebben ze meegenomen, maar Liridona, de jongste, is tot nu toe gespaard gebleven.'

'Gespaard voor wie?'

'Arjeta's ouders hadden haar aan Xhafa's mensen verkocht. Alle drie de zussen zijn mooi en begeerlijk. Als er niet wordt ingegrepen, vrees ik dat Liridona en Edon hetzelfde lot zullen ondergaan als hun oudere zus.'

'Het lot van zovelen,' zei Naomi bedroefd.

'Ja, maar deze meisjes zijn bijzonder. Hun schoonheid maakt ze buitengewoon waardevol voor mensen als de gebroeders Xhafa. Maar hun waarde is nu nog veel groter geworden. Want ze hebben belangrijke informatie over Arian Xhafa, neem ik aan. Hoewel dat maar een slag in de lucht is. Toen ik Liridona de laatste keer aan de telefoon had, werd de verbinding ineens verbroken en sindsdien heb ik haar niet meer kunnen bereiken.'

'Waar zijn ze nu?' vroeg Naomi.

'Liridona belde me vanuit Albanië. Uit Vlorë, waar de familie woont. Ze weet niet waar ze Edon naartoe hebben gebracht, hoewel ik het sterke vermoeden heb dat ze het land uit is.'

Naomi zette haar hand tegen de boomstam om steun te vinden. 'Het is een ziekte, een plaag.'

'Wat?'

'Die hebzucht.'

'Hebzucht en wanhoop,' zei Annika. 'Een ware epidemie.'

Naomi haalde haar mobiele telefoon tevoorschijn.

'Wat ga je doen?'

'Wat denk je? Dit melden, natuurlijk.'

'Niet doen.'

'Pardon?' Naomi schudde haar hoofd. 'Dat klinkt als een bevel.'

'Een goede raad, meer niet,' zei Annika. 'Als je het meldt, wordt het bekend en verdwijnt Mbreti van het toneel.'

Naomi hield het toestel tegen haar oor. 'Ik moet het doen.'

'Dan vinden jullie hem nooit meer. Dat garandeer ik je.'

Naomi tuurde in de verte. De geur van de dode hing in haar neus en ze bleef het bleke, magere gezicht van het meisje voor zich zien. Haar toestel kreeg verbinding en een ijle, elektronische stem vroeg wie ze was.

'Dan komt er nooit een eind aan deze moorden,' zei Annnika zacht. 'Is dat wat je wilt?'

Plichtsgevoel en verlangen, de twee gewichten die de kosmische balans in evenwicht hielden. Of tegenpolen, die beide om voorrang vochten.

Uiteindelijk liet Naomi de telefoon zakken en verbrak de verbinding.

'Goed dan,' zei ze tegen Annika. 'Was het Mbreti die Arjeta heeft vermoord? En was het Mbreti die Billy Warren en die twee mannen in Twilight heeft gemarteld en vermoord?'

'Nee, maar het is wel mogelijk dat hij de opdracht ervoor heeft gegeven,' zei Annika.

'Weet je hoe de dader heet?'

'Sorry?'

'De moordenaar.'

'Ja, ene Blunt. Volgens mij heb je hem weleens ontmoet en ken je hem onder zijn schuilnaam Willowicz.'

Dolna Zhelino is een bergdorpje in de smalle vallei tussen twee bosrijke hellingen hoog in het Korab gebergte. Aan het ene uiteinde ligt een riviertje, een zijtak van de Vardar, en aan het andere een brede lap golvend land, grotendeels bebouwd, dat zich uitstrekt in de richting van Tetovo, het bastion van Arian Xhafa, vijfentwintig kilometer verder naar het noordwesten.

Een uur geleden waren ze op een ondiepe plek de rivier overgestoken. De rotsbodem was spekglad, waardoor Alli was uitgegleden en met een plons in het water was gevallen. Voordat Jack haar kon vastgrijpen, was ze met hoofd en al onder water verdwenen. Onmiddellijk daarna was ze weer bovengekomen, van top tot teen doorweekt, maar verder ongedeerd.

Nu, op een open plek in het bos, bleven ze staan en vergeleek Dennis Paull de landkaart met zijn gps-coördinaten. Jack keek over zijn schouder. Vanaf hun hoge standpunt hadden ze een goed zicht in de lengterichting van de vallei. De witte huisjes met hun rode pannendaken, met als enige onderbreking de spitse minaretten van de moskee, lagen als dobbelstenen verspreid in de vallei. In dit deel van het land woonden voornamelijk moslims, dus in elk stadje of dorpje was wel een moskee te vinden.

Ze hadden nog minstens een uur tot de schemering in zou vallen. Alli leunde tegen een boom en tuurde naar het dorpje. Ze leek in gedachten verzonken en Jack vroeg zich af waar ze aan dacht.

'We zitten op de goede weg,' zei Paull.

Aangenomen dat dit de goede weg ís, dacht Jack, maar hij hield zijn mening voor zichzelf. Paull wist al hoe hij hierover dacht.

Paull keek op zijn horloge. 'Als we de vallei door willen zonder gezien te worden, kunnen we dat het best kort na zonsondergang doen. Dan kunnen wij nog zien waar we lopen zonder onze zaklantaarns aan te doen en zien de anderen bijna niks, of alleen de grondnevel als ze in onze richting kijken.'

Hij keek om zich heen. 'Misschien kunnen we in de tussentijd iets eten.' Hij gebaarde met zijn kin naar Alli. 'Zeg jij het even tegen Alli?'

Jack stond op en liep naar haar toe. 'Eet iets nu we er tijd voor hebben,' zei hij.

Ze reageerde niet.

'Alli, het gaat een lange nacht worden.'

Ze knikte en ging zitten om haar rugzak open te maken. Jack ging naast haar zitten. Toen ze hem een proteïnereep aanbood, pakte hij die aan. Ze aten in stilte. Jack ging op zijn rug liggen en sloot zijn ogen. In gedachten zag hij Rubiks kubus voor zich, het ultieme voorbeeld van een puzzel die opgelost moest worden. Daarna trokken de vele beelden van de afgelopen paar dagen aan zijn geestesoog voorbij, beelden die hij sorteerde en waarvan hij een deel op de kubus projecteerde en de rest negeerde. Dit denkwerk zou de meeste mensen minstens een uur kosten, maar Jacks dyslectische geest deed het in een paar minuten... net zo snel als hij vroeger, toen hij jong was, Rubiks kubus had opgelost.

Wat hij voor zich zag, in zijn geest en op de vlakjes van de kubus, was een soort vergelijking.

GRASI = THATË MBRETI = ?

Hij bestudeerde de vergelijking, die eigenlijk geen vergelijking was, en vroeg zich af wat die te betekenen had. Zijn onderbewustzijn wist blijkbaar het antwoord, of was ermee bezig, anders waren de woorden nooit voor zijn geestesoog verschenen. Mbreti – 'koning' in het Albanees – was een codenaam, of het stond voor de rang van een belangrijke deelnemer aan de Amerikaanse operatie van Arian Xhafa. Mathis, de bedrijfsleider van Twilight, had Mbreti's geld naar de Stem gebracht. Dat deed hij waarschijnlijk om het te laten doorsturen naar Dardan, wat inhield dat Mbreti een van Arian Xhafa's mannen was, of van Dardan zelf. In elk geval werkte Mathis voor Mbreti, de koning.

Jack wist best dat als dit klopte, hij de vergelijking nog niet had opgelost. Thatë's bijnaam was Grasi, wat 'dik' betekende. Maar zijn echte naam, Thatë, betekende 'mager'. En die jongen was dik noch mager, dus hoe kwam hij aan zijn bijnaam? Als de rust was weergekeerd zou Jack het hem vragen, nam hij zich voor.

Hij opende zijn ogen. 'Hoe gaat het met je?' vroeg hij aan Alli.

Met een half glimlachje keek ze hem aan. 'Beter.'

Hij wist dat hij niet meer moest vragen, want dat zou ze zeker als een verhoor opvatten, ook al was het niet zo bedoeld.

'Ik mis mijn muziek,' zei ze kauwend op een hap van haar reep.

Hij haalde Emma's iPod en de oordopjes uit zijn zak. 'Misschien kunnen we samen naar iets luisteren?'

'Heb je *When You Sleep* van My Bloody Valentine?'

Jack nam de playlist door. 'Een van Emma's favorieten, zie ik. Dus ook van jou?'

Alli slikte en tuurde in de verte.

Jack hield haar de iPod voor. 'Wil je liever alleen luisteren?'

Ze schudde haar hoofd, hij gaf haar het ene oordopje en deed het andere in zijn eigen oor. Hij drukte op play en ze luisterden beiden naar de muziek. Jack vond het maar niets, naar muziek luisteren op de manier die bij tieners zo populair was. Stompzinnig en zinloos, net als muziek afspelen op je mobiele telefoon, met een *bitrate* van 64, zo gecomprimeerd dat het geluid nog nauwelijks als muziek te herkennen was. Maar nu, met My Bloody Valantine's muur van gitaren en elektronica, de stemmen die er maar net doorheen drongen en de wetenschap dat Alli van de andere helft genoot, voelde hij zich op een merkwaardige manier heel dicht bij haar. Of misschien was dat zo omdat ze iets van Emma met elkaar deelden.

Hij werd uit zijn gedachten gewekt door een tikje op zijn schouder.

'Tijd om op te stappen,' zei Paull.

Het daglicht was uit de hemel verdwenen alsof iemand een gordijn had dichtgetrokken. Wat er nog van de zon restte, ging achter wolken schuil. Een paar eerste sterren stonden al aan de hemel en hun pulserende gloed beloofde een mistige nacht.

Jack haalde het dopje uit zijn oor en Alli deed hetzelfde. Hij stond op en borg de iPod zorgvuldig op in zijn zak. Daarna haalde hij zijn veldkijker tevoorschijn en liep naar een plek waar hij tussen de bomen door kon kijken. Paull voegde zich bij hem.

'Zie je iets?'

Jack schudde zijn hoofd. 'Maar volgens Thatë patrouilleren Xhafa's mannen daar.'

Paull gromde iets.

'Wat wordt onze route door de vallei?'

Paull legde het hem uit, en Jack zei: 'Ik hoop dat je geotechneuten wisten wat ze deden, want volgens mij wordt het verdraaid lastig om daar ongezien doorheen te komen.' Hij wees tussen de bomen door. 'Zie je hoe de vallei zich aan het eind steeds verder versmalt? Het lijkt wel een trechter. Ik begrijp waarom Xhafa daar mensen zou neerzetten, en waarom Thatë niet wil dat we via deze route gaan.'

'Ik geloof geen woord van wat die leugenaar zegt.' Paull deed zijn rugzak om. 'Kom op, we gaan. De geotechneuten hebben gekozen voor een pad dat ons een zo groot mogelijke kans biedt om ongezien naar de overkant te komen.'

'Ik voel me al een stuk beter,' zei Jack.

Paull negeerde Jacks opmerking en liep weg. In de verte, schuin onder hen, fonkelden de lichtjes van Dolna Zhelino, veilig ingekapseld in de trechter van de vallei, zo uitnodigend voor de mensen die er woonden, zo gevaarlijk voor hun groepje van drie.

Bij de rand van het bos bleef Paull staan. Hij wees twee plekken aan. 'Daar en daar zijn de twee hoogste punten die het meest voor uitkijkpost geschikt zijn. De geojongens konden dat op hun 3D-kaarten zien en hebben onze route daaraan aangepast.'

'Het wordt alsmaar beter,' zei Jack.

'Hou je mond,' zei Paull kortaf. 'We beschikken over superieure kennis en hulpmiddelen en ik ben van plan alles wat we hebben, te gebruiken om Tetovo binnen te komen en Xhafa's keizerrijkje aan gruzelementen te blazen voordat hij weet wat hem overkomt.'

Ze pakten hun ArmaLites en kwamen een voor een het bos uit. Paull liep voorop, op korte afstand gevolgd door Alli. Jack sloot de rij, zoals altijd.

De laatste restjes van het daglicht hadden de merkwaardige tint die typerend was voor dat moment van de dag, nu de zon achter de horizon was verdwenen en de nacht nog niet uit zijn graf was opgestaan. Schaduwen waren er niet, maar wel – zoals Paull het omschreef – 'de schijn van nevels', waardoor ze veilig in de vallei konden afdalen en konden doorlopen naar het eind, waar het riviertje zich in een waterval op de enorme bodemkeien stortte.

Ze slopen door het dichte groen van de westelijke helling, over een slingerpaadje dat ze af en toe het idee gaf dat ze weer teruggingen, wat natuurlijk niet mogelijk was. Toen ze enige tijd onderweg waren, moest Jack toegeven dat de route goed was doordacht, zo grillig en complex dat ze vanaf een vast standpunt bijna niet te volgen waren.

Ze beklommen een steile helling en daalden weer af naar een plateau vol struiken en jonge bomen, alsof er jaren geleden brand had gewoed en alle oudere bomen waren verbrand. Paull gaf met een handgebaar aan dat ze laag bij de grond moesten blijven terwijl ze dit stuk relatief open terrein overstaken.

Jack slaakte een zucht van opluchting toen ze het uiteinde van de vallei hadden bereikt en ze weer dekking tussen de bomen konden zoeken. Als donkere schaduwen bewogen ze zich door het bos. Even verloren ze het zicht op zowel de vallei als het dorpje, toen het pad hen hoger de westelijke helling op voerde, tussen dicht opeenstaande volwassen bomen die als reuzen boven hen uitstaken.

Met één oog op eventuele bewegingen achter hem en het andere op Alli die voor hem liep, voelde Jack dat Paull het tempo opschroefde. Het was op dat moment dat ze vanaf de linkerkant werden beschoten. Als één man lieten ze zich op hun buik vallen en begonnen ze, op aanwijzing van Paull, naar de aflopende helling rechts van hen te kruipen. Toen werden ze ook vanaf die kant beschoten. Jack wilde naar Alli toe kruipen, maar die had zich al verstopt tussen het dichte groen. Hij kwam half overeind om te zien waar Paull was, maar een geweersalvo rukte bijna de huid van zijn schedel.

Ze waren in een genadeloos kruisvuur terechtgekomen.

17

De president en Carson ontmoetten elkaar in de Rozentuin. Het was alom bekend dat ze bevriend waren, en vrienden spraken met elkaar af op openbare, aangename locaties, niet achter gesloten deuren, of op plekken die argwaan wekten, waardoor ze allebei in de problemen konden komen.

'Volgens mij was het geen slimme zet om Dennis Paull toestemming te geven Alli daar weg te halen,' zei Carson.

'Dat valt nog te bezien.' De president, die geen jas aanhad, liep iets voorovergebogen vanwege de wind. 'Maar ik had geen keus. Ik mocht hem geen reden geven om te denken dat ik me met zijn missie bemoeide, of dat ik zijn gezag ondermijnde.'

'Dat begrijp ik, maar...'

'Geen maren, Hank. We kunnen ons niet veroorloven dat hij argwaan krijgt.'

'Je bedoelt McClure.'

'Natuurlijk bedoel ik McClure,' zei de president. 'Maar het zou ook een grove fout zijn als we Dennis onderschatten.'

Ze kwamen aan het eind van een pad en sloegen af. In de bloembedden stonden de narcissen in bloei en ook de tulpen hadden hun kleurige kelken geopend.

Carson snoof de zwoele lentegeur op. 'Ik kan hem wel aan, als het nodig is.'

Crawford keek zijn veiligheidsman aan. 'Verdomme, wat heb ik je nou gezegd over dat soort stoere praat?'

'Mijn arrogantie heeft me gebracht waar ik nu ben.'

De president van de Verenigde Staten schudde zijn hoofd. 'Dat kan ik niet ontkennen.' Hij deed zijn handen op zijn rug. 'Ik maak me zorgen om Gunn.'

'Hij is de beste in de particuliere beveiligingsbusiness, Arlen. Het Pentagon maakt voortdurend gebruik van zijn diensten.'

'Ja, in Irak,' zei Crawford. 'Gunn is iemand die denkt dat de hele wereld Irak is, en zo gedraagt hij zich ook.'

'Ik heb nog geen duidelijkheid over wat er bij mij thuis is gebeurd,' zei

Carson. 'Gunn beweert dat Alli steeds geïrriteerder raakte en dat ze een van zijn mannen is aangevlogen toen hij de bibliotheek binnenkwam om te kijken hoe het met haar was.'

'In hemelsnaam, ze ziet eruit als een meisje van zestien!'

Carson knikte. 'Ik moet toegeven dat haar fysieke kracht ons heeft verbaasd.'

'Maar haar emotionele staat niet. Hank, je moet rekening houden met de mogelijkheid dat Gunn misschien gelijk heeft, dat ze na haar inwijding en hersenspoeling... dat ze nooit meer de oude zal zijn.'

Carson keek alsof hij een bittere pinda had doorgebeten. 'Dat wil ik niet horen.'

'Toch is het mogelijk dat Gunns versie van het gebeuren klopt.'

'En als dat niet zo is?'

De president draaide zich om naar zijn metgezel en boog zich naar hem toe. 'Heb ik je goed verstaan?' Toen Carson geen antwoord gaf zei hij: 'Jezus, Hank, je bent al net zo'n cowboy als Gunn. Laat hem. Hou je aandacht bij het plan, wil je? Zet je persoonlijke rancune opzij en concentreer je daarop. We liggen op schema. Ik heb mijn aandeel gedaan. Ik heb je overname van Middle Bay Bancorp zonder kleerscheuren door de SEC en de antitrustcommissie geloodst. Richt je nu op de integratie. Zonder Middle Bay zijn we nergens.'

Carson hield zijn mond dicht. Hij hield er niet van om op die manier toegesproken te worden, door niemand, ook niet door de president van de Verenigde Staten. Carson kwam uit Texas en was een selfmade man die, nu hij een immense hoeveelheid geld en macht had vergaard, zichzelf als een natuurkracht zag, als een eilandstaatje binnen het land waar hij woonde. De wetten voor de gewone man golden niet voor hem... die fase was hij allang voorbij.

'Maak je geen zorgen om Middle Bay,' zei hij toen hij zijn emoties weer onder controle had. 'Ik heb de allerbeste forensische accountants in de arm genomen. Dat werk wordt nu gedaan. Maar je begrijpt dat dit nauw luistert. We kunnen het niet overhaasten.'

'Mee eens.' De president zuchtte en legde zijn hand op de schouder van zijn vriend. 'Hank, soms maak ik me zorgen om je.'

Carson forceerde een glimlach. 'Niet nodig, Arlen. Ik ben alleen een beetje lichtgeraakt door de recente escapades van mijn nichtje.'

Crawford knikte begripvol. 'Ik begrijp het. Helemaal.' Hij gaf een kneepje in Carsons schouder.

Je begrijpt er geen bal van, dacht Carson toen hij de president in de Rozentuin achterliet. Het kwam door Caroline, zo simpel was het, voor zover iets in het leven simpel kon zijn. Deze moeilijk te controleren woede – dit verlangen naar wraak – had hij niet altijd in zich gehad. Die had zich geopenbaard meteen nadat Caroline was verdwenen. Soms werd hij verteerd door die woede, alsof hij was veranderd in een of andere mysterieuze persoon die hij maar zijdelings kende. Op zulke momenten ging hij naar de geluiddichte kelder van zijn huis in de stad en bracht hij een uur door met zijn handwapens – een Glock .38, een Mauser 9mm en een .357 Magnum, schoot hij clip na clip leeg en boorde hij talloze gaten in het midden van de kartonnen doelwitten. De stank van cordiet, die steeds erger werd, was een aangename bijkomstigheid, maar het was vooral het schieten dat hem opluchtte, hoewel het niets veranderde aan zijn verlangen om te weten wat er met zijn dochter was gebeurd.

Als hij zijn ogen sloot, zag hij Caro voor zich als op een foto die hij in een stoffige koffer op zolder had gevonden. In de loop der jaren was ze opgehouden een mens voor hem te zijn. In plaats daarvan was ze een icoon geworden, een symbool van zijn woede en frustratie, want in dit ene geval konden al zijn geld en macht helemaal niets voor hem doen. Als hij een bedelaar was geweest die zich op straat over een vuilnisbak boog in de hoop er iets eetbaars in te vinden, was zijn dochter hem evengoed afgenomen.

In het diepst van de nacht, als hij schreeuwend wakker werd, was dat omdat hij in zijn droom wist dat ze van hem was weggelopen? Het bewijs dat zij hem afwees, wat iets was wat hij weigerde te accepteren. Daarom klemde hij, een man die verdronk in zijn eigen schuldgevoel, zich vast aan de overtuiging dat ze hem was afgenomen, want dan kon hij naar haar op zoek gaan en haar thuisbrengen. Want dat zou ze willen, thuiskomen.

Ondanks de constante beschietingen riep Jack zichzelf tot de orde, sloot zijn ogen en probeerde het terrein als een driedimensionale puzzel voor zich te zien. Het vuur van rechts kwam van een hoog standpunt, wat inhield dat Xhafa's mannen in de bomen waren geklommen. Daardoor waren ze wat schieten betreft in het voordeel, maar het betekende ook dat ze plaatsgebonden waren, dit in tegenstelling tot de mannen van links, die dichterbij leken te komen.

Nu begreep hij het: het was niet de klassieke tangmanoeuvre die hier werd toegepast, maar het was een 'opdrijven en afmaken'-actie. Het was de bedoeling dat de manschappen van links de vijand dwong zich terug te trekken op de helling, waar ze konden worden afgeschoten door de sluipschutters in de bomen.

Het vuur van links begon harder te klinken, wat aantoonde dat zijn theorie klopte. Jack wist dat hij heel weinig tijd had om iets te bedenken. Maar voordat hij iets kon doen, hoorde hij een angstaanjagend gesuis, gevolgd door de inslag, rechts van hem, op ruime afstand van waar Alli zich had verstopt. Een zuil van vuur spatte op in het duister toen de raket explodeerde. Binnensmonds vloekend dacht Jack: geweldig, Dennis heeft Xhafa verteld wat voor wapens we hebben.

Meteen daarna werd het duister opnieuw verlicht door een tweede explosie, een minder zware, maar veel dichterbij. Xhafa's mannen hadden de aanval geopend door een granaat te werpen.

Jack tijgerde over de grond naar het dichte groen waar Alli zich had verstopt en zei dat ze daar moest blijven.

'Wat? Ik kan je niet verstaan.'

Hij zag haar lippen bewegen en begreep wat ze bedoelde, want het suizen in zijn oren maakte communiceren onmogelijk.

Hij gebaarde met zijn vlakke hand naar de plek waar ze zat en knikte. 'Blijf daar,' mimede hij. 'Ik ga Paull zoeken.'

Maar Alli kroop uit haar schuilplaats. 'Ik ga met je mee.' Toen hij wilde protesteren bracht ze haar lippen vlak bij zijn oor. 'Stel dat je verdwaalt of, erger nog, in het nauw wordt gedreven en niet meer kunt terugkomen?'

Na een korte aarzeling wenkte hij haar en zochten ze samen hun weg over de rotsachtige bodem. Het geweervuur van beide kanten teisterde hun gehoor. Xhafa's mannen hadden het gemunt op degene die de raket op hen had afgeschoten.

Ze kwamen bij een grote rots en Jack gebaarde Alli te blijven staan. Hij had iets zien bewegen, niet zo ver voor zich uit, en vermoedde dat ze Paulls positie naderden.

'Ik denk dat ik Dennis zie, een kleine tien meter verderop,' fluisterde hij in Alli's oor. 'Blijf hier wachten, dan ga ik hem halen.' Hij grijnsde naar haar. 'Op zo'n korte afstand zal ik toch niet verdwalen?' Hij gaf zijn automatische geweer aan haar en trok zijn Sig Sauer. 'Wat er ook gebeurt, niet schieten. Ze mogen niet horen dat we hier zijn.'

Ze knikte en Jack sloop om de rots heen. De bodem liep hier licht omhoog, wat de voortgang bemoeilijkte. Het voordeel was echter dat hij voldoende dekking had om uit het zicht te blijven. Hij was halverwege toen het schieten opeens ophield. Hij bleef staan en vroeg zich af of ze Paull hadden gedood. Toen begon het schieten weer en liep hij door.

Een paar meter voor hem was de rotsrichel waarachter hij Paull had gezien. Doordat er werd geschoten, kon hij echter niet over de richel heen kijken en wist hij niet wat daarachter gebeurde, wat een heel riskante positie was. Hij kroop toch naar de richel toe en kwam voorzichtig overeind om eroverheen te kijken. Het antwoord was een geweersalvo dat rakelings over zijn hoofd vloog.

Hij trok zich snel terug en keek om zich heen. Links van hem liep de bodem steil op en rechts van hem daalde die licht. Hij moest naar links om de richel te omzeilen, maar dat leverde een probleem op. Hij had daar vrijwel geen dekking. Sterker nog, er waren een paar kale stukken, veroorzaakt door rotslawines. Die waren niet zo groot, maar wel gevaarlijk, want hij zou geheel onbeschermd zijn wanneer hij ze overstak.

Hij sloop naar links en raapte een paar keien van de grond. Toen hij de eerste open plek naderde, wierp hij een van de keien van zich af, naar rechts. Op het moment dat die de grond raakte en er een kort geweersalvo volgde, schoot hij de open plek over.

Hij vervolgde zijn weg omhoog in de richting van de tweede open plek. Die was groter dan de eerste, en vlakker, wat hem nog gevaarlijker maakte, alsof hij een bevroren meertje moest oversteken terwijl er in de bomen eromheen sluipschutters zaten.

Deze keer gooide hij een kei naar links, in de boomtoppen onder hem. Toen de takken bogen en ritselden, en er in die richting werd geschoten, rende hij de open plek over. Hij was nog niet in het groen aan de andere kant gedoken of er vloog een kogel rakelings over hem heen. In een enkele beweging dook hij over de rotsrichel en liet zich aan de andere kant omlaag rollen.

Het werd stil. Xhafa's mannen wisten waar hij net was geweest, dus ze zouden niet veel tijd nodig hebben om te bedenken waar hij nu was. Hij kon maar beter in beweging blijven. Op zijn ellebogen en knieën tijgerde hij door het groen, dankbaar voor het dichte bladerdak boven zijn hoofd. Als hij eenmaal bij Paull was, moesten ze via een andere weg terug naar Alli, want tot nu toe had hij geluk gehad, maar ze konden zich niet veroorloven zich met zijn tweeën zo bloot te geven.

Het was doodstil. Van geen van beide kanten werd geschoten, maar hij hoorde ook geen vogelgeluiden, wat betekende dat Xhafa's mannen zich aan het verplaatsen waren, hoogstwaarschijnlijk in de richting waar ze hem voor het laatst hadden gezien. Iets anders aannemen zou onverstandig zijn. De stilte maakte elke beweging nog riskanter. Hij hoefde maar op een takje te trappen en het hele guerrillaleger zou zijn kant op komen.

Een avondbriesje deed de boomtoppen ruisen, maar de hemel werd aan het gezicht onttrokken door het gebladerte. Het duister was hier eigenlijk een voortdurende schemer. Schaduwen waren er niet. Jack richtte zich op om te zien waar hij was. Vanaf de plek waar hij lag, had hij zicht op waar hij Dennis had gezien. Het was mogelijk dat Paull daar al niet meer was, maar het leek waarschijnlijker dat hij zich had verschanst en wachtte op een kans om ervandoor te gaan. Jack had het sterke vermoeden dat Xhafa's mannen hierop wachtten... dat Paull zich blootgaf en zij hem met hun salvo's aan flarden konden schieten. Hij moest zo snel mogelijk bij zijn vriend zien te komen.

Als een slang schoof hij over de grond, centimeter voor centimeter door het schemerduister, om te zien waar Paull zich had ingegraven. Recht voor hem stonden drie hoge bomen.

Jack kroop nog een stukje vooruit en toen zag hij Paull, ineengedoken in de ruimte tussen de boomstammen. Hij had een paar struiken omgehakt en daarmee een gecamoufleerde schuilplek voor zichzelf gefabriceerd. Jack kon hem alleen zien omdat hij zich zo laag bij de grond bevond.

Toen hij dichterbij kwam, zag hij Paull bewegen.

'Dennis, ik ben het,' fluisterde Jack.

Paull schrok. 'Jack?'

'Ik kom je hier weghalen.'

Het bleef even stil. 'Ik heb het verprutst, Jack.'

'Ik zal maar niet zeggen: "Ik had het je toch gezegd?"'

'Ha, ha, ha,' zei Paull zonder een sprankje vrolijkheid.

Jack stak zijn linkerhand naar hem uit. 'Kom mee. Op je buik over de grond. Ik dek je.'

Toen Paull kruipend uit zijn geïmproviseerde schuilplaats tevoorschijn kwam, glimlachte Jack naar hem. 'We redden het wel.'

Op dat moment verscheurde een regen van halfautomatisch geweervuur de stilte. Paull drukte zijn gezicht tegen de grond, maar het vuur was niet op hem gericht. Het kwam van achter hen, van de plek waar Alli zich had verschanst.

Gunn verliet zijn appartementengebouw gekleed in een modieus maatpak, donkerblauw met een subtiel krijtstreepje, John Lobb-schoenen, een lichtblauw shirt en een donkerrode das. Hij ontgrendelde het portier van zijn BMW 5 met de afstandsbediening, liet zich achter het stuur glijden, startte, wachtte op een opening in het verkeer en trok op.

Even later reed een beige Chevy weg bij de stoeprand en ging hem achterna. Gunn maakte een tussenstop bij een benzinestation, tankte en reed door naar een 7-Eleven. Met kwieke pas liep hij de winkel in terwijl de Chevy aan de overkant stopte en met draaiende motor bleef staan.

Na een minuut of vijf zag de bestuurder van de Chevy Gunn weer naar buiten komen, instappen en wegrijden. Hij schakelde en reed de BMW plichtsgetrouw achterna.

Gunn stond achter in de 7-Eleven, op een plek uit het zicht van de ronde beveiligingsspiegels aan het plafond. Nadat hij de Windsor-knoop van de donkerrode das van zijn dubbelganger had gecontroleerd en had gekeken of ook alle andere uiterlijke details klopten, had hij de sleutels van de BMW in diens hand gelegd.

'Je weet wat je te doen staat.'

De man had geknikt en was met Gunns kwieke pas de winkel uit gelopen.

Nu keek Gunn op zijn horloge en telde hij in gedachten de seconden af. Toen hij bij de dertig was, ging de deur van de toiletten open en kwam er een man naar hem toe.

'Het is een zooitje,' zei Gunn. 'Een absolute puinhoop.'

'Hou je rustig,' zei zijn metgezel. 'We hebben eerder in de shit gezeten, dus we komen er deze keer ook wel uit.'

'Ik heb me rustig gehouden,' zei Gunn. 'De hele tijd.' Hij wierp zijn armen in de lucht. 'Ik heb achterovergeleund en jou de planning laten doen. En raad eens? Een van mijn mannen is dood en twee anderen zouden willen dat ze het waren.'

'Ik zal persoonlijk zorgdragen voor hun rehabilitatie,' zei zijn metgezel. 'Zet het geld uit je hoofd.'

Gunn haalde diep adem en leunde tegen de frisdrankkoelkast. Zoals altijd was het onmogelijk om John Pawnhill in te schatten. Hij was achter in de dertig en aantrekkelijk op een onopvallende manier. Hij had dik, donker haar dat iets over zijn oren hing, en half geloken ogen waaruit niets af te lezen viel. Gunn voelde zich altijd meteen onbehaaglijk wanneer hij bij hem in de buurt kwam. Het was alsof Pawnhill iets uitstraalde waarvan iedereen in zijn nabijheid nerveus werd.

'Het gaat niet alleen om het geld.'

'O nee?' zei Pawnhill. 'Waarom dan?'

'Om de manier waarop het in het honderd is gelopen.'

Pawnhill leek net zo ontspannen als altijd. 'En hoe is dat dan gebeurd?'

'Opeens, en dan goed ook. Als een terriër die een lappenpop verscheurt.' Gunn voelde zijn woede weer oplaaien... woede om gebeurtenissen waar hij geen vat op had gehad, woede omdat Henry Holt Carson hem in het vizier van zijn pistool had kunnen nemen, wat wel het laatste was wat hij wilde. 'Ik heb de fout gemaakt van mijn eigen regel af te wijken: als je wilt dat iets goed gebeurt, doe het dan zelf.'

Pawnhill knikte alsof hij het met hem eens was. Een fractie van een seconde later voelde Gunn de punt van een knipmes tegen zijn keel. Pawnhill duwde hem met zijn rug tegen het glas van de koelkast.

'Luister goed, klootzak. Jij bent naar mij toe gekomen, weet je nog? En weet je ook nog dat ik gisteravond, toen de Stem werd geïnfiltreerd, een half miljoen ben kwijtgeraakt? Was dat mijn schuld? Was het mijn schuld dat Arjeta Kraja haar grote mond voorbijpraatte tegen die kleine etterbak van een Billy Warren? Trouwens, hoe is zij verdomme aan die informatie over Middle Bay gekomen? Van mij? Denk je dat?'

'Nee, niet van jou, dat is absurd.' Gunn probeerde te slikken, maar zijn mond was kurkdroog en zijn hart klopte in zijn keel. 'Het moet Dardan geweest zijn. Hij is de enige andere persoon die van de bank weet.'

Pawnhill haalde de punt van het lemmet licht over Gunns keel, waardoor er een rood lijntje achterbleef. 'Dardan hield alleen van neuken, niet van praten.'

'Neuken en moorden.' Gunn staarde in de hartcloze ogen van de ander. 'Hoor eens, ik twijfel er geen moment aan dat als jij het had gedaan, Alli Carson nu dood was geweest.'

'Te gevaarlijk. Het ging niet.' Pawnhills woede leek een fractie af te nemen. 'We hadden allebei een extra beschermingsbuffer nodig. Jouw mannen hebben die geleverd.'

'De agent van de Geheime Dienst – het meisje – kwam rondneuzen.'

'En wat kan ze te weten komen over die drie?'

'Niks,' zei Gunn. 'Ze zijn brandschoon. Dat heb ik je gezegd.'

Pawnhill haalde het mes van zijn keel en nadat hij het lemmet had afgeveegd aan Gunns donkerrode das, vouwde hij het dubbel en stak het weg. 'Je maakt een verdomd grote fout als je het waagt me te beschuldigen...'

'Ik heb je niet beschuldigd.'

'Waag het niet te zeggen dat je iets niet hebt gedaan als je het verdomme wel hebt gedaan.' Pawnhill zwaaide dreigend met zijn wijsvinger. 'En Willowicz noch O'Banion is brandschoon.'

'Het zijn profs en ze zijn zo ongrijpbaar als geesten. Niemand kan ze met Fortress of met mij persoonlijk in verband brengen.'

'Het zijn ongeleide projectielen,' zei Pawnhill. 'Boei ze en dump ze ergens.'

'Jezus, die gasten zijn waardevol.'

Pawnhill boog zich naar hem toe. 'Hun betrouwbaarheid is belangrijker dan hun waarde voor jou. Ik wil ze van het toneel hebben en wel onmiddellijk. Is dat duidelijk?'

Gunn had tien keer liever deze idioot ter plekke doodgeschoten, maar hij wist dat dat rampzalig zou zijn voor zijn zaken, om van zichzelf nog maar te zwijgen. Hij had te veel zwarte deals lopen om het risico te nemen dat er nog meer spotlights op hem werden gericht dan nu al het geval was. Naomi Wilde was een heel slimme en vasthoudende agent, had McKinsey hem verteld. Hij wist ook dat de drie mannen naar wie ze onderzoek deed een dood spoor waren; dat had hij zelf bevestigd gezien. Dus het zou niet lang duren totdat zij tot dezelfde conclusie zou komen en ze de zoeklichten van haar onderzoek op iemand anders zou richten.

Aan de andere kant begon Pawnhill met de dag een groter gevaar te worden. Dit incident was echt de druppel geweest. Gunn wist dat hij het was die vroeg of laat – en liever vroeg dan laat – iets aan Pawnhill zou moeten doen, al was het alleen maar omdat alle andere betrokkenen het lef niet hadden om maatregelen tegen hem te nemen. Gunn was niet bang voor Pawnhills fysieke dreiging of zijn connecties, maar hij moest een manier bedenken om zich van de man te ontdoen zonder de onvermijdelijke lading stront over zich heen te krijgen.

Hij voelde een druppeltje bloed langs zijn keel naar de boord van zijn overhemd glijden en hij glimlachte. Hij zou Pawnhills aanslag op zijn persoon niet vergeten. Integendeel, die zou kenmerkend zijn voor de afrekening die Gunn voor hem zou bedenken.

'Het spijt me als ik je op welke manier ook heb beledigd, John. Dat was niet de bedoeling.' Hij haalde zijn schouders op. 'Ik hou gewoon niet van mislukkingen.'

'Ik ook niet.' Pawnhill boog zich langs Gunn heen, trok de deur van de koelkast open en haalde er twee flesjes cola uit. Hij gaf het ene aan Gunn, ze draaiden de dop eraf, tikten hun flesjes tegen elkaar en namen allebei een flinke slok. 'Wie heeft onze mensen bij Twilight vermoord? Ben je daar verder mee gekomen?'

'Het is nog te vroeg om...'

'Het is duidelijk dat ze zijn vermoord om de speld waarmee de moordenaar van Dardan de Stem moest binnenkomen. Dat had nooit mogen gebeuren, Gunn. Jij had de leiding.'

'Mijn mensen kunnen niet overal tegelijk zijn, John. Als we ons na de moord op Billy Warren op die manier blootgeven, is dat pure zelfmoord.'

'Die verdomde moord,' zei Pawnhill. 'Met die verdomde moord is het allemaal begonnen.' Hij tikte met de hals van het flesje tegen zijn voorhoofd. 'Wie begeeft zich op ons terrein?' Hij nam nog een slok cola. 'Shit, wij draaien straks allemaal op voor de dood van Dardan.'

Nu begreep Gunn pas echt waarom Pawnhill zo gespannen was. 'Hoe zal erop gereageerd worden?'

Pawnhill gromde iets onverstaanbaars. 'Het enige wat ik zeker weet is dat de man die Dardan heeft vermoord er zelf ook geweest is. Waar hij nu ook is of waar hij ook naartoe gaat, Arian zal hem weten te vinden en hem afmaken als een schurftige hond.'

'En wij?'

'Inderdaad, en wij?' Pawnhill nam nog een slok cola en slikte luidruchtig. 'We krijgen iemand op ons dak, Gunn.' Hij liet zijn blik door de winkel gaan alsof die persoon er misschien al was. 'Iemand die zich niet zo gemakkelijk zal laten pakken als Dardan. Iemand die ons allemaal zal laten boeten voor Dardans dood.'

18

Naomi en McKinsey deden hun buurtonderzoek in de omgeving van Twilight, want ze waren nog steeds op zoek naar iemand – het maakte niet uit wie – die Arjeta Kraja kende. Ze begonnen het steeds vreemder te vinden dat Arjeta in deze buurt had gewoond zonder dat iemand haar kende, of haar zelfs maar had gezien, afgezien van de mensen in de club.

Wat Naomi's frustratie nog groter maakte, was dat ze zich in McKinseys aanwezigheid steeds onbehaaglijker voelde. Ze had geen idee hoeveel hij voor haar verzweeg, maar alleen al het feit dat hij iets voor haar achterhield was om gek van te worden.

En dan was er nog de kwestie van Willowicz. Als ze Annika Dementieva kon geloven – en nadat ze Willowicz had ontmoet had ze de neiging dat te doen – was híj verantwoordelijk voor het martelen en vermoorden van Billy Warren, plus de moord op twee werknemers van Twilight. Normaliter zou ze dit onmiddellijk aan Pete hebben verteld. Maar de situatie was verre van normaal, dus had ze besloten het voor zichzelf te houden. De vraag bleef echter: hoe kon ze in deze zaak effectief functioneren als ze haar partner niet kon vertrouwen?

Even had ze overwogen naar hun meerdere bij de Geheime Dienst te stappen, maar ze had geen concreet bewijs dat Pete haar op welke manier ook bedonderde. Bovendien kon ze niet over Roosevelt Island beginnen zonder de mysterieuze Mbreti af te schrikken. En hoe langer ze erover nadacht, hoe meer ze ervan overtuigd raakte dat 'de koning' een sleutelrol vervulde in Arian Xhafa's zaken in Washington, of beter gezegd, in heel de Verenigde Staten.

Ze wilden net op de deur van het volgende huis kloppen toen haar mobiele telefoon overging. Ze had Jack diverse keren gebeld en zijn voicemail ingesproken – zo gedetailleerd als ze maar durfde – dus ze hoopte dat hij het zou zijn toen ze op het schermpje keek. Maar het was Rachels thuisnummer. Het kwam zelden voor dat haar zus haar belde terwijl ze aan het werk was. Ze gebaarde McKinsey dat hij moest doorgaan en liep een eindje van hem weg voordat ze het gesprek aannam.

'Nomi?'

Haar hart sloeg een slag over. Ze had het nooit voor mogelijk gehouden dat er in één woord zoveel pijn en ellende kon doorklinken.

'Rachel, wat is er aan de hand?'

'Het is Larry.' Haar man.

'Is alles oké met hem? Is hem iets overkomen?'

'Dat kun je wel zeggen.' Rachel barstte uit in een nerveus gelach dat vrijwel meteen overging in een hartverscheurend gesnik.

'Rachey, in godsnaam, is alles oké met hem?'

'Weet je, voor het eerst in mijn leven kan het me geen barst schelen of hij oké is of niet.'

O jee.

'Wacht, ik kom naar je toe.'

Ze klapte haar telefoon dicht en wenkte McKinsey, die net hoofdschuddend bij de deur wegliep.

'Wat is er?'

'Het is Rachel. Een spoedgeval.'

'Is haar iets overkomen?'

'Ja, maar op een andere manier dan je denkt. Ik moet naar haar toe.'

McKinsey keek naar haar bleke, van angst vertrokken gezicht en zei: 'Ik breng je.'

'Maar ik kan...'

'Daar geloof ik niks van,' zei hij. 'Ik heb je handen niet zo zien trillen sinds we de hele nacht wodka hadden zitten hijsen.'

Jack stak zijn handen uit, greep Paull vast en trok hem half overeind.

'Die schoten waren afkomstig van de plek waar Alli zich heeft verstopt,' zei hij terwijl ze achter elkaar naar de rotsrichel kropen.

Maar Paull hield hem tegen. 'Deze kant op,' zei hij, en hij knikte naar links.

De rotsrichel was hier hoger, grilliger en kaler. Zodra ze eroverheen waren hadden ze geen enkele dekking meer, maar het lukte zonder dat hun kop van hun romp werd geschoten en ze begonnen de afdaling aan de andere kant, die een stuk steiler was. Algauw konden ze zich niet meer staande houden en tuimelden ze koprollend naar beneden. Jack probeerde zich te strekken en om zijn as te rollen, maar daar had hij te veel snelheid voor. Het enige wat hij kon doen was zich ontspannen, om de kans zo klein mogelijk te maken dat hij een elleboog of een rib brak.

De bodem was nog rotsachtiger dan de helling en even bleven de twee mannen aangeslagen en happend naar adem op de grond liggen. Toen begon Jack te hoesten en kwam hij overeind. Paull zat op zijn handen en knieën en schudde langzaam zijn hoofd alsof hij de duizeligheid eruit probeerde te krijgen.

'Kom,' zei Jack.

Paull trok zijn halfautomatische geweer van zijn rug en hield het voor zijn borst, met zijn vinger licht op de trekker. Hij knikte en ze gingen door het dichte groen en de dicht opeenstaande bomen op weg naar de rots die Alli's schuilplaats markeerde. Jack maakte een handgebaar en ze gingen uiteen om langs weerskanten om de rots heen te lopen. Jack vroeg zich af waarom er helemaal niet meer werd geschoten en hij was zich er scherp van bewust dat ze in een val konden lopen. Maar zijn gedachten aan Alli hielden hem gaande.

Toen ze aan weerskanten van de rots tevoorschijn kwamen, stond Alli op. Ze was niet alleen. Naast haar stond Thatë, die hen met een waanzinnige grijns om zijn mond aankeek. Hij had een pistool en een AK-47 in zijn handen.

'Welkom, heren,' zei hij met een opgewektheid die Jack griezelig vond. 'Jullie hebben er lang over gedaan.'

'Alli, alles oké met je?' vroeg Jack.

'Met haar wel, Jack.' Thatë stak zijn hand op en zes zwaargewapende mannen kwamen het bos uit.

Paull was woedend. 'Ik zei het toch? Godverdomme, ik heb het je gezegd!'

'Hij heeft me verlaten, Nomi. Hij heeft mij en de kinderen laten barsten.'

'Wat? Zomaar?'

'Hij heeft een vriendin... een jong ding, Nomi. Misschien twee, drieëntwintig jaar oud. Jezus!' Rachel haalde haar hand door haar haar. Ze was zoals altijd keurig gekleed, vandaag in een wit jurkje met grote zwarte stippen, van Michael Kors. Gouden ringen om haar vingers, diamanten oorknopjes, een snoer zwarte parels om haar nek en suède pumps van Christian Louboutin aan haar voeten. 'Je leest voortdurend dat het gebeurt, zelfs bij mensen die je kent, maar god, je denkt er nooit aan dat het je zelf kan overkomen.' De tranen sprongen in haar ogen. 'Het is alsof je te horen krijgt dat je ongeneeslijk ziek bent.'

Naomi nam Rachel mee naar de woonkamer en liet haar plaatsnemen op een van de peperdure Italiaanse banken. McKinsey was buiten gebleven en zat te wachten in de auto.

'Nee, dat is nog veel erger, Rachey.' Ze sloeg haar arm om de schouders van haar zus. 'Hoe weet je hoe oud ze is?'

'Omdat die smerige schoft me foto's van haar heeft laten zien. Dat geloof je toch niet? Hij is verdomme trots op haar en loopt met haar te pronken.'

'Een jong grietje? Dat had ik niet van Larry gedacht.'

Rachel kreunde. 'Nou, het is waar. Ze is begin twintig en heeft rechten gestudeerd aan Harvard, wat haar zowel jonger als slimmer dan mij maakt.' Ze sloeg haar handen voor haar gezicht.

Naomi keek om zich heen in de reusachtige woonkamer, die was gevuld met alles wat je voor geld kon kopen: geslepen kristal van Lalique, een beeld van Calder en schilderijen van De Kooning, Basquiat en Richter, die in geen enkel museum van hedendaagse kunst zouden misstaan. En natuurlijk talloze familiefoto's, van diploma-uitreikingen, feestjes, parasailen in Cancún, klimtochten in de Himalaya en snorkelen in de branding van de Maldiven. En ten slotte, op een prominente plaats, een glanzend zwarte Steinway-babyvleugel, waar Rachel zonder succes beide kinderen op had willen leren spelen.

'Hoe moet het nu met de kinderen?'

'Hoe moet wat met de kinderen?' Rachels stem klonk dof, ze had haar handen nog steeds voor haar gezicht.

Naomi wierp haar haar achterover. 'Waar zijn ze eigenlijk?'

'Uit. Ergens. Weet ik veel. Ik heb ze gebeld op hun mobieltjes, maar ze nemen niet op.'

'We moeten ze zien te vinden.'

'Ik wens je veel succes.'

Naomi legde haar vingers onder de chirurgisch gereconstrueerde kin van haar zus. 'Rachey, kijk me aan.'

Met tegenzin keek Rachel op. Haar ogen waren rood, maar de botox in haar voorhoofd camoufleerde alle overige tekenen van emotie.

'Ik vind het heel erg voor je. Ik weet wat je gezin voor je betekent.'

Rachel reageerde niet, maar liet haar blik door de luxueuze kamer gaan.

'Hij gaat me naaien.'

'Wat?' Even dacht Naomi dat ze het niet goed had verstaan. 'O, maak je daar maar geen zorgen over. Ik zal eens informeren, en dan gaan we de beste echtscheidingsadvocaat van de oostkust voor je regelen.'

'Neem je me in de maling?' Het vuur was terug in de ogen van haar zus. Blijkbaar was de rouwperiode alweer afgelopen. 'Mijn aanstaande ex ís de beste echtscheidingsadvocaat van de oostkust.' Ze wrong haar handen ineen. 'Lieve god, hoe denk je dat mijn toekomst eruit zal zien?'

Naomi was verbijsterd. 'Rach, is er geen enkele...'

'Wat? Geen enkele wat?'

'Is er geen kans dat jullie het goedmaken?'

'Doe niet zo gek. Larry bedondert me al maanden, misschien wel jaren. Deze...' en ze gebruikte een benaming waar Naomi van huiverde '... is waarschijnlijk maar een van de velen.'

'Ik weet dat hij je kwetst, maar...'

Rachel schudde haar hoofd. 'Begrijp je het dan niet, Nomi? Hij heeft de beslissing al genomen, en nu gaat hij me uitkleden. Geen enkele fatsoenlijke advocaat kan hem aan, en hij heeft goede banden met vrijwel alle rechters in de regio.'

'De kinderen worden je heus wel toegewezen. En hij zal je zowel alimentatie als geld voor hun opvoeding moeten betalen.'

'Hij scheept me af met een schijntje.' Ze balde haar handen tot vuisten. 'Ik wil mijn geld, mijn huis en mijn zekerheid. Als hij met me klaar is, heb ik helemaal niks meer.' Ze begon weer te snikken en kreunde: 'Ik wil mijn leven terug.'

Naomi leunde verward achterover. Was dit waar het in het leven om draaide, geld? Was dat alles wat er overbleef nadat de gouden glans van de liefde was verdwenen? Voor het eerst sinds ze volwassen waren bekeek ze haar zus met een nuchtere blik. Jarenlang was ze meegegaan met Rachels idee dat ze een of andere sprookjesprinses was. Maar wie was Rachel eigenlijk, behalve een verlengstuk van Larry, een bezit dat niet eens zoveel verschilde van de De Kooning of de Basquiat? Ze was een pronkstuk, net als de Steinway, een bezienswaardigheid die verder niemand van nut was.

Ze slaakte een zucht en nam Rachels handen in de hare. Ze waren ijskoud. 'Wat kan ik doen om je te helpen?'

De berekenende blik, die ze zo goed kende, was terug in de ogen van haar zus. 'Er is een bankrekening waar Larry gebruik van maakt. Ik hoor daar niet van op de hoogte te zijn, maar dat ben ik wel. God mag weten waar hij die voor gebruikt, maar er worden regelmatig reusachtige bedragen bij- en afgeschreven.' Rachels blik zocht de hare. 'Maak gebruik van je contacten bij de overheid om de tegoeden te laten bevriezen, en misschien kun je ze zo ver krijgen dat ze een onderzoek doen naar de herkomst van het geld.'

Op grond waarvan? wilde Naomi zeggen, maar er was achter in haar hoofd een alarmbel gaan rinkelen. En ze kende zichzelf goed genoeg om aandacht aan dat alarm te besteden. *... een bankrekening waarop regelmatig reusachtige bedragen worden bij- en afgeschreven...*

'Nomi, dit is een zaak van leven of dood. Luister je wel naar me?'

Leven of dood, juist. Op dat moment trof het haar alsof de bliksem insloeg. Jezus christus, dacht ze, ik heb al die tijd op de verkeerde plaatsen naar een doorbraak in deze zaak gezocht.

Paull richtte zijn geweer op Thatë. 'Misschien heb je Jack en het meisje in de maling kunnen nemen, maar mij niet. Het was me allang duidelijk dat je voor Xhafa werkte.'

'Laat je wapen zakken,' zei Thatë zacht.

Jack merkte de verandering in Thatës gedrag op. Hier, in de wildernis, toonde hij veel meer zelfvertrouwen en strijdlust. Dat de jongen zich hier liet zien, kon het staakt-het-vuren verklaren, maar de ontmoeting had iets wat hem niet lekker zat.

'Val dood, kleuter,' zei Paull.

Jack legde zijn hand op de loop van de ArmaLite en duwde die omlaag. 'Doe wat hij zegt, Dennis. Met een confrontatie komen we niet verder.'

Toen Paull met tegenzin zijn wapen had laten zakken, zei Thatë: 'Kom mee.'

Zijn mannen gingen opzij en hij ging hen door de dichte begroeiing voor naar de plek waar ze van alle kanten waren beschoten. Er lagen zeven mannen op de grond, een deel neergeschoten, de anderen met een doorgesneden keel.

Thatë wees. 'Dít zijn Arian Xhafa's mannen. De sluipschutters in de bomen zijn ook dood.'

Paulls mond viel open. 'Ik geloof er niks van.'

'Kijk zelf,' zei de jongen. 'Xhafa's mannen zijn moslims, de mijne zijn Russen.'

Paull richtte de loop van zijn wapen omhoog, liep naar de mannen en bekeek ze een voor een. Zelfs hij kon de waarheid niet ontkennen toen hij de volle baarden en het fanatisme in de ogen zag.

'Grupperovka,' zei Alli.

Thatë glimlachte naar haar. '*Kazanskaya*, ja.' Hij wendde zich tot Jack. 'Dit was de reden waarom ik hiernaartoe ben gestuurd: om uit te zoeken wie Xhafa met geld en wapens steunt.'

Jack keek hem strak aan. 'En, weet je dat nu?'

'Ik was gedwongen te ontsnappen voordat mijn missie voltooid was.' Er kwam weer een grijns om zijn mond. 'Maar nu, dankzij jullie, kon ik terugkeren om af te maken wat ik was begonnen, en om wraak te nemen op Arian Xhafa.'

19

'Hoe is ze eraan toe?' vroeg McKinsey toen Naomi weer naast hem in de auto zat. Ze had iemand gebeld en stak haar telefoon weg.

Ze keek door de voorruit en zag de Mercedes, de BMW's en de Porsches die als statussymbolen voor het huis geparkeerd stonden. 'Als je met een schorpioen in bed kruipt, word je vroeg of laat gestoken.'

'Het is je zus. Je bent nogal hard voor haar, vind je niet?'

'Rachel hield niet van Larry of van de kinderen, ze hield van zijn geld.'

'Ja, maar toch. Moet je niet bij haar blijven?'

'Ik heb tegen haar gezegd dat ik niet kon blijven.'

McKinsey schraapte zijn keel en startte de auto. 'Ik breng je naar huis.'

'Nee, we gaan naar het hoofdkantoor van Middle Bay Bancorp op de hoek van K en Twentieth.'

'Het is bijna drie uur,' protesteerde hij.

'Ik had de president-directeur van Middle Bay zonet aan de lijn. Hij verwacht ons.'

McKinsey kromde zijn vingers om het stuur, maar hij reed nog niet weg. 'Wil je mijn mening horen? Ik vind dat je bij Rachel moet blijven. Ze heeft je nu nodig. Ik bedoel, wie heeft ze verder nog?'

'Rachel heeft zich altijd beter kunnen redden dan ik.' Ze stak haar kin vooruit. 'Rijden.'

McKinsey zuchtte en zette de motor af. 'Wat hebben we in godsnaam bij Middle Bay Bancorp te zoeken?'

'Billy Warren werkte daar.'

'Ja, en?'

'Hij was daar kredietanalist.'

McKinsey schudde zijn hoofd. 'Ik kan je niet volgen.'

'Stel dat Billy had ontdekt dat er binnen de bank vreemde dingen gaande waren.'

Er kwam een sceptische uitdrukking op McKinseys gezicht. 'Zoals?'

'Zoals grote sommen geld die in en uit gingen zonder gerapporteerd te worden.'

'Naomi, Billy Warren zat met zijn vingers aan Dardans zwarte geld. Dat is al aangetoond. Dardans mensen hebben hem vermoord.'

'Maar waarom is hij gemarteld? Dat zit me al vanaf het eerste begin dwars. Nee, Billy had iets ontdekt wat iemand heel graag stil wilde houden. Kom op, rijden.'

'Naomi, dit lijkt me geen goed idee.'

Uiteindelijk keek ze hem aan. 'Wat lijkt je geen goed idee?'

'Als we naar Middle Bay gaan, sturen we het onderzoek in een verkeerde richting.'

'Is dat een waarschuwing?'

'Ik probeer je alleen te beschermen.'

'Pete, ik ben naar Roosevelt Island geweest.'

'Sorry?'

'Ik heb het meisje gezien, Arjeta Kraja.'

'Zou je me alsjeblieft willen vertellen waar je het over hebt?'

Ze moest het hem nageven: in zijn ogen was absoluut niets te zien.

'Ik ben je gisterochtend gevolgd. Ik heb je met een motorboot naar het eiland zien varen. Wie heb je daar ontmoet en wat heb je gedaan, Pete?'

'Naomi, geloof me, dat wil je niet weten.'

'Ja, dat wil ik wel weten.'

Hij staarde door de voorruit naar buiten en trommelde nerveus met zijn vingers op het stuur.

'Pete, of jij brengt me naar Middle Bay, of ik bel een taxi.'

'Het is alleen zo dat...' Hij draaide zich naar haar om. 'Herinner je je de eerste dag dat wij samenwerkten? We werden op pad gestuurd om de first lady op te halen. Op weg ernaartoe werden we geschept door een busje met een dronken man achter het stuur. Jij raakte bekneld aan jouw kant van de auto. We konden de snijbrander niet gebruiken omdat je met je rug tegen het portier aan zat. Het heeft me een uur gekost om je eruit te krijgen.'

'Ja, ik weet het nog.' Naomi besefte onmiddellijk hoe angstig haar stem klonk.

'Ik wil dat niet nog een keer hoeven doen, Naomi. Want misschien heb ik dan minder succes.'

Met een schaapachtige glimlach keek ze hem aan. 'Niet nodig, Pete. Dit is Washington D.C.'

Hij lachte niet.

'Pete, we zijn partners, dus ik zou dit niet hoeven vragen. Maar kan ik op je rekenen?'

'Daar zijn we partners voor, toch?'

Ze knikte. 'En gaan we nog rijden of stap ik hier uit?'

'Dennis, ben je het ermee eens?' vroeg Jack toen Thatë en zijn mannen hen via de omweg die hij zelf aanvankelijk had voorgesteld – eerst oost, dan noord en ten slotte noordwest – meenamen naar Tetovo.

'Heb ik veel keus?' mopperde Paull. 'Ik heb het verprutst, Jack. Ik weet niet hoe dat heeft kunnen gebeuren. Ik had op jouw intuïtie moeten vertrouwen.' Hij schudde zijn hoofd. 'Maar dat dit kind ons naar Arian Xhafa moet brengen...' Paulls blik ging naar Thatë, die ontspannen en zelfverzekerd voor de groep uit liep. 'Ik bedoel, jezus christus, die jongen hoort nog aan de tiet van zijn moeder te hangen.'

'Hij heeft nooit een moeder gehad,' zei Alli.

Ze keken haar allebei aan.

'Of in elk geval geen moeder die hij zich kan herinneren,' voegde ze eraan toe.

'Boe-hoe-hoe,' zei Paull vol sarcasme.

'Je hebt hem nooit een kans gegeven,' zei Alli boos.

Met een ruk draaide Paull zijn hoofd om. 'En misschien heb jij hem wel een kans te veel gegeven. Laten we hopen dat hij niet een van mijn mannen heeft gedood toen hij uit het vliegtuig ontsnapte.'

'Dat is niet zo,' zei Alli.

'O nee? Alleen omdat hij het tegen je zegt?'

'Val dood.' Ze stak haar middelvinger naar hem op en versnelde haar pas, werkte zich langs de Russen en ging naast Thatë lopen.

'Je wordt bedankt,' zei Jack.

'Een goedbedoelde waarschuwing,' snauwde Paull terug. 'Voordat je het weet veranderen ze in het beest met de twee ruggen en krijg je ze nooit meer van elkaar.'

Jack dacht er enige tijd over na terwijl ze hun weg door het bos vervolgden. Schuin links van hen hoorden ze de waterval die het uiteinde van de vallei markeerde. Daarachter, aan de andere kant van de heuvel, lag Tetovo.

'Ik herinner me een verhaal over een man die zo'n zwarte kijk op het leven had dat toen er op een dag werd aangebeld en er een jongen voor de deur stond, hij niet wilde geloven dat het zijn lang geleden verdwenen zoon was.'

Paull snoof. 'En ik weet hoe het afloopt. Hij stuurt de jongen weg en komt er pas jaren later achter dat het wel degelijk zijn zoon was.'

'Nee,' zei Jack. 'Tegen beter weten in neemt hij de jongen in huis. Hij geeft hem te eten, koopt kleren voor hem en geeft hem een bed om in te slapen. Zo gaat er een week voorbij, en daarna nog een en nog een. Geleidelijk aan raakt de man gesteld op de jongen en begint hij zich als een echte vader voor hem te gedragen. Hij beseft inmiddels dat het uiteindelijk niet uitmaakt of de jongen zijn bloedeigen zoon is of niet.

Dan, op een nacht, wordt hij wakker van onbekende geluiden. Hij loopt door de gang naar de kamer van zijn zoon. De deur staat open, het bed is keurig opgemaakt en de kleren van zijn zoon zijn er in nette stapeltjes op gelegd. De man pakt zijn pistool, loopt de trap af en doet de lichten aan.

Er zit iemand in zijn fauteuil. Een duistere gedaante die hem bij zijn voornaam noemt, hoewel de man ervan overtuigd is dat hij hem nog nooit van zijn leven heeft gezien.

"Herken je me niet?" zegt de onbekende. Als hij opstaat, blijkt dat er twee grote, zwarte vleugels op zijn rug zitten.

"Waar is mijn zoon?" roept de man. "Wat heb je met hem gedaan?"

"Ik?" zegt de duivel. "Ik heb helemaal niks met hem gedaan. Je zoon is dood... die is al jaren dood en begraven."

"Je liegt," zegt de man, en hij beeft van woede.

"Dat kan wel zo zijn," zegt de duivel, "maar het blijft een feit dat je zoon hier niet is. Hij is hier nooit geweest."

Op dat moment stort de man in en valt hij huilend op zijn knieën. "Waarom?" roept hij. "Waarom doe je dit?"

"Omdat het leven," zegt de duivel, "een hel op aarde is.'"

Paull legde de loop van zijn geweer over zijn andere onderarm. 'Heeft dit flutverhaal nog een moraal?'

'Je weet wat de moraal is, Dennis,' zei Jack. 'Waarom denk jij dat het leven een hel is?'

Paull trok een zuur gezicht. 'Wat, heb je God opeens gevonden?'

'Mijn enige houvast,' zei Jack, 'is mijn dochter.'

Paull bleef abrupt staan en draaide zich om. 'Wat klets je nou? Je dochter is dood.'

'De doden laten ons nooit gaan, Dennis. Of hun geest in elk geval niet.' Jack keek hem recht in de ogen. 'Volgens mij is dat waar jij onder lijdt.'

Annika Dementieva zat in de vertreklounge van de businessclass en dronk een wodka martini. Haar vlucht zou pas over een uur vertrekken. Ze had later van huis kunnen gaan, maar ze had bedacht dat het vliegveld op dit moment de veiligste plek voor haar was. Ze wilde Naomi Wilde niet tegen het lijf lopen.

De eerste fase van het plan was met succes afgerond. Het deed haar plezier dat Naomi geen idee had waar Jack zich bevond. Dat hield in dat alle anderen het ook niet wisten, en dat was een goede zaak, want Jacks bestemming was een van de gevaarlijkste plekken op aarde. Ze had zelf gezien hoe de Amerikaanse skopes-eenheid op Arian Xhafa's bikkelharde guerrillalegertje was gestuit. Ze was niet geïnteresseerd geweest in de guerrillastrijders zelf, maar wel in de wapens die ze gebruikten. Ze was getuige geweest van de afslachting en op grond van die kennis hadden ze haar naar Tetovo gestuurd. De kwaliteit van Xhafa's oorlogstuig was verbijsterend geweest. Geen wonder dat er in haar deel van de wereld alarmbellen waren gaan rinkelen. De situatie in Macedonië was al zo ver geëscaleerd dat zij er geen controle meer over hadden.

Als Xhafa het enige probleem was geweest, had ze het zelf kunnen afhandelen, maar het ging veel verder, overschreed landsgrenzen en oceanen, er gingen enorme geldbedragen in om en er was sprake van een haat en een fanatisme waar zelfs Xhafa geen idee van had. Ze wist dat ze hulp nodig had en wist bij wie ze moest zijn, maar ze wist ook dat hij de enige persoon was die het lef had om haar die hulp te weigeren.

Ze dronk haar wodka martini alsof het een biertje was, bestelde er nog een en kauwde in gedachten op de olijf totdat het nieuwe glas voor haar werd neergezet. Achter het dikke, gewapende glas zag de wereld er donker, kleurloos en onecht uit. Binnen dertig seconden nadat ze de lounge had betreden had ze alle aanwezige personen bekeken en als ongevaarlijk bestempeld. Ze was net een roofdier, alleen geïnteresseerd in gevaar en haar prooi... de rest van de wereld bestond uit grijze as.

Grijs was de kleur van haar leven, en alles daarin was tot as vergaan. Doordat haar vader, Oriel Jovovich Batchuk, haar jarenlang had opgesloten en seksueel had misbruikt, was haar hart verschroeid en ineengeschrompeld tot een zwart klompje antimaterie. Er was in haar borst een leegte ontstaan die ze nooit meer had kunnen vullen. Ze had gehoopt dat ze door wraak op haar vader te nemen, vorig jaar in de Oekraïne, gered zou zijn, of dat dat in elk geval zou voorkomen dat de leegte nog groter werd, maar het tegendeel was gebeurd: ze was in haar eigen leegte getuimeld en het had er alle schijn van dat niets haar er ooit nog uit zou krijgen.

Het was niet altijd zo geweest. Er was een tijd geweest dat ze op een bijna kinderlijke manier had geloofd dat Jack en Alli haar reddende engelen konden zijn. Maar tegen de tijd dat ze hen leerde kennen had ze Jack al een keer verraden, dus hun relatie was al gedoemd voordat die goed en wel was begonnen. En wat Alli betrof... zij was de enige echte verrassing in Annika's leven geweest. De korte tijd die ze met Alli en Jack had doorgebracht, had haar een vals gevoel van veiligheid gegeven, gedurende die paar weken had ze zichzelf misleid met het idee dat ze een soort gezinnetje vormden. Zo gek was dat toch niet? Het had zo goed en zo vertrouwd gevoeld. Ze was er zelfs even van overtuigd geweest dat de leegte binnen in haar tot aanvaardbare proporties kon worden teruggebracht. Maar toen had ze moeten kiezen tussen Jack en Dyadya Gourdjiev. En het was tenslotte haar grootvader geweest die haar uit de klauwen van haar vader had gered, dus veel keus had ze niet gehad. Nadat hij haar had verteld dat ze geen contact meer met Jack mocht hebben, had ze de hele nacht lang bittere tranen gehuild. En toen, ondanks de belofte aan haar grootvader, had ze de regels genegeerd, toch contact met Jack opgenomen en haar zonde aan hem opgebiecht. Waarom ze desondanks tegen hem had gelogen over de ware reden dat ze senator Burns had vermoord, had ze zelf nooit helemaal begrepen. Misschien om zichzelf te straffen, want ze had zich juist aan Jack willen blootgeven op een manier die niemand – zelfs Dyadya Gourdjiev niet – ooit had meegemaakt of ooit nog zou meemaken.

De waarheid was dat ze van Jack hield, en dat ze er nu zeker van kon zijn dat hij nooit van haar zou houden. Hoe pijnlijk het ook was, het verdiende de voorkeur om tegen hem te blijven liegen. Maar hoewel ze gevangenzat in een web van leugens, nam ze het zichzelf toch kwalijk dat ze tegen hem loog.

Nu lag Dyadya Gourdjiev in het ziekenhuis nadat hij een zware hartaanval had gehad. Hij was slechts af en toe bij bewustzijn. Geen van de artsen die ze had gesproken kon haar vertellen wat zijn levensverwachtingen waren. In plaats daarvan bedienden ze zich van het vage jargon dat bij hun beroep hoorde. Maar het kwam erop neer dat ze na al die tijd op zichzelf aangewezen zou zijn.

Ze sloeg haar lange, welgevormde benen over elkaar en bekeek zichzelf in de spiegel. Alles aan haar was even mooi, maar deze sprankelende schoonheid was een vreselijke last voor haar geweest toen ze jong was. Het was haar schoonheid die bij haar vader jaloezie, woede en uiteindelijk onbeheersbare lust had opgewekt. Maar het was ook haar schoonheid die haar afgezien daarvan zonder veel ophef door haar tienertijd had geloodst, zodat zij zich kon concentreren op het enige wat ze wilde: wraak. Met de hulp van haar grootvader had ze zich getraind in het omgaan met allerlei soorten wapens en het beoefenen van alle vormen van spionage. Een van zijn beste vrienden had haar de kneepjes van het vak geleerd. Liegen was voor haar een tweede natuur geworden. Ze had al tegen haar vader gelogen toen ze vier was, want het was de enige manier waarop ze zichzelf tegen hem kon beschermen, en daarom was ze er heel goed in geworden. Als volwassene was ze liegen gaan zien zoals acteurs naar een rol kijken: het stelde haar in staat iemand te worden die ze niet was en meningen te verkondigen die niet de hare waren. Met andere woorden, liegen stelde haar in staat zichzelf onzichtbaar te maken.

Haar vlucht werd omgeroepen, maar ze had nog wel even de tijd. Ze moest nog iets doen voordat ze aan boord ging. Terwijl ze haar mobiele telefoon tevoorschijn haalde, dacht ze aan Alli, aan het meisje dat haar zo onverwacht zo diep had geraakt. Ze hadden allebei een verleden van opsluiting, geweld en misbruik. Uit de weinige persoonlijke verhalen die Alli haar had verteld, was gebleken dat zij en Annika gelijke geesten waren. En ondanks Annika's gereserveerdheid en het dikke pantser dat haar omgaf was ze van Alli gaan houden, zielsveel, op de manier – zoals Dyadya Gourdjiev haar eens had uitgelegd – waarop haar moeder van haar was gaan houden zodra ze voor de eerste keer haar hoofdje op haar moeders borst te rusten had gelegd.

Nu was ze zowel Jack als Alli kwijt. Jezus, emoties maken je kapot, dacht ze terwijl ze naar het schermpje van haar toestel keek. Voor het eerst in haar leven was ze zich ervan bewust dat er binnen in haar door twee krachten om de verovering van haar ziel werd gestreden. Een wetenschap die haar een bonzende hoofdpijn bezorgde.

Acht, val dood, dacht ze. Ze zette Jack en Alli uit haar hoofd en toetste een lokaal nummer in.

'Henry,' zei ze toen Carson opnam, 'ik vertrek.'

'Hier is alles zoals het moet zijn.'

Ze hoorde de opluchting in zijn stem. 'Maar het is nog lang niet afgelopen,' waarschuwde ze hem. 'Je moet voorzichtig blijven.'

'Ik ben gedekt.'

Ze stond op, pakte het handvat van haar bagagetrolley en zei: 'Naomi Wilde ligt op een ramkoers met Mbreti.'

'Denk je dat dat verstandig is?'

'Dat zullen we gauw genoeg weten.' Ze liep de lounge uit en nam de roltrap naar de gate. 'Henry, vergeet niet wat ik je in het begin heb gezegd.'

'"Vertrouwen vreet zijn eigen kinderen op."' Zijn lach klonk als die van een robot. 'Jezus, Annika, denk je nu echt dat ik een waarschuwing als die zal vergeten?'

20

De nacht was zijn diepste punt gepasseerd. Er stonden talloze sterren aan de hemel en de hoogste pieken van het Korab gebergte reten de wolken aan flarden. Dolna Zhelino lag ver achter hen. Net als de dode guerrilla's van Arian Xhafa. Thatës mannen hadden een satelliettelefoon op een van de lijken gevonden, maar het was onduidelijk of de man tijdens het vuurgevecht contact met zijn hoofdkwartier had gehad.

'We moeten ervan uitgaan dat Xhafa weet dat er mensen onderweg zijn om hem aan te vallen,' zei Thatë.

Iedereen was het daarmee eens. Ze kampeerden op een smal plateau op de laatste rotshelling voordat de buitenwijken van Tetovo begonnen, en tussen de bomen door konden ze de lichtjes van de stad al zien.

Paull keek de jongen aan en vroeg: 'Weet je wat er is gebeurd met de Amerikaanse eenheid die op pad was om Arian Xhafa te elimineren?'

'Die is in de pan gehakt,' zei Thatë. 'Ik was op dat moment in Washington, maar mijn mannen hebben het me verteld. Binnen een paar minuten hadden ze alle Amerikaanse soldaten gedood. Verder dan vijftien kilometer van Xhafa's hoofdkwartier zijn ze niet gekomen.'

'Shit, dus die zijn allemaal dood.' Paull keek Jack met een scherpe blik aan. 'Hoe is het verdomme mogelijk dat een stel guerrilla's binnen enkele minuten tijd een zwaargewapende skopes-eenheid uitmoordt? Christus, de situatie wordt hier met de dag erger.'

'Ben je in Xhafa's fort geweest?' vroeg Jack.

Thatë knikte. 'Maar veel te kort. Iemand had me verraden. Ik moest maken dat ik wegkwam.'

'Met je staart tussen je benen.' Paull knikte. 'Geen wonder dat je zo graag terug wilt.'

'Hoeveel mannen heb je gezien?' vroeg Jack.

'Twintig tot vijfentwintig.' Thatë haalde zijn schouders op. 'Hij hanteert een gedecentraliseerd systeem, net als de moslimterroristen. Het merendeel van zijn mannen is elders gedetacheerd, in andere landen, om deals en geld te regelen, of om smokkeloperaties te begeleiden. Het kader, in en rondom het fort, wordt gevormd door zijn persoonlijke lijfwachten en zijn dapperste mannen.'

'De paleiswacht,' mompelde Paull.

Een uil riep en ze hoorden het zachte geruis van de vleugels, gevolgd door een kreetje toen de uil zijn prooi te pakken kreeg.

'Een fantastische jager, de uil,' zei Thatë. 'Zijn vleugels maken vrijwel geen geluid. Zo gaan wij het ook doen.' Hij knikte naar Paull. 'Hebben jouw mensen uitgevonden hoe we binnen kunnen komen?'

Paull knikte, vouwde de geplastificeerde kaart open en scheen erop met een *penlight*. De lichtstraal was krachtig, maar het licht verspreidde zich niet. Hij volgde het pad met zijn vinger. Xhafa's fort bevond zich in het noordoostelijke deel van Tetovo en stond boven op een heuveltje.

'Heb je een probleem met dit deel van de route?' Paulls stem klonk uitdagend.

Thatë schudde zijn hoofd.

'En het fort zelf?' vroeg Jack.

'Een stenen bouwwerk met een totale oppervlakte van ongeveer vijfhonderd vierkante meter,' zei Paull voordat de jongen antwoord kon geven. 'Geen kelder, want de rotsbodem is daar zo hard dat het de moeite van het graven niet waard is. Twee ingangen, voor en achter, en hier, aan de linkerkant, iets wat op een sportveld lijkt, waarschijnlijk om de mannen in conditie te houden wanneer ze geen mensen aan het vermoorden zijn.'

'De info komt van satellietbeelden.' Jack keek Thatë aan. 'Klopt het?'

'Ja, het klopt,' zei de jongen, en Paull grijnsde zelfingenomen. 'Tenminste, visueel.'

Paull fronste zijn wenkbrauwen. 'Wat wil je daarmee zeggen?'

'Dat Xhafa's fort in feite een school is. Het sportveld is voor de leerlingen.'

'Krijg nou wat.'

'Het wordt nog erger,' zei Thatë. 'De leerlingen zijn weeskinderen. Ze wonen daar.'

Er daalde een stilte neer op de groep. Ze staarden door de bomen naar de lichtjes van Tetovo. Ergens daar werden ze opgewacht door Xhafa en zijn mannen.

'Nou, dat maakt onze middellangeafstandsraketten en andere zware wapens onbruikbaar,' zei Paull chagrijnig.

'Dat hoeft niet,' zei Alli.

Alle hoofden draaiden haar kant op.

'We moeten de kinderen uit de school weg zien te krijgen.'

'Iemand van ons zal een echt plan moeten bedenken,' zei Paull, die haar bewust negeerde.

Jack stak zijn hand op. 'Wacht eens even. Wat Alli zegt, is misschien helemaal niet zo gek.'

'Ben je niet goed bij je hoofd?'

Jack veegde met zijn hand over de grond en begon met zijn vingertop in de aarde te tekenen. Op deze manier had hij een beter beeld van het terrein en hoe ze het fort moesten naderen. Toen hij klaar was, bleef hij enige tijd naar zijn tekening staren.

'Als we ons nu eens opsplitsen in twee groepen? Dennis, jij, Alli en ik doen de traditionele frontale aanval.'

'Maar daar rekent Xhafa op,' zei Thatë.

'Precies,' zei Jack. 'Maar wat we daar gaan doen, ís helemaal geen frontale aanval. Het is een afleidingsmanoeuvre, ondertussen kunnen jij, Thatë en je mannen geruisloos de wachters bij de achteringang uitschakelen, de school binnendringen en de kinderen naar buiten loodsen. Zodra ze in veiligheid zijn, openen we vanaf beide kanten de aanval.'

Paull wreef met zijn hand over zijn kin. 'Klinkt goed.'

'Ja, alleen zal het niet werken.' Thatë keek de anderen aan. 'Het is de kinderen aangeleerd doodsbang te zijn voor iedereen die niet tot Xhafa's kader behoort. Ze zullen nooit vrijwillig met ons meekomen.'

'Misschien wel,' zei Alli, 'als ze mij zien.'

Jack reageerde onmiddellijk. 'Wacht eens even...'

'Nee.' Thatë knikte heftig met zijn hoofd. 'Alli heeft gelijk. Ze ziet er niet veel ouder uit dan de leerlingen, die in leeftijd variëren van acht tot zeventien jaar. Als ze zien dat zij bij ons is, zullen ze minder bang zijn, zeker als ze met ze praat.'

'Ik spreek geen Macedonisch,' zei Alli.

'Geen probleem. Alle oudere leerlingen spreken Engels. Die vertalen het wel voor de jongere.' Thatë keek naar het geschrokken gezicht van Jack. 'Dit is veruit de beste manier om bij Xhafa te komen, geloof me.'

Jack keek hem dreigend aan. 'Ik ben niet van plan Alli aan een dergelijk risico bloot te stellen.'

Thatë haalde zijn schouders op. 'Dan zullen er zeker onschuldige slachtoffers vallen.'

'Nee, ik sta ook niet toe dat er onschuldige slachtoffers vallen,' zei Jack langzaam en nadrukkelijk.

'In dat geval maakt Xhafa's slimheid ons machteloos,' zei Paull. 'Onze missie...'

'Ik weet wat onze missie is,' zei Jack op scherpe toon. 'En die houdt niet in dat we Alli aan zo'n groot risico blootstellen. Ik wil dat ze in mijn buurt blijft, zodat ik een oogje op haar kan houden.'

'Best,' zei Thatë. 'Maar met of zonder jullie, mijn mannen en ik gaan naar binnen.'

'Niet als ik je doodschiet voordat je daar de kans voor krijgt.'

Onmiddellijk leek iedereen tegelijk zijn wapen te grijpen.

'Mannen,' zei Alli vol walging. Ze stond op. 'Heeft iemand van jullie nog aan mij gedacht, stelletje testosteronmachines? Het was mijn idee en het bevalt me.' Ze wendde zich tot Jack. 'Het is een goed plan, of in elk geval het beste wat we op dit moment hebben. Ik ga met Thatë naar binnen.' Ze hield haar hand op. 'Geef me de iPod en de oordopjes, en schiet een beetje op.'

De jongen keek naar Jacks verbaasde gezicht en begon te lachen. 'Daar heb je niet van terug, hè?'

De twee groepen zouden elk een andere route nemen en Thatë en zijn mannen, met Alli in hun kielzog, vertrokken het eerst. Jack en Paull zouden de route van de satellietfoto nemen en gingen even daarna op pad. Beide groepen hadden een satelliettelefoon om hun aanvalsacties te coördineren. Een van Thatës mannen had er een en de andere hadden ze geconfisqueerd na het vuurgevecht bij Dolna Zhelino.

Voordat ze uiteengingen, nam Thatë de topografie van het terrein met Jack en Paull door, waarbij hij zo te horen geen enkel detail oversloeg. Jack was hem er dankbaar voor, maar hij was ook heel erg ongerust toen hij Alli te midden van Thatë en zijn bende Kazanskaya-tuig in het duister zag verdwijnen.

'Weer zo'n gestoord plan dat afhangt van de vraag of we die jongen nu wel of niet kunnen vertrouwen,' zei Paull toen hij zijn ArmaLite pakte. Hij trok het magazijn eruit om te zien of het volledig geladen was. 'Over een wankel evenwicht gesproken.'

Jack zweeg, en daarna gingen ze op pad via de route die de geotechneuten van Defensie voor hen hadden bepaald.

Alli merkte dat de mannen gespannen waren, het soort spanning dat tijdens een onweersstorm als elektriciteit in de lucht hangt. De sterren stonden aan de hemel en leken naar haar te knipogen terwijl ze tussen de bomen door liepen. Een van de dingen die ze had gedaan om over haar grote verdriet van een jaar geleden te komen, was Russisch leren met behulp van het Rosetta Stone-programma. Het had haar verbaasd hoe weinig moeite het haar had gekost om zich de taal eigen te maken, en ze had het vermoeden dat ze vrijwel elke taal op die manier onder de knie kon krijgen. Ze had de belangrijkste woorden vrijwel onmiddellijk herkend en naarmate ze de grammatica beter begon te begrijpen, kon ze steeds langere zinnen opslaan in haar geheugen.

Vreemd genoeg voelde ze zich op haar gemak tussen dit stelletje rauwdouwers. Ze deden niet alsof ze een buitenbeentje was. Integendeel, ze begrepen wat haar functie in het plan was, dat ze iets zou doen wat zij niet konden, en iets wat heel goed tot de overwinning zou kunnen leiden. Ze voelde zich als hun jongere zusje, alsof ze een van hen was, alsof ze uit verkeerde ouders in een verkeerd land was geboren. Af en toe openden haar neusgaten zich en rook ze Rusland aan hen, een geur die haar beviel.

Honderd minuten lang liepen ze zwijgend door zonder dat er iets gebeurde. Tegen die tijd had het bos plaatsgemaakt voor omgeploegd bouwland met hier en daar een stenen schuurtje, en daarna hadden de boerderijen moeten wijken voor de eerste woonhuizen. Hier begonnen ook de verharde wegen en de uiterlijke orde die je tegenkomt op plekken waar mensen wonen, of dat nu een dorpje, een provinciestadje of een grote stad is.

De mannen waren hier meer op hun hoede en enige tijd vorderden ze maar langzaam vanwege de vele omwegen die ze maakten om uit de buurt van de burgers van Tetovo te blijven. Ze kwamen zonder kleerscheuren langs het stadje en hielden een noordwestelijke koers aan met de bedoeling in een boog om het fort te lopen en het vervolgens vanuit het noorden te naderen.

Natuurlijk kwamen ze op het laatste deel van hun route wel obstakels tegen; groepjes mannen van Xhafa, die op strategisch gekozen plaatsen rondom Tetovo op wacht stonden. Maar op wacht staan kon heel saai en vervelend zijn. Als je nacht na nacht in het duister stond te turen, kon zelfs de aandacht van de oplettendste en meest plichtsgetrouwe wachter af en toe verslappen. Er bestond geen medicijn tegen dit soort verveling, had Thatë hun uitgelegd voordat ze aan hun tocht begonnen, en hij was van plan van dit gebrek aan aandacht gebruik te maken.

Het eerste obstakel bestond uit drie guerrilla's. Thatë hield Alli dicht bij zich en gaf zijn mannen een paar tekens met zijn hand. Drie van hen knikten en verdwenen in het duister. Kort daarna keerden ze terug met hun buit: AK-47's, jachtmessen en een satelliettelefoon. Niemand had iets gehoord. De bende trok verder. Alli zag de drie guerrilla's met doorgesneden keel op de grond liggen. Het bloed glansde donker in het licht van de sterren.

'Daar staat hij.'

Paulls gefluister bereikte Jacks oor tezamen met alle andere nachtgeluiden.

'We kunnen om hem heen lopen,' zei Jack.

'We kunnen ze niet allemaal omzeilen.'

Ze zaten gehurkt achter een grote struik. De guerrilla was een donker silhouet tegen de door sterren verlichte hemel. Rechts van hem was een rotshelling, zwart als de nacht. Links van hem waren de lichtjes van een buitenwijk van Tetovo.

Paull sloop weg en Jack legde zijn geweer op de grond, deed zijn rugzak af en trok zijn camouflagejack uit. Daarna sloop hij een stuk opzij, kwam achter het groen vandaan, en liep in de richting van de guerrilla.

De man was onmiddellijk in staat van paraatheid en hield zijn AK-47 schuin voor zijn borst.

Twee meter van de guerrilla bleef Jack staan en zei: '*Më falni, unë jam I humbur.*' Neem me niet kwalijk, ik ben verdwaald.

'*Ju jeni shqiptare?*' vroeg de guerrilla met de nodige argwaan. Ben je Albanees?

'*Lindur dhe rritur atje, por e biznesit tim është këtu.*' Geboren en getogen, maar ik woon en werk hier.

De guerrilla knikte. '*Ku jeni drejtuar?*' Waar moet je naartoe?

'Ozomiste.'

De guerrilla begon te lachen. '*Ju mori një kthesë shumë të gabuar, shoku im.*' Dan ben je de verkeerde weg ingeslagen, mijn vriend.

Hij wees naar het oosten, schuin achter Jack. Terwijl hij dat deed trok Paull, die hem van achteren was beslopen, zijn kin omhoog, waardoor zijn keel zichtbaar werd, en sneed die door. De ogen van de guerrilla draaiden omhoog en hij zakte in elkaar op de grond.

Tien minuten later, nadat ze langs nog twee groepjes guerrilla's waren geslopen, kwam het schoolgebouw in zicht en begonnen ze hun voorbereidingen te treffen.

'We moeten uitkijken voor die groepjes van zonet,' zei Paull. 'Als we eenmaal beginnen te schieten, weten ze precies waar ze moeten zijn.'

'Ze komen maar; ik ben er klaar voor.' Jack haalde zijn schoudermodel raketwerper uit zijn rugzak en laadde het wapen.

Toen Paull klaar was met zijn voorbereidingen, belde hij Thatë om hem groen licht te geven. Daarna ging hij achter het machinegeweer op de driepoot liggen en wachtte tot Thatë zou terugbellen.

Zodra Thatë het telefoongesprek had beëindigd, stuurde hij zijn mannen naar voren. Ze verspreidden zich en liepen in een wijde halve cirkel tussen de bomen door. Met de schaduw als dekking naderden ze de achterkant van het schoolgebouw. Onderweg werden nog vijf van Xhafa's mannen overmeesterd en gedood zonder dat iemand iets hoorde. Er waren er nog meer, in het bos, daar twijfelde Thatë geen seconde aan, daarom had hij zijn mannen meer verspreid. Hij had er maar zes tot zijn beschikking, plus Alli, maar die waren stuk voor stuk minstens twee of drie guerrilla's waard.

Bij de achterdeur hing ook een groepje guerrilla's rond, pratend, grappen makend, twee van hen deden een dutje. Thatë gaf zijn mannen een teken, wendde zich tot Alli, nam de ArmaLite van haar over en deed haar rugzak af. Ze maakte twee extra knoopjes van haar shirt los en schoof de tailleband van haar broek omlaag over haar smalle heupen, zodat haar middenrif werd ontbloot.

'En? Wat denk je ervan?'

Hij maakte een weifelend gebaar met zijn hand. 'We zullen het ermee moeten doen.' Toen ze hem boos aankeek, kwam er een brede grijns om zijn mond.

'Je ziet er perfect uit,' fluisterde hij. 'Maak je geen zorgen, oké? We zijn vlak bij je.'

Ze knikte.

'Ben je bang?'

'Ik geloof het wel.' In werkelijkheid barstte haar hart bijna uit haar borstkas.

Hij lachte zonder geluid te maken. 'Dat is het goede antwoord. Ik ook.' Snel gaf hij haar een kus op haar wang. 'Het is tijd.'

Alli liep licht wankelend het open terrein op. Zodra de guerrilla's opkeken begon ze *Gimme Shelter* te zingen. Ze liep hen tegemoet en toen alle hoofden en geweerlopen haar kant op draaiden, was ze bij het refrein aangekomen.

'*War, children, it's just a shot away, shot away...*'

Zoals Thatë had voorspeld, waren hun ogen meer op haar open shirt dan op haar gezicht gericht, en zeker niet op de grupperovka-soldaten die hen vanaf de zijkanten beslopen. Alli was zo bang dat haar tong aan haar verhemelte bleef plakken, ze hield abrupt op met zingen. Het maakte de guerrilla's weinig uit. Ze waren dol op jonge meisjes en Alli voldeed aan al hun wensen.

Alli wist wat ze moest doen; dat had ze met Thatë besproken toen ze even waren blijven staan terwijl zijn mannen het terrein verkenden. Ze moest het nu doen. Ze zag een haarscherp beeld voor zich, dat van Milla Tamirova, de Oekraïense meesteres met haar sm-kerker, waar ze geboeid op een stoel had gezeten en ze misselijk van angst de week dat ze aan de genade van Morgan Herr was overgeleverd, had herbeleefd. Diep binnen in haar begon iets te trillen, iets wat probeerde naar buiten te komen. Maar dat stond ze niet toe; daar had ze nu de kracht voor. De blikken van de guerrilla's brandden op haar bleke huid. De bovenste helft van haar borsten was zichtbaar en ze deinden licht op en neer toen ze op de mannen af liep. Ze liep zoals ze Milla Tamirova had zien lopen, zette haar ene gelaarsde voet recht voor de andere, waardoor haar heupen en billen extra wiegden.

Ze was nu zo dichtbij dat ze naar hen kon glimlachen, en haar witte, regelmatige tanden schitterden in het licht van de kale gloeilamp boven de deur. Ze hield haar lippen iets geopend. Ze had ze met haar tong bevochtigd voordat ze het licht in stapte.

En toen gebeurde er iets merkwaardigs, iets opwindends. Hun starende blikken, die haar net nog hadden beangstigd, sterkten haar. Ze streelden haar lichaam, het ene deel na het andere. Het waren geen afkerige blikken, integendeel, de onverhulde lust die van de gezichten straalde verwarmde haar en gaf haar kracht. Emma had haar het gevoel gegeven dat ze mooi was. Maar pas nu merkte ze, voor het eerst, dat haar meisjesachtige lichaam in contact stond met de volwassen vrouwelijke kracht die ze in zich had. Dit was het moment waarop ze de laatste stap naar het vrouw-zijn deed, het moment waarop ze al het kinderlijke achter zich liet, waarop ze haarscherp zag wie ze was en wat ze was geworden.

Ze vond haar stem terug en begon weer te zingen. Een paar seconden later waren de guerrilla's dood. Met een merkwaardige afstandelijkheid keek Alli toe terwijl het licht in hun ogen doofde, en daarna rilde ze, had ze het opeens koud.

'Beeldschoon,' zei Thatë, en hij belde naar Paull om hem groen licht te geven.

Zodra het geratel van het machinegeweervuur door de nacht klonk, ging hij als eerste de school binnen, op de voet gevolgd door zijn mannen.

Alli volgde, ze voelde zich als een lege huls die door een krachtige stroom werd meegenomen.

Drie van Thatës mannen verloren het leven voordat ze bij de weeskinderen waren. Tot dat moment had Thatë haar achter zich gehouden, beschermd door twee van zijn grupperovka-soldaten. Maar ze had gehoord dat er felle strijd werd geleverd, de kreten en het gekreun toen de twee groepen op elkaar stuitten. Ze herkende alle drie de mannen toen ze langs hen werd geleid, voelde de leegte in haar hart en verbaasde zich er opnieuw over hoe jong ze waren.

De weeskinderen zaten bij elkaar in een donker klaslokaal. Voordat ze naar binnen ging, gaf ze haar ArmaLite aan Thatë.

Hij hield haar een pistool voor. 'Ga niet ongewapend naar binnen.'

Ze keek hem aan en schudde haar hoofd. 'Ze moeten me vertrouwen.'

Toen ze het lokaal binnenging, zag ze de kinderen terugdeinzen en wist ze dat het de juiste keuze was geweest om ongewapend naar binnen te gaan. Maar zodra ze haar zagen, veranderde hun angst in verbazing, en in iets wat op nieuwsgierigheid leek.

'Ik spreek geen Macedonisch,' zei ze. 'Wie van jullie spreekt er Engels?'

Een paar kinderen draaiden zich om. Een stem achter in het lokaal zei: 'Engels?'

Een jong meisje werkte zich langs de groep naar voren. Ze was tenger en had een gezicht dat aan porselein deed denken. Maar de blik in haar ogen was als die van een tijger, zodat Alli op haar hoede bleef.

'Ben jij Engelse?' vroeg het meisje.

'Amerikaanse,' zei Alli. Maar er was geen tijd om het allemaal uit te leggen, dus zei ze: 'Jullie zijn hier in gevaar. Het zijn slechte mensen die jullie hier houden.'

'Dat weet ik,' zei het meisje.

Een van de kinderen achter haar zei: 'Maar het zijn onze leraren.'

Alli hoorde de angst in de stem van het kind en dacht weer aan Morgan Herr, die had beweerd dat ze háár lerares was. 'Ja, maar ze leren jullie alleen dingen waarvan zij willen dat jullie ze weten. Ze willen er zeker van zijn dat jullie later worden zoals zij: terroristen, smokkelaars en moordenaars. Ik breng jullie naar een betere plek, ergens waar jullie vrij zijn en zelf mogen bepalen wat je wel of niet wilt.'

Het bleef even stil en Alli besloot zich tot het meisje met het porseleinen gezicht te richten.

'Ik heet Alli Carson.'

'Ik ben Edon.' Het meisje keek haar recht aan. 'Edon Kraja.'

Arjeta's zusje! Een rilling, zowel van blijdschap als van dreigend gevaar, ging langs haar ruggengraat.

De andere kinderen keken haar onbewogen aan. In een poging hun terughoudendheid te overwinnen hield Alli Emma's iPod op. 'Michael Jackson,' zei ze. '*Thriller*.'

Een glimlach brak door op Edons gezicht. 'Michael Jackson? Echt?'

Alli knikte.

'We mogen hier niet naar Michael Jackson luisteren,' zei Edon. 'Helemaal niet naar Amerikaanse muziek.'

'Waar ik jullie naartoe breng, mag je luisteren naar welke muziek je maar wilt.'

Ze plugde de oordopjes in de iPod, zocht in de *playlist* en drukte op play. Ze hield Edon de oordopjes voor, maar het meisje deinsde achteruit, dus stopte Alli een van de dopjes in haar eigen oor. Toen ze Edon het andere dopje voorhield, pakte ze het aarzelend aan en deed het in haar oor.

De glimlach kwam weer om haar mond. 'Michael Jackson', zei ze. '*Thriller*.'

Alli imiteerde de dans van de *Thriller*-videoclip en na enige aarzeling begon Edon met haar mee te doen, totdat alle weeskinderen zich om hen heen hadden geschaard. Alli gaf de iPod door aan de kinderen die het dichtst bij ze stonden.

'Oké, Edon, we moeten gaan. Nu meteen. Zeg het tegen de anderen.'

Edon deed wat Alli haar had gevraagd. Alli kreeg de iPod weer terug en als een moderne rattenvanger loodste ze de weeskinderen hun van ratten vergeven Hamelen uit.

Toen ze op veilige afstand van de school waren en zich tussen de bomen hadden verstopt, kwam Edon bij Alli staan.

'Bedankt', zei ze, 'namens ons allemaal. Ook de kleintjes, die het nog niet begrijpen.' Daarna begon ze te huilen.

Alli sloeg haar arm om Edons schouders. 'Graag gedaan. Je bent nu vrij.'

'Ja, ik wel', zei Edon snikkend. 'Maar mijn zusje Liridona nog niet.'

Jack moest eerder in actie komen dan hij had verwacht. Maar dat maakte niet uit. Hij had genoeg munitie en plaatsen om dekking te zoeken. Hij doodde drie van Xhafa's guerrilla's voordat ze zich terugtrokken, zich hergroepeerden en in een tangmanoeuvre zijn kant op kwamen. Achter zich hoorde hij het aanhoudende geratel van het machinegeweer. Het geluid stelde hem gerust. Paull bood rugdekking.

Toen de twee groepen guerrilla's hem begonnen in te sluiten, gelokt door de schoten die hij zelf loste, rende hij recht vooruit naar een groepje dicht opeenstaande bomen. Hij draaide zich een kwartslag, opende het vuur op de flank en maaide de helft van de groep neer voordat ze wisten wat er aan de hand was en het vuur konden beantwoorden. Inmiddels was hij al in een boom geklommen. Liggend op een dikke tak nam hij de overgebleven mannen in het vizier en legde ze een voor een neer terwijl ze vergeefs dekking zochten.

Hij liet zich uit de boom vallen, liep naar de mannen toe en voelde van allemaal de pols. Toen hij bij geen van hen een hartslag vond, draaide hij zich om naar de plek waar Paull zijn onophoudelijke dekkingsvuur leverde. Het was op dat moment dat hij de koele adem op zijn wang voelde.

Papa.

Hij voelde dat de dood achter hem stond en wierp zich opzij. Het lemmet van het mes drong door zijn kleding en schampte zijn huid iets boven zijn bekken. Als hij was blijven staan, had het lemmet zijn lever doorboord. Hij nam de aanval meteen over, draaide zich met een ruk om, hief zijn elleboog en ramde die tegen het strottenhoofd van zijn belager. De guerrilla wankelde happend naar adem achteruit toen Jack uithaalde met de kolf van de ArmaLite en de man boven op zijn neus raakte. Bloed en botsplinters vlogen in het rond, maar Jack sloeg nog een keer toe met de kolf en raakte de zijkant van de schedel zo hard dat hij de nek van de man brak.

Hij sprong over het lijk, rende terug naar Paull en was net op tijd om de telefoon op te nemen. Hij luisterde naar Thatës stem, verbrak de verbinding en zei: 'De kinderen zijn het gebouw uit.'

Paull bleef gewoon doorgaan met vuren. 'Je weet wat je te doen staat,' zei hij.

Jack pakte de raketwerper die hij al had geladen, keek door het telescoopvizier naar de school, riep: 'Komt ie!' en haalde de trekker over.

Het nachtelijke duister spatte uiteen in een wit licht en een reusachtige dreun die heel Tetovo op zijn grondvesten deed beven.

21

Middle Bay Bancorp was een van die jonge regionale banken die relatief ongeschonden door de kredietcrisis en de teloorgang van het hypotheek- garantiestelsel was gekomen. Het was zelfs zo dat de zittende president- directeur, Bob Evrette, drie noodlijdende regionale banken had overge- nomen voor ongeveer tien procent van de waarde, wat hem zowel steenrijk als een plaatselijke volksheld had gemaakt omdat er op die ma- nier zoveel banen waren behouden.

Maar alles had een prijs, zoals men altijd zegt, en net als veel andere grote leiders was Evrette ten prooi geraakt aan overmoed. Kort gezegd, in nog geen twintig maanden tijd was Middle Bay het slachtoffer van zijn eigen succes geworden. De bank had een te snelle groei doorgemaakt, niet dat het aan financiële middelen ontbrak, maar de expertise van de afdelingsmanagers was niet mee gegroeid. Evrette had de bank in het diepe gegooid, daar waar de echt grote jongens de dienst uitmaakten, en zelfs hij wist niet meer welke koers er gevaren moest worden.

Tot op een zeker moment, ongeveer zes maanden geleden, Henry Holt Carson op het toneel was verschenen en hij Evrette een aanbod had ge- daan dat de man niet kon weigeren. Middle Bay had al veel langer op Carsons radar gestaan. Carson had zijn fortuin opgebouwd door te weten wat het juiste moment was om iets te kopen of te verkopen, zes maanden geleden was Middle Bay rijp geweest om geplukt te worden. Hij had om een gesprek met Evrette verzocht, een overname door Inter- Public Bancorp voorgesteld, Evrette vervolgens tijdens een etentje zijn plannen voorgelegd en ten slotte, tijdens een weekend in zijn buitenhuis, nadat ze een middagje op eendenjacht waren geweest, was de deal beze- geld.

Middle Bay had meer dan twintig kantoren, in Washington, Virginia en Maryland, maar het hoofdkantoor was op de hoek van Twentieth en K Street NW, in een opzichtig gebouw opgetrokken uit wit graniet, in blokken zo groot dat zelfs Hercules er rugpijn van zou krijgen.

'Ik heb Evrette zelf gesproken,' zei Naomi toen ze uit de auto waren gestapt en de treden tussen de twee rijen imposante Korinthische zuilen op liepen. 'Hoe noem jij hem, Pete? Hij is toch een vriend van je?'

McKinsey begon te lachen en schudde zijn hoofd. 'Jezus, hou het een beetje beschaafd, wil je?'

Ze liepen de draaideur door en kwamen in een grote hal vol marmer, houten lambriseringen en bronzen accenten. Het plafond was zo hoog als dat van een kathedraal en voor een bank was het er op dit late uur van de dag opvallend stil. Aan de rechterkant waren de open loketten met de kassiers en aan de linkerkant een lange rij pinautomaten.

Van achter een houten balustrade tot op heuphoogte kwam een jonge man tevoorschijn. Hij was gekleed in een fantasieloos pak met een effen das en had een zuinig glimlachje om zijn mond. Zijn haar glom en er zat een ouderwetse scheiding in. Hij zag eruit alsof hij net van de kapper kwam.

Hij gaf hun een hand die droog en krachtig aanvoelde. Ze vertelden wie ze waren en hij ging hen voor door een poortje in de balustrade, langs de kamertjes waar de klanten en het bankpersoneel hun zaken deden. Bij een deur bleef hij staan, toetste een code van zes cijfers in op het paneeltje ernaast, opende de deur en ging hen voor door een koele, schemerige gang met glanzend gepoetste mahoniehouten lambriseringen die zowel geld als discretie uitdrukten.

Aan het eind van de gang was een zware houten deur.

'Meneer Evrette verwacht u,' zei hij, en klopte op de deur.

'Binnen,' zei een gedempte stem aan de andere kant van de deur.

Bob Evrette was een forse man met een blozend gezicht, ongeveer vijfenvijftig jaar, kalend en een kilo of tien te zwaar, maar in zijn ogen fonkelde een jeugdig vuur.

'Kom verder,' zei hij met een uitnodigend handgebaar terwijl hij opstond uit zijn bureaustoel. 'En van staande recepties houden we hier niet.'

Zijn stem klonk alsof ze elkaar al jaren kenden en zijn joviale gebaren waren kenmerkend voor zakenlieden van zijn slag. Naomi had onmiddellijk een hekel aan hem. Ze wantrouwde vriendelijkheid wanneer daar geen reden voor was. Hij kwam achter zijn bureau vandaan en wees naar een zitje bij een raam dat uitzicht bood op het kantoor van de Exxon Mobil Corporation.

'En,' zei hij toen ze zaten, 'waarmee kan ik jullie van dienst zijn?'

Naomi bekeek hem met haar analytische blik. Hij deed haar denken aan een kerstman in een warenhuis, die stiekem opgewonden raakte wanneer er kleine kinderen op zijn schoot kwamen zitten.

Het bleef even stil. Naomi was zich bewust dat McKinsey haar observeerde met zijn havikenblik.

'We doen onderzoek naar een drievoudige moord,' begon ze.

'Neem me niet kwalijk, agent Wilde, maar het verbaast me dat de Geheime Dienst...'

'Omdat het een zaak van nationaal belang is,' zei ze stijfjes.

'Natuurlijk.' Hij knikte. 'Ik begrijp het.' De toon van zijn stem gaf aan dat hij er helemaal niets van begreep. Hij hief zijn handen op. 'Ga door, alstublieft.'

'Een van de slachtoffers in deze zaak is William Warren.'

Er kwam een bedroefde uitdrukking op Evrettes gezicht. 'Een van mijn beste analisten.' Hij schudde zijn hoofd. 'Schokkend, ronduit schokkend. En afschuwelijk, uiteraard. Onbegrijpelijk.'

'We proberen de reden voor de moord te achterhalen.' Naomi schraapte haar keel. 'Daarom willen we meneer Warrens computer graag bekijken. Is de plaatselijke politie hier al geweest?'

'Nog niet,' zei Evrette. 'Maar ik ben gebeld door ene rechercheur Heroe, die komt morgenochtend. Ze zei dat we niemand in meneer Warrens kantoor mochten laten.'

'Wij nemen de zaak over,' zei McKinsey. 'Ik denk dat rechercheur Heroe dat besluit nog niet heeft gekregen.'

Naomi voegde eraan toe: 'En we willen alle dossiers bekijken van de kredieten waar Billy Warren mee bezig was.'

'Maar natuurlijk.' Hij stond op, liep naar zijn bureau en drukte op de knop van de intercom. 'We hebben bezoek van de federale overheid. Zodra ze klaar zijn in meneer Warrens kantoor, stuur ik ze bij jou langs.'

Hij wreef zich in de handen en kwam weer tegenover Naomi en McKinsey zitten. Naomi observeerde hem en – wanneer ze dat onopgemerkt kon doen – McKinsey ook, om te zien of ergens uit bleek dat ze elkaar kenden of eerder hadden ontmoet, maar geen van beide mannen leek bijzonder geïnteresseerd in de ander. Evrette richtte al zijn aandacht op haar.

'Misschien weten jullie het, of misschien ook niet,' zei hij, 'maar we zitten midden in een overname door InterPublic.'

Hij lachte, schijnbaar opgewekt, en opnieuw moest Naomi denken aan een heimelijk verhitte kerstman in een warenhuis.

'Als onderdeel van die overname heeft InterPublic een team financiële analisten in de arm genomen om onze boeken van de afgelopen vijf jaar te bekijken.' Hij stond op, pufte en maakte een uitnodigend gebaar naar de deur. 'Als jullie denken dat dat een verdomd saaie en veeleisende klus is, hebben jullie helemaal gelijk. Ik dacht namelijk precies hetzelfde. Maar toen die jongeman hier binnenkwam en hij zijn teamleden instructies begon te geven, nou, toen wist ik meteen dat hij een soort financieel genie moest zijn.'

Hij ging hen voor door een andere gang, naar een kantoor dat op grond van de afmetingen en de inrichting van iemand van het middenkader zou kunnen zijn. Het had een raam, maar de jaloezieën waren dicht. Naomi liep ernaartoe, deed ze van elkaar en zag het gebouw aan de overkant van K Street.

'Oké,' zei Naomi. Ze liet haar blik over Billy's werkplek gaan en vervolgde: 'We kunnen maar beter een forensisch team laten komen.'

'Komt voor elkaar.' McKinsey haalde zijn mobiele telefoon tevoorschijn en toetste een nummer in. Voordat hij begon te praten, liep hij het kantoor uit. Even later kwam hij weer binnen. 'Geregeld.'

Naomi knikte. Ze trok een paar gummihandschoenen aan en begon met de laden van het bureau. Daarna zette ze de computer aan.

'Is er sinds Billy's dood iemand in dit kantoor geweest?'

'Niet nadat ik rechercheur Heroe had gesproken.' Evrette haalde zijn schouders op. 'Daarvoor, ik vermoed dat de mensen van de schoonmaakdienst hier zijn geweest, op de avond dat hij... werd vermoord. Maar of er nog iemand anders binnen is geweest, kan ik helaas niet zeggen.'

'Kunt u voor ons navragen wie van de schoonmaakdienst hier is geweest, alstublieft?' vroeg ze terwijl haar vingers over het toetsenbord vlogen. 'Ik zou die persoon graag willen spreken.'

Evrette knikte. 'Momentje,' zei hij, en hij liep het kantoor uit.

Vanuit haar ooghoek keek Naomi naar McKinsey. Hij stond met zijn armen over elkaar en keek om zich heen alsof hij alles tegelijk in zich wilde opnemen.

Ze begon tegen hem te praten terwijl ze de mappen op Billy's harde schijf bekeek. 'Ben je zenuwachtig, Peter?'

'Ik heb je gezegd dat ik je zou dekken.'

'Je hebt ook gezegd dat ik hier niet naartoe moest gaan. Hoe goed ken je Evrette?'

'Ik ontmoet hem vandaag voor het eerst.'

Ze keek op en had het gevoel dat hij de waarheid sprak. 'Heb je tegen iemand gezegd dat we hiernaartoe gingen?'

'Nee.'

Ze bleven elkaar enige tijd aankijken. Uiteindelijk knikte Naomi en ging door met haar werk. Toen ze alle mappen had bekeken, zocht ze in de bureauladen totdat ze een pakje beschrijfbare dvd's vond. Ze legde er een in het laatje van de drive en kopieerde alle relevante mappen en bestanden ernaartoe.

'Als er iets te vinden is wat de moeite waard is,' zei McKinsey, 'betwijfel ik ten zeerste of Warren zo dom is geweest om het op de harde schijf te laten staan.'

'Ik ben het helaas met je eens.' Ze nam de beschreven dvd uit het laatje en stak die in haar zak. 'Maar het zou nog dommer zijn om dit niet te doen.'

Methodisch doorzocht ze alle bureauladen, zocht naar geheime vakjes en dubbele wanden, maar ze vond niets. Evrette kwam het kantoor weer binnen en gaf haar een blaadje papier met de naam, het adres en het telefoonnummer van de schoonmaker die dienst had gehad op de avond dat Billy was vermoord. Naomi bedankte hem en stak het in haar zak.

'Goed dan,' zei ze, en ze stond op.

Toen ze naar de rij archiefkasten liep, zei Evrette: 'Die zijn allemaal leeg. Alle dossiers zijn door het analistenteam naar de kluis gebracht.'

'Gaat u ons dan maar voor,' zei Naomi. 'Maar ik wil eerst even een tussenstop bij het damestoilet maken.'

'Natuurlijk.' Evrette legde haar uit waar ze moest zijn.

Ze wilde nog één keer proberen of ze Jack te spreken kon krijgen. Lukte dat niet, dan wilde ze in elk geval dat hij zag dat ze hem had gebeld. Maar toen ze het damestoilet was binnengegaan en haar telefoon uit haar tas wilde halen, herinnerde ze zich dat die nog in de oplader in de midden-console van haar auto stond. Ze had hem helemaal leeg gebeld. Binnensmonds vloekend liep ze terug naar Billy Warrens kantoor. Evrette ging weer voor door het bankgebouw.

'Het analistenteam stond erop dat ze het werk hier zouden doen,' legde Evrette uit toen ze aan het eind van de gang afsloegen en een tweede gang in liepen. 'We hebben de kluis gekozen omdat het daar stil is en ver uit de buurt van het personeel en de cliënten.'

De kluis was aan het eind van de derde lange gang, waar geen kantoren waren maar die uit twee kale muren bestond. De grote, ronde kluisdeur zag er indrukwekkend uit. Het gevaarte – twee meter dik gehard staal en titanium, hangend aan reusachtige scharnieren – opende naar binnen en zag eruit als een hedendaagse equivalent van de ingang van Aladdins grot.

Zodra ze de kluis waren binnengegaan, voelden ze de koele lucht van het interne ventilatiesysteem op hun gezicht. Midden in de kluis stond een grote tafel met een stel stoelen eromheen, maar er zat op dat moment maar één man aan de tafel, die verdiept was in de stapels papieren en de dossiers die voor hem lagen.

Toen Evrette meldde dat ze binnenkwamen, legde hij zijn pen neer, stond op en draaide zich naar hen toe. Het was een aantrekkelijke man van achter in de dertig, keurig gekleed in een duur ogend donkerblauw zijden pak van Europese snit, een hagelwit overhemd en een modieuze paisleydas. Hij had dik, donker haar, wat langer dan je van iemand in zijn branche zou verwachten, en donkere, geloken ogen met een scherpzinnige blik. Hij glimlachte en toen hij naar hen toe kwam lopen voelde Naomi een vreemde tinteling op haar huid, alsof de man een soort elektrische energie uitstraalde.

Bob Evrette stelde hen aan elkaar voor. 'Agent Wilde, agent McKinsey, dit is John Pawnhill, hoofd van het analistenteam dat door InterPublic in de arm is genomen.'

'En, wat doe je, als ik zo vrij mag zijn het te vragen?' zei de man die naast Annika zat. Toen ze aarzelde, voegde hij er haastig aan toe: 'Sorry. Als je liever doorleest, begrijp ik dat helemaal.'

Ze lachte zacht. 'Nee, dat is het niet. Ik begon me toch net te vervelen.'

Ze hadden hun riemen om. Het vliegtuig, door het nachtelijke duister op weg naar Rome, was in een zware storm terechtgekomen en ze hadden al een paar onaangename momenten van turbulentie gehad voordat de piloot was doorgestegen naar een hoogte van veertien kilometer. Onder hen schoten de bliksemschichten door het inktzwarte duister terwijl de tijd langzaam verstreek.

'Mag ik zien wat je leest?'

Ze gaf hem het boek. Hij had het gezicht van een Romeinse centurion, strijdlustig zonder arrogant te zijn. Zijn gebruinde huid camoufleerde de putjes in zijn wangen. Op de rug van zijn handen zaten diverse littekens; het waren werkhanden, wat haar beviel. Zijn grijze ogen bestudeerden de cover van het boek.

'*De Kopenhagen-interpretatie: de orthodoxie van de kwantummechanica, of het einde van de sinusfunctie.*' Hij keek haar aan en gaf haar het boek terug. 'Dat is me nogal een titel. Ben je wetenschapper?'

'Meer een soort speurder,' zei ze met een ondeugende glimlach. 'Een heel specifieke soort. Ik ben op zoek naar het Higgs-boson.'

'Het wat?'

'Het materiedeeltje dat zo klein is dat de menselijke geest het nauwelijks kan bevatten.' Ze maakte een wuivend gebaar met haar hand. 'Het is nogal complex, en voor een niet-ingewijde waarschijnlijk oersaai.'

'Voor mij niet.' Hij keek haar aan alsof hij bereid was naar haar te luisteren zolang ze tegen hem wilde praten.

'Ik werk bij de LHC van het CERN,' vertelde ze. 'Beter bekend als de grote deeltjesversneller.'

Hij legde zijn vinger op zijn lippen. 'Daar heb ik van gehoord. Hebben jullie mensen niet onlangs het record van Fermilabs gebroken?'

'Dat klopt,' zei ze verheugd. 'De deeltjesversneller bevindt zich in een tunnel op de grens van Frankrijk en Zwitserland, in een ruimte die de koudste van het bekende universum zou moeten zijn.'

Ze kon zien dat ze zijn interesse had gewekt. Niet zijn interesse in haar, om precies te zijn. Hij was gevallen voor de leugen die ze hem voorhield, voor het beeld dat ze voor hem had geschetst. Het was een kunstvorm, eigenlijk , dit vermogen om de kracht van leugens te begrijpen, de manier waarop een leugen – ook de kleine leugen – de kracht had om door iemands verdediging te dringen. En het was háár kracht om die leugen, al was die nog zo klein, om te smelten in een waarheid waarin een ander kon geloven, want 'geloven in' was hetzelfde als 'verliefd zijn op'. Iemand die toegaf aan zijn geloof had geen verdediging meer.

Dit was hetzelfde als wat ze met Jack had gedaan, want het was de enige manier waarop zij kon leven. Maar toen, ergens midden in de Oekraïne, was er iets veranderd. De leugen was een bittere pil geworden, die hun relatie had vergiftigd. Ze begon een hekel aan zichzelf te krijgen, en daarna ook aan hem, omdat hij in haar leugens geloofde. Ze had liever dan wat ook gewild dat hij haar leugens had doorzien, dat hij haar had ontmaskerd zoals Dorothy dat met de tovenaar van Oz had gedaan.

Pas naderhand had ze begrepen waarom ze haar grootvader had verraden en alles aan Jack had bekend. Ze had gewild dat hij haar haatte, dat hij haar zo ver mogelijk van zich af zou duwen, om te zien of hij later bij haar zou terugkomen. Want als hij dat zou doen, zou ze weten dat ze voor het eerst in haar leven een man had ontmoet voor wie haar leugens niet uitmaakten. Dan zou ze weten dat hij van háár hield, en niet van de persoon die ze verbeeldde.

De man die naast haar zat – Tim of Tom of Phil – lachte om iets wat ze zei. Ze zag de lust in zijn ogen, elke keer als hij haar aankeek, in elk gebaar dat hij maakte. Hij was een rijke zakenman, met een eigen bedrijf en hij stond op het punt ermee naar de beurs te gaan. Het IPO schatte hem in op meer dan een miljard dollar. Hij ging er ten onrechte van uit dat dit indruk op haar maakte, maar in haar huidige rol was ze niet geïnteresseerd in rijkdom of status. Hij had haar al bekend dat hij nog nooit een vrouw zoals zij had ontmoet.

'Als je me even wilt excuseren.' Ze gespte haar riem los.

Er kwam een ondeugende glimlach om zijn lippen. 'Zou je je beledigd voelen als ik met je meeging?'

Ze beloonde hem met haar allerliefste glimlach. 'Helemaal niet. Hoe zou een echte gentleman als jij me kunnen beledigen?'

Hij maakte zijn riem los en volgde haar door het middenpad naar de toiletten. Het was bijna vijf uur 's ochtends, plaatselijke tijd, en iedereen in de eersteklas sliep of zat naar een film op zijn videoschermpje te kijken. Een van de stewardessen kwam de pantry uit en vroeg of ze trek hadden in een paar versgebakken koekjes. Ze bedankten haar en de stewardess ging de pantry weer in.

Toen Annika de deur van de toiletten opende, was ze zich ervan bewust dat ze dit eigenlijk niet wilde, maar ze was zo geconditioneerd dat haar lichaam een eigen leven leidde. Ze hield Tim of Tom of Phil niet tegen toen hij achter haar binnenkwam en opgelaten de deur dichtdeed. Noch hield ze hem tegen toen zijn hand onder haar rok verdween.

Tijdens het hele gebeuren klemde ze zich aan hem vast. Ze voelde zich stuurloos, alsof ze zich niet in dit vliegtuig bevond, hoog boven de donkere, woeste golven van een zee net zo diep als de leegte in haar hart. In gedachten was ze bij Jack, waar hij ook was. Haar geest was vervuld van hem.

Ze was zich niet bewust van het dierlijke gegrom van Tim of Tom of Phil, of van de pijn in haar billen die bij elke stoot tegen de rand van de wastafel werden geperst.

Ze hoorde haar eigen gekreun van zogenaamde opwinding niet eens.

'Hij is hier niet. De vuile schoft is er niet!'

Thatë was woedend. Ze waren in Xhafa's fort, of wat daarvan over was. Overal lagen verbrande lijken. De stank van verschroeid vlees was misselijkmakend. In de hoeken van wat ooit de kamers en lokalen waren geweest, laaiden nog vlammen op. Verder was alles grijze en zwarte as, wat Thatë er niet van weerhield om tegen elk lijk te trappen dat hij tegenkwam, en de slachtoffers die op hun buik lagen om te draaien om de gezichten te kunnen zien.

'Wat krijgen we nou? Wat moet dit verdomme voorstellen?' Zijn opgetogenheid had de bittere smaak van een pyrrusoverwinning gekregen. Ze hadden gewonnen, maar de hoofdprijs, Arian Xhafa, kregen ze niet.

Jack en Alli onderzochten een laptop, verbogen door de explosie en zwartgeblakerd door het vuur dat daarop was gevolgd, toen ze Thatë hoorden schreeuwen.

'Vertel op! Waar is hij?'

Jack rende naar hem toe en trok hem weg van een guerrilla die zwaargewond, maar nog in leven was. Thatës gezicht glom van het zweet en er hing een sliert kwijl uit zijn mond. De guerrilla gleed terug op de grond.

Zijn lichaam was ernstig verbrand en zijn gezicht een bloederige, vervormde massa.

Paull probeerde de jongen in bedwang te houden, maar Thatë schudde de oudere man moeiteloos van zich af. Jack wenkte Alli, die naar Thatë toe liep en hem bij zijn arm pakte. Zij was de enige die hem op dit moment enigszins tot bedaren kon brengen. Na een laatste giftige blik op de gewonde guerrilla liet hij zich door haar meevoeren.

Jack boog zich over de guerrilla. Hij zag meteen dat diens verwondingen dodelijk waren. 'Hoe heet je?'

Het ene bloeddoorlopen oog van de man keek hem aan. 'Be... Bekir.' Het andere oog zat potdicht en de zwelling was zo groot als een vuist.

'Waar is Arian Xhafa?'

'Niet hier.'

Jack hurkte naast de man neer. Hij keek Thatë over zijn schouder vragend aan, maar de jongen kookte nog steeds van woede.

'Geef me vijf minuten met hem,' zei Thatë.

'De arme sukkel heeft geen vijf minuten meer,' zei Jack. 'Trouwens, wat kun je hem nog doen?' Hij wendde zich weer tot Bekir en vroeg: 'Waar is Xhafa? Waar is hij naartoe gegaan?'

'Mee... met de wind.' Bekirs mond was een rood met zwarte ravage in een gezicht zo misvormd dat zelfs zijn eigen moeder hem niet zou herkennen. 'Hij is weggegaan, even geleden.'

'Hoe lang geleden?' drong Jack aan.

'Vijftien, misschien twintig minuten.'

'Verdomme, we zijn die klootzak net misgelopen,' zei Paull.

Bekir begon te hoesten. Zijn toestand verslechterde snel.

Aangezien ze weinig tijd hadden, probeerde Jack iets anders. Als Bekir hem niet kon vertellen waar Arian Xhafa naartoe was, kon hij misschien wel een ander mysterie verklaren. 'Bekir, was je erbij toen de Amerikaanse eenheid hier binnenviel?'

Bekir knikte. Zijn oog draaide stuurloos rond in de kas. Hij moest afschuwelijk veel pijn lijden. Maar het was te laat om daar nog iets aan te doen.

'Help hem in godsnaam,' zei Alli, die achter Jack was komen staan. 'Geef hem ten minste een beetje water.'

'Zijn longen lopen vol met bloed,' zei Jack tegen haar. 'Een theelepeltje water is genoeg om hem te laten verdrinken.'

Hij richtte zich weer tot Bekir. 'Hoe heeft Xhafa de Amerikaanse eenheid verslagen?'

'Snel.' Bekirs stem klonk dof van het slijm en het bloed. 'Heel snel.'

'Niet zoals wij.'

Het ene oog staarde hem aan.

'Kijk, wat ik niet begrijp is het volgende.' Jack bracht zijn mond dichter bij Bekirs oor. 'Ik weet dat jullie geavanceerde wapens hadden, maar die had de Amerikaanse eenheid ook.'

Bekirs oog bleef Jack lange tijd aanstaren. Toen bewogen zijn lippen, als uit zichzelf, en hoorde Jack zijn stem, hol als uit een houten ton. 'De wapens hielpen. Natuurlijk. Maar Xhafa had nog iets wat de dood van de Amerikanen garandeerde.'

Jack kreeg het opeens koud. Hij voelde dat Paull zich over hem heen boog.

'En wat was dat?' vroeg Paull.

Bekirs lippen krulden op in een glimlach, wat resulteerde in een hoestbui waarbij bloed uit zijn mond kwam. Toen hij weer enigszins was gekalmeerd, zei hij: 'Hij wist dat ze kwamen. Hij heeft een Amerikaanse informant.'

'Dat lieg je, verdomme,' zei Paull verontwaardigd.

Jack richtte zich op in zijn hurkzit. 'Bekir, beste vriend, ik heb een probleempje met wat je beweert. Want zelfs met al het geld dat hij onlangs heeft vergaard, en zelfs met zijn banden met de internationale wapenhandel, lijkt het me heel sterk dat Xhafa dat soort politieke of militaire connecties heeft. Die hebben maar heel, heel weinig mensen.'

Er kwam een bepaalde glans in Bekirs goede oog en Jack wist dat hij zijn dood voelde naderen. Tijdens hun gesprek was Bekirs ademhaling steeds oppervlakkiger geworden en die werd nu ook onregelmatig. Er droop bloed uit zijn ene oor. En toch leek hij vastbesloten om nog even in leven te blijven, in elk geval lang genoeg om Jack een laatste afscheidsboodschap door te geven.

'Dan is degene die hem geld en wapens geeft een van die weinige mensen.'

John Pawnhill had zo'n charismatische glimlach dat Naomi even weke knieën kreeg.

'Waarmee kan ik jullie helpen?'

'Agent McKinsey en ik onderzoeken de moord op Billy Warren, een van de kredietanalisten van de bank.' Om diverse redenen was het feit dat Billy was gemarteld niet openbaar gemaakt.

'Ah, ik heb enkele van zijn dossiers bekeken.' Pawnhill gebaarde naar de tafel. 'Een heel talentvolle jongeman. Jammer dat hij niet langer onder ons is.'

'We willen de dossiers zien die uit zijn kantoor zijn gehaald.'

'Maar natuurlijk.' Pawnhill liep naar de tafel, zocht een van de stapels uit en schoof die naar een open plek bij een lege stoel. 'Leef je maar uit, agent Wilde.' Hij knikte toen ze ging zitten. 'Als er iets ontcijferd moet worden, dan vraag je het maar.'

'Geloof me, dat zal ik zeker doen.' Ze nam het bovenste dossier van de stapel en sloeg het open. 'Liggen ze op alfabetische volgorde?'

'Nee,' zei Pawnhill, 'op chronologische, met het laatste krediet bovenop.'

Terwijl Naomi aan de slag ging, hielden de anderen zich op de achtergrond, er werd niet gepraat. Ze bekeek de papieren in de map, legde die opzij en pakte de volgende van de stapel.

Pawnhill wees. 'Dat krediet is nooit toegekend. Meneer Warren had een probleem met het inkomen van de aanvrager ontdekt.'

Naomi liet haar vinger langs de tekstregels gaan. 'Gebeurde het vaak dat hij zulke problemen vond?'

'Nee,' zei Evrette. 'Als het om kredietaanvragen gaat, hanteert de bank een genadeloos schiftingssysteem.'

Naomi sloeg een bladzijde om. 'Maar er zal er toch weleens – zoals hier – een doorheen glippen?'

'Nou, geen enkel systeem is honderd procent waterdicht,' gaf Evrette toe. 'Dat maakte meneer Warren voor ons juist zo waardevol. Hij had er een neus voor en wist de geringste discrepantie bloot te leggen.'

'En kredieten buiten de boeken?'

'Pardon?'

Naomi keek Evrette recht aan. 'U hebt me wel verstaan, meneer Evrette. Had Billy Warren kredieten ontdekt die niet waren aangemeld?'

'Dat is een bespottelijke aantijging. Natuurlijk niet.'

Pawnhill mengde zich in het gesprek. 'Agent Wilde, als ik zo vrij mag zijn, als er zulke dingen hadden plaatsgevonden, zouden mijn team en ik die zeker hebben gevonden.'

'Maar – en corrigeer me maar als ik het mis heb – jullie zijn nog niet klaar met je onderzoek.'

'Bijna,' zei hij. 'Maar inderdaad, nog niet helemaal.'

'Hm.' Ze tikte met haar nagel op de pagina die voor haar lag. 'Misschien kunt u me dan uitleggen waarom dit bedrijf – Gemini Holdings – ook voorkomt in meneer Warrens zakendossiers in zijn computer.'

'Dat is niet zo verrassend,' zei Evrette. 'Hij heeft het bedrijf gescreend, zoals hij altijd deed. Het krediet is geweigerd.'

'Aha.' Naomi knikte. 'Maar wat opvalt, is dat meneer Warren de activiteiten van Gemini Holdings is blijven volgen nadat hij een negatief advies over de kredietaanvraag had uitgebracht.'

'Ik begrijp niet waar u naartoe wilt,' zei Evrette.

Naomi's vinger schoof omlaag over de pagina. 'Volgens de informatie in meneer Warrens elektronische dossier is Gemini nooit naar een andere bank gestapt om een krediet aan te vragen.' Ze bleef Evrette recht aankijken. Ze had het gevoel dat ze haar vinger op een zere plek had gelegd, dus drukte ze door. 'En niet alleen dat, maar het schijnt zo te zijn dat Gemini Holdings nog geen tien dagen nadat ze hier waren afgewezen het gewenste leenbedrag in huis had.'

Evrette haalde zijn schouders op. 'Dat is mijn zorg niet.'

'O nee?' Ze kneep vermanend haar lippen op elkaar. 'Ik denk dat Billy Warren had ontdekt dat het juist heel erg uw zorg was. Dat hij Gemini juist daarom in de gaten is blijven houden nadat hun aanvraag hier was afgewezen.'

Op dat moment hoorde ze een zachte, metalen klik. Ze wilde opstaan van haar stoel, maar McKinsey drukte haar hard omlaag. Ze voelde het koele metaal van een pistoolloop tegen haar nek.

McKinsey, die achter haar stond, haalde de trekker over en ze werd naar voren geworpen. Onmiddellijk spoot het bloed, warm en kersenrood, in het rond.

DEEL III

VUURWERK

Twee dagen geleden

Word niet verliefd, word niet verliefd,
leek ze tegen me te willen zeggen
— *The Skating Rink*, Roberto Bolaño

22

In de stromende regen stapte Arian Xhafa op Vlorë Air Base in het zuid-westen van Albanië uit het militaire vrachtvliegtuig. De donkere, drei-gende lucht raakte de toppen van de bomen en een gure wind waaide hem recht in het gezicht.

Een pantservoertuig stopte onder aan de vliegtuigtrap en hij stapte in. Bagage had hij niet; hij had niets nodig. Het pantservoertuig reed met-een weg en verliet de basis zonder oponthoud bij de immigratiedienst of de douane.

'Goed om thuis te zijn?' vroeg de Syriër.

Arian Xhafa knikte. 'Altijd.' Hij had een licht getinte huid en zwart, krullend haar dat overging in een volle baard. Zijn gezicht was verweerd door zon en wind en hij had diepliggende ogen, hoge jukbeenderen en een haviksneus. Hij mocht van geboorte dan Albanees zijn, maar zijn strijdlustige Midden-Oosterse bloed was zichtbaar in zijn voorkomen.

De Syriër zuchtte. 'Ik heb geen thuis.'

'Een lang gekoesterde droom, die binnenkort werkelijkheid gaat wor-den, mijn vriend.'

Zelfs naast Xhafa was de Syriër een grote kerel, met brede schouders en gespierde armen, alsof hij zijn hele leven sjouwer of metselaar was ge-weest. Hij had grote, hoekige handen, vol eelt en met aderen die als don-kerbruine kabels op zijn handrug lagen. Maar de blik in zijn ogen was die van een beeldhouwer. Het waren zijn ogen die het meest opvielen. Het ene was groen en het andere blauw, alsof ze beide in een ander hoofd thuishoorden, of om preciezer te zijn, waren verbonden met een ander stel hersenen.

Mensen waren doodsbang van de Syriër, en terecht. Je wist nooit wat hij dacht of hoe hij zou reageren. Hij had een echte naam, natuurlijk, de naam die zijn ouders hem hadden gegeven, maar die had hij al zo lang niet gebruikt dat niemand die nog kende. Ook Xhafa wist niet hoe hij heette.

'En,' zei de Syriër, 'hoe was het in Washington?'

'Ik haat die stad,' zei Xhafa. 'En die stad haat mij. Dardan is vermoord.'

'Is dat zo'n ramp?' De Syriër was niet iemand die mooie woorden of tijd verspilde aan mensen die hij verachtte. 'Ik heb je voor hem gewaarschuwd. Dardan was een zwakkeling.'

'Hij was familie van me,' zei Xhafa stijfjes.

De Syriër gromde. 'Dat soort gevoelens zijn ook een zwakheid.'

Xhafa wilde ertegenin gaan, maar hij bedacht zich. Hij was net zo bang voor de Syriër als iedereen, al weigerde hij het te laten blijken. Maar hij zou er weinig mee opschieten, wist hij, als hij zijn metgezel eraan herinnerde dat diens hele familie in de oorlog was omgekomen. De Syriër noemde hun namen nooit, deed alsof ze nooit hadden bestaan. Tijdens zijn verblijf in Washington had Xhafa over een recent DNA-onderzoek gelezen waarin werd gesteld dat Arabieren en Joden in elk geval genetisch gezien weinig van elkaar verschilden. Maar ook dat durfde hij zijn grimmige metgezel niet te vertellen.

'Het gaat niet alleen om Dardan,' zei hij, 'maar ook om mijn mannen in Tetovo. Het hele fort is verwoest.'

'Die kans was er natuurlijk altijd al.' Het gezicht van de Syriër betrok. 'Maar wat ik niet begrijp, is hoe de vijand heeft kunnen ontsnappen aan de hinderlaag die jullie bij Dolna Zhelino hadden gelegd.' Hij liet het klinken alsof het op de een of andere manier Xhafa's schuld was.

'Ze hebben al mijn mannen gedood.'

'Ja, maar hoe?'

'Mijn mannen...'

'Ze zullen ongetwijfeld trots zijn geweest om voor de zaak te mogen sterven,' zei de Syriër met een wegwerpgebaar.

'Mijn mannen zijn de jouwe niet,' zei Xhafa. 'Het zijn geen onwetende, fanatieke bergbewoners die zomaar bereid zijn hun leven te geven.'

De Syriër was niet beledigd. Hij begon zelfs te lachen. 'Dat is waar, Xhafa. Het bergvolk van Afghanistan en West-Pakistan bestaat uit de verslagen rechtelozen die door de sterkere stammen vanuit hun dorpjes de bergen in zijn gejaagd. Het zijn die rechteloze bergstaatjes die de fanatici, de extremisten en het uitschot van de samenleving aantrekken. Maar, luister naar me, Xhafa, voor mij zijn ze van onschatbare waarde. Hun onwetendheid is de voedingsbodem voor het fanatisme dat koren op mijn molen is. Het zijn mijn aanhangers, omdat ik ze vertel wat ze graag willen horen. In ruil daarvoor doen zij wat ik zeg.' Hij blies zijn wangen op en zijn ogen fonkelden. 'Wat ze willen is doodsimpel: wraak op de samenleving die ze heeft uitgestoten. Ik geef ze die kans en daar zijn ze me dankbaar voor.'

'Ze hebben bewezen dat ze ons beste wapen tegen het westen zijn,' zei Xhafa.

De Syriër snoof. 'Het westen gelooft dat het hun fanatisme is dat ze zo wreed maakt, maar dat is niet helemaal juist. Wat ze zo wreed maakt, is hun absolute onwetendheid. Ze hebben geen idee van de rest van de wereld. Des te beter voor mij. Sterker nog, het kan ze niks schelen, dus ik hoef niet eens tegen ze te liegen. Ze zullen natuurlijk nooit krijgen wat ze willen, maar in de tussentijd zijn ze ideaal om chaos te scheppen. En omdat ze niets liever willen dan martelaar zijn voor hun verloren zaak, blijven ze naar me toe komen. Ze sterven en worden vervangen door verse krachten.'

De Syriër trok zachtjes aan zijn baard. 'Maar maak nooit de fout door te denken dat ik ook zo ben, Xhafa. Zoals je weet kom ik van het laagland, uit een rijke familie. Ik heb een uitstekende opleiding genoten, ben afgestudeerd aan universiteiten zowel in het oosten als in het westen, onder verschillende namen, uiteraard. Je zou kunnen zeggen dat ik een man van de wereld ben. En het is een voordeel als je weet wie de vijand is.'

Een zekere spanning maakte zich meester van zijn lichaam. 'Wat wij moeten begrijpen, is het waarom van het succes van de vijand.' Als meesterstrateeg was hij bijzonder geïnteresseerd in blunders op het slagveld. Daar stond tegenover dat het verlies van mensenlevens hem alleen interesseerde wanneer het zijn plannen in de war bracht. 'De nederlaag in Dolna Zhelino kan nog worden toegeschreven aan toeval, maar de complete verwoesting van je fort in Tetovo niet.' Hij tikte met zijn wijsvinger op zijn knie. 'Nee, er is hier sprake van een andere factor, een waarvan we geen weet hebben.'

Xhafa schudde zijn hoofd. 'Ik begrijp nog steeds niet waarom we de dingen zo ingewikkeld moeten maken.'

'Omdat jij deze Jack McClure niet hebt bestudeerd. Zijn geest werkt het beste in complexe situaties. Voor hem is de hele wereld complex, en goed beschouwd zit hij er niet ver naast. Geef hem iets simpels om op te lossen en hij zal onmiddellijk argwaan krijgen. Eerlijk gezegd is hij de schrik van iedere undercoveragent. Voor zover ik weet, is het maar één persoon gelukt hem in de luren te leggen, en erg lang heeft dat niet geduurd.'

'Annika Dementieva.'

'Dat is juist.' De Syriër zuchtte. 'Weet je, Xhafa, ik heb het op de simpele manier geprobeerd, maar hoe ik ook mijn best deed, ik kon niet bij Gourdjiev komen. Zes van mijn beste mannen zijn omgekomen tijdens die poging. Hij mag dan een oude schurk zijn, hij is nog steeds iemand om rekening mee te houden.'

De Syriër ging rechtop zitten en liet de knokkels van zijn vingers knakken. 'Dus moest ik het probleem op een heel andere manier aanpakken. Ik besloot Annika daarvoor te gebruiken. Maar ik wist dat ik haar niet rechtstreeks kon benaderen. Ik moest het subtiel en via een omweg doen.'

'En daar komt McClure om de hoek kijken.'

'Er is iets tussen Annika en McClure, daar twijfel ik geen moment aan.' De Syriër grijnsde vals. 'Zoals ik zonet al zei: gevoelens zijn ook een zwakheid.'

'Misschien speelt ze nog steeds met hem.'

De Syriër krabde aan zijn baard, die doorschoten was met witte haren. 'Die mogelijkheid is ook bij mij opgekomen.' Zijn grijns werd breder. 'Maar het mooie van mijn plan is dat het niet uitmaakt. Ze wordt zo goed beschermd en ze is bijna net zo doortrapt als haar grootvader, en daarom is McClure de beste manier – waarschijnlijk de enige manier – om bij haar te komen. En zij, mijn beste Xhafa, is de enige manier om bij Gourdjiev te komen, en bij alle geheimen die in die briljante geest van hem zitten.'

Hij zuchtte weer. 'De waarheid is dat ik niet verder kan zónder die geheimen.'

Xhafa spitste zijn oren. Het was voor het eerst dat de Syriër iets zei over zijn uiteindelijke plan... een plan waarin hij moest meegaan, wilde hij de buitengewoon lucratieve regeling die hij met de Syriër had, voortzetten. Een belangrijke ontwikkeling, omdat hij dankzij die regeling een aanzienlijke invloed op de smokkeloperaties van de Syriër had en bovendien een derde van de opbrengst opstreek. Met als gevolg dat Xhafa's kleine vloot vliegtuigen inmiddels uit nieuwere en grotere toestellen bestond, en werd gebruikt voor zowel het transport van de mysterieuze vracht van de Syriër als voor Xhafa's ontvoerde meisjes.

'Wat zijn dat voor geheimen?'

'Genoeg criminele vuiligheid en serieuze aantijgingen om grip te krijgen op zijn wereldwijde netwerk van politici en veiligheidsmensen.'

Xhafa had zijn kop eronder durven te verwedden dat de Syriër niet de waarheid sprak, of niet de volledige waarheid in elk geval, maar hij liet het gaan, want, hoe vernederend ook, hij kon er niets aan veranderen. Naast deze reus, dit monument van kracht, voelde hij zich net een klein kind.

De regendruppels beukten op het pantserstalen dak en het landschap was grauw en troebel, als een aquarel waarvan de kleuren door elkaar waren gelopen. Ze hadden gezelschap gekregen van een paar motoragenten die zowel voor als achter de truck reden, en in konvooi reden ze door de kletsnatte straten, alsof ze een oorlogsgebied binnengingen.

'En het andere deel van je missie?' Even bleven de woorden van de Syriër als een dreiging tussen hen in hangen.

'Arjeta Kraja is dood,' zei Xhafa. 'Ik heb haar eigenhandig omgebracht.'

'De laatste keer dat ik Naomi Wilde heb gezien?'

'Dat vroeg ik.'

Peter McKinsey ging verzitten op zijn stoel. Het was een harde stoel met een rugleuning zo smal dat hij bedoeld leek om hem zo onaangenaam mogelijk te maken. Hij bevond zich op het hoofdbureau van de Metro Police, in een van de kamers die waren gereserveerd voor de afdeling Geweldsmisdrijven.

'Gisteren, om ongeveer kwart voor vijf 's middags. We waren met mijn auto gegaan. Ik had haar bij kantoor afgezet. Ze is in haar auto gestapt en weggereden.'

'Heeft ze gezegd waar ze naartoe ging?'

McKinsey knikte. 'Ze zei dat ze naar huis ging.'

'Rechtstreeks naar huis?'

'"Ik heb het gehad, Pete. Ik ga naar huis." Zo heeft ze het woordelijk tegen me gezegd.' Hij praatte niet sneller of langzamer dan gewoonlijk, maar er klonk wel een zekere spanning door in zijn stem. De vrouw die de afgelopen zes jaar zijn partner was geweest, werd tenslotte vermist.

Hoofdinspecteur Nona Heroe keek op. Ze had in een notitieboekje zitten schrijven. 'Zei agent Wilde dat, "ik heb het gehad"?'

McKinsey knikte. 'Ja.'

Heroe tikte met haar pen op de kaft van haar boekje. 'Wat denkt u dat ze daarmee bedoelde?'

Hij haalde zijn schouders op. 'Dat ze bekaf was. We waren allebei bekaf. We hadden meer dan twee dagen continu gewerkt.'

'En in die tijd zijn jullie niet één keer naar huis geweest?'

'Alleen om te douchen en schone kleren aan te trekken.'

Heroe schreef dit op alsof ze het ooit als bewijs tegen hem kon gebruiken, waardoor hij haar nog meer verachtte.

Ze keek weer op. 'Waar waren jullie geweest voordat jullie naar kantoor terugreden?'

'We volgden diverse aanwijzingen in verband met het criminele netwerk dat Arjeta Kraja naar de Verenigde Staten heeft gesmokkeld.'

'En?'

'Helaas leverde het niks op.'

'Waarom waren jullie zo geïnteresseerd in juffrouw Kraja?'

'Het was Naomi's idee. Volgens Alli Carson is het meisje Kraja met

Billy Warren gezien op de avond dat hij werd gemarteld en vermoord.'

'En u geloofde mevrouw Carson niet.'

'Laat ik het anders zeggen. Ik was graag in de gelegenheid geweest om er uitvoeriger met mevrouw Carson over te praten.'

'Wat heeft u daarvan weerhouden?'

McKinsey haalde zijn schouders op. 'Dat weet u net zo goed als ik. Ze geniet een beschermde status.'

Heroe maakte weer een aantekening. 'En het lijk van juffrouw Kraja hebben jullie nooit gevonden.'

McKinsey slaakte een diepe zucht en drukte zijn duimen tegen zijn ogen. 'Alsof ze in rook is opgegaan.'

'Net als agent Wilde.'

'Zo had ik het nog niet gezien, maar dat zou je kunnen zeggen, ja.'

Heroe zat weer druk te schrijven. Daar was ze goed in. Ze keek op en zei: 'Agent McKinsey, ik ben bang dat ik slecht nieuws voor u heb. We hebben de auto van agent Wilde gevonden. Die is ergens in Maryland van de weg gereden. We zijn een eeuwigheid bezig geweest om hem van een betonnen talud onder aan de vloedkering te takelen.'

'En Naomi?' vroeg hij op gepast bezorgde toon. 'Hebben jullie haar gevonden?'

'Nee.'

Hij fronste zijn wenkbrauwen. Daar was híj goed in. 'En haar tas, of haar mobiele telefoon? Ik heb urenlang geprobeerd haar te bereiken.'

'In de auto is niks gevonden,' zei Heroe. 'Het portier aan de bestuurderskant stond open, de veiligheidsriem was los en de airbags hadden zich opgeblazen.'

McKinsey schudde zijn hoofd. 'Ik begrijp het niet.'

'Dan kunnen we elkaar een hand geven, agent McKinsey.'

Heroe sloeg haar notitieboekje dicht en stond op. McKinsey bekeek haar bewonderend toen ze zich uitrekte. Ze was een indrukwekkende verschijning met een mooi figuur, fijne gelaatstrekken en een huid in de kleur van melkchocolade. Zo te zien was ze nog geen veertig, wat heel jong was om al het hoofd van de afdeling Geweldsmisdrijven te zijn. Dus of ze had de juiste mensen weten te behagen, of ze was gewoon heel erg slim, dacht hij.

'Waarom nemen we niet even een pauze.' Het was geen vraag. Ze knikte naar de open kast tegen de zijmuur, naar een roestvrijstalen apparaat dat eruitzag alsof het bij Starbucks thuishoorde. 'Wilt u koffie?'

'Zolang die niet naar afwaswater smaakt...'

Er zat een scherp randje aan haar lach.

'Ik zet mijn eigen koffie. Stumptown.'

De naam zei hem niets. Hij keek naar haar handen terwijl ze bezig was. Rotsvaste bewegingen. Hij wilde hier zo snel mogelijk weg. Hij was het niet gewend ondervraagd te worden, en hij had spijt van zijn onbezonnen actie in de bank. Maar hij had geen keus gehad. Naomi had de link tussen Middle Bay en Gemini Holdings ontdekt. Hij zat diep in de shit en wist dat die klootzak van een Pawnhill hem verantwoordelijk hield. Hij had geprobeerd Naomi uit de buurt van Middle Bay te houden, maar zoals altijd had ze haar eigen koers gevaren. Dat had hij vroeger juist bewonderd in haar. Eerlijk gezegd had het hem flink van streek gemaakt dat hij haar moest doodschieten. Dat verbaasde hem. Voordat hij bij de Geheime Dienst kwam werken had hij ook mensen gedood, meer dan hij kon tellen, maar dit was toch anders geweest. Dit was Naomi. Jezus, ze waren praktisch met elkaar getrouwd geweest en in sommige opzichten was hun relatie intiemer dan die van de meeste huwelijkspartners. Ze waren voor elkaar door het vuur gegaan. Tot gisteren. Hij verkeerde nog steeds in een soort shocktoestand. Hij keek naar zijn handen en vroeg zich af wanneer ze zouden gaan trillen.

Hij keek op toen Heroe terugkwam met twee piepkleine kopjes, waarvan ze er een voor hem neerzette.

'Wat moet dit voorstellen?'

Ze ging weer tegenover hem zitten. 'Hebt u nooit espresso gedronken?'

'Ik drink alleen koffie,' zei hij.

'Espresso ís koffie.' Ze nam een slokje. 'Maar dan beter.'

Hij sloeg het zijne in één keer achterover.

'Over de auto van agent Wilde,' zei Heroe. 'Ik denk niet dat ze erin zat toen die verongelukte.'

McKinsey verslikte zich bijna. 'Ik... ik kan u niet volgen.'

'Sporenonderzoek. Geen bloed, geen huidschilfers... niks van de dingen die je zou verwachten wanneer je het interieur van een auto onderzoekt... de bestuurdersstoel, de hoofdsteun, het stuur. Er was helemaal niks te vinden.'

Shit, dacht McKinsey, ik was zo opgefokt dat ik ben vergeten het sporenmateriaal achter te laten.

Hij kreeg het even benauwd, maar op dat moment, net nu hij het meest om hulp verlegen zat, ging de deur open. Heroes baas, Alan Fraine, stak zijn hoofd naar binnen en wenkte haar. Heroe excuseerde zich, stond op en liep het vertrek uit. Hij had honderd seconden afgeteld toen ze terugkwam, met een norse trek op haar gezicht.

Ze leunde met haar rug tegen de open deur. 'U bent vrij om te gaan.'

Toen McKinsey langs haar heen liep, grijnsde hij, en zonder het te willen zei hij: 'Tot de volgende keer.'

Nadat McKinsey het gebouw had verlaten, hielden Heroe en Alan Fraine een nabespreking in Fraines kantoor. In tegenstelling tot de meeste kantoren van het hoofdbureau was dat van Fraine overdreven, bijna beangstigend netjes. Fraine zelf was net zo. Hij bevond zich al aan de keerzijde van de middelbare leeftijd, was kalend, had een hoog voorhoofd met sproeten, en opvallend kleine voeten en handen, met slanke vingers. Hij ging meestal gekleed in een keurig gestreken overhemd met lange mouwen en in plaats van een riem droeg hij bretels om te voorkomen dat zijn broek van zijn smalle heupen zakte. Hij zat achter zijn bureau en Heroe ging in de fauteuil aan de andere kant zitten.

'Ik vraag me nog steeds af of het een goed idee was om McKinsey te laten merken dat we belangstelling voor hem hebben,' zei Fraine. 'Maar ik heb meegeluisterd, en volgens mij begon je al vat op hem te krijgen.'

Heroe zuchtte. 'Het is belangrijker dat we weten wie zijn opdrachtgever is. Dus vertel op.'

'Je had gelijk, het is niet zijn baas bij de Geheime Dienst,' zei Fraine. 'Het is Andrew Gunn van Fortress.'

'Verdomme, als ik het niet dacht!' Heroe stak haar vuist in de lucht. 'Oké, nu komen we ergens.'

'Denk jij dat McKinsey vuile handen heeft?'

'Ik weet het zeker,' zei Heroe. 'En ik denk ook dat Naomi Wilde dood is, niet vermist of ontvoerd. Ik denk dat ze is vermoord omdat ze iets wist of iets had ontdekt. En Peter McKinsey is mijn belangrijkste verdachte.'

'De ene federale agent vermoordt de andere? Jezus, Heroe, zelfs voor jou is dat een gewaagde uitspraak, zeker omdat we niks hebben om het hard te maken.'

'Het kan me niet schelen hoe gewaagd mijn theorie is. Naomi Wildes auto is van de weg gereden zonder haar erin. Iemand heeft die met opzet van de vloedkering laten rijden. Reken maar dat ik zijn alibi grondig ga uitkammen.'

Fraine draaide zijn stoel een halve slag en staarde uit het raam. 'Maar als ze dood is, waarom zat ze dan niet in die auto?'

'Als ik moet gokken? Ik denk dat het om een onvoorziene moord gaat die nogal bloederig is uitgepakt. En, als ik nog een stap verder moet gaan, dat de manier waarop ze is vermoord ons misschien bij McKinsey zal brengen.'

Fraine was gewend aan Heroes speculaties. Hij haalde ze niet onderuit, omdat ze vaker wel dan niet juist bleken te zijn. Hij spreidde zijn armen.

'Oké, stel dat je op alle punten gelijk hebt...'

'Ik wéét dat ik gelijk heb.' Ze haalde een mobiele telefoon uit haar zak en legde die op het bureau.

'Dit is de telefoon van Naomi Wilde. We hebben hem gevonden in de middenconsole van de auto, waar hij tijdens de klap beschermd is gebleven.'

'Ja. En?'

'Denk je niet dat als ze ergens naartoe moest waar ze mogelijk gevaar liep, ze haar telefoon bij zich zou hebben?' Ze schudde overtuigd het hoofd. 'Nee, ze was met iemand die ze vertrouwde toen ze werd vermoord.'

'Iemand als Peter McKinsey.' Fraine wreef met zijn hand over zijn voorhoofd. 'Als je gelijk hebt – áls – zullen de hoge heren daar niet blij mee zijn, helemaal niet blij.'

'Dat is mijn probleem niet.'

'Dat wordt het wel als je Naomi's lijk niet vindt. Niemand mag hiervan horen totdat het is gevonden.'

'En als dat niet lukt?'

'Dan sterft je theorie een vroege dood tussen de vier muren van dit kantoor.'

'Dat kan ik niet toestaan.'

'Waar is ze, Nona? Waar is Naomi Wilde?'

'Ik mag doodvallen als ik het weet.' Haar stem werd een schor gefluister. 'Maar waar ze ook is, ze slaapt er tussen de vissen, net als Luca Brasi. En net als een Corleone ga ik uitzoeken wie haar heeft vermoord en wraak nemen.'

Fraine draaide zijn stoel terug, zette zijn ellebogen op zijn bureau en boog zich naar voren. 'Ik vind het altijd verontrustend wanneer een politieambtenaar het woord "wraak" in de mond neemt.'

Heroe stond op. Ze leek net een Walkure: sterk, donker en vastbesloten. 'Misschien is het feit dat de ene agent van de Geheime Dienst de andere vermoordt wel veel verontrustender.'

'Wat zei ze voordat ze stierf?'

Verbaasd draaide Arian Xhafa zich om, maar de Syriër leek het te menen.

'Ze zei "waarom?"'

Er kwam even een afwezige blik in de ogen van de Syriër. Het waren net kooltjes, doordringend en nietsontziend. 'Dat zeggen ze allemaal. Het zou leuk zijn als iemand een keer iets nieuws verzon.'

Misschien kun jij dat doen als je sterft, dacht Xhafa.

'Arjeta Kraja bezat kennis, Xhafa, en kennis is als een virus... voor je het weet, verspreidt het zich alle kanten op.' De Syriër trok zachtjes aan zijn baard, een teken dat hij in gedachten was. 'Heeft ze verder nog iets gezegd?'

'Ja.' Xhafa huiverde. Hij had gehoopt dat de Syriër het niet zou vragen. 'Ze zei: "Waar ik naartoe ga, zijn geen geheimen meer."'

De Syriër schrok op alsof iemand hem met een speld had geprikt. 'Ik wist het zodra ze op de vlucht sloeg,' zei hij. 'Dit is het bewijs. Begrijp je dat dan niet, dwaas? Ze wíst het.'

Opnieuw voelde Xhafa zich als een kind dat iets doms had gezegd. Hij voelde een grote, moordlustige woede in zich oplaaien en concentreerde zich een halve minuut lang op het ontspannen van zijn vingers om te voorkomen dat hij zijn handen tot vuisten balde. Vanaf het moment dat de Syriër over Arjeta Kraja was begonnen, had Xhafa een kille leegte in zijn maagstreek gevoeld. De school in Tetovo was vol meisjes geweest, allemaal aspirant-slaafjes, ontvoerd door zijn mannen of gekocht van hun wanhopige of harteloze ouders. En een van die meisjes was Arjeta's zusje Edon geweest. Had Edon geweten wat haar zus wist, of had haar zus het haar verteld voordat Xhafa de kans kreeg Arjeta het zwijgen op te leggen? Hij wist het echt niet. Hij wist ook niet of Edon Kraja de aanslag op de school had overleefd. Hij bad tot Allah dat dat niet zo was. Maar hij durfde er in elk geval geen woord over tegen de Syriër te zeggen. Als hij dat wel deed, zou dat zijn einde betekenen, daar was hij van overtuigd.

De Syriër tuurde door de getinte voorruit, zo te zien in beslag genomen door zijn eigen gedachten. Het konvooi reed een groot landgoed op, door een poort die elektronisch werd geopend in een hoog hek met schrikdraad en prikkeldraad erbovenop, en ze kwamen terecht op een oprijlaan met grind zo wit dat het hen in het weinige licht tegemoet straalde. Mannen met grote, agressieve waakhonden aan de riem kwamen aan beide kanten van achter het huis tevoorschijn. De honden rukten aan hun riem en hun ogen en tanden glinsterden in de schemering.

De Syriër sloeg er geen acht op. 'Ze heeft het gezien, en het kan zijn dat ze iemand zelfs de naam heeft horen noemen.'

'Wie zou dat geweest moeten zijn?' vroeg Xhafa.

Het pantservoertuig kwam tot stilstand voor een reusachtige eikenhouten deur, geroofd uit een middeleeuwse kathedraal, met zes brede, witmarmeren treden ervoor.

De twee mannen stapten uit. De flanken van de honden trilden van opwinding maar daar bleef het bij, want ze hadden de geur van beide mannen herkend.

De deur werd geopend door Taroq, de hoofdbewaker van het landgoed. Ze begroetten elkaar en hij ging hen voor naar een zaal zo groot als een voetbalveld en zo kaal als de cel van een monnik. Er was vrijwel geen meubilair, alleen wat zijden gebedskleedjes en kussens op de vloer, een lage houten tafel met daarop een hoge theepot met een lange, S-vormige tuit, zes glaasjes in koperen houders en een antieke waterpijp. Voordat de twee mannen naar binnen gingen, trokken ze hun schoenen uit en trokken ze de zachte leren slippers met opstaande neuzen aan.

Het licht in de hal viel naar binnen door een aantal ramen in de beide zijmuren. Bij de achterwand, een heel eind van hen vandaan, stond een eenvoudig bureau met daarop drie computers: twee desktops en een dunne, moderne laptop. Alle computers waren aangesloten op een *high-speed* modem dat op bestelling in het huis was geïnstalleerd en dat voldeed aan de specificaties van degene die achter het bureau van het ene scherm naar het andere keek.

'Hallo, jongens,' zei een aangenaam volle altstem in het Engels. 'Nu al terug?'

De stoel werd een halve slag gedraaid toen de mannen op hun slippers naderden. Er zat een jonge vrouw in. Ze was zo mager als een lat en had een bleek, ascetisch gezicht, met als voornaamste kenmerk een breed, hoog voorhoofd. Haar blonde haar was in een paardenstaart gebonden, die tussen haar messcherpe schouderbladen eindigde. Ze was gekleed in een zwarte spijkerbroek en een zwart mannenhemd met opgerolde mouwen tot aan de elleboog, en de zijdezachte haartjes op haar onderarmen waren bijna wit. Ze had geen make-up op en droeg geen sieraden, maar haar diepliggende blauwgroene ogen fonkelden met een kracht en een scherpzinnigheid die aan een roofdier deden denken.

Ze stond op en kwam met lange, atletische passen naar hen toe lopen. Ze was lang, maar toch een stuk kleiner dan de Syriër. Ze moest naar hem opkijken en op haar tenen gaan staan om hem op de lippen te kussen. Het was een lange kus vol onverhulde passie die Xhafa dwong de andere kant op te kijken.

Op het gezicht van de Syriër brak een brede glimlach door, wat voor hem een unicum kon worden genoemd.

'Caroline, mijn *habibi*,' zei hij. 'Wat voor ondeugende dingen heb je allemaal gedaan terwijl ik weg was?'

23

In de nasleep van de verwoesting van Arian Xhafa's fort in Tetovo gebeurden drie belangrijke dingen. Ten eerste ontdekte Alli dat niet alle leerlingen wees waren. Het merendeel van de jonge meisjes was gekidnapt of verkocht om als slaaf verhandeld te worden. Ten tweede: er was mobiel telefoonverkeer mogelijk in het gebied. Toen Jacks toestel zoemend tot leven kwam omdat het signaal kreeg, zag hij dat Alli in gesprek was met de woordvoerder van de kinderen, een beeldschoon meisje met de meest gave huid die hij ooit had gezien, met wie Alli onmiddellijk vriendschap gesloten leek te hebben.

Hij had drie voicemails van Naomi Wilde. Ervan uitgaande dat ze had geprobeerd hem te bereiken om hem te updaten over haar vorderingen, luisterde hij met interesse en groeiende bezorgdheid naar haar korte maar bondige rapportages.

In de eerste had ze het over haar toenemende argwaan jegens haar partner, Peter McKinsey, en zijn mogelijke banden met Fortress Securities. Ze vertelde hem ook over het belastende bewijs tegen Alli, alsof er tegengestelde krachten met elkaar in botsing waren gekomen, een ontdekking die haar eerlijk gezegd had verbijsterd.

In de tweede voicemail beschreef ze dat ze McKinsey naar Georgetown en de jachthaven aan de Sequoia-boulevard was gevolgd. McKinsey had daar een onbekende man ontmoet die volgens Naomi's beschrijving vrijwel zeker van Arabische origine was. De Arabier was met McKinsey naar Theodore Roosevelt Island gevaren, waar ze van boord waren gegaan en in het groen waren verdwenen. Naomi zei er niet bij hoe lang ze op het eiland waren gebleven. Ze was blijkbaar niet blijven wachten tot ze weer tevoorschijn kwamen.

De derde en laatste voicemail was de dreun die Jack vol in de maag trof. Naomi beschreef haar ontmoeting met een vrouw die haar had meegenomen naar Roosevelt Island, waar de vrouw haar het onlangs begraven lijk van Arjeta Kraja had laten zien. Het lag voor de hand dat de twee mannen haar daar hadden begraven. Was het de Arabier geweest die haar had gedood, of had McKinsey dat gedaan? Onmogelijk te zeggen. De vrouw had haar ook verteld over Arjeta's zusjes, Edon en Liridona, die ze allebei kende en die op de een of andere manier belangrijk waren. De zusjes waren op de hoogte van een geheim dat vrijwel zeker Arian Xhafa of iemand van zijn netwerk aanging. De vrouw had gezegd dat de zusjes in het Albanese kustplaatsje Vlorë woonden. Liridona was daar waarschijnlijk nog steeds, maar Edon was op de vlucht geslagen, hoogstwaarschijnlijk voor Xhafa's mannen.

Om hem de kans te geven het nieuws te laten bezinken had Naomi de identiteit van haar mysterieuze helper voor het laatst bewaard, maar toen Jack de naam Annika hoorde, verstrakte hij. Aangeslagen ging hij op een boomstronk zitten. Zijn hart bonkte in zijn keel en hij had het warm en koud tegelijk, een gevoel dat zijn vermogen om na te denken beïnvloedde.

Annika was – van alle plaatsen ter wereld – in Washington opgedoken. Tot slot hoorde hij Naomi zeggen: 'Ik denk dat zij achter dit alles zit, en dat ze weet waar jij bent.'

Jack merkte dat hij al die tijd zijn adem had ingehouden en ademde een paar keer diep in om zuurstof in zijn longen te krijgen. Hij had het gevoel dat hij onder water werd getrokken. Hij maande zichzelf tot kalmte en om na te denken over wat er in godsnaam aan de hand was, maar het was alsof zijn hersenen weigerden te functioneren. Annika, de ongrijpbare Russische FSB-agent die hij het leven had gered, om vervolgens tot de ontdekking te komen dat ze helemaal geen FSB-agent was en dat de man van wie hij haar had gered haar eigen bondgenoot was. Ze had al die tijd gewerkt voor haar grootvader, Dyadya Gourdjiev. Hij had zich bijzonder aangetrokken gevoeld tot Annika, vanaf het moment dat hij haar een jaar daarvoor in de bar van zijn hotel in Moskou had ontmoet. Die kennismaking was uitgegroeid tot een liefde waarvan hij geloofde dat die wederzijds was, totdat hij op zijn laatste dag in Moskou een e-mail van haar had gehad waarin ze hem bekende dat zij het was geweest die senator Berns had vermoord, een moord die een politieke chaos had veroorzaakt en die het vertrekpunt was geweest van Jacks onderzoek naar politieke corruptie in de hoogste regionen van zowel de Amerikaanse als de Russische regering.

Ik heb geen spijt van wat ik heb gedaan, noch ben ik er trots op, had ze geschreven. *Zowel in oorlogen als in vredestijd moeten offers worden gebracht, moeten soldaten sneuvelen om de slag te kunnen winnen... ook – of misschien júíst – degenen die een vorstelijk salaris opstrijken en die opereren in het duister, waar alleen mensen als wij hen kunnen zien.*

Je zult me nu haten, wat begrijpelijk en onvermijdelijk is, maar je kent me: ik kan niet tegen onverschilligheid en jij, ondanks alles wat er is gebeurd, zult me nooit onverschillig laten.

Dat kreng, dacht hij nu. Hij sloeg zijn handen voor zijn ogen. Hij had in de afgelopen maanden zo zijn best gedaan haar uit zijn hoofd te zetten.

Mijn grootvader heeft me verboden het tegen je te zeggen, maar ik doe het toch, want er is iets wat je moet weten, namelijk dat dit de reden is waarom ik niet ben gekomen, dat ik nooit meer zál komen, hoe lang je ook wacht, en dat ik niet melodramatisch ben wanneer ik tegen je zeg dat we elkaar nooit meer zullen zien.

Haar betrokkenheid bij de moord had het hele scenario in een ander daglicht geplaatst, waar alle stukjes, hoe klein en verschillend ook, langzaam maar zeker op hun plaats waren gevallen. Nog een moord die een hele groep mensen in beweging bracht, met name hemzelf en Alli. Kon dit weer zo'n zorgvuldig voorbereide operatie onder Annika's regie zijn? Het gebeuren droeg zeker haar signatuur, maar er waren ook verschillen, waarvan de brute marteling van Billy Warren de meest opvallende was. Dat was niets voor Annika. Ze was zelf lichamelijk misbruikt en hij kon zich niet voorstellen, in geen enkele situatie, dat zij iemand zou martelen, tenzij die persoon haar of iemand die haar dierbaar was iets vreselijks had aangedaan. En zo iemand was Billy Warren niet geweest.

Nu pas merkte hij dat Paull naast hem stond.

'Alles oké met je?'

'Ja,' mompelde Jack.

'Je ziet eruit alsof er net iemand over je graf is gelopen.'

De enige reactie die Jack kon opbrengen was een schaapachtige glimlach.

Paull schraapte zijn keel. 'Hoor eens, ik ben hier overbodig,' zei hij. 'Of, als ik eerlijk tegen mezelf ben, nog erger dan dat. Ik heb jullie bijna de dood in gejaagd.'

'Kan ons allemaal gebeuren,' zei Jack.

Paull glimlachte en gaf Jack een klap op zijn schouder. 'Je bent een goede vriend geweest. Ik waardeer je support, maar jullie zullen het vanaf nu zonder mij moeten doen.' Hij wendde even zijn blik af. 'De waarheid is dat de tijd van het veldwerk voor mij voorbij is. Ik ben het gevoel ervoor kwijt. Dit soort werk vraagt om een ander persoon dan degene die ik ben geworden. De jaren achter een bureau hebben me veranderd, Jack. Of je het leuk vindt of niet, mijn huidige expertise is dat ik mijn mensen tactische support bied en dat ik hun missies bescherm tegen politieke inmenging. Geloof me als ik tegen je zeg dat ik vanuit Washington meer van nut kan zijn.'

Jack knikte. Hij kon weinig inbrengen tegen de beslissing van zijn vriend.

Paull knikte naar het meisje met de porseleinen huid. 'Ik denk dat het zinnig zou zijn als je even luisterde naar wat Edon te vertellen heeft.'

Jack spitste zijn oren. 'Hoe zei je dat ze heette?'

'Edon.' Paull keek hem verbaasd aan. 'Edon Kraja.'

De beste manier om een man nietsvermoedend de dood in te lokken, is met een mooi meisje. Dat was het motto dat Gunn hanteerde sinds hij in de schemerwereld actief was. Een methode zo oud als de oertijd, en daarom bijna onfeilbaar. Heel soms moest hij het mooie meisje vervangen door een mooi jongetje, maar het principe bleef hetzelfde.

Vera Bard zou de volgende dag teruggaan naar Fearington na een week ziekteverlof, en hij belde haar. Natuurlijk zei ze ja, dit klusje was een kolfje naar haar grijpgrage hand. Hij gaf haar de instructies.

'Hoe lang heb je ervoor nodig?' vroeg hij.

'Ik ben redelijk dicht in de buurt,' zei Vera. 'Hooguit veertig minuten.'

Veertig minuten later nam Gunn de trap van de officiële kantoren van Fortress naar het extra kantoor dat Blunt tussen de verschillende operaties in gebruikte. Hoe hij ook zijn best had gedaan, Gunn had nog altijd niet kunnen wennen aan Blunts nieuwe undercovernaam, Willowicz.

Blunt stond koffie te zetten, of wat daar in dit stinkhol voor moest doorgaan.

'Ik heb een klus voor jou en O'Banion.'

'Dat kan dan maar beter een goedbetaalde zijn,' zei Blunt. 'Ik zit tot aan mijn kruin in de gokschulden.'

'Nu je het zegt, het wordt inderdaad goed betaald,' zei Gunn. 'Maar er is haast bij; het moet vandaag gebeuren.'

'Ik hou niet van haastklussen... die hebben de vervelende eigenschap op een rommeltje uit te draaien.'

Gunn had dit antwoord verwacht. 'Wat dacht je van drie keer je gebruikelijke honorarium?'

'Klinkt goed. Wie, waar en wanneer?'

Gunn gaf hem de bijzonderheden en vertrok. Hoe eerder hij daar weg was hoe liever, maar hij ging niet terug naar zijn kantoor. Hij had een andere bestemming. Hij had zijn plan tot in detail uitgedacht na zijn buitengewoon onaangename bespreking met Pawnhill. Hij had te maken met geesten... heel gevaarlijke geesten die ondertussen al twintig of meer mensen hadden vermoord. Even vroeg hij zich af of Pawnhill wel besefte wat een moeilijke opdracht hij Gunn had gegeven. De schoft kennende zou het hem geen barst kunnen schelen. Pawnhill wist wat hij wilde, en hij wist ook dat Gunn niet in de positie was hem iets te weigeren.

Ooit, dacht hij, kwam er een dag dat hij zich onder Pawnhills duim uit zou worstelen. Maar helaas was dat niet vandaag.

'De school was niks anders dan een dekmantel,' zei Edon. 'Er zijn hier zes wezen, precies genoeg om de schijn op te houden. De rest bestaat uit meisjes zoals ik. Als slaven verkocht door hun ouders, of van straat geplukt... in elk geval zonder iemand die naar ons op zoek is.'

Ze hadden de kinderen weggevoerd van het brandende, verwoeste schoolgebouw, naar het jonge bos ten noordwesten van Tetovo, waar ze op veilige afstand van de beschaving een tijdelijk kamp hadden gemaakt. Thatë had de rest van zijn mannen op pad gestuurd om hout voor een vuur bij elkaar te zoeken. Rusteloos als hij was had hij zichzelf de eerste wacht gegeven en patrouilleerde hij rondom hun kamp.

Edons blik zocht die van Jack. 'Op die manier vormden we geen risico voor Xhafa en zijn mensen.'

'En als hij de meisjes naar een andere plek moet overbrengen?'

Edon lachte verbitterd. 'Dan gebruikt hij smeergeld en koopt hij de plaatselijke autoriteiten om. Een probleemloos draaiend systeem dat bewondering afdwingt. De autoriteiten worden gefilmd als ze worden omgekocht... met geld of met seks met de meisjes. Ik heb opnames gezien, want Xhafa speelt ze soms af voor zijn mannen, als ze dronken zijn en er hardop om lachen. Afschuwelijke, walgelijke beelden... bijna niet te beschrijven. Erger dan beesten waren ze dan. En naderhand werden we door Xhafa's mannen verkracht, keer op keer.

Voor de meisjes was dit niks nieuws. De bedoeling is dat hun geest wordt gebroken. Ze worden behandeld als vuil, worden misbruikt en geslagen. Als ze zich verzetten zijn ze helemaal aan de goden overgeleverd, want dan krijgen ze niks meer te eten, worden ze geboeid in een donkere kamer gegooid, geslagen, gedrogeerd en door vier of vijf man verkracht. De hardnekkige gevallen spuiten ze in met heroïne en zijn ze eenmaal verslaafd, dan werken ze wel mee en doen ze alles voor hun volgende shot.'

Ze gaf deze opsomming van gruwelijkheden op een afstandelijke toon die bijna griezelig was, alsof ze het had over een horrorfilm die ze ooit had gezien. Maar Alli was bleek van woede geworden. Jack voelde dat ze trillend naast hem stond.

'Hebben ze dit ook met jou gedaan?' vroeg Alli met schorre stem.

'Ik was slimmer dan de rest,' zei Edon. 'Ik deed wat me werd opgedragen en speelde met ze mee, net als Arjeta. Algauw werd ik hun favoriet en gaven ze meer om mijn gezicht dan om mijn lichaam. O, heel af en toe probeerde iemand me nog weleens te verkrachten, maar dat stond Arian niet toe. Hij heeft een van zijn mannen bijna doodgeslagen toen hij het probeerde, en daarna liet iedereen me met rust.'

Alli had haar adem ingehouden en slaakte een zucht van opluchting, maar haar handen bleven tot vuisten gebald en haar ogen fonkelden van woede.

'Over Xhafa gesproken,' zei Jack, 'wanneer heb je hem voor het laatst gezien?'

'Dagen geleden,' zei Edon. 'Misschien wel een week of langer.'

'Maar een van zijn mannen zei dat hij tot een halfuur voor de aanval in de school was gebleven.'

'Dan liegt hij,' zei Edon. 'Ik heb hem zelf zien vertrekken.'

Haar zekerheid nam alle twijfel weg. Jack had bewondering voor haar innerlijke kracht. Hij vroeg zich af of alle drie de zusjes die eigenschap bezaten. En die gedachte bracht hem bij de vraag of dit het juiste moment was om Edon te vertellen dat een van haar zusjes was vermoord. Hij kwam tot de conclusie dat er voor zulk nieuws geen geschikt moment bestond en besloot het haar te vertellen. Maar eerst moest hij haar een vraag stellen.

'Alli en ik zijn vrienden van Annika.' Vanuit zijn ooghoek zag hij Alli's verbijstering, maar ze was zo verstandig haar mond te houden. 'Ze heeft ons over jou verteld.'

Edons gezicht klaarde op. 'Kennen jullie Annika? Dat is geweldig. Mijn zusjes en ik zijn dol op haar.'

'Waar ken je haar van?'

Edon fronste haar wenkbrauwen. 'Het was Arjeta die haar het eerst heeft ontmoet, geloof ik. Papa lijdt aan een vreselijke ziekte... hij is verslaafd aan gokken. Hij had altijd gokschulden, die soms heel hoog opliepen. Op een keer kwam een van Xhafa's mannen naar hem toe om het geld te innen, en papa loste zijn schuld af door hem Arjeta te verkopen. Daarna zou ik aan de beurt zijn. Tegen die tijd was Arjeta al het favoriete meisje van Dardan Xhafa, en toen Dardan naar Amerika werd gestuurd, ging Arjeta met hem mee.'

Dat verklaarde veel, dacht Jack. Er vielen weer een paar puzzelstukjes op hun plaats, wat hem een nieuw, groter totaalbeeld gaf. Annika was onlangs in Washington gezien. Was dat toeval? Hij geloofde van niet.

'Waarom zocht Annika contact met Arjeta?'

'Annika wilde dat ze Xhafa bespioneerde. Als ze dat deed, zou Annika ervoor zorgen dat ze voor altijd van Xhafa werd bevrijd.'

Dat was ze nu, bedacht Jack, maar niet op de manier die Annika voor ogen had gehad. En opeens bood zich een nieuwe mogelijkheid aan. Hij excuseerde zich, liep een paar meter van hen weg, haalde de telefoon uit zijn zak die Alli in de afgesloten la van Henry Holt Carsons bureau had gevonden, en zette het toestel aan. In de contactenlijst stonden maar twee nummers, het ene aangeduid met A, het andere met D. Allebei nummers in de Verenigde Staten.

Kon het waar zijn? vroeg Jack zich af, en hij koos het nummer met de A en drukte op het groene knopje. Het leek een eeuwigheid te duren voordat de verbinding tot stand kwam, maar uiteindelijk hoorde hij het toestel drie, vier, vijf keer overgaan. Hij werd niet doorgeschakeld naar een voicemail.

Hij wilde de verbinding net verbreken toen hij haar stem hoorde, en terwijl zijn hart in zijn keel klopte zei hij: 'Hallo, Annika.'

Zodra Gunn was vertrokken belde Willowicz O'Banion. De koffie was klaar. Het brouwsel zag eruit als modder, maar met zes scheppen suiker was het best te drinken.

'Wat ben je aan het doen?' vroeg hij toen O'Banion opnam.

'Ik lig te neuken,' blafte O'Banion. 'Wat is er, verdomme?'

'Gunn.' Hij nam een slok koffie, die zowel bitter als mierzoet was. 'We hebben een klus.'

'Ben je doof?' O'Banion stootte een ritmisch gekreun uit. 'Ik ben bezig.'

Willowicz zette de mok op het roestvrijstalen aanrecht. Dit spul was rijp voor het riool, dacht hij. 'Driedubbel honorarium.'

'Zeg dat dan meteen.' O'Banion hapte naar adem. 'Ik doe mee.'

'Dan haal je hem er nu uit.'

O'Banion lachte schor en slaakte een langgerekte kreun. Willowicz hoorde een klap en daarna niets meer.

'O'Banion?'

Na een korte stilte: 'Ja, ja, ja... Ik liet die klotetelefoon vallen.'

'Zo goed, hè?'

'Waar?'

Willowicz gaf hem de instructies. 'Over een uur,' zei hij. 'Zorg ervoor dat je op tijd bent.'

'Ik ben altijd op tijd.'

Willowicz verbrak de verbinding, pakte de spullen die hij nodig had, propte ze in de extra grote binnenzakken van de speciaal voor hem gemaakte overjas en liep de gang op. Hij drukte op het knopje van de lift en dacht na over zijn samenwerking met O'Banion. Ze waren al jarenlang partners. Soms leek het wel alsof ze samen in elk stinkgat van het Midden-Oosten waren geweest, alle bergen ter wereld hadden beklommen, elke grot waren binnengekropen en de halve Taliban hadden opgeblazen. En toch waren ze steeds weer tevoorschijn gekomen, als kakkerlakken die een open suikerpot hadden ontdekt. O'Banion en hij deelden alles met elkaar en de bergen van Afghanistan en West-Pakistan, waar ze een bloederig spoor hadden achtergelaten, hadden geen enkel geheim voor hen. Ze waren meer dan broers voor elkaar, er was niets wat ze niet voor elkaar zouden doen.

Maar aan alles komt ooit een eind. Op een dag waren ze het spuugzat om achter ignorante fanatici aan te jagen. Het was tijd om iets anders te gaan doen. Daarom waren ze, toen ze in de VS waren teruggekeerd, rechtstreeks naar Gunn gestapt. Gunn was een stomme hufter, net als alle ex-mariniers die de overheid miljoenen kostten. Maar wat zij deden was niet bepaald kernfysica. Het enige wat ze hoefden te doen was mensen martelen en vermoorden zonder vragen te stellen, en daarna daalde het geld als manna op hen neer. O ja, je moest nog iets hebben, iets wat O'Banion en hij niet hadden: politieke connecties, en die had Gunn in overvloed; hij genoot bijvoorbeeld de bescherming van Henry Holt Carson. En voor zover het hersenloze bazen betrof hadden ze het slechter kunnen treffen, hij betaalde in elk geval goed en hij was altijd rechtdoorzee geweest.

De lift stond nog steeds op de bovenste verdieping. Binnensmonds vloekend liep Willowicz naar de deur van het trappenhuis, trok die open en begon de trap af te dalen. Toen hij op de eerste overloop kwam, zag hij een vrouw op de verdieping onder hem. Ze droeg enkellaarsjes en stond ver voorovergebogen omdat een van de hakken was afgebroken. Ze had een adembenemend kort rokje aan en daaronder zo te zien niets. Hij liet zijn tong langs zijn lippen gaan en liep de volgende trap af.

Ze hoorde hem aankomen en veerde overeind. Toen ze zich naar hem omdraaide, zag hij dat ze bloosde. Een beeldschone vrouw, donker en exotisch. Van Euraziatische afkomst, vermoedde hij.

'Goeie god,' zei ze. 'Hoe lang staat u al te kijken?'

'Maak je geen zorgen.' Hij grijnsde. 'Je geheimen zijn veilig bij me.'

Met als gevolg dat ze nog dieper begon te blozen en Gunns opwinding alleen maar toenam.

'Kan ik je ergens mee helpen?' vroeg hij.

'Die verdomde hoge hakken.' Ze liet hem de afgebroken hak zien.

'Ik denk dat je ze beter kunt uittrekken,' zei hij, en met een droge glimlach voegde hij eraan toe: 'Of ik kan je de trap af dragen.'

'Dat is niet nodig,' zei ze snel. Ze trok haar laarsjes uit en gaf ze aan hem. 'Zou u zo galant willen zijn?'

Op het moment dat hij de laarsjes aanpakte, ging achter hem de deur open en kwam Gunn geruisloos en met een pistool met geluiddemper in zijn hand het trappenhuis in. Misschien had Willowicz iets in Vera's ogen kunnen zien, maar hij werd te veel door aantrekkingskracht afgeleid en zijn reflexen lieten het afweten. Hij wilde zich net omdraaien toen Gunn twee schoten op hem loste en hem in zijn rug en zijn hoofd raakte.

De enkellaarsjes kletterden op het beton. Ze stapte over Willowicz heen en raapte ze op. Toen ze langs Gunn liep zei ze: 'Ik krijg een paar nieuwe Louboutins van je.'

Willowicz leefde nog toen de vrouw en zijn moordenaar waren vertrokken. Zijn hart klopte nog nauwelijks en hij had geen idee waar hij was. Wel wist hij dat hij aan het sterven was. Dat onderscheidde de mens tenslotte van de dieren. Het besef van de naderende dood.

Blunt of Willowicz – of wat zijn echte naam ook was – werd zich vaag bewust van zijn mobiele telefoon, die naast zijn hoofd lag. Die was zeker uit zijn zak gegleden toen hij op de grond viel. De kogel in zijn rug had bijna al zijn zenuwen verlamd. Hij had geen gevoel meer in zijn benen en kon zich niet meer bewegen, afgezien van zijn ene wijsvinger. Trillend stak hij hem uit naar het toestel. Alsof de vinger een eigen leven leidde schoof die een fractie naar links en drukte op de voorkeuzeknop.

De verbinding kwam tot stand en O'Banions stem echode door het trappenhuis.

'Willowicz? Hallo? Willowicz?'

Blunts lippen bewogen en er kwamen roze luchtbellen tussen vandaan. Drie keer probeerde hij iets te zeggen, maar het lukte niet. Uiteindelijk, toen het licht begon te doven en hij zijn laatste wanhopige grip op het leven verloor, slaagde hij erin twee woorden uit te brengen.

'Hij komt.'

24

'Wat doe jij met die telefoon, Jack?'

'Jou bellen, klaarblijkelijk. En ik neem aan dat het andere nummer in de contactenlijst me met Dyadya Gourdjiev zal verbinden.'

Annika slaakte een zucht. 'Normaliter wel, ja. Helaas ligt mijn grootvader in het ziekenhuis.'

'Maak je geen zorgen,' zei Jack. 'Die oude reus is veel te taai om dood te gaan.'

Er volgde een stilte en Jack zag dat Alli hem met een havikenblik observeerde. Hij wilde naar haar glimlachen, maar het werd een grimas die haar bezorgdheid alleen maar deed toenemen.

Alsof Annika wist in welke richting hij dacht, zei ze: 'Hoe gaat het met Alli?'

'Dat weet jij net zo goed als ik, denk ik.'

'Ik mis haar.'

'Dat betwijfel ik.'

'Doe niet zo flauw. Ik heb nooit een geheim gemaakt van wat ik voor haar voel.'

'Annika, jij maakt overál een geheim van.'

Haar lach klonk geforceerd. 'Je hebt gelijk.'

Jack was geschokt. Hij was er zeker van geweest dat hij Annika nooit meer zou zien of spreken, en nu had hij haar ineens aan de telefoon.

'Kom me niet achterna, schreef je me,' zei hij. 'Probeer me niet te vinden.'

'En nu heb je me gevonden. Denk je dat, Jack?'

Hij was niet in staat antwoord te geven.

'Heeft Emma je niet gezegd dat ik weer zou opduiken in je leven?'

Jacks hart sloeg een slag over. Hij dacht terug aan zijn gesprek met Emma, waarin ze hem had verteld dat ze geen helderziende was. Toch had ze gesproken over een hernieuwd contact met Annika.

'Zoiets.'

'Emma is slim.'

Hij werd gegrepen door de plotselinge, egoïstische impuls het gesprek af te breken, maar in plaats daarvan kneep hij zijn ogen dicht.

'Wat wil je, Annika?'

'Wat ik altijd heb gewild, Jack. Ik wil winnen.'

'Dat begrijp ik niet.'

'O, volgens mij begrijp je dat heel goed. Ik heb je nodig, Jack. Ik heb Alli en jou nodig.'

Zijn ogen gingen open en hij keek naar Alli, die nog geen zes meter bij hem vandaan stond. Ze stond naar hem te kijken en hield haar hoofd schuin. Ze zag er opeens zo klein en kwetsbaar uit. Beschadigd. Net zoals Annika beschadigd was. Voor de allereerste keer kwam de gedachte in hem op: was Alli op weg een tweede Annika te worden? Hopelijk zou God het hem vergeven als dat waar was.

'Jack, ik heb het eerder gezegd, maar ik zal het nog eens herhalen. Of we het leuk vinden of niet, we zijn slechts pionnen. Hoe sterk we ook zijn, hoeveel macht onze mentors en vrienden ook bezitten, er zijn altijd tegenstanders die sterker zijn dan wij. En hoe meer macht ze bezitten, hoe beter ze in staat zijn zich te verschuilen. Maar jij en ik weten dat er een manier bestaat om ze te verslaan, omdat we weten dat hoe dieper ze verscholen zitten, hoe meer geheimen ze met zich meedragen. En we hoeven maar één geheim te ontmantelen om ze te kunnen verslaan, toch?'

Jack, die nog steeds naar Alli stond te kijken, zei: 'Dat klopt, Annika.'

'Je hebt geen antwoord gegeven op mijn vraag,' zei ze na een korte stilte.

'Welke vraag?'

'Hoe kom jij aan die telefoon?'

'De telefoon van Henry Holt Carson, bedoel je?'

Weer een stilte.

'Wat is er tussen jou en Carson?' vroeg Jack.

'Zo te horen hebben we allebei vragen waarop we een antwoord willen.'

'Ja, dat is juist.'

'Dan is het dus tijd,' zei ze, 'dat we elkaar weer eens ontmoeten.'

'Hoe kun je vertrouwen op een...'

'Op een vrouw?' zei de Syriër tegen Arian Xhafa.

'Moet je zien hoe ze gekleed is!'

De Syriër grinnikte. 'Gewaagd, vind je ook niet?'

Ze zaten in de ommuurde achtertuin van het landgoed. Die was groot en er stonden citrus- en vijgenbomen, die 's winters werden ingepakt om ze tegen de vorst te beschermen. Er stond ook een reusachtige, oude eik met wijd uitstaande takken die verkoelende schaduw boden. Op strategische plaatsen waren banken neergezet om, afhankelijk van het seizoen, zowel van de zon als van de schaduw te kunnen genieten. De twee mannen zaten op een van die banken en tussen hen in stond een schaal met vers fruit. Het was opgehouden met regenen en een van de bewakers had de bank afgedroogd voordat ze erop plaatsnamen. Andere bewakers, gewapend met AK-47's, stonden in de vier hoeken van de tuin tegen de muren geleund, te ver weg om hun gesprek te kunnen horen, maar desondanks praatten de twee mannen op gedempte toon.

'Je bent een goed moslim, dat heb ik meer dan eens bewezen gezien,' zei Xhafa. 'En toch geef je een vrouw – een westerse ongelovige nog wel – zoveel macht en verantwoordelijkheid. Eerlijk gezegd begrijp ik daar niets van.'

Boven hun hoofd werden de wolken voortgedreven door de wind uit het westen en waren hier en daar al stukken blauwe lucht zichtbaar.

'Caroline is een goed bewaard geheim, dat is waar.' De Syriër pakte een vijg, stopte die in zijn mond en begon er bedachtzaam op te kauwen. 'Luister naar me, Xhafa, want ik zeg het maar één keer. Het klinkt misschien hard, of zelfs onbezonnen, dus als je het aan iemand doorvertelt zal ik het glashard ontkennen.' Hij wachtte even, gaf de stilte de kans om Xhafa te doordringen van de consequenties van zijn laatste opmerking. 'Er zit een fundamenteel hiaat in de islam: in tegenstelling tot alle andere belangrijke religies lukt het de islam niet om in deze moderne wereld een plaats voor zichzelf te vinden. Omdat het geloof te kleingeestig is, Xhafa, en omdat het een klok wil terugzetten die zich niet láát terugzetten. We kunnen nóg zoveel ongelovigen doden en terroristische aanslagen plegen, we kunnen de wereld niet terugdraaien naar hoe die een paar eeuwen geleden was. We kunnen de moderne cultuur net zomin verwoesten als we de tijd kunnen terugdraaien. Als we dat blijven proberen, worden we een soort Don Quichots die tegen westerse windmolens vechten. Met als enig mogelijk resultaat dat we die strijd verliezen en gek worden.'

Xhafa zei niets. Hij durfde de Syriër niet in de ogen te kijken, maar hield zijn blik gericht op de schaal met fruit, hij had opeens het gevoel dat die een duister, dodelijk gif bevatte. Hij durfde zich niet te bewegen toen de Syriër zijn hand in de schaal stak.

'Dit is een bloedsinaasappel,' zei de Syriër, en hij liet de vrucht op zijn vingertoppen balanceren. 'Nemen we er zomaar een hap van? Natuurlijk niet. Dan verpest de bittere smaak van de schil die van het zoete vruchtvlees dat eronder zit. Maar...' Hij begon de sinaasappel te pellen. '... als we zo verstandig zijn de bittere buitenlaag te verwijderen, kijk dan eens wat een verrukkelijk resultaat ons te wachten staat.' Hij brak de sinaasappel in tweeën, gaf de ene helft aan Xhafa, nam een partje tussen zijn lippen, kauwde erop en slikte.

'Denk nu eens aan Caroline Carson als aan deze sinaasappel. Als ik erop had gestaan dat ze zich volgens de strikte islamitische tradities van top tot teen zou bedekken, zou ik nooit hebben geweten welke verrukkelijke talenten er onder die laag zaten.' Hij stak nog een partje sinaasappel in zijn mond. 'En net zoals deze sinaasappel een metafoor voor Caroline is, is zij een metafoor voor de westerse wereld. Die is niet kwaadaardig, en die wil ons helemaal niet vernietigen, al is dat het argument waarvan de fanatici onder ons zich bedienen... en geloof me, Xhafa, als ik je vertel dat fanatici overal ter wereld hetzelfde zijn. Ze kunnen niet met de realiteit overweg, dus trekken ze zich terug in hun bergkampen en halen ze uit naar iedereen die te dichtbij komt.'

Een derde partje sinaasappel verdween in zijn mond, terwijl Xhafa zijn helft nog steeds vasthield alsof die elk moment tot leven kon komen om hem naar de strot te vliegen.

'Er is kwaad in de wereld, meer dan genoeg. Het kwaad opsporen en identificeren, dáár gaat het om. Het kwaad huist in individuen, en het zijn individuen die ons willen uitroeien, dus het is op dat punt waar we actie moeten ondernemen, waar we iets goed kunnen doen en succes kunnen hebben.'

Zijn blik ging naar de halve sinaasappel in Xhafa's hand. 'Wat ik je te zeggen heb, Xhafa, is het volgende: of je gelooft me, of je gelooft me niet. En als jij dat ding niet opeet, doe ik het.'

Xhafa verroerde zich niet, bracht geen enkel geluid voort. Maar toen de Syriër probeerde hem zijn sinaasappel af te pakken, trok hij zijn hand terug.

De blik in de ogen van de Syriër was vastbesloten en meedogenloos. 'Nu is het moment, Xhafa. Een tweede kans krijgen we niet.'

Voordat generaal-majoor Peter Conover Hains het Tidal Basin ontwierp en het bassin werd gegraven, was de ontwatering van Washington zo problematisch dat op benauwde, windstille dagen de stank uit het moeras waarop de stad was gebouwd, ronduit verstikkend was. De generaal-majoor overleed in 1921, maar zijn naam leeft voort in Hains Point, een landtong tussen de Potomac en Washington Channel. Het is het meest zuidelijke puntje van East Potomac Park, en je hebt er uitzicht op Fort McNair en het National War College op de oostelijke oever aan de overkant van het water.

Het was Hains Point waar Gunn Willowicz en O'Banion naartoe had gestuurd.

Wie heeft er leuker werk dan ik, dacht Vera Bard toen ze door East Potomac Park reed. Gunn lag in de kofferbak van de Saab. Hij was zo slim geweest om een touwtje aan de achterklep te knopen, zodat hij die af en toe open kon doen om wat frisse lucht binnen te laten.

Ze reed langzaam en zorgvuldig terwijl ze nadacht over de achtereenvolgende gebeurtenissen en haar aandeel daarin, zoals Gunn het aan haar had omschreven. Hij had dat maar één keer hoeven doen, want ze nam alles razendsnel op. Het was dit vermogen dat haar op Fearington de beste van haar klas zou hebben gemaakt, tenminste, als Alli Carson er niet was geweest. Want hoe ze ook haar best deed, Alli had het altijd net iets beter gedaan dan zij. Hoewel ze kamergenoten waren en ze op haar initiatief vriendinnen waren geworden, was ze altijd vreselijk jaloers op Alli geweest. En met Vera's psyche had het niet lang geduurd tot die jaloezie in haat was veranderd. Natuurlijk had ze dit aan Gunn verteld en op een zeker moment – ze kon zich niet meer precies herinneren wanneer – was hij een meer dan gemiddelde interesse in haar kamergenoot gaan tonen. Toen, een week geleden, had hij haar gevraagd of ze zin had in een opdracht. Nieuwsgierig als ze was, had ze ja gezegd, en zo waren Alli's vingerafdrukken terechtgekomen op het flesje met roofies, die Vera vervolgens zelf had ingenomen.

Geen probleem. Ze was gewend aan zelfdestructie, sinds ze in de prepuberteit in haar eigen lichaam had gesneden, aan de binnenkant van haar dijen, om niet betrapt te worden. Ze had ook voortdurend problemen met haar lichaamsgewicht en haar zelfbeeld gehad. Wanneer ze zichzelf in de spiegel bekeek, zag ze een dikke pad of, erger nog, een misvormd wezen zoals in een lachspiegel op de kermis. Ze had altijd nachtmerries over haar onvrede met haar uiterlijk.

Ze was zeven toen ze haar vader met zijn protegé in het ouderlijk bed in de grote slaapkamer betrapte, hoewel geen van beiden dat ooit te weten kwam. Het enige waaraan ze die nacht kon denken, was dat de vrouw haar intieme sappen had achtergelaten op het laken waar Vera's moeder op dat moment op lag. Ze had twee keer moeten overgeven. De ene keer haalde ze het toilet net op tijd, de tweede keer niet.

Het was begrijpelijk dat ze het op die leeftijd voor haar moeder had opgenomen. Toen haar vader tegen haar moeder klaagde dat Vera zo afstandelijk tegen hem was, had hij als antwoord gekregen dat het natuurlijk was dat een dochter zich meer aan haar moeder bond, waarop haar vader had gezegd dat hij dan liever een zoon had gehad.

De tijd verstreek maar Vera's afkeer van het leven veranderde niet. Integendeel, die werd alleen maar erger en ontwikkelde zich tot een virus dat haar vergiftigde, totdat ze alleen nog haar moeder had bij wie ze troost kon vinden. Het lag voor de hand dat ze een hekel aan jongens had, en de meisjes van school vond ze oppervlakkig. Het was volgens haar zinloos om vriendschappen met hen aan te knopen.

Het lag ook voor de hand dat ze in de problemen zou raken, meestal door vechtpartijen met de meisjes uit haar klas, die haar pestten, en af en toe ook met jongens. Na haar eerste bloedneus sloot ze vriendschap met een Thais meisje dat op kickboksen zat. Haar moeder was verbaasd toen Vera het Thaise meisje mee naar huis nam, en nog verbaasder toen Vera vroeg of ze ook op kickboksen mocht. Maar gelukkig zei ze ja en was ze bereid het lesgeld te betalen. Na een halfjaar zocht Vera de jongen op die haar de bloedneus had geslagen. Ze daagde hem uit en met haar allereerste kick schopte ze bijna zijn kop van zijn romp.

Die stunt leverde haar een schorsing van een maand en een verplicht bezoek aan de schoolpsychiater op, maar dat had ze er wel voor over. Daarna viel niemand haar ooit nog lastig. Na verloop van tijd begon ze te beseffen hoe ze haar afkeer van jongens in haar voordeel kon gebruiken. Ze wist hoe ze ontzag moest afdwingen en leerde hoe ze gebruik kon maken van hun zwakke punten. En naarmate ze de jongens in haar klas leerde te manipuleren – en daarna ook de oudere jongens – begon haar zelfbeeld zich te herstellen. Algauw kon ze in de spiegel kijken zonder te schrikken van wat ze zag. Ze werd een beeldschoon meisje, maar niet op een naïeve, goedlachse manier. Ze had sexappeal, en de jongens kwamen op haar af als bijen op een net geopende bloemkelk.

En toen, op een dag, vond het ultieme verraad plaats. Haar moeder kreeg een hersenbloeding en was op slag dood. Ze had Vera's ontbijt klaargemaakt en had net een bord pannenkoeken met bosbessenjam voor haar neergezet. Ze kuste haar dochter boven op haar hoofd, zei: 'Eet maar gauw op, anders kom je te laat op school', draaide zich om en zakte in elkaar op de keukenvloer. Geen bloed, geen hartslag. Niets meer.

Vera liep een zware shock op en lag nog in het ziekenhuis toen haar moeder werd begraven. Naderhand was ze zo woedend dat ze nooit naar haar moeders graf ging. Ze sprak ook nooit meer over haar, tegen haar vader niet, tegen niemand. Aan de buitenkant leek het erop alsof haar moeder nooit had bestaan, maar inwendig rouwde ze, bleef de wond open, die heelde nooit en werd iets wat ze voor altijd met zich zou meedragen.

Al die dingen gingen door haar hoofd toen ze door East Potomac Park reed, waar ze vaak met haar moeder was geweest, op zaterdag en op zondag, wanneer haar vader aan het werk of de stad uit was. Het park was altijd bijzonder voor haar geweest, de plek waar haar droomhuis had gestaan, waar het ergens in haar onderbewustzijn nog steeds stond.

Ze passeerde de plek waar ze plakkerige handen had gehad nadat ze een chocolade-ijsje had gegeten, en daar was de plek waar ze was gevallen toen ze aan het rennen was en ze haar elleboog en knie had geschaafd, en daar, verderop, waar dat rare standbeeld van *The Awakening* had gestaan, was ze door een wesp gestoken. Dat had veel pijn gedaan, maar ze had niet gehuild. Ze huilde nooit. Huilen was voor mensen zonder ruggengraat.

Toen ze de man zag die aan Gunns beschrijving van O'Banion voldeed, minderde ze vaart. Hij draaide zich om toen hij haar auto zag aankomen.

Hij verwacht zijn partner, dus hij zal verbaasd zijn wanneer hij jou ziet, had Gunn tegen haar gezegd. En: hij zal zeker op zijn hoede zijn. Om geen extra argwaan te wekken, stop je op ruime afstand van hem. Vanaf dat moment doe je wat we hebben afgesproken.

Terwijl O'Banion haar met een strakke blik aankeek, stopte ze de auto, zette de motor af en stapte uit. Op dat moment haalde hij een Glock 17 met een AAC Evolution 9mm geluiddemper tevoorschijn.

Vera stak haar handen op, met de handpalmen naar hem toe. 'Gunn stuurt me.'

'Foute tekst.' O'Banion gebaarde met de Glock. 'Hier komen. Schiet op.'

Ze deed wat hij haar opdroeg en haar hartslag versnelde. Er zit iets fout, dacht ze. Hij reageert negatief op Gunns naam. Dat kan niet goed zijn.

Toen ze bij hem was, greep hij haar arm vast en zette het uiteinde van de geluiddemper op haar slaap. Met zijn andere hand fouilleerde hij haar. Hij nam ruim de tijd om haar tussen haar dijen te betasten.

'Ik ben niet gewapend.' Ze dacht zo snel als ze kon. 'Ik ben Andy's vriendin, dat is alles.' Als je tijd wilt rekken, spreek dan de waarheid.

'Waarom ben je hier?'

'Je vriend, Willowicz...' Met grote ogen keek ze hem aan. 'Zo heet hij toch?'

'Wat is er met hem?'

'Hij heeft een ongeluk gehad. Andy is met hem naar Spoedeisende Hulp van het George Washington. Hij heeft mij gestuurd om je op te halen.'

Er kwam een barstje in O'Banions argwaan. 'Wat is er verdomme gebeurd?'

'De lift deed het blijkbaar niet. Hij heeft de trap genomen en is gevallen. Ik weet het niet precies, misschien is hij gestruikeld of zoiets.'

'En onze opdracht dan?'

'Die is gecanceld, of uitgesteld.'

'Waarom heeft Gunn me niet gebeld?'

'Mobiele telefoons zijn niet toegestaan op Spoedeisende Hulp.'

O'Banion bleef haar aankijken en de besluiteloosheid was zichtbaar in zijn blik.

Vera legde alle urgentie die ze in zich had in haar stem. 'Volgens mij is je vriend er slecht aan toe. Andy zei dat je onmiddellijk moest komen.'

O'Banion bleef nog een paar seconden haar gezicht observeren. Toen stak hij de Glock weg. 'Oké,' zei hij. 'Laten we gaan.'

Vera draaide zich om en liep met zo zelfverzekerd mogelijke passen terug naar de auto, waar Gunn, als een slang opgerold in de kofferbak, op hen wachtte.

'Waar zijn je schoenen?' vroeg O'Banion.

'Toen ik jong was, kwam ik hier in de weekends altijd met mijn moeder. Het eerste wat ik dan deed, was mijn schoenen uittrekken.'

O'Banion schudde zijn hoofd. 'Vrouwen zijn niet goed snik.'

Caroline maakte het gouden sleuteltje los van het kettinkje om haar nek en stak het in het slot van de onderste la aan de linkerkant van haar bureau. In de la lag een groot boek, met een mosgroene cover met een illustratie van een sjofel winkeltje in een achterafstraatje. Het was een oud boek, versleten, met ezelsoren, talloze keren gelezen. De titel was *The Little Curiosity Shop*, een geïllustreerd kinderboek vol verhalen over elfjes en magie. Caroline streek met haar hand over de cover, streelde die, zoals ze wel vaker deed als ze zeker wist dat ze alleen was. Ze had het boek zo vaak gelezen dat ze hele passages uit het hoofd kon opzeggen.

Ze borg het boek weer op, stond op van achter haar bureau met de computers en rekte zich uit. Vanaf het moment dat de Syriër was thuisgekomen in het gezelschap van Arian Xhafa had ze gemerkt dat ze zich moeilijk kon concentreren. Ze liep naar de keuken, deed de koelkast open en haalde er een flesje bier uit. Ze was de enige die alcohol mocht drinken, want ze was de enige niet-moslim op het hele landgoed. Ze genoot er stiekem van te drinken in het bijzijn van de anderen, net zoals ze ervan genoot zich te kleden zoals zij het wilde. De Syriër was ruimdenkend, bijna westers in zijn opvattingen, maar ze wist dat ze hem niet tot het uiterste moest drijven. Ze was van grote waarde voor hem, van meer waarde dan een zelfmoordcommando bommenwerpers, maar dat betekende niet dat ze zich alles kon veroorloven. Iedereen had regels waaraan hij zich moest houden, zelfs de Syriër.

Ze wipte de kroonkurk van het flesje, leunde met gekruiste enkels tegen het aanrecht en keek door het raam naar de twee mannen die naast elkaar op de bank in de achtertuin zaten. Ze hoefde niet te horen wat ze zeiden om te weten waar het gesprek over ging. Xhafa had, net als alle mannen zoals hij, de pest aan vrouwen. Hij camoufleerde zijn vrouwenhaat door die in religieuze teksten te verpakken, maar over zijn vooroordeel bestond geen enkele twijfel. Ze had genoeg ervaring met mannen die vrouwen haatten, met het misbruik, zowel psychologisch als lichamelijk, de minachting en de onverhulde afkeer. Voor Xhafa en mannen zoals hij waren vrouwen inferieure wezens, tweederangs individuen die op de wereld waren om kinderen te baren of, wat nog erger was, de man zijn pleziertje te verschaffen wanneer hij dat wilde.

Ze keek enige tijd naar het pantomimespel van de twee mannen en verzon er zelf de woorden bij. En toen Arian Xhafa een partje bloedsinaasappel in zijn mond stak, lachte ze zachtjes.

In het licht van het vuur zag het bloed er zwart uit. Jack had overal pijn, maar verder voelde hij zich goed. Hij zat op een boomstronk met zijn rug naar het vuur dat Ihatës mannen hadden gemaakt. De warmte op zijn rug voelde aangenaam aan. Alli zat naast hem, op haar knieën, en haalde de verbanddoos uit haar rugzak.

Ze deed de doos open en zei: 'Shit, het verband is drijfnat.'

'Die dingen horen waterdicht te zijn,' zei Paull, die mee keek over haar schouder.

Ze liet haar vingers langs de rand gaan. 'Het ene scharnier is kapot,' zei ze. 'Er is water in gekomen toen ik in de rivier ben gevallen.' Ze haalde er een tubetje uit. 'De Krazy Glue is nog bruikbaar, maar we hebben iets nodig om Jacks wond te verbinden.'

De kogel had een horizontale reep vlees uit Jacks zij gerukt. De wond was niet diep, maar hij kon gaan ontsteken als hij niet werd behandeld. Alli reinigde de wond met alcohol en wachtte tot hij droog was. Toen gaf ze het tubetje aan Jack.

Jack keek Paull aan. 'We moeten die kinderen op een veilige plek zien te krijgen.'

'Er zijn hier geen veilige plekken,' zei Alli.

Paull knikte. 'Dan moeten we ze op het vliegtuig zetten.'

Jacks gezicht betrok. 'Als we ze naar de States vliegen, komen ze in handen van de immigratiedienst, dat stelletje jakhalzen die altijd op zoek zijn naar mensen die ze kunnen opsluiten of uitwijzen om goede sier te maken bij Nationale Veiligheid.'

Paull grijnsde. 'Dan zal ik de immigratiedienst een beetje moeten bewerken, denken jullie niet?'

'En hoe wilde je dat doen?'

'De immigratiedienst likt de hielen van Nationale Veiligheid,' zei Paull. 'En Hank Dickerson vervangt me daar. Als ik het hem vraag, regelt hij het wel.'

Alli riep Jacks aandacht terug naar zijn wond. Terwijl zij die dicht kneep, bracht Jack er een streepje superlijm op aan. Ze bleef er druk op uitoefenen toen Jack de dop op het tubetje draaide.

'Doet het pijn?' vroeg ze.

Jack keek haar aan en glimlachte.

'We moeten er toch iets op plakken, anders springt hij misschien open en begint hij weer te bloeden.'

'Ik help jullie wel.' Edon keerde hen de rug toe, trok haar shirt over haar hoofd en gebruikte haar tanden om er repen stof af te scheuren.

Jack keek op en zijn blik werd getrokken naar de brandplekken op haar rug. 'Wacht eens even.' Hij stond op en liep naar haar toe. Ze sloeg haar handen voor haar borsten en wilde zich omdraaien, maar hij zei: 'Nee, blijf zo staan.'

Hij pakte haar voorzichtig bij de schouders en draaide haar een fractie om, totdat het licht van de vlammen op haar rug viel. Hij liet zijn vingertoppen over de brandplekken gaan.

'Hoe kom je aan deze littekens?

'Ik ben gestraft. Eén keer.'

'Door wie?' Hoewel Edons littekens verser waren, kwamen de grootte en het patroon overeen met de littekens op Annika's rug. 'Wie heeft je gestraft?'

'Arian Xhafa zelf,' zei Edon. 'Dit is zijn handelsmerk, zo straft hij altijd.'

Jack voelde alle lucht uit zijn longen stromen toen de stukjes op hun plaats vielen. Geen wonder dat Annika er zo op gebrand was geweest om achter Arian Xhafa aan te gaan. Híj was het geweest die haar had gebrandmerkt, net zoals hij dat met dit meisje had gedaan. Jack legde zijn hand op zijn voorhoofd. Elke keer wanneer hij dacht dat hij tot de kern van Annika kwam, stuitte hij weer op een nieuwe laag geheimen en leugens.

En God helpe Arian Xhafa, dacht hij.

25

De Syriër keerde zijn gezicht naar de zon. 'Jammer van Oriel Jovovich Batchuk,' zei hij. 'We hadden een lucratieve deal met hem, en als vicepresident van Rusland was hij een van onze beste klanten.'

Xhafa keek hem van opzij aan. 'Dat was maanden geleden. We hebben hem inmiddels al tien keer vervangen.'

'Ah, maar Batchuk was ook de vader van Annika Dementieva, en dat is een heel bijzondere vrouw.'

Xhafa schoof ongemakkelijk heen en weer op de harde houten bank.

De Syriër was beter dan wie ook op de hoogte van de relatie tussen Dementieva en Xhafa, hoewel 'relatie' niet de juiste term was voor wat er tussen de twee had plaatsgevonden. Hun wederzijdse haat kende geen grenzen, en Xhafa werd door haar geobsedeerd. Die obsessie kon de Syriër fataal worden, want Xhafa was niet bepaald rationeel wanneer het op Dementieva aankwam. Hij en Xhafa zaten samen in Gemini Holdings, het papieren bedrijf dat Caroline, geniaal als ze was, voor hem had opgericht om hun internationale deals legitiem te maken. Maar zolang Annika in leven was, liep hij risico. Hoewel Caroline hem had verzekerd dat niemand er ooit in zou slagen een van hen in verband te brengen met Gemini, was hij er niet van overtuigd dat dat ook voor Annika en haar duivelse grootvader gold.

Caroline was buitengewoon intelligent en uiterst efficiënt in alles wat ze aanpakte; dat had hij zelf al vele malen gezien. Ze was autodidact, had zich vrijwel alles wat ze wist over zaken, computers programmeren en internet zelf aangeleerd. En het was ongelofelijk wat ze achter dat bureau voor elkaar wist te krijgen.

'Je moet het loslaten, Arian,' zei de Syriër. 'Dit zijn zaken, en je moet Dementieva aan mij overlaten. Concentreer jij je nu maar op de hoofdprijs... en op Jack McClure. De omvang van zijn inmenging levert onverwachte complicaties op.'

Xhafa zuchtte. 'Ik neem aan dat ik je er niet aan hoef te herinneren dat het dankzij McClure was dat je Dementieva uit haar tent kon lokken.'

Even hield de Syriër zich doodstil. Hij zag dat al het bloed uit Xhafa's gezicht wegtrok, maar dat vond hij nog niet genoeg.

'Als ik aan iets herinnerd moet worden, vraag ik het wel aan Caro.' De woorden werden met een bijtend sarcasme uitgesproken. Hij besefte, te laat, dat hij deze man te veel van zijn plan had prijsgegeven. Hij nam zich heilig voor die fout niet nog eens te maken. Niemand begreep hoe zijn geest werkte, of alleen Caroline, misschien. Dat was de echte waarde die ze voor hem had, en hij zou liever sterven dan dat hij die met een ander deelde.

'Excuses,' wist Xhafa uit te brengen na de lange, drukkende stilte.

Ze waren allebei trotse mannen, alleenheersers in hun eigen territorium. En ze wisten ook allebei dat het territorium van de Syriër vele malen groter was dan dat van Xhafa, en dat gaf soms wat wrijving. Maar omgaan met wrijving was een van Xhafa's sterke kanten, ook al betekende het in dit geval dat hij zich met de staart tussen de benen moest terugtrekken.

'Excuses,' zei Xhafa nogmaals. 'Het verlies van mijn thuisbasis is iets waarmee ik nooit rekening heb gehouden.'

De zon was ondergegaan, de schaduwen werden langer en het begon snel af te koelen.

De Syriër slaakte een zucht. 'Soms lijkt het wel alsof het leven uitsluitend bestaat uit onverwachte verliezen.' Verder dan dit wenste hij niet te gaan om Xhafa tegemoet te komen.

'Habibi.'

Caroline wilde net weer aan het werk gaan toen ze de fluisterende stem hoorde. Langzaam draaide ze zich om en haar lippen plooiden zich in een mysterieuze glimlach.

Het was Taroq, die in de schaduw stond, op een plek waar hij niet kon worden gezien door de twee mannen in de tuin. Net als zijn meester was hij een Syriër, een verre neef, om precies te zijn. Hij was groot, met een gebronsde huid, brede schouders en slanke heupen. Zijn volle baard was lichtbruin, met een koperkleurige glans in het zonlicht, en hij had grijze ogen. Zonder zich te verroeren bekeek hij haar met een gretigheid die ze tot in haar botten kon voelen.

Caroline had de pest aan mannen, maar niet aan Taroq. Ze had hem ingepalmd vrijwel vanaf het eerste moment dat de Syriër haar op het landgoed had ondergebracht. Caroline was een van die mensen die geen spijt, geen schuldgevoel en geen loyaliteit kenden. Ze zag zichzelf als immoreel, en een psychiater zou ongetwijfeld tot de diagnose komen dat ze aan een antisociale persoonlijkheidsstoornis leed, want ze voldeed moeiteloos aan alle kenmerken daarvan: systematisch liegen, het onvermogen om zich aan de sociale normen aan te passen en de hardnekkige onwil om de rechten en de veiligheid van anderen te respecteren. Iemand die niet beter wist, zou haar een psychopaat noemen, maar dan zou hij haar tekortdoen, want Carolines stoornis was veel en veel complexer.

Het leuke van Taroq vond ze – afgezien van zijn krachtige lijf – dat hij zich sterk tot haar aangetrokken voelde, in tegenstelling tot de andere bewakers, die haar openlijk verachtten. Taroq was redelijk intelligent en hij stond dicht genoeg bij zijn meester om nieuwsgierig te zijn naar de westerse samenleving... niet de tv-programma's of de films of de modieuze kleren, maar naar het concept dat een mens keuzes had. Voor hem betekende Caroline een deur naar die nieuwe wereld, in meer dan één betekenis.

'Bijna iedereen is weg.' De lust droop al van zijn stem. Hij stak zijn hand naar haar uit en zijn verlangen was duidelijk voelbaar. 'Kom mee...'

'Nee.' Ze wenkte hem. 'Ik wil hem zien terwijl we het doen.'

Dat ging Taroq duidelijk te ver. Hij verzette geen stap en schudde zijn hoofd.

Caroline bleef hem aankijken terwijl ze langzaam de knoopjes van haar shirt losmaakte. Ze droeg er niets onder en na vier knoopjes werden de binnenste helften van haar borsten zichtbaar. Ze maakte de overige knoopjes los maar deed de panden niet opzij. Daarna maakte ze de knoop van haar spijkerbroek los en trok langzaam de ritssluiting omlaag.

Taroqs ogen werden groot, want ze droeg er geen slipje onder.

De lichte zwelling van haar buik had een mysterieuze, onweerstaanbare aantrekkingskracht.

'Kom,' zei ze, en Taroq kon niets anders doen dan haar gehoorzamen.

Gunn, nog steeds in de kofferbak van Vera's auto, hoorde de portieren opengaan en voelde dat er twee mensen instapten. Het was Vera dus gelukt O'Banion mee te lokken. Hij wentelde zich om, schoof voorzichtig het schot tussen de kofferbak en de achterbank van de Saab opzij en kroop door de opening, om tot de ontdekking te komen dat O'Banion op de achterbank zat en een Glock met geluiddemper op zijn gezicht gericht hield.

'Hallo, Gunn.' O'Banions grijns was huiveringwekkend. 'Dus uiteindelijk ben je net zo'n serpent als je soortgenoten, dat blijkt maar weer. Serpenten leven meestal niet lang, maar in dit geval langer dan jij.'

Gunn wilde iets zeggen, het maakte niet uit wat, maar hij was sprakeloos. Hoe was die schoft het te weten gekomen? Willowicz was dood, dus bleef alleen Vera over. Waar was ze trouwens? Die had zeker de benen genomen. Die verdomde bitch!

O'Banion nam Gunn de Sig Sauer uit zijn hand en stak hem achter zijn broekband zonder zijn belager uit het oog te verliezen. 'Geloof me, het zal me een groot genoegen zijn straks de kop van je romp te knallen.'

Op dat moment verscheen Vera boven de rugleuning van de bestuurdersstoel. Ze had iets tussen haar beide handen: de lange leren veter uit een van haar laarzen. Voordat O'Banion kon reageren, haakte ze de veter over zijn hoofd, spande die om zijn keel en trok uit alle macht.

O'Banions bovenlichaam werd achteruit getrokken en de kogel die hij afvuurde kwam terecht in de rugleuning van de achterbank, vijfentwintig centimeter naast Gunns linkerschouder. Gunn greep de geluiddemper vast, hoe heet die ook was, in een poging de Glock uit O'Banions hand te trekken.

Vera, voor in de auto, zette haar voeten schrap tegen de rugleuning van de stoelen en trok zo hard ze kon. O'Banions gezicht begon al flink op te zwellen omdat het bloed nergens naartoe kon. Met zijn ene hand probeerde hij de portierhendel vast te pakken, maar het was zo'n moderne, rond, glad en verzonken, zodat zijn vingers er geen grip op kregen.

Gunn probeerde de Glock uit O'Banions hand te wringen, kreeg een van zijn vingers te pakken en boog hem achteruit totdat hij brak met het geluid van een zweepslag. O'Banion slaakte een kreun, maar hij weigerde de 9mm los te laten.

'*Fuck you*, Gunn,' zei hij met afgeknepen stem. 'Jij en die bitch van je.'

Na zijn vergeefse pogingen zichzelf te bevrijden strekte hij zijn hand en gaf een harde karateslag op Gunns pols, waardoor Gunn even al het gevoel in zijn arm kwijt was. Achter O'Banion maakte Vera een grommend geluid dat diep uit haar keel kwam. Ze dook naar voren, zette haar tanden in O'Banions rechteroor en scheurde de bovenste helft eraf. Hij schreeuwde het uit van de pijn, en dat gaf Gunn de kans om de 9mm vast te grijpen. Hij draaide het wapen een halve slag en haalde zonder te richten de trekker over.

De kogel kwam in O'Banions linkerschouder terecht. Het bloed stroomde langs zijn gezicht en over zijn arm.

'Is dat alles wat je in huis hebt, kuttenkop?' O'Banion kreeg steeds meer moeite met praten, maar in zijn ogen fonkelde nog steeds een onaardse woede. 'Jij en die bitch van je zullen meer uit de kast moeten halen.'

De volgende kogel trof hem in de zijkant van zijn hoofd. Hij rukte het achteruit op het moment dat Gunn de trekker weer overhaalde, en deze keer ging de kogel dwars door zijn rechteroog. Het bloed golfde uit de wond en bedekte hen inmiddels van top tot teen. Op Vera's wangen zaten roze stukjes huidweefsel en hersenen.

'Jezus,' zei ze toen O'Banions hoofd, of wat ervan over was, uiteindelijk voorover zakte. 'Jezus christus.'

Taroqs opwinding verschroeide haar bijna, of dat stelde Caroline zich in elk geval voor. Hij nam haar bij het aanrecht. Toen ze hem de rug toekeerde, trok hij haar spijkerbroek omlaag. Ze zette haar ellebogen op het aanrecht, sloeg haar lange vingers om de kraan en klemde zich eraan vast. Hij drong bij haar binnen, ruw en zonder voorspel. De eerste keer dat ze het hadden gedaan, had hij haar geknuffeld en gestreeld, maar ze had meteen gezegd dat hij daarmee moest ophouden. Nu richtte ze haar hoofd op en keek naar de Syriër.

Het ritmische gebeuk ging door. Zoals altijd voelde ze niets: geen genot en geen pijn. Seks bedreef je om iemand te manipuleren, niet voor de opwinding. Trouwens, het was haar al vanaf jonge leeftijd onmogelijk geweest om zich over te geven aan seks. Ze had nog nooit een orgasme gehad, of iets wat er zelfs maar op leek. Voor haar was seks zoiets als het repareren van een automotor. Haar genot lag in het feit dat de motor daarna weer liep en dat ze met de auto naar de door háár gewenste bestemming kon rijden.

Mannen, vrouwen... ze had met beiden geëxperimenteerd, in diverse combinaties, maar het resultaat was altijd hetzelfde geweest. Wat een ironie, dat je een lichaam had dat gemaakt was voor seks, maar dat je er niets bij voelde. Het was een van de vele streken die het leven haar had geleverd. Voor haar was 'wreedheid' een woord zonder betekenis. Toen ze jong was had ze het woord opgezocht in het woordenboek, maar ze had nooit begrepen wat het idee erachter was. Ze had net zo goed een boek in het Sanskriet kunnen lezen.

Later, toen ze in de bibliotheken van Washington kwam, had ze diverse psychologische handboeken gelezen en zo was ze veel te weten gekomen over zichzelf, of beter gezegd: over hoe de mensen haar zouden zien als ze haar beter zouden leren kennen. Op dat moment wist ze dat haar eerste en belangrijkste taak was dat dit nooit zou gebeuren. Ze begon deze missie bij haar ouders. Dat leverde weinig problemen op. Haar vader had het altijd zo druk met zijn machiavellistische complotten, om nog maar te zwijgen van zijn hele stoet aan maîtresses, dat hij voor haar nauwelijks aandacht had. En wat haar moeder betrof, die was verslaafd aan exotische zelfhulpmedicijnen die ze zichzelf toediende met de precisie waarmee een barkeeper een cocktail mixt. Elk van haar levenselixers werd minutieus afgestemd op het moment van de dag en haar menstruatiecyclus, met als resultaat dat ze voor niets anders oog had dan voor zichzelf, hoewel ze, wanneer de situatie erom vroeg, een overtuigende imitatie van een goede echtgenote en een zorgzame moeder kon produceren. Ze had een persoonlijkheid die zo teer en kwetsbaar was als porselein. Carolines vader – een brok primitieve levenslust – was met haar getrouwd omdat haar familie uit de Main Line van Philadelphia kwam en connecties had binnen de Beltway, waar hij in zijn jonge jaren op een briljante manier gebruik van had gemaakt. Dat haar moeder algauw was bezweken onder de brute kracht van zijn persoonlijkheid, deed hem niet zoveel. Hij had gekregen waar hij op uit was geweest, was alleen voor de vorm met haar getrouwd gebleven en was verder zijn eigen weg gegaan.

Voor haar leraren op school had Caroline zich moeilijker kunnen verstoppen. Ze werd naar een psycholoog gestuurd die de werking van haar geest moest doorgronden. Caroline spuugde hem in het gezicht en ging van school af. Er kwam geen rel van, het gebeuren bleef zonder gevolgen; daar zorgde haar vader wel voor.

Toch ontwaakten haar ouders, of wat daarvoor moest doorgaan, uiteindelijk uit hun apathie en werd besloten dat ze 'professionele hulp' nodig had. Maar na een halfjaar, zonder ook maar enige reactie te tonen op de aanpak van diverse psychiaters, was ze van de aardbodem verdwenen... plotseling, compleet en definitief. De planning had haar veel tijd gekost, maar toen haar vader zijn mensen op pad stuurde om haar op te sporen, waren ze met lege handen teruggekomen. Ze had gebruikgemaakt van computers, niet alleen om haar recente sporen te wissen, maar ook die uit het verleden, totdat er niets meer was wat erop wees dat Caroline Lynette Carson ooit had bestaan.

Taroq had het uithoudingsvermogen van een fokstier, maar ze wist hoe ze hem naar zijn hoogtepunt moest brengen. Het gebeuk ging maar door en werd alsmaar harder. Ze begon er genoeg van te krijgen, dus spande ze haar inwendige spieren aan en slaakte Taroq, ondanks zijn aanvankelijke voorzichtigheid, een diepe kreun van genot. Ze glimlachte naar haar fletse spiegelbeeld in het raam en naar de Syriër in al zijn onwetendheid daarachter, druk in gesprek, van man tot man, een gesprek waaraan zij niet mocht meedoen.

Ze was nog maar een tiener geweest toen ze de Syriër had gevonden. Of misschien had hij haar gevonden; dat was moeilijk te zeggen. Waar het om ging is dat ze ontdekten dat ze iets gemeen hadden, dat de chaos van het leven een plek was waar ze zich thuis voelden. Ze zaten op dezelfde golflengte en begonnen samen te werken, eerst heel behoedzaam, terwijl ze elkaar aftastten, maar na verloop van tijd ontstond er een werkrelatie die uniek te noemen was. Ze wilden geen van beiden, ieder om hun eigen redenen, dat anderen van die relatie wisten, dus die werd hun best bewaarde geheim.

Toen, op een dag, of het nu toeval of opzet was, kwam iemand erachter en was de hel losgebroken.

Taroq, achter haar, bereikte zijn hoogtepunt en met een korte beweging van haar heupen en schouders schudde ze hem van zich af. Hij zakte door zijn knieën, bleef gehurkt op de grond zitten en sloeg zijn armen om haar benen. Zonder emotie draaide ze zich om en liet haar vingers door zijn vochtige, warme haar gaan.

'Habibi,' zei hij happend naar adem, 'je wordt mijn dood nog eens.'

Hoofdinspecteur Heroe zat in haar kantoor en las voor de vijftiende keer de rapporten van de drie moorden en de vermissing van agent Naomi Wilde, waarvan zij aannam dat die de vierde moord was. Haar gevoel vertelde haar dat er een verband was tussen de vier moorden, maar concrete bewijzen daarvoor had ze nog steeds niet gevonden. Ze had haar mensen op pad gestuurd om met de vrienden en bekenden van Billy Warren te gaan praten. Zelf had ze al zijn gegevens uit de databases van de overheid bekeken en was ze met een fijne kam door alle bestanden op de harde schijf van zijn computer gegaan. Een bravere burger dan hij zou moeilijk te vinden zijn.

Hetzelfde team rechercheurs was nu op pad om met de vrienden en bekenden van Naomi Wilde te praten. Heroe pakte haar jas en haar notitieboekje, liep het kantoor uit, stapte in haar auto en reed weg. Over nog geen uur had ze een afspraak met Naomi's zus, maar ze betwijfelde of die iets zou opleveren. De vrouw was net in de steek gelaten door haar man, en ze was ernstig in de war.

Ze vroeg zich af of het zin had om nog eens onaangekondigd bij Bob Evrette van Middle Bay Bancorp binnen te vallen, voor of nadat ze Andrew Gunn naar het bureau had gesleept om hem te verhoren. Het forensisch team dat ze naar Middle Bay had gestuurd, was urenlang bezig geweest in Billy Warrens kantoor. Alles was met poeder, spray en licht bewerkt, tot het meest onbenullige voorwerpje, maar de enige vingerafdrukken die ze hadden gevonden waren die van Warren zelf. Ten slotte had ze de lijst met namen van al het bankpersoneel nog eens doorgenomen, hoewel ze niet wist wat ze daar precies van verwachtte.

Dit was de lastigste zaak waar ze in haar tien jaar bij de politie aan had gewerkt. Heroe was het wonderkind van het korps geweest, de jongste rechercheur die het ooit tot zo'n hoge rang had geschopt. Ze was een levende legende die de belangstelling van headhunters van vrijwel alle takken van de federale geheime diensten genoot. Maar ze had alle aanbiedingen afgewezen, niet omdat ze niet geïntrigeerd was, maar omdat ze ongelooflijk loyaal was. Als vrouw in een door mannen gedomineerde wereld was het van levensbelang om een baas te hebben die haar begreep en die zich niet door haar geïntimideerd voelde. Alan Fraine had haar persoonlijk tussen de rekruten vandaan geplukt, was haar mentor geweest, had ervoor gezorgd dat ze al de juiste examens had afgelegd en had haar behoed voor de pesterijen van mannelijke collega's, wat je op elk politiebureau tegenkwam, pesterijen die haar vorderingen in het begin van haar carrière aanzienlijk hadden vertraagd.

Ze was slim genoeg om te begrijpen dat ze, hoe getalenteerd en ijverig ze ook was, het nooit zo ver zou hebben geschopt als Fraine zich niet voor haar had ingezet. Sterker nog, zonder hem zou ze helemaal niets hebben bereikt. Ze had alles tegen. Ze was een vrouw, ze had gemengd bloed en haar uiterlijk hielp ook niet echt. Want ze was niet alleen bloedmooi, ze had ook de lichaamsbouw van een renpaard, zoals haar grootmoeder vroeger zei. Ze was half Afro-Amerikaan en half Cherokee, geboren en getogen in New Orleans en had het merendeel van de tijd bij haar grootmoeder gewoond. Toen ze zes was, was haar vader omgekomen bij een ongeluk op een olieplatform voor de kust, een brand die niets van hem had overgelaten. Haar moeder had geprobeerd het leven weer op te pakken, maar Heroes vader was haar grote en enige liefde geweest. Ze had zich nooit van zijn dood hersteld en was aan de drank geraakt, ondanks alle hulp en inzet van haar schoonmoeder. Grootmoeder, een volbloed Cherokee, was iemand om rekening mee te houden. Iedereen in New Orleans kende haar, en in haar jonge jaren was ze diverse keren de koningin van de Mardi Gras geweest. Op negentigjarige leeftijd werd ze nog steeds nagekeken als ze door de straten van Tremé liep, waar ze haar hele leven al woonde. Heroe had haar uiterlijk vooral aan haar grootmoeder te danken.

Toen ze jong was, las grootmoeder haar, voordat ze ging slapen, altijd verhalen voor. Over Cherokee-krijgers en hun vrouwen, natuurlijk. Maar de verhalen die Heroe het leukst vond, waren die over Aladdin. Ze wist zeker dat haar grootmoeder ze vaak ter plekke verzon, want ze was een begenadigd verteller. Haar favoriete verhaal ging over de geest die de weg verlichtte. Dat was niet de beroemde geest uit de lamp, maar een andere, die Aladdin leerde zien in het duister, waar alle anderen blind waren.

Fraine was de geest geweest die Heroes weg had verlicht, bedacht ze.

Ze was minder dan vijf minuten rijden van Rachel Cowans huis toen haar mobiele telefoon een vreemde beltoon liet horen. Ze haalde het toestel van haar riem en zag dat het schermpje onverlicht bleef. Maar het bellen ging door. Ze zocht in haar tas en haalde de mobiele telefoon van Naomi Wilde eruit. ONBEKEND NUMMER, stond er op het schermpje. Ze drukte op het groene knopje en hoorde een mannenstem.

'Naomi?'

'Nee. U spreekt met hoofdinspecteur Nona Heroe, hoofd van de afdeling Geweldsmisdrijven van de politie van Washington. Met wie spreek ik?'

Het bleef lange tijd stil, zodat Heroe zich verplicht voelde om te vragen: 'Hallo, bent u daar nog?'

'Je spreekt met Jack McClure. Waar is Naomi en waarom beantwoord jij haar telefoon?'

Jack, die in de 737 zat te wachten tot alle kinderen een plaats hadden gevonden, kreeg een hol gevoel in zijn maag. Een politie-inspecteur die Naomi's telefoon aannam; dat kon nooit veel goeds betekenen.

'Waarom beantwoord jij haar telefoon?' herhaalde hij toen het stil bleef aan de andere kant.

'Meneer McClure, ik heb u wel verstaan.'

'Maar je hebt mijn vraag nog niet beantwoord.' Zijn bezorgdheid maakte hem ongeduldig.

'Agent Wilde wordt vermist.'

'Vermist?' Gezien de berichten die ze had ingesproken toen hij onbereikbaar was, was dat geen goede zaak.

'We hebben haar auto gevonden. Die is van de weg geraakt, bij een vloedkering in Maryland. Maar we hebben geen lichaam gevonden, en ook niks wat erop duidt dat ze in de auto zat toen die van de weg raakte.'

Nu begon Jack zich echt zorgen te maken. 'Wat zegt haar partner ervan?'

'Eerlijk gezegd is agent McKinsey niet bijzonder behulpzaam geweest en dankzij de inmenging van Andrew Gunn, kan ik nu helemaal niet meer met hem praten.'

'Fortress Securities,' zei Jack. 'Die Andrew Gunn?'

'Een en dezelfde.'

Gunn had banden met Henry Holt Carson. 'Waarom was het niet McKinseys baas die hem heeft teruggetrokken?'

'Dat is een vraag die nog beantwoord moet worden.' Het bleef even stil. 'Hoor eens, meneer McClure...'

'Alsjeblieft, noem me Jack.'

'Oké, Jack. Ik heb van Naomi's collega's gehoord dat jullie bevriend waren, dus ik denk wel dat ik je kan vertrouwen.'

'Dat denk je goed, hoofdinspecteur.'

'Hou op. Ik heet Nona.'

Jack lachte. Hij mocht deze vrouw wel.

'Het spijt me heel erg dat ik het moet zeggen, maar ik heb sterk het gevoel dat Naomi dood is.'

Jack zweeg even. 'Wat geeft je dat gevoel?' vroeg hij toen.

Heroe vertelde hem over de argwaan die ze jegens McKinsey koesterde.

'Daar zou je best eens gelijk in kunnen hebben,' zei Jack. 'Ik ben nu in Macedonië. Toen ik onbereikbaar was, heeft Naomi drie berichten op mijn voicemail ingesproken, en ik moet helaas zeggen dat ik pas kortgeleden de kans had om ze af te luisteren.'

Hij vertelde Heroe over Naomi's verdenking van haar partner, en dat ze hem naar Teddy Roosevelt Island was gevolgd. Hij zei niets over Annika's betrokkenheid, hij maakte zichzelf wijs dat hij het politieonderzoek onnodig zou bemoeilijken als hij dat deed. Niet dat dat helemaal gelogen was, maar hij had vooral om eigen redenen besloten dat hij Annika in bescherming zou nemen totdat hij had vastgesteld wat haar rol in het geheel precies was.

'Jezus,' zei Heroe. 'Ik kan maar beter als een speer naar dat eiland gaan om er zelf een kijkje te nemen.' Ze wachtte even. 'De man die bij McKinsey was, zou dat die Mbreti kunnen zijn over wie je me hebt verteld?'

'Het zou kunnen, maar ik denk het niet. Uit Naomi's beschrijving maakte ik op dat het een Arabier was. En zoals deze mensen werken, lijkt het me waarschijnlijker dat Mbreti een blanke Amerikaan is.'

Zodra hij het had gezegd, wist Jack dat hij op iets belangrijks was gestuit, al had hij geen idee wat het was.

Hij bleef zo lang zwijgen dat Heroe vroeg: 'Wat is er? Heb je iets bedacht?'

'Dat weet ik niet zeker. Maar hoor eens, bestaat er, aangezien zowel jij als Naomi McKinsey niet vertrouwde, een manier om na te gaan wat ze heeft gedaan in de uren voordat ze vermist raakte?'

Heroe slaakte een diepe zucht. 'Als ik hem niet geloof, zou ik niet weten hoe. Hij beweerde dat ze aanwijzingen nagingen over hoe Arjeta Kraja naar de Verenigde Staten was gekomen. Maar hij zei dat alle sporen doodliepen. Volgens hem zijn ze daarna teruggegaan naar kantoor. Ze waren doodmoe, wat ik wel geloof, en hij zei dat agent Wilde tegen hem had gezegd dat ze naar huis ging. En dat, vrees ik, is ongeveer alles wat ik uit hem heb kunnen krijgen.'

'Veel is het niet.'

'Nee,' zei ze. 'Dat kun je wel zeggen.'

Jack dacht na. 'En nu kun je niet meer bij hem komen.'

'Hij geniet bescherming,' zei ze. 'Net als je vriendin Alli Carson.'

Jack hoorde een licht verwijtende ondertoon in haar stem. 'Alli is erin geluisd. Geloof me, ze heeft niks met deze zaak te maken.'

'Je kunt niet ontkennen dat er drie of misschien wel vier moorden zijn gepleegd sinds zij op het toneel is verschenen.'

Ze kwamen te dicht in Annika's buurt naar zijn zin. 'Het enige wat ik wil zeggen, is dat je in de verkeerde richting zoekt als je je onderzoek op haar richt.'

'Daar schijnt agent McKinsey anders over te denken,' zei Heroe.

Ze rondden het gesprek af, en drie minuten nadat zij en McClure hun mobiele nummers hadden uitgewisseld, parkeerde Heroe voor het huis van Rachel Cowan. Ze schatte dat ze tien keer haar hele leven zou moeten werken om een dergelijk huis te kunnen kopen. Hier waren de enige zwarte mensen waarschijnlijk de huishoudsters en de tuinlieden. De kindermeisjes zouden ongetwijfeld uit Ierland of van de Balkan komen.

Ze opende Naomi Wildes dossier, dat ze van Naomi's baas had gekregen, en las het nog eens door. Zesendertig jaar, geboren in Wheeling, West Virginia, naar Washington verhuisd toen ze vier was. Eén zus, Rachel, die twee jaar ouder was dan zij. Cum laude afgestudeerd aan Georgetown University: hoofdvak criminologie, bijvak psychologie. Deed een vervolgstudie forensische pathologie voordat ze bij de Geheime Dienst ging werken. Had Peter McKinsey al zes jaar als partner. Hield zich sinds anderhalf jaar, na de verkiezing van Edward Carson, bezig met de bescherming van de first lady. Aanbevelingen, de hoogst mogelijke waarderingen, et cetera, et cetera. Heroe besefte dat ze keek naar de prijzenkast van een buitengewoon deskundig agent, en ze voelde een zekere droefenis over zich komen, een gevoel van gemis.

Ze stapte uit, keek naar de verzameling peperdure auto's, liep de treden op en belde aan. Ze had even verwacht dat er zou worden opengedaan door een dienstmeisje in uniform, maar het was Rachel Cowan zelf, die eruitzag alsof ze rechtstreeks van het slagveld kwam.

Het interieur viel niet tegen, het was een adembenemend vertoon van wat er zoal voor geld te koop was. Ze stonden in de reusachtige woonkamer. Rachel was of te zeer van streek, of te onbeschoft om haar te vragen of ze wilde gaan zitten, maar terwijl Heroe om zich heen keek, twijfelde ze of ze dat ook wel wilde. Dit soort huizen gaf haar de kriebels.

'Het spijt me dat ik u op een moeilijk moment als dit moet lastigvallen,' zei Heroe.

'En toch doe je dat.'

Geen veelbelovend begin.

Rachel, gekleed in een jurk in de kleur van opgedroogd bloed – misschien in de sfeer van wat haar was overkomen – stond handenwringend tegenover haar. Ze had donkere wallen onder haar ogen, die er rood en behuild uitzagen. Zo te zien had ze al een paar dagen niet geslapen, en de gejaagde blik in haar ogen schoot alle kanten op.

'Maakt niet uit,' vervolgde Rachel, alsof er geen stilte was gevallen. 'Wat wil je?'

Heroe haalde haar notitieboekje tevoorschijn, daarmee tijd rekkend om te bedenken hoe ze het onderwerp het beste ter sprake kon brengen. Ze had het sterke vermoeden dat de juiste toon van doorslaggevend belang was om Rachel aan het praten te krijgen.

'Ik heb begrepen dat uw zus gisteren bij u op bezoek is geweest.'

'Dat klopt.' Er klonk een lichte argwaan door in haar stem.

'Kunt u me vertellen hoe dat bezoek is verlopen?' vroeg Heroe zo achteloos mogelijk.

Rachel keek haar met een strakke blik aan en sloeg haar armen kruislings over haar borsten. 'Waarom? Doen jullie onderzoek naar haar?'

Heroe wuifde met haar hand. 'Nee, zoiets is het niet, dat kan ik u verzekeren.'

'Want als dat zo is, kan ik je vertellen dat er geen betere en meer toegewijde agent voor de Geheime Dienst werkt.'

'Uw loyaliteit is bewonderenswaardig, mevrouw Cowan, en ik stel prijs op uw mening. Maar maakt u zich geen zorgen, we zijn vooral geïnteresseerd in Naomi's partner.'

Rachel leek zich iets te ontspannen. 'Dan betwijfel ik of ik je kan helpen. Peter is in de auto blijven zitten terwijl Naomi en ik in gesprek waren.'

Heroe maakte een aantekening. 'Bedoelt u dat hij haar hiernaartoe heeft gebracht?'

Rachel knikte. 'Dat klopt.'

'Dus u hebt haar auto niet gezien?'

'Nee. Ze kwamen in één auto en voor zover ik weet was dat niet de hare.'

Interessant, dacht Heroe. Dat maakte het aannemelijk dat ze van hieruit rechtstreeks naar de plek waren gereden waar ze was vermoord, anders had ze haar mobiele telefoon wel uit haar auto gehaald.

'Kent u McKinsey goed?'

Rachel maakte een puffend geluid. 'Ik ben hem een paar keer tegengekomen, maar eigenlijk ken ik hem helemaal niet.'

'Dus uw zus heeft het met u nooit over hem gehad?'

'Naomi heeft mij, of wie dan ook, nooit iets verteld over dingen die met haar werk te maken hadden. Daar is ze altijd heel duidelijk over geweest, ook tegen mij.'

Heroe maakte een aantekening, maar ze wilde absolute zekerheid, dus ze vroeg: 'Dus uw zus heeft het gisteren helemaal niet over Peter McKinsey gehad, in welke context dan ook?'

'Nee.'

'Oké, dat is dan duidelijk.' Heroe dacht een ogenblik na. 'Heeft Naomi gezegd wat ze ging doen toen ze hier wegging, mevrouw Cowan?'

'Iets voor haar werk, zei ze.' Rachel haalde haar schouders op. 'Typisch Naomi, altijd met haar hoofd bij haar werk.' Ze zei het zonder rancune.

Heroe keek op, ergens in haar achterhoofd begon een alarmbelletje te rinkelen. 'Dus ze ging niet naar huis?'

'Nee, het was zoals ik zei: werk, werk, werk.' Rachel beet op de nagel van haar duim. 'Wat iets is waaraan ík nu ook zal moeten geloven.'

Heroe knikte en liep naar de voordeur. 'Oké, bedankt, mevrouw Cowan. U bent zeer behulpzaam geweest.'

Het compliment leek Rachel uit haar sombere gedachten te wekken en ze keek de politie-inspecteur aan. 'O ja?'

Heroe wist wanneer ze haar glimlach, die een aanzienlijke kracht had, tevoorschijn moest toveren. 'Ja, echt.' Ze wachtte even. 'Trouwens, heeft Naomi dan misschien gezegd wáár ze naartoe ging?'

Rachel fronste haar wenkbrauwen. 'Ze heeft inderdaad iets gezegd. Maar wat was dat nou?'

'Over waar ze naartoe ging?'

'Ik zei iets en toen gebeurde er iets.' Rachel tikte met haar nagel op haar gouden, met diamantjes afgezette horloge. 'Wacht even. Waar hadden we het over? O ja, over de geheime bankrekening van mijn man. Op het moment dat ik dat zei, klaarde haar hele gezicht op.' Ze lachte en voor het eerst sinds jaren, zo leek het, verdwenen alle zorgelijke trekken van haar gezicht. 'Ik herkende de blik in haar ogen. Ik wist dat het zinloos was om haar te vragen of ze nog langer wilde blijven.' Ze wees naar Heroes gezicht. 'Jij doet het nu ook.'

'Wat?'

'Stralen.'

En met een goede reden.

'Een bank, zegt u.' Middle Bay Bancorp, dacht Heroe. Bingo!

26

'Jack, ik moet met je praten.'

Alli kwam naast hem zitten. De 737 was veertig minuten geleden opgestegen. Over minder dan twintig minuten zouden ze landen op een beveiligd vliegveldje in de buurt van Vlorë. Sinds zijn gesprek met hoofdinspecteur Heroe was Jack diep in gedachten verzonken geweest. Hij wilde liever denken aan zijn weerzien met Annika, maar zijn gedachten bleven afdwalen naar Naomi. Hij miste haar nu al. Ze had hem geweldig geholpen, zowel met de first lady als met Alli, na het ongeluk in Moskou waarbij Edward Carson om het leven was gekomen, en ze had bewezen dat ze snel kon denken en zich niet uit haar evenwicht liet brengen door zelfs de meest dramatische gebeurtenissen. Daarna had ze contact met hem gehouden. Elke keer had ze geïnformeerd hoe Alli er emotioneel aan toe was. Hij kon zich nog goed herinneren hoe oprecht blij ze was geweest toen hij haar had verteld dat Alli naar Fearington zou gaan. 'Eindelijk,' had ze gezegd, 'kiest ze voor een weg die haar goed zal doen.'

Daarnaast maakte hij zich zorgen om de zich alsmaar uitbreidende omvang van de samenzwering die ze onderzochten. De opdracht die Dennis Paull, en daarmee ook hij, had gekregen, was op het eerste gezicht een heel simpele geweest: spoor Arian Xhafa op en elimineer hem. Maar nu, al na een paar dagen, was de missie helemaal niet zo simpel meer. Als Naomi dood was, had haar partner daar de hand in gehad. McKinsey was door Andrew Gunn in bescherming genomen tegen de politie van Washington, niet door McKinseys baas, die ze op de een of andere manier hadden geneutraliseerd. McKinsey en Naomi waren weggehaald bij de Geheime Dienst om voor Henry Holt Carson te werken. Waarom zij? Werkte McKinsey in het geheim al voor Carson, net als Gunn scheen te doen? De gebeurtenissen leken die theorie te onderschrijven. Maar wat was de link tussen deze mensen en Arian Xhafa en diens Amerikaanse gezant Mbreti? En op welke manier was Annika erbij betrokken?

Elk onderzoek had een eigen traject, maar Jacks geest werkte in drie dimensies. Hij zag de diverse lagen die werden gevormd door Carson, Xhafa en Annika. Hij kende nu de connectie tussen Annika en Xhafa, maar hij wist niet wat ze in Washington had gedaan. En hoe lang hij er ook over nadacht, hij kon geen verband leggen tussen Carson, Gunn, McKinsey en Xhafa. Was het de Stem? De sekshandel? En wie had verdomme opdracht gegeven om Alli in de val te lokken? De puzzel, hoe complex die ook leek, had niettemin vorm en gevoel gekregen. Wat ontbrak was de context. Hij stond te dicht bij de bomen om het bos te kunnen zien. Hij moest het perspectief naar achteren verplaatsen en de afzonderlijke delen als geheel bekijken.

Tegelijkertijd hield een ander deel van zijn geest zich nog altijd bezig met de formule die Mbreti's echte naam moest opleveren. Grasi = Thatë; Mbreti = X. Ondanks het intensieve denkwerk dat hij had gedaan, was hij er nog niet uit. En toch had hij het gevoel dat de oplossing vlak voor hem lag, hij moest hem alleen nog zien te vinden.

Hij zette een punt achter zijn overpeinzingen en glimlachte naar Alli, blij met de afleiding. Een ander deel van zijn geest mocht zich ermee bezighouden, besloot hij, terwijl hij met Alli praatte.

'Je hebt het met Edon buitengewoon goed gedaan,' zei hij. 'Ik ben trots op je.'

Verbaasd leunde ze achterover in haar stoel. 'Tjonge! Dat heeft nog nooit iemand tegen me gezegd.'

'Het spijt me dat ik de eerste ben,' zei hij met een droge grijns, 'maar ik moet het wel zeggen.'

Spontaan kuste ze hem op zijn wang. 'Bedankt voor je geloof in me.'

'Ik heb altijd in je geloofd.'

Alli beantwoordde zijn glimlach, maar meteen daarna werd ze weer serieus. 'Ga je me over Annika vertellen?'

'Ze is in Albanië, waar wij nu naartoe gaan. Het vliegtuig zet ons daar af, het tankt brandstof en vliegt Paull en de kinderen naar de Verenigde Staten.'

'Je zei dat je haar nooit meer zou zien.'

'Nee, meisje, dat heeft zíj gezegd.' Hij maakte een vaag handgebaar. 'Ze zegt dat ze via Xhafa bij de zaak betrokken is.'

Alli keek hem aan. 'Geloof je haar?'

'Ik wist niet precies wat ik moest geloven... totdat ik de littekens op Edons rug zag.'

'Ja, die zijn hetzelfde als die op Annika's rug.' Alli liet haar tong langs haar lippen gaan. 'Ze gaat wraak nemen op Arian Xhafa, hè?'

Hij knikte. 'Het zou me niet verbazen.'

'Maar daar zat je niet aan te denken toen ik hier kwam zitten.'

Jack zuchtte. 'Alli, Naomi Wilde wordt vermist. Ik heb een politie-inspecteur gesproken die denkt dat ze is vermoord.'

Alli's blik ging naar haar handen, die roerloos in haar schoot lagen. 'Ik mocht Naomi graag,' zei ze na een tijdje.

'Ja, ik ook.'

'Denk je echt dat ze dood is?'

'Dat is op dit moment moeilijk te zeggen.'

Ze pulkte aan haar nagels, die al kort waren afgebeten. 'Wat gaat er met Thatë gebeuren?'

Jack haalde zijn schouders op. 'Dat hangt voor een groot deel van hemzelf af.'

'Heb je dan geen plannen met hem? Jij maakt toch altijd voor iedereen plannen?'

'Ik denk dat je me meer eer geeft dan me toekomt.'

'Heb je wel plannen met Annika?'

Hij bleef even zwijgen. 'Ja, en ik ben volgens mij niet de enige.' Toen ze hem geschrokken aankeek, vervolgde hij: 'Dacht je dat ik het niet had gemerkt?'

Alli staarde weer naar haar handen.

'Alli, praat tegen me.'

Ze slaakte een zucht en schudde haar hoofd alsof ze probeerde zich te concentreren. 'Vorig jaar, toen we in de Oekraïne waren, was het net alsof...' Ze ging steeds zachter praten en was bijna niet meer te verstaan.

Jack wachtte even en draaide zich toen naar haar om. 'Alsof wat?'

Er stonden tranen in haar ogen, die schitterden in het licht, waardoor ze opeens heel kwetsbaar leek. 'Er waren momenten, in dat afschuwelijke restaurant, in het appartement, dat we net een soort... een soort familie waren.' Ze kromp bijna ineen toen ze de laatste woorden uitsprak. 'Is het niet vreselijk om zoiets te zeggen?'

Hij nam haar slanke handen in de zijne. 'Waarom zou dat vreselijk zijn?'

Ze maakte een geluid dat zowel een snik als een verbitterd lachje kon zijn. 'Daarom, Jack. Om allerlei redenen.' Ze praatte nu op fluistertoon. 'Omdat ze ons allebei heeft voorgelogen, omdat ze een Amerikaanse senator heeft vermoord, omdat...' Haar nagels drongen in zijn handpalm. 'Jezus, laat me alsjeblieft niet doorgaan.'

'Alli, kijk me aan. We zijn allemaal zowel engelen als duivels. We kiezen onze weg, maar er zijn altijd verborgen krachten die ons in situaties dwingen waarin we soms tegen onze wil...'

'Probeer je goed te praten wat ze heeft gedaan?' Het klonk meer als een smeekbede dan als een beschuldiging.

'Ik zeg alleen dat wanneer het om Annika gaat, de waarheid verborgen blijft, en als die aan het licht komt – áls dat ooit gebeurt – zal die veel complexer zijn dan wij ons kunnen voorstellen.'

Ze knikte. 'Dat kan ik begrijpen.'

Hij glimlachte. 'Dat weet ik.'

Ze maakte haar handen los uit de zijne. Hij wist uit ervaring dat ze maar een beperkte hoeveelheid lichamelijk contact kon verdragen.

'Waar ontmoeten we haar?' vroeg ze.

'In Vlorë.'

Alli wierp een vluchtige blik over haar schouder. 'Ik wilde je nog iets vragen. Het gaat over Edon. Haar zus, Liridona, is in Vlorë. Edon weet niet hoe het haar is vergaan, maar ze is doodsbang dat Xhafa's mensen haar misschien te pakken zullen krijgen, of dat ze haar misschien al hebben.'

'Alli, hoezeer ik ook begaan ben met het lot van Edon en haar zus, we kunnen geen tijd vrijmaken om...'

'Jij misschien niet,' zei Alli. 'Maar ik wel.'

Er lag al een politieboot te wachten om haar naar Roosevelt Island te brengen toen Heroe in Georgetown de steiger op reed. Tijdens de rit ernaartoe had ze nagedacht over Naomi Wilde en haar zus Rachel. Zelf had ze drie broers, die over de wereld waren uitgezwermd. De ene was traumachirurg in Oregon, de andere jurist in Den Haag, en de derde inlichtingenagent in Afghanistan. Ze had altijd graag een zusje gewild, iemand die haar kon helpen tegen die overmacht van testosteron. Ze vroeg zich af hoe Rachel zou reageren als ze hoorde dat haar zus dood was. Niet best, waarschijnlijk, aangezien ze na het verraad van haar man al op het randje van de afgrond stond. Heroe nam zich voor de komende weken een oogje op haar te houden.

De patrouilleboot meerde aan bij het eiland en Heroe ging van boord. Ze zette de gps van haar telefoon aan.

'Als ik over een halfuur niet terug ben,' zei ze, 'kom me dan zoeken.'

De politieman stelde de gps van de boot bij totdat hij haar signaal ontving. 'Wat verwacht u te vinden?'

Heroe grijnsde. 'Ik wou dat ik het wist.'

'Succes, baas.'

Ze knikte en liep de dichte vegetatie in totdat ze een pad vond. Ze volgde het naar rechts, vond daar niets, ging terug en liep de andere kant op. Algauw splitste het pad zich en koos ze voor de rechtertak.

Dit was een korter pad, dat eindigde bij een inham rechts van haar. Ze keek om zich heen, maar zag niets anders dan bomen en struiken. Een vogel zong op een tak boven haar en over het oppervlak van het ondiepe water kropen een paar waterspinnetjes.

Ze wilde net teruggaan naar de boot toen ze vanuit haar ooghoek iets zag. Ze hurkte neer en keek nog eens goed. In de donkere modder bij de waterkant zag ze een voetafdruk. Het was slechts een halve, maar toch... Ze deed haar schoenen uit en liep behoedzaam het donkere water in. Het kwam tot halverwege haar kuiten en haar voeten zakten een paar centimeter weg in de modderige bodem. Ze trok haar dienstwapen en liep verder de inham in. Het verbaasde haar dat het water niet koud was. Integendeel, het was zo warm als bloed, een gedachte die een rilling langs haar ruggengraat deed gaan.

Heroe was niet bijgelovig, maar ze had sinds haar puberteit af en toe last van voorgevoelens. Niet zo vaak, maar wanneer het gebeurde, bleken ze altijd juist te zijn. Eerst had ze het voor zich gehouden, uit angst om door anderen als een 'zwever' te worden gezien, maar na een jaar werd de last haar te zwaar en bekende ze het op een avond aan haar grootmoeder. Toen ze haar verhaal had verteld, was haar grootmoeder lange tijd blijven zwijgen. Er was een donker waas over haar ogen getrokken, zoals wel vaker gebeurde wanneer ze in haar schommelstoel zat, 's avonds of aan het eind van een grauwgrijze middag, wanneer de regenwolken openbarstten en de bliksemschichten als grillige vorken langs de hemel kropen.

'Je hebt de gave van mij geërfd,' had grootmoeder uiteindelijk gezegd. 'Zelf heb ik die van míjn grootmoeder geërfd. Zo werkt het met de gave; die slaat steeds een generatie over.' De blik in haar ogen was opgeklaard en ze had geglimlacht toen ze de wang van haar kleindochter aanraakte. 'Je hoeft er niet bang voor te zijn, kind.'

'Ik ben niet bang,' had Heroe geantwoord, waarbij ze moediger klonk dan ze zich voelde. 'Ik begrijp het alleen niet.'

Grootmoeders glimlach was breder geworden. 'De wereld zoals wij die ervaren met onze vijf zintuigen is maar een fractie van wat er bestaat. Onthoud dit goed, kind, voor de rest van je leven. Jij en ik vangen af en toe een glimp op van wat er achter de grenzen gebeurt. Wij zijn de uitverkorenen.'

'Maar voorgevoelens...'

'Fluisterstemmen vanaf de andere kant der dingen, van zielen uit lichamen die allang tot stof zijn vergaan. Waar zij zich bevinden, bestaat geen tijd. Tijd is tenslotte gecreëerd door de mens om orde te scheppen in de chaos. In de andere wereld bestaan heden, verleden en toekomst naast elkaar, zoals het hoort. Het ontbreekt ons alleen aan de... gereedschappen om dit ook zo te ervaren.'

Nu Heroe door het troebele water liep, ervoer ze zo'n voorgevoel. Ze 'zag' het water als bloed en wist dat verderop de dood op haar wachtte. Het gezicht van Naomi Wilde kwam haar geest binnendrijven. Het zat vol modder en opgedroogd bloed, het beeld was zo levensecht dat Heroe moest blijven staan. Ze hield zich vast aan een laaghangende boomtak, net zoals Naomi enkele dagen daarvoor had gedaan, toen Annika haar had meegenomen naar de plek waar Arjeta Kraja was begraven. Even begon alles om haar heen te draaien en hoorde ze het vertrouwde gebrom in haar oren. Het bloed van een ander, had grootmoeder gezegd toen Heroe de ervaring aan haar had beschreven.

'Wie ben je?' fluisterde Heroe. 'Wat probeer je me te vertellen?'

Langzaam maar zeker herstelde haar mentale evenwicht zich. De wereld en haar ademhaling werden weer normaal. Ze staarde naar haar hand, de witte knokkels, om de boomtak geklemd alsof haar leven ervan afhing. Ze liet de tak los en ploegde voort door de modder totdat ze bij een dikke boom met grillig uitstaande wortels kwam. Hier waren meer voetafdrukken te zien... verse, om precies te zijn. En tussen de twee dikste wortels was de aarde kortgeleden omgewoeld.

De voetafdrukken leidden het groen in. Maar op het moment dat ze ernaar keek, werd er een sterke arm om haar hals geslagen en voelde ze een pijnlijke druk op het kwetsbare bot onder haar linkeroog.

'Nee,' zei Jack. 'Ik verbied het je. Het zou echt waanzin zijn als ik jou alleen achter Liridona aan liet gaan.'

'Ik had al verwacht dat je dit zou zeggen,' antwoordde Alli. 'Daarom heb ik Thatë gevraagd met me mee te gaan.'

Hij begreep dat ze hem weer eens in de val had gelokt en hoewel hij bewondering had voor haar slimheid, wist hij ook dat het uitgesloten was dat hij op haar voorstel inging.

'Het spijt me, Alli. Ik weet dat je het goed bedoelt, maar ik laat jou niet zomaar aan een kansloze missie beginnen.' Al terwijl hij het zei, herkende hij zijn woorden als vrijwel dezelfde die Edward Carson tegen hem had gesproken toen hij Jack opdracht gaf de dood van senator Berns te onderzoeken.

Alli's ogen schoten vuur. 'Je hebt het recht niet om me...'

'Dit is geen democratisch land, jongedame. Voor het geval je het bent vergeten, al dan niet expres, zodra we uit het vliegtuig stappen bevinden we ons in vijandig gebied. Dan staan we tegenover een vijand die meisjes en jonge vrouwen kidnapt, rooft en verhandelt.'

Ze keek op. 'Ik ben niet bang voor Arian Xhafa.'

'En dat is precies waar ík bang voor ben, Alli, want je zou wel degelijk bang voor hem moeten zijn.'

'Shit, Jack, natuurlijk ben ik wel bang voor hem. Ik zou gek zijn als ik dat niet was. Maar ik ben niet van plan me door die angst te laten verlammen. Ik bedoel, wie heeft Edon nog, afgezien van ons? Wie kan haar en Liridona van Xhafa redden als wij het niet doen? Haar ouders? Haar vader heeft haar en Arjeta aan Xhafa's mensen verkocht om zijn gokschulden af te lossen. Denk je nou echt dat hij daarna is gestopt met gokken?'

Nu was zij het die zijn handen in de hare nam. 'Jack, Edon is al een zusje verloren. Ik kan niet zonder iets te doen blijven toekijken terwijl ze er nog een kwijtraakt.'

De druk in Heroes hoofd was als een mortiergranaat die achter haar ogen explodeerde. Ze hapte naar adem terwijl de schokgolf zich door haar lichaam verplaatste, maar haar brein was verre van weerloos. Ze draaide haar dienstrevolver totdat de loop bijna recht omhoog wees en haalde de trekker over.

Door de knal hoorde ze even niets meer met haar rechteroor, maar de pijnlijke druk onder haar linkeroog verdween. Ze werd losgelaten en viel voorover op haar knieën.

Ze staarde omlaag, nog half verdoofd door de shock en de oorverdovende knal. Haar knieën waren niet in de modder weggezonken, ze rustten op iets hards. Ze legde de dienstrevolver neer, stak haar vingers in de modderige aarde, groef die weg en zag twee gezichten verschijnen. Het ene was van een jong meisje. Het was een heel mooi gezicht, afgezien van de misvormde neus. Heroe had haar nooit eerder gezien. Rillend veegde ze de modder van het tweede gezicht en ze zag dat het Naomi Wilde was, precies zoals ze haar tijdens haar voorgevoel had gezien.

Ze vermande zich, er was nu geen tijd om hier verder over na te denken.

Toen ze zich omdraaide, zag ze Peter McKinsey tegen de dikke stam van een boom zitten. De linkerkant van zijn gezicht was rood van het bloed. Waar zijn oor had gezeten was een rafelig, bloederig gat.

Hij keek naar haar op en beet zijn tanden op elkaar, en tot haar grote schrik zag ze hem op zich afkomen. Ze wilde het op een lopen zetten, of zich verdedigen, maar haar dienstrevolver lag op de grond.

Het volgende moment was hij boven op haar gesprongen en drong de geur van de dood haar neusgaten binnen. Hij duwde haar tegen de grond, waardoor ze boven op Naomi en het onbekende slachtoffer kwam te liggen. En op dat moment begreep ze de betekenis van haar voorgevoel. Water dat in bloed was veranderd... haar bloed, haar dood. Nou, dan was er niets meer aan te doen. Haar lot stond al vast. Vandaag zou ze sterven.

McKinsey lag boven op haar, stompte haar waar hij haar raken kon, en wist haar dienstrevolver te pakken te krijgen. Hij richtte het wapen op haar en grijnsde, want de overwinning was in zicht. Maar op dat moment werd de wereld binnenstebuiten gekeerd en schoven alle beelden en kleuren over elkaar. Ze voelde geen pijn meer. Het enige geluid dat ze hoorde was het ruisen van haar bloed in haar oren. Het bloed van een ander.

En het was op precies dát moment dat ze het beeld van Naomi Wilde als een rookzuil achter McKinsey zag oprijzen, en dat het beeld haar aandacht naar de geruïneerde linkerkant van zijn gezicht stuurde. Geen tijd om een beslissing af te wegen, of om zelfs maar na te denken.

Ze haalde uit met haar linkerhand en raakte hem boven op de schotwond. McKinsey stootte een gehuil van pijn uit, schoot overeind en bracht zijn beide handen naar zijn hoofd. Met een tweehandige mokerslag raakte ze de zijkant van zijn hoofd, waardoor hij omver werd gekegeld. Hij kwam met zijn gewonde kant op Naomi's gezicht terecht en stootte opnieuw een dierlijk gehuil uit.

Heroe worstelde zich onder hem vandaan en stompte hem hard op zijn rechteroog. Door de impact sloeg de linkerkant van zijn hoofd tegen de grond en draaiden zijn ogen rond in hun kassen. Ze trok de dienstrevolver uit zijn hand, richtte die op hem en kwam overeind.

'Opstaan,' commandeerde ze. 'Nu!'

Maar in plaats daarvan kwam hij weer op haar af. Ze haalde de trekker over.

Meteen na zijn speech voor de NAACP in Kennedy Center ging president Crawford naar het herentoilet. Dit was al bekend bij de Geheime Dienst en er werd bij de deur gepost zodat er niemand naar binnen kon zolang de president er zijn behoefte deed, wat die ook was.

Tenminste, niemand behalve Henry Holt Carson. De president was niet blij toen hij Carson zag binnenkomen.

Met een getergde blik keek Crawford hem aan. 'Een agent van de Geheime Dienst, Hank. Jezus christus!'

'Rustig aan.'

De president staarde hem aan via de doorlopende spiegel boven de wastafels. 'Ik wens verdomme helemaal niet rustig te blijven. Waar in al onze plannen staat dat we het goed vinden dat er een agent van de Geheime Dienst wordt vermoord?'

Het was een retorische vraag. Carson wist maar al te goed dat er van hem geen antwoord werd verlangd, dus hij hield zijn mond.

'En Naomi Wilde nog wel! Godverdomme, Hank, ze was een van onze beste agenten. Ik heb de rapporten gelezen over hoe ze de crisis in Moskou heeft afgehandeld en hoe ze zich over jouw schoonzus heeft ontfermd. Ik heb haar diverse keren gesproken. Ik kénde haar.'

Tijd voor wat tegengas, vond Carson. 'Je weet net zo goed als ik dat we het niet zo hadden bedacht, laat staan dat we het met iemand hebben besproken. Er moest op dát moment worden gehandeld. Wilde was te dichtbij gekomen. Als McKinsey niet had ingegrepen, had ze ons in ons nekvel gehad...'

'Moord op een federale agent. Dat is de zwaarst mogelijke misdaad.'

'... en wat zouden we dan moeten doen?'

Crawford haalde zijn hand door zijn haar. Hij voelde zich niet in staat Carson recht aan te kijken, dus bleef hij via de spiegel oogcontact houden.

'Dit is compleet uit de hand gelopen, Hank.'

'Voor zover iedereen weet, wordt Naomi Wilde vermist. We hebben haar baas geneutraliseerd en er is geen lijk. Maak je geen zorgen. We zijn er bijna.'

'Om de dooie dood niet!' De president zweeg abrupt toen hij besefte dat hij zijn stem had verheven. 'Hier moet een eind aan worden gemaakt. Onmiddellijk.'

'Dat gaat niet, dat weet je best. We zitten er te diep in; we kunnen niet meer terug.'

'Hank, ik zeg je...'

'Kop op, Arlen, de Middle Bay-klus is bijna rond. Nog even en we hebben wat we wilden.'

De president leek tegen zichzelf te praten, toen hij weer iets zei. 'Je belooft jezelf dat er een grens is die je nooit zult overschrijden, want als je dat wel doet, is alles verloren.'

Voor het eerst kreeg Carsons stem een scherpe klank. 'Het doet me verdriet je te moeten herinneren aan het feit dat we allebei hebben ingestemd met de overname van Middle Bay. Als we niet afmaken wat we zijn begonnen – als we falen – nou, dan ziet de toekomst er voor ons allebei behoorlijk somber uit.'

Crawford staarde in de spiegel. Hij boog zich naar voren en zette zijn handen op de randen van de wastafel. De huid van zijn gezicht was bleek en slap. Hij zag er opeens tien jaar ouder uit. 'God in de hemel, wat vergt deze baan niet allemaal van je.'

'Er zijn genoeg mensen die zich afvragen waarom iemand die last op zijn schouders zou willen nemen.'

'Nou, weet je, Hank, ik begin te geloven dat ze gelijk hebben.' De president slaakte een zucht. 'Oké, wat doen we nu?'

'We ruimen de puinhoop op die McKinsey ons heeft nagelaten.'

'Ik wil die naam nooit meer horen!'

Carson knikte. 'Zoals je wenst, uiteraard.'

'Als je dat soort eikels in vertrouwen neemt, kun je erop wachten dat je wordt genaaid,' zei Crawford moedeloos.

Carson glimlachte vaag. 'Laat het maar aan mij over.'

'Wat mag dat dan wel betekenen?'

'Dat wil je niet weten.'

'Vertel het me toch maar.'

Carson liep achter de president langs naar de rij urinoirs, ritste zijn broek open en plaste. 'Ik ga de wond uitbranden.'

Crawford opende zijn mond, waarschijnlijk om te vragen wat hij daar precies mee bedoelde, maar veranderde van gedachten. In plaats van iets te zeggen draaide hij de kraan open, pompte een beetje zeep in zijn handpalm en begon zijn handen te wassen.

Carson keek achterom. Net lady Macbeth, dacht hij. Maar de stank van de schuld was je er niet zomaar van af, geloof me. Hij ritste zijn broek dicht, kwam naast de president staan, waste zijn handen en droogde ze.

'Ze zal met alle militaire eer worden begraven.'

Carson kuchte. 'Mag ik je eraan herinneren dat er geen lijk is?'

'Dan kun je er maar beter voor zorgen dat dat zo blijft.' De president schudde zijn hoofd. 'Godverdomme, Hank, is er vandaag nog iets wél goed gegaan?'

Carson klopte de president op de schouder en zei: 'Kop op, Arlen, je hebt zonet een prachtspeech gehouden, die je een hoop zwarte stemmen zal opleveren.'

27

'Is hij dood?'

'Als een pier.'

Heroe kneep haar ogen dicht. 'Shit, shit, shit!'

'Heeft hij een naam?'

'Agent Peter McKinsey, van de Amerikaanse Geheime Dienst.'

'U maakt zeker een grapje, hè?'

Heroe keek naar hem op. De pijn in haar hoofd leidde haar af van wat er moest worden gedaan. 'Zie ik er verdomme uit alsof ik een grapje maak?'

'Oké, oké,' zei de agent. 'Blijf rustig liggen en laat hem maar aan ons over, baas. Ik laat een EMS-evacuatiehelikopter komen. Ik vind het te riskant om u met de boot naar het vasteland te brengen.'

'Agent, ik zit boven op een graf met twee lijken. Het ene is van McKinseys partner. Ik peins er niet over te gaan liggen.'

'Mijn god,' zei de agent, 'wat is dit voor een eiland?'

Zodra de 737 was geland en taxiënd tot stilstand was gekomen, kwam Edon Kraja naar Jack toe en zei: 'Ik wil hier ook uitstappen. Ik moet mijn zus zien te vinden, ik ben bang dat haar iets vreselijks is overkomen.'

'Het spijt me, maar dat gaat niet,' zei Jack zo vriendelijk mogelijk.

Er kwamen tranen in Edons ogen. 'Je begrijpt het niet. Er is een grote kans dat mijn vader haar aan Arian Xhafa verkoopt.' Het meisje was wanhopig. 'Liridona is niet zoals Arjeta en ik. Ze is de jongste en lang niet zo taai als wij. Ze is kwetsbaar.'

'Kom eens met me mee,' zei Jack. Ze liepen naar de voorkant van het vliegtuig, waar ze alleen waren en Jack haar in een stoel zette. Hij ging tegenover haar zitten en zei: 'Edon, ik moet je iets heel moeilijks vertellen.'

Ze begon onmiddellijk te beven.

'Ze hebben Arjeta gevonden. Ze is dood.'

'O, mijn god...' Ze begon nog erger te beven en schudde haar hoofd, alsof ze daarmee kon afwenden wat er was gebeurd.

Jack legde zijn handen op haar schouders. 'Kijk me aan. Edon, alsjeblieft, kijk me aan.'

Uiteindelijk deed ze wat hij haar vroeg.

'Het is oké,' zei hij zacht. 'Het komt allemaal goed.'

'Hoe dan?' huilde ze. 'Hoe kan het nu nog goed komen?'

Alli had de commotie gehoord en kwam naar hen toe. Jack keek op en zei: 'Ik heb het haar verteld.'

Alli ging naast Edon zitten en sloeg haar armen om haar heen. Edon drukte haar gezicht tegen Alli's schouder en begon ontroostbaar te snikken. Alli keek Jack aan.

'Doe niet zo moeilijk, Jack,' fluisterde ze. 'Laat me haar gaan zoeken.'

'Alli, ik moet aan jou denken.'

'En ik denk aan Liridona.' Ze ging zachtjes met haar hand over Edons hoofd. 'Goed dan, ik weet wat. We laten Annika beslissen.'

'Wat?' Jack schrok. 'Nee.'

'Waarom niet?'

'Omdat het gekkenwerk is om op haar oordeel te vertrouwen.'

'Je hebt het eerder gedaan,' wreef Alli hem onder de neus. 'Trouwens, heeft ze ooit geprobeerd ons kwaad te doen?'

Jack zei niets.

'Je weet dat ze nooit zou toestaan dat een van ons beiden iets overkomt.'

Zowel in vredestijd als in oorlogen moeten er offers worden gebracht, moeten er soldaten worden geofferd om de strijd te kunnen winnen. 'Goed beschouwd weet ik dat niet.'

Ze hield haar hoofd schuin. 'Ik geloof je niet.'

'Dat is niet eerlijk. Ik heb nog nooit tegen je gelogen.'

'Laten we het niet over eerlijkheid hebben, oké? Ik heb Thatë die me kan beschermen.' Ze bleef hem recht aankijken en zag er opeens heel volwassen uit. 'Jack, je kunt me niet elke seconde van mijn leven blijven beschermen.'

'Dat weet ik, maar er zijn nog steeds beslissingen die ik moet nemen.'

'Vanaf nu neem ik mijn eigen beslissingen.'

Heroe weigerde naar de Spoedeisende Hulp te gaan, maar ze had geen keus. Ze werd op een brancard gesnoerd en met een helikopter naar Walter Reed Hospital gebracht, maar ze kreeg nog wel de kans om de patholoog-anatoom te bellen en hem en zijn team naar Roosevelt Island te dirigeren.

Op een zeker moment was ze buiten kennis geraakt, want toen ze haar ogen opende, lag ze in een ziekenhuisbed en zat Alan Fraine op een stoel naast het bed. Hij glimlachte naar haar toen hij zag dat ze wakker was.

'Je hebt een flink pak slaag gehad.'

'Ik heb me zo goed mogelijk verweerd.'

'Meer dan dat, zou ik zeggen. Veel meer. Over een paar uur mag je hier weg. Nog een paar tests en...'

'Ze kunnen de pot op met hun tests; ik heb geen behoefte aan tests. Hoe lang ben ik buiten kennis geweest?'

'Een paar uur.'

'Jezus. Is er al iets bekend over de doodsoorzaak van Naomi Wilde?'

Zijn glimlach verdween abrupt. 'Wat dat betreft heb ik helaas slecht nieuws voor je. De lijken van Wilde, McKinsey en het onbekende slacht-offer zijn ons afgenomen.'

'Wat mag dat verdomme betekenen?'

Fraine zuchtte. 'Nona, ik denk dat je dat wel weet.'

'De Geheime Dienst.'

Hij knikte. 'Er is een heel peloton agenten op het eiland neergestreken en ze hebben de plaats delict geconfisqueerd. Onze mensen werden ver-zocht op te hoepelen.'

'Dus we hebben niks?'

'Minder dan niks.' Fraine durfde haar niet in de ogen te kijken. 'Ik heb orders gekregen dat we moeten vergeten dat het incident ooit heeft plaatsgevonden.'

'Vergeten? Hoe kan ik dit vergeten?'

'Nona, het spijt me heel erg.' Fraine schudde zijn hoofd. 'Ook dat je vanaf nu met verlof bent.'

'Wat? Bedoel je dat ik van mijn taken ben ontheven?'

'Ik bedoel dat je al lang geen vakantie hebt gehad.'

'Nog nooit, wat dacht je dáárvan?'

'Oké.' Zijn gezicht klaarde op. 'Dan is het er nu een goed moment voor.'

'Wat een dom gelul,' zei ze.

'Ik heb het zo besloten en dat besluit blijft staan.'

Ze ging rechtop zitten. 'Hoe kun je dat nou doen?'

'Nona, ik wil je uit de gevarenzone hebben. Nu meteen. Voordat er nog ergere dingen gebeuren.' Eindelijk keek hij haar weer aan. 'Ik heb voor je veiligheid gekozen. Is dat nu zo erg?'

Ze was zo woedend dat de vonken uit haar ogen schoten. 'Alan, dit stinkt aan alle kanten.'

'Dat weet ik.'

'Scylla en Charybdis.'

Hij hield zijn hoofd schuin. 'Dat krijg als je belezen bent in een afge-stompte wereld als deze.'

'Gevangen tussen twee monsters. Een goede keuze bestaat niet.'

Hij haalde zijn schouders op. 'Soms zit het leven zo in elkaar.'

'Maak dat Naomi Wilde maar wijs.' Haar stem klonk verbitterd. 'Wie komt er op voor haar rechten? Wie vertelt de wereld wat haar is aangedaan nu alles onder het tapijt is geveegd?'

Fraine zette zijn ellebogen op zijn knieën en boog zich voorover. 'Nona, luister naar me. Ik weet hoe je je voelt...'

'Hoe kun je dat weten?' Ze wendde even haar blik af. 'Sorry, het is niet eerlijk dat ik me op jou afreageer.'

'Niets in deze zaak is eerlijk.' Hij ging zachter praten. 'Er zwemmen in deze chaos een stel heel grote vissen rond, en het is voor jou het beste als je een tijdje uit beeld verdwijnt, in elk geval tot de storm is overgewaaid.'

'Misschien moet ik net als Michael Corleone op Sicilië gaan wonen.'

'Ik meen het. Nona, je moet Naomi Wilde uit je hoofd zetten. Je hebt de man te pakken gekregen die haar heeft vermoord. Laat het daarbij.'

Ze bleef hem lange tijd aankijken. Wat had ze toch een hekel aan die zoetige, medicinale ziekenhuisgeur. Hoe eerder ze hier weg kon, hoe beter. Ten slotte knikte ze. 'Goed dan. De boodschap is overgekomen. Ik ga mijn langverwachte vakantie opnemen.'

'Goddank.'

Ze ging liggen en sloot haar ogen. 'Misschien ga ik wel naar New Orleans, een paar oude vrienden opzoeken.'

'Klinkt goed.'

Op dat moment kwamen er twee federale agenten in pak de kamer binnen. De ene was lichtblond, alsof hij uit de Midwest kwam, de andere had donker haar in ouderwetse Ivy League-stijl.

'Hoofdinspecteur Nona Heroe?' vroeg Ivy League.

Ze opende haar ogen. 'Wie wil dat weten?'

Ze haalden allebei hun legitimatie tevoorschijn. Ze waren van Defensie, mannen met wie niet te sollen viel. Fraine stond op.

'Dit kan wachten totdat hoofdinspecteur Heroe volledig is hersteld.'

Blondie dwong hem achteruit met een dodelijke blik. 'Voor wat wij willen, is ze meer dan genoeg hersteld.'

Ivy League drong zich langs Fraine. 'Hoofdinspecteur Heroe, u wordt formeel in staat van beschuldiging gesteld voor de moedwillige moord op een federaal agent. U wordt hierbij dringend verzocht met ons mee te komen.'

'Maar...' begon Fraine.

Blondie draaide zich met een ruk naar hem om. 'Nog één woord en jij gaat ook mee.'

'Geen "maar",' zei Ivy League tegen Heroe. 'Geen "waarom" en geen "als". En nu opstaan of we helpen je een handje.'

Heroe liet zich uit het bed rollen, pakte haar kleren en liep de badkamer in. Terwijl ze zich aankleedde, haalde ze haar mobiele telefoon tevoorschijn en sms'te MIDDLE BAY BANCORP naar Jack. Snel trok ze de rest van haar kleren aan. Ze wilde net haar schoenen aandoen toen er hard op de deur werd gebonsd.

'Opschieten,' hoorde ze Ivy League zeggen. Hij klonk geïrriteerd.

Ze opende de deur en kwam de badkamer uit. Toen ze langs Fraine liep, drukte ze hem haar telefoon in de hand. Hij keek haar vluchtig aan en zij plooide haar lippen in een vaag glimlachje.

'Maak je geen zorgen, Nona.'

Blondie grijnsde toen hij haar arm vastpakte. 'Dat zou ik maar niet te hard zeggen.'

'Vanavond niet.' Vera trok haar regenjas strak om zich heen.

Gunn, die op het bed lag, kwam half overeind. 'Wat maakt vanavond anders dan andere avonden?'

'Mijn medisch verlof is voorbij.' Vera schoof haar voeten in de nieuwe Louboutins die hij voor haar had gekocht. Hij had zelfs twee paar voor haar gekocht, soms kon hij heel vrijgevig zijn. 'Ik moet voor middernacht terug zijn op de campus.'

Gunn draaide zich om en keek op de wekker op het nachtkastje. 'We hebben nog anderhalf uur.' Hij had een onderbroek aan en verder niets. Zo sliep hij altijd.

'Andy, ik wil geen problemen op de eerste avond dat ik terug ben.' Ze pakte de tas met het tweede paar Louboutins. 'Bovendien ben ik doodmoe. Zelfs jij zult moeten toegeven dat het een verdomd lange dag was.'

Hij pakte haar hand vast, begon die te kussen en algauw schoven zijn lippen naar boven. 'Ticia,' zei hij met een overdreven Spaans accent, 'je weet toch hoe je woorden me in vuur en vlam zetten?'

'Arme Gomez,' zei ze met de kille grafstem van Morticia Adams. 'Vanavond zul je jezelf moeten helpen.'

Ze vertrok, de frisse avondlucht was verkoelend. De geuren van bloed en hersenen zaten nog steeds in haar neus en ze blies de lucht eruit, als een briesend paard. Met kwieke pas liep ze drie blokken in westelijke en één blok in zuidelijke richting, waarna ze bleef staan en om zich heen keek alsof ze zich moest oriënteren. Terwijl ze daar stond kwam er een zwarte Lincoln de hoek om, die langzaam achter haar aan kwam rijden. Ze schonk er geen aandacht aan toen de auto haar passeerde en een meter of vijf voor haar uit langs de stoeprand stopte. De auto had getinte ruiten, dus ze kon niet naar binnen kijken. Het raampje aan de passagierskant ging omlaag, de chauffeur boog zich opzij en vroeg: 'Is honderd dollar genoeg, schatje?'

Ze boog zich naar het open raampje. 'Je maakt zeker een grapje?'

De chauffeur haalde zijn schouders op. 'Goed dan, vijfhonderd. Lijkt dat er meer op?'

'Ja, lijkt dat er verdomme meer op?' vroeg een andere stem.

Ze trok het achterportier open en stapte in. Zodra ze op de achterbank was geploft, zette de Lincoln zich weer in beweging. Ze zag dat de afscheiding tussen de chauffeursplek en de achterbanken dicht was. Ook die was van getint glas.

'Hoe is het vandaag gegaan?' vroeg Henry Holt Carson.

Vera wierp hem een sluwe glimlach toe. 'Weet je, papa, soms ben je een echte klootzak.'

Jack praatte Paull bij over de situatie in Washington – zonder Annika's rol te vermelden – toen hij de sms van Heroe ontving. Onmiddellijk gingen de haartjes op zijn onderarmen rechtop staan. MIDDLE BAY BANCORP. Kon dat de bank zijn waar alle verschillende lijnen bijeenkwamen?

Hij vroeg zich af waarom Heroe een sms had gestuurd in plaats van hem te bellen en het uit te leggen, dus hij toetste haar nummer in. Het toestel aan de andere kant ging vier of vijf keer over voordat een mannenstem antwoordde.

'Met wie spreek ik?' vroeg Jack.

'Ik zou u hetzelfde kunnen vragen,' zei de stem.

Er was iets heel erg mis. 'Jack McClure hier. Waar is hoofdinspecteur Heroe?'

'En ik ben Alain Fraine, korpschef van de plaatselijke politie, Heroes baas. Helaas moet ik u meedelen dat Nona door de federale overheid in hechtenis is genomen. Ze wordt beschuldigd van de moord op agent Peter McKinsey van de Geheime Dienst.'

'Wat is er in godsnaam gebeurd?'

Fraine lichtte hem in over Heroes trip naar Roosevelt Island en de vondst van de twee lijken, waaronder dat van agent Naomi Wilde.

Jack incasseerde de dreun. Hij haalde diep adem en probeerde zich te herstellen. 'Het tweede lijk is ongetwijfeld van Arjeta Kraja, een illegale buitenlandse, slachtoffer van de handel in blanke slavinnen, waar Heroe, Naomi en ik onderzoek naar deden. McKinsey speelde op de een of andere manier een rol in dat netwerk, maar we wisten nog niet welke. Maar het is duidelijk dat hij degene is die Naomi Wilde heeft vermoord, omdat ze op het punt stond een of meer personen van dat netwerk te identificeren.'

'Uw vijanden zijn mensen met veel macht en uitstekende connecties, meneer McClure. Nona zit diep in de problemen. Als de federale overheid zich er al mee bemoeit... nou, ik hoef u niet te vertellen hoe moeilijk het zal zijn om haar zelfs maar te spreken te krijgen, om over een eerlijk proces maar helemaal te zwijgen.'

'Hopelijk hoeft het niet zo ver te komen. Mijn baas, Dennis Paull, is op dit moment onderweg naar Washington. Ik stel voor dat u hem opwacht wanneer hij uit het vliegtuig stapt en dat u hem volledig inlicht. En ik zou graag willen dat u een lijst van alle personeelsleden van Middle Bay Bancorp opvraagt...'

'Grappig dat u dat zegt,' zei Fraine, 'want dat had Nona al gedaan. Momentje. Ah, hier heb ik de lijst.'

'Kunt u me de namen voorlezen, alstublieft?'

Fraine deed wat hij vroeg. Zeventien namen, maar geen ervan deed een belletje bij hem rinkelen. Jack vroeg zich af wat hij miste. 'Is er verder nog iemand?'

'Nou, u had het over bankpersoneel. Zoals u misschien weet, zal Middle Bay binnenkort worden overgenomen door InterPublic Bancorp.'

De bank van Henry Holt Carson. Jack verroerde zich niet terwijl zijn brein, werkend met de snelheid van het licht, Carson en InterPublic naast Middle Bay in het centrum van de samenzwering plaatste, en hij de tentakels, die naar alle kanten werden uitgeslagen, een voor een onder de loep nam. Hij werd zo volledig meegevoerd door deze gedachtestroom dat hij bijna miste wat Fraine tegen hem zei.

'Natuurlijk heeft Nona ook de namen genoteerd van het team van accountants die ter voorbereiding van de overname de boeken van Middle Bay doornamen.'

Jacks hoofd tolde door al deze nieuwe informatie. 'Geef me de namen, meneer Fraine, allemaal.'

'Het team bestaat uit vijf mensen.' Hij las de namen op. Niets. 'En dan hebben we nog het hoofd van het team. Die heet, even kijken, o ja, John Pawnhill.'

Op dat moment botsten er in Jacks hoofd twee dingen op elkaar en viel de ontbrekende naam van de formule die hem zo lang had beziggehouden, eindelijk op zijn plaats. Thatës bijnaam was Grasi, wat 'dik' betekende. Maar zijn echte naam, Thatë, betekende 'mager'. Tegengestelden dus. Jack had de formule door de verkeerde kant van een telescoop bekeken. Mbreti was niet de onbekende in de formule; hij was de sleutel. Mbreti betekende 'koning', en wat stond er op een schaakbord tegenover de koning? Een pion... *pawn*.

John Pawnhill wás Mbreti!

28

'Vera, je bent een eind buiten je territorium.'

'Als een afgedreven ijsschots.' Vera sloeg haar benen over elkaar. 'Wat vind je van mijn nieuwe schoenen?'

Carson nam niet eens de moeite om te kijken; hij kende de dure smaak van zijn dochter maar al te goed. 'Vertel me over vandaag.'

Vera's grijns verbreedde zich. 'Eens even kijken... wat is er zoal gebeurd? O ja, mijn minnaar, Andy Gunn, heeft mijn hulp ingeroepen om twee stukken onkruid te verdelgen.'

'Namen, Vera, namen.'

'Willowicz – hoewel Gunn hem Blunt noemde – en O'Banion.'

Carson bevochtigde zijn lippen. 'Zijn ze allebei dood? Weet je dat zeker?'

'Zo dood als maar mogelijk is.' Vera keek naar zijn gezicht, dat niets verried. 'Hoezo?'

'Ik vraag me af waaróm hij ze heeft gedood, en waarom nu.'

'Hij was heel vastbesloten, kan ik je vertellen. Alsof hij een deadline had.'

'Het zou me niet verbazen als dat zo was. Hij krijgt orders van iemand anders dan ik.'

'Maar dat wist je toch al?'

'Ja, maar niet van wíé.' Carson staarde even voor zich uit. 'Ik heb hem laten schaduwen, maar hij is ons ontsnapt. Hij moet een ontmoeting hebben gehad met degene die hem zijn orders van vandaag heeft gegeven.'

'Heb je enig idee wie dat zou kunnen zijn?'

'Nee, maar dat is iets wat jij voor me gaat uitzoeken.'

Vera kneep even haar ogen dicht. 'Hoor eens, je hebt me ook al naar Fearington gestuurd zodat ik de kamergenoot van Alli kon worden. Alli kende Caroline en jij dacht dat Alli misschien wist waar ze is, maar dat weet ze niet. Niemand weet waar die bitch naartoe is gegaan.'

'Noem je halfzus niet zo,' zei Carson op scherpe toon. 'Je hebt het recht niet.'

'Ze was zomaar ineens verdwenen. We deden altijd zoveel samen en dan, *poef*, is ze er opeens niet meer. En ze heeft nooit meer contact met me opgenomen.'

'Ze heeft met niemand contact opgenomen.'

Vera balde haar handen tot vuisten. 'Dat is allemaal jouw schuld, stomme hufter.'

'Koest, kind, in je mand. Je moet eens een arts raadplegen voor die overproductie van testosteron van je.'

'Ha, ha, ha.' Er klonk weinig vreugde door in Vera's lach. 'Alleen als jij met me meegaat om naar je satyriasis te laten kijken.'

'Wie is er nu een bitch?'

'We kunnen er geen van beiden iets aan doen, want jij hebt ons zo gemaakt.'

Carson maakte een afkeurend geluid. 'O ja, geef papa maar de schuld van alles.'

Ze draaide zich om, legde haar ene been over zijn dijen, kroop tegen hem aan en zei met een uitdagende kleinemeisjesstem: 'O, papa, ik maak me gewoon zorgen om je, dat is alles. Ik wil niet dat je een hartaanval krijgt terwijl je je in het zweet ligt te bonken.'

'Vera.' De waarschuwende ondertoon in zijn stem was onmiskenbaar.

'Zo veel zorgen, zo weinig tijd.' Met haar vingertoppen volgde ze de vorm van zijn oor. 'Ik weet het, papa, de tijd begint te dringen. Binnenkort kun je hem helemaal niet meer overeind krijgen.'

'Godverdomme, Vera!' Hij duwde haar ruw van zich af. 'Wat is er in godsnaam met je aan de hand?'

'Niks wat een beetje vaderliefde niet zou kunnen genezen.' Met een overdreven pruilmondje keek ze hem aan vanuit de andere hoek van de bank.

'Onzin. Wat weet jij nou van vaderliefde?'

'Goed punt,' zei ze. 'Omdat jij nooit hebt geweten hoe je die moest tonen.'

Deze laatste opmerking werd gevolgd door een geladen stilte.

Uiteindelijk zei Vera: 'Jíj had me gevraagd close te worden met Andy. We weten allebei wat dat inhoudt, goed beschouwd heb je me als een pooier aan een klant verkocht.'

'Ik heb gedaan wat een meesterspion hoort te doen: een oogje op mijn mensen houden.'

'Als je jezelf nog meer op de borst klopt, ga ik over mijn nek.'

'Doe niet zo uit de hoogte. Ik ben in dit scenario niet degene die de hoer heeft gespeeld.'

'Zo zie je me, hè, waar of niet?'

Hij wendde zijn blik af en zei niets.

De daaropvolgende minuten beeldde Vera zich in dat ze hem boven op zijn gezicht sloeg. 'Waarom stop je trouwens zoveel energie in het opsporen van Caro?'

'Waarom denk je? Omdat ze mijn dochter is, natuurlijk.'

'Wie houdt er nu wie voor de gek, papa? Caro is voor jou een ding. Iets wat voor je is weggevlucht, zodat je het nu niet meer hebt.'

'O, alsjeblieft!'

'In tegenstelling tot mij, ik ben weer teruggekeerd in je armen.' De sluwe glimlach keerde terug op haar gezicht. 'Caro is iemand op wie je ondanks al je geld en je macht geen enkele invloed hebt. En dat is iets wat jij niet kunt verkroppen, papa.'

'Dat is niet waar.'

'Natuurlijk is dat waar. Jij denkt dat ik jou niet ken. Je hebt je achter zoveel muren verschanst dat zelfs een verdomde termiet nog niet in je buurt kan komen, tenminste, dat denk je, waar of niet? Maar mij hou je niet voor de gek, ouwe schurk. Ik kijk dwars door je heen en zie je hoe je werkelijk bent.'

Hij bleef voor zich uit staren. 'Wat ik ben, heb ik zelf bereikt, zonder de hulp van wie dan ook. Niet dat ik nooit gunsten heb geaccepteerd wanneer ik die kreeg aangeboden. Alleen een volslagen idioot zou zoiets weigeren. Maar ik ben mijn eigen baas, Vera, en dat ben ik altijd geweest. Dat is waar ik het meest trots op ben. Dus als jij... Ik ben niet geïnteresseerd in andermans mening over mij, en in de jouwe helemaal niet.'

'Waarom zou je? Jij bent het middelpunt van het universum.'

'Je begint het te begrijpen, meisje.'

Ze grinnikte. 'O, papa, je bent zo doorzichtig, en weet je waarom? Omdat je altijd zo'n waardeloze vader bent geweest. Kinderen krijgen was niks voor jou. Dat je Caro terug wilt heeft niks te maken met het feit dat ze je dochter is.'

'Je poging tot psychoanalyse is ronduit lachwekkend.'

Ze negeerde de belediging. 'Het gaat over jou, papa. Alles gaat altijd over jou. Caro is van jóú weggelopen en dat kun je niet accepteren.'

'Dat is onzin, en dat weet je.'

Ze schudde haar hoofd en schoof weer een stukje naar hem toe. 'Je blijft proberen me onderuit te halen, maar ik ben de enige wiens mening er voor jou toe doet.'

Carson staarde uit het zijraampje naar de straatbeelden die er in vage strepen aan voorbijschoten. 'Eddy's mening, die deed er voor mij toe.'

'Maar je broer is dood, papa.' Ze schoof dichter naar hem toe. 'En dat maakt het juist zo moeilijk. Je hebt je broer nooit kunnen overtreffen. Hij was jonger dan jij en toch is hij tot president van de Verenigde Staten gekozen.'

'Dat zou hem zonder mijn hulp nooit gelukt zijn!'

Na een korte stilte zei Vera: 'Zie je nou wel? Het is allemaal zo helder als glas, alleen jij ziet het niet.'

Carsons stem klonk afwezig. Hij leek met zijn gedachten ergens anders te zijn. 'Wat zie ik niet?'

'Hoeveel Edward voor je betekende, hoeveel je van hem hield.' Ze bleef haar vader even aankijken en toen ze weer iets zei, klonk haar stem een stuk vriendelijker. 'Hield hij ook van jou, papa?'

'Ik... dat weet ik niet.'

'Natuurlijk weet je dat wel. Dat moet je hebben geweten.'

'Hij liet zich door me helpen. Hij was me dankbaar. Hij...'

'Godverdomme, papa. Zou je voor één keer de waarheid willen spreken?'

'Het zou gemakkelijker zijn geweest als hij me niet steeds had bedankt.'

'Maar dat deed hij wel.'

'Dat kun je wel zeggen. Mensen bedanken was een van Eddy's sterke punten.'

'Je zegt het alsof het een tekortkoming is.'

'Het maakte hem minder oprecht,' zei Carson, 'naar mijn mening.'

'Aha, hij was te aardig, is dat het?' Ze knikte. 'Ik kan me voorstellen dat je dat als zwakheid zag.'

Carsons lippen bewogen, maar het woord werd niet hardop uitgesproken. Hij kneep in de brug van zijn aristocratenneus. 'Het probleem was dat ik met Eddy nooit wist waar ik aan toe was.'

Vera wierp haar hoofd achterover en begon te lachen, waarop hij met een ruk zijn hoofd omdraaide en haar woedend aankeek.

'Wat is daar verdomme zo grappig aan?'

'Je broer maakte je onzeker. God, ik had niet gedacht dat iemand daartoe in staat was.'

'Je hebt Eddy nooit gekend.'

'En wiens schuld was dat?'

'Nou...' Carson staarde naar zijn handen. 'Het was uitgesloten dat ik jullie met elkaar liet kennismaken. Jij begreep dat.'

'Ik begreep dat je je Main Line-connecties moest beschermen totdat je genoeg macht had vergaard om op eigen benen te kunnen staan.'

Hij wierp haar een boze blik toe. 'Dat is een nogal cynische manier om het te bekijken.'

'We leven in een cynische wereld, papa.'
Hij knikte, bijna gelaten, meende ze.
'Verdomd als het niet waar is.'

Annika wachtte hen op op het open terrein naast de landingsbaan. Er stond veel wind, die haar lange haar voor haar gezicht blies. Met haar handen diep in de zakken van haar trenchcoat deed ze denken aan Humphrey Bogart in *Casablanca*.

Jack liep haar kant op, maar halverwege bleef hij abrupt staan. Alli, die naast hem had gelopen, rende naar Annika toe. Net voordat ze bij haar was, haalde Annika haar handen uit de zakken. Jack verstrakte zonder het te willen, even dacht hij dat ze een Sig Sauer in haar hand zou hebben.

Maar Annika spreidde haar armen, ving Alli op en omhelsde haar.

'Niet te geloven,' zei Alli. 'Ik heb je zo gemist.'

Annika kuste haar boven op haar hoofd. 'Kindje, kindje, kindje,' fluisterde ze.

Toen keek ze langs Alli naar de plek waar Jack was blijven staan. Er kwam een merkwaardige glimlach op haar gezicht, deels bedroefd, deels ondeugend.

Al die tijd had Thatë, die wist wat er in Jack omging, zich op de achtergrond gehouden. Hij was aan de rand van het terrein blijven staan, het was moeilijk te zeggen waar hij naar keek en ronduit onmogelijk om te weten wat hij dacht.

Alli wist dat het tijd was om plaats te maken, wat ze met tegenzin deed. Waarna Jack en Annika overbleven. Ze waren elkaar tot zes meter genaderd.

'Ik was te laat met Arjeta en met Billy.' Ze streek haar blonde haar uit haar gezicht. 'Ik vond hem voordat de politie arriveerde, maar ik kon niets meer doen.'

'Je had mij kunnen bellen.'

Haar glimlach veranderde een fractie. 'En wat zou ik daarmee opgeschoten zijn?'

Ze had natuurlijk gelijk. Hij zou nooit naar haar hebben geluisterd. Jack liep naar haar toe en merkte dat zijn hart flink tekeerging in zijn borstkas. Zijn oren ruisten.

'Ik heb Edons rug gezien.'

'Ja, nou, je was daar, dus ik hield er al rekening mee dat dat kon gebeuren. Maar je hebt haar en de andere kinderen kunnen redden. Bedankt daarvoor.'

'Waarom zijn die drie meisjes zo belangrijk?'

'Ze zijn op de hoogte van een geheim.'

'Edon niet.'

'Nee. Maar Arjeta heeft het aan Liridona verteld. Ik ben naar Washington gegaan om Arjeta te vinden en haar te redden, maar ik was te laat.'

'Je wilt weten wat het geheim is.'

'Ik geef veel om deze meisjes. Heel veel.'

'Maar het geheim...'

'Jack, denk aan wat ik je gezegd heb, alsjeblieft. Geheimen zijn ons enige wapen tegen krachten die eropuit zijn ons te manipuleren.'

Jack geloofde haar. Niet omdat hij haar graag wilde geloven, net als Alli, maar omdat het bittere noodzaak was dat hij dat deed. Hij liep door totdat hij vlak voor haar stond. Hij kon haar parfum ruiken.

'Voordat we verdergaan...'

'Ja, Jack?'

'Ik moet weten wat er met senator Berns is gebeurd. Ik moet de waarheid weten.'

'En niets dan de waarheid, zo helpe mij God?' Haar stem klonk uitdagend.

Hij kon er niet om lachen. 'Je gelooft niet in God.'

'Niet na alles wat me is overkomen.'

De zon scheen in haar ogen en Jack wist dat hij van die ogen had gedroomd. Dat hij 's morgens badend in het zweet en verscheurd van verdriet wakker was geworden. Dat hij al zijn emoties in de wacht had gezet en zich had geconcentreerd op het welzijn van Alli en op zijn werk. Nu pas begreep hij zijn verdriet, de pijn die hem had verlamd. Diep in zijn hart had hij op dit moment gewacht, had hij geweten dat het ooit zou aanbreken.

'Senator Berns stond niet aan de goede kant, Jack.'

'En dat betekent?'

'Dat hij zakendeed met heel bedenkelijke elementen in Oost-Europa.'

'Vijanden van je grootvader.'

'Vijanden van mij,' zei ze. 'En nu ook van jou.'

Jack was geschokt. 'Arian Xhafa?'

'Berns leverde wapens aan Xhafa. Het beste van het beste, gloednieuw materiaal ontwikkeld door de DARPA.' Ze hield haar hoofd schuin. 'Het kwaad heeft vele gedaanten, Jack. Helaas een waarheid als een koe.' Haar glimlach werd quasi-meelevend. 'Je gelooft me niet. Berns was voorzitter van het Military Appropriations Committee van de Senaat, waar de DARPA onder valt. Controleer het zelf maar.'

Dat was niet nodig; Jack had dat inmiddels zelf al ontdekt. Het besef maakte hem boos. 'Waarom heb je me dit vorig jaar niet verteld?'

'Omdat je er toen niet klaar voor was.'

'Verdomme, Annika, hoe kun jij dat nou weten?'

'Omdat ik een weloverwogen inschatting heb gemaakt. Zat ik ernaast?'

'Hou in hemelsnaam op beslissingen voor me te nemen.'

Haar bijzondere ogen namen hem aandachtig op. 'Zoals jij nu voor Alli doet, bedoel je?'

Ja, dat klopte, maar hij was absoluut niet van plan dat aan haar toe te geven. 'Dat ligt anders.'

'Daar ben ik het niet mee eens. Alli en jij zijn allebei volwassen mensen.'

'Dat is de enige overeenkomst. Ik heb veel meer ervaring dan zij.'

'Wat inhoudt dat jij weet wat goed voor haar is.'

'Ja.'

'Altijd.'

Hij klemde zijn kiezen op elkaar.

'Jack, kijk nu zelf eens hoe heftig je reageert als ik je vertel dat je er nog niet aan toe bent de hele waarheid over senator Berns te horen.'

Ze dreef hem tot waanzin, zoals ze dat altijd had gedaan. Ergens diep in zijn hart kon hij er ook wel om lachen, want het was juist deze irritante eigenschap geweest waardoor hij verliefd op haar was geworden, met een passie die hem binnenstebuiten had gekeerd.

Hij haalde een keer diep adem om zichzelf te kalmeren en vroeg: 'Wat is er gebeurd nadat je Berns had vermoord? Xhafa krijgt nog steeds zijn wapens... nu zelfs sneller en in grotere hoeveelheden dan daarvoor.'

'Het is de theorie van "het middel is erger dan de kwaal". Degene die in het vacuüm is gestapt, is erger dan Berns. Veel en veel erger.'

'Wie is het?'

In de laatste restjes van het zonlicht leken Annika's kornalijnen ogen zo transparant dat hij bijna geloofde dat hij rechtstreeks in haar ziel kon kijken. Het was een van de unieke dingen waarmee God en haar moeder haar hadden gezegend.

'Vertel me eens, Jack, heb je weleens van de Syriër gehoord?'

'Annika Dementieva is in Albanië.'

De Syriër zag de knokkels van de hand waarmee hij de satelliettelefoon vasthad wit worden toen hij het nieuws vernam. Zonder het zich bewust te zijn schoof hij weg van Arian Xhafa, die met Caroline in een van hun discussies over religies, politiek en het hedendaagse feminisme was verwikkeld. De Syriër vond die discussies wel amusant, maar Xhafa, fanatiek als hij was, nam ze altijd bloedserieus.

'Waar in Albanië is ze?' vroeg hij toen hij was opgestaan en naar buiten was gelopen.

'In Vlorë.'

Dan weet ze het, zei de Syriër tegen zichzelf. Hij hoorde de honden snuffelen, totdat ze zijn geur herkenden, en keek naar de hemel die al indigoblauw begon te kleuren. Zo dadelijk zou de zonsondergang inzetten en zouden de boomkikkers en de krekels zich laten horen.

Aan de man aan de andere kant van de lijn vroeg hij: 'Heb je speciale maatregelen genomen?'

'Ze wordt geschaduwd vanaf het moment dat ze uit het vliegtuig stapte.'

De Syriër nam een onmiddellijk besluit. 'Grijp dan meteen in. Ik wil niet dat Xhafa er lucht van krijgt dat ze in de buurt is. Breng haar naar het *safehouse* en sluit haar op. Je weet welk huis ik bedoel.'

Het bleef even stil aan de andere kant. 'Ze is niet alleen.'

De Syriër kneep zijn ogen dicht. 'Hoeveel man?'

'Drie, tenminste, een man, een meisje en een jongen.'

Dat valt mee, dacht hij. 'Zij moet in leven blijven. Maak de rest af.'

'Uw wil is wet, baas.'

De Syriër borg de telefoon op. Even vroeg hij zich af wat Annika in het gezelschap van een meisje en een jongen deed, maar algauw verdreven allerlei andere zaken de gedachte uit zijn hoofd, en was het pas veel later dat die erin terugkeerde.

'Ik denk dat we beter naar een veiliger plek kunnen gaan,' zei Annika. Ze wees en vervolgde: 'Er staat een auto op ons te wachten.'

'Ik had Alli beloofd dat ze met jou over Liridona mocht praten.'

Annika keek om zich heen. 'Dat kan in de auto.'

'Waarom heb je trouwens zo'n open plek gekozen voor deze ontmoeting?'

'Vertrouwen,' zei Annika. 'Ik wilde dat je je volmaakt op je gemak voelde.'

Jack knikte maar zei niets. Hij gaf Alli en Thatë een teken en liep met Annika naar een smalle rij pijnbomen waar een grote auto met ronkende motor stond te wachten.

'Ik zal eerst de jongen aan je voorstellen,' zei hij toen Alli en Thatë kwamen aanlopen.

'Niet nodig.' Annika grijnsde naar Thatë. 'Hij werkt voor me.'

Thatë en Alli stapten voor in en gingen naast de chauffeur zitten terwijl Jack en Annika bij het geopende achterportier stonden.

'Er komt nog eens een dag dat je me een hartaanval bezorgt met je verrassingen,' zei Jack.

'Moge God het verhoeden.'

Ze legde haar hand op zijn arm. Het was een spontaan gebaar dat desondanks een vuurwerk binnen in hem tot ontbranding bracht. Iets wat ze blijkbaar voelde, want er kwam een glimlach om haar mond.

'O, Jack, ik wil je nooit meer pijn doen.'

'Maar dat zal toch gebeuren.'

'Niet met opzet, dat zweer ik je.'

Ze boog zich naar hem toe en de kus die ze hem gaf, was net zo vol gevoel als haar eerste, betoverende glimlach was geweest. Toen ze zich terugtrok, legde hij zijn hand in haar nek, trok haar tegen zich aan en kuste haar zoals hij haar in zijn dromen had gekust, in een realiteit waarvan hij niet had gedacht dat hij er ooit nog in zou terugkeren.

Hij voelde de rest van de wereld van zich af vallen. Alleen zíj bestonden nog, dicht tegen elkaar aan tuimelend door ruimte en tijd, om terug te keren naar hun samenzijn in de Oekraïne van een jaar daarvoor, vóór het verraad dat nog steeds verraad was, maar dat op de een of andere manier minder zwaar leek te wegen. Een verraad dat kon worden vergeven en waarvan de schade kon worden hersteld.

De pijnbomen bogen en ritselden in de wind, de wolken schoven langs de hemel en de fluweelzachte avond nam hen in een koele omhelzing.

Hoe snel kan haat in liefde veranderen, dacht Jack.

Voordat ze in de auto stapten zei hij: 'Annika, over jou en Xhafa...'

'Later, lieveling. Dan zal ik je alles vertellen.'

Baltasar klapte zijn telefoon dicht en richtte zijn aandacht weer op de surveillance van Dementieva.

'Alles oké?' vroeg hij aan Asu.

'Ze zijn achter die pijnbomen verdwenen.' Asu, de chauffeur, liet zijn verrekijker zakken en wees.

Ze zaten in een pantservoertuig van hetzelfde type als dat waarmee Arian Xhafa en de Syriër van het vliegveld naar het landgoed waren gereden. Er was nog genoeg licht om de rij bomen te kunnen onderscheiden. Die zagen er slank en elegant uit in de vallende schemer, als op een Japanse aquarel.

'Wat zijn onze orders?' vroeg Yassin vanaf de achterbank.

'De vrouw moet naar het safehouse aan de westkant van Vlorë. De drie anderen moeten worden gedood.'

Baltasar voelde meteen de gloed van opwinding die Yassin uitstraalde.

'Luister,' zei hij, 'zodra we hebben vastgesteld...'

Op dat moment kwam er een grote auto achter de bomen vandaan, die in oostelijke richting wegreed.

'Rijden,' zei Baltasar. 'Schiet op!'

Asu startte de motor en schakelde. Het pantservoertuig bood diverse voordelen, waaronder een vier centimeter dikke bepantsering, twee kaliber .30 boordmitrailleurs aan de voor- en achterkant, rupsbanden die elk soort terrein aankonden, en een keur aan ander wapentuig, zoals traangasgranaten, een vlammenwerper en een schoudermodel raketwerper. Daar stond tegenover dat het voertuig nogal luidruchtig en relatief traag was, en dat het op een gewoon wegdek minder goed manoeuvreerbaar was dan een auto. Desondanks verkoos Baltasar deze vorm van grondtransport boven de andere voertuigen die de Syriër te bieden had.

De koplampen en achterlichten van de grote auto waren aan, maar Baltasar gaf Asu opdracht hun lichten uit te laten. Ze hadden geluk gehad dat de 737 rond zonsondergang was geland. Nu, in de schemering die alsmaar verder toenam, konden ze de auto volgen zonder gezien te worden.

De auto reed hobbelend over de landwegen, kwam op de verharde weg en reed door tot de afslag naar de ringweg rondom Vlorë. Baltasar had geen idee wat hun bestemming was, dus ze mochten de auto niet uit het zicht verliezen.

Yassin boog zich naar voren en zijn hele lichaam was zo gespannen als een veer. 'We kunnen ze van de weg rijden,' zei hij.

'Nog niet,' zei Baltasar zonder zich om te draaien.

'En als ze dan uitstappen, gebruiken we de vlammenwerper om ze een voor een te roosteren.'

Nu draaide Baltasar zich wel om. 'En wat denk je dat de anderen zullen doen terwijl we de eerste platbranden, op hun gat zitten en wachten totdat zij aan de beurt zijn?'

Yassin grijnsde. 'Daar hebben we de .30 voor. *Pief, paf, poef!*'

'Zij die kunnen wachten worden altijd beloond, Yassin.' Hij reikte Yassin het speciaal aangepaste U.S. Army M24 sws precisiegeweer aan. 'Controleer het magazijn en bereid je voor.'

Gedurende de eerste drie kwartier nadat de 737 in Vlorë was opgestegen, concentreerde Dennis Paull zich op wat hij wist van de meervoudige moord in Washington, te beginnen met de moord op Billy Warren. Vervolgens koppelde hij de feiten aan de nieuwe informatie die Jack hem had gegeven, waaronder het belastende bewijs tegen Peter McKinsey op grond van de verklaringen van Naomi en hoofdinspecteur Heroe. Het nieuws dat Naomi door haar eigen partner was vermoord, had hem diep geraakt. Alleen al het idee dat iemand daartoe in staat was geweest, kwam hem als zo onwaarschijnlijk voor dat hij een paar minuten nodig had om het nieuws te laten bezinken. Hij had voldoende ervaring met inlichtingendiensten om te weten dat er allerlei vormen van verraad mogelijk waren. Maar hoewel alle verraad verwerpelijk was, had McKinsey het toch wel heel bont gemaakt. Als het waar was dat de hel meer dan één niveau kende, hoopte hij van harte dat McKinsey in het laagste terecht zou komen.

Hij haalde een blocnote en een pen tevoorschijn en begon te schrijven. Daarna tekende hij een 'daderboom', zoals ze dat bij de politie noemden, van alle betrokkenen in de zaak van de meervoudige moord. Na lang en diep nadenken plus een paar telefoontjes naar het buitenland moest hij toegeven dat Jacks intuïtie het bij het rechte eind had gehad. Middle Bay Bancorp was de spil waarom alles draaide. De bank van Henry Holt Carson, InterPublic, bereidde de overname van Middle Bay voor, en op dit moment werden de boeken doorgenomen door een team accountants onder leiding van John Pawnhill. Als Jack gelijk had, was Pawnhill dezelfde persoon als Mbreti, de Amerikaanse topman van Arian Xhafa's sekshandel. Hij dacht enige tijd na, schreef de naam 'Dardan Xhafa' op en zette er een vraagteken achter. Want als Pawnhill de topman was, wat was Arians broer dan geweest? Of was hij daar geweest om een oogje op Mbreti te houden? Voor deze mensen was familie altijd betrouwbaarder dan de rest, wist hij.

Maar op welke manier paste Middle Bay in het geheel en wat was de rol van Carson? Alli's ontdekking van het afhaalmenu van First Won Ton, het Chinese restaurant waarvan de kelder werd gebruikt voor de verkoop van Xhafa's slaafjes – of 'kersjes', zoals ze op straat werden genoemd – had aan het licht gebracht dat haar oom op de een of andere manier ook bij de zaak betrokken was. Maar op welke manier? En, het meest verbijsterende en beangstigende van alles, waarom had president Crawford in eigen persoon de overname van Middle Bay door Carson zo snel door de antitrustcommissie geloodst?

Hij dacht aan Alli, met een somber gevoel. Hij stond op, liep naar de toiletten en plensde een paar handen koud water in zijn gezicht. Hij had zich tijdens de hele missie hopeloos onfatsoenlijk tegenover haar gedragen. Eerst had hij zichzelf wijsgemaakt dat haar deelname aan een geheime veldmissie ronduit ongewenst was. Vervolgens had hij de smoor in gehad dat een grietje als zij hem in het ongewapende gevecht de baas was geweest. Allebei terecht, vond hij, totdat hij haar in actie had gezien. Haar moed en haar taaiheid in extreme omstandigheden waren buitengewoon geweest. Hij was zelfs trots op haar geweest, maar had dat gevoel snel onderdrukt en er de voorkeur aan gegeven haar te blijven betuttelen.

Nu hij zichzelf in de spiegel zag, moest hij toegeven dat hij gewoon jaloers was. De hechte relatie die Jack met haar had, zou hij zelf zo graag met zijn eigen dochter hebben gehad. Maar die had hij van zich weggejaagd, en het feit dat ze later was teruggekomen met een kindje – zijn kleinzoon – aan haar rokken, gaf alleen maar duidelijker aan dat ze een hele tijd nooit echt contact met elkaar hadden gehad.

De waarheid was dat het Paull niet beviel wat hij in de spiegel zag. Hij was aangekomen op het onvermijdelijke punt in het leven waarop je omkijkt en je je fouten en tekortkomingen beziet. Het was geen leuke tijd, en alles werd nog erger gemaakt door zijn onvermogen zich weer aan het veldwerk aan te passen. Het enige lichtpuntje was dat hij zich eruit zou terugtrekken voordat Jack het hem zou voorstellen.

Hij liep terug naar zijn stoel, verdiepte zich weer in zijn werk en na een uur had hij het geraamte van een plan. Hij belde korpschef Alain Fraine en ze namen samen de sterke en zwakke punten door totdat ze het erover eens waren dat het plan, hoewel verre van perfect, een redelijke kans van slagen had. Ze wisten allebei dat ze het moesten opnemen tegen heel machtige tegenstanders en besloten daarom de informatie over de moorden stil te houden. De moord op Naomi Wilde en de daaropvolgende arrestatie van hoofdinspecteur Heroe waren het bewijs dat de vijand bereid was tot het uiterste te gaan.

Na het telefoontje sloot Paull zijn ogen en sliep hij een uur. Toen hij wakker werd, had hij een knagende honger. Hij stond op en liep naar de pantry om een broodje klaar te maken. Op weg ernaartoe keek hij meteen even of alles in orde was met de kinderen.

Dat was het moment waarop hij ontdekte dat Edon Kraja er niet meer was.

Edon had haar moment met zorg gekozen. Ze was de 737 uit geslopen toen Paull met Jack en Alli met Thatë in gesprek was. Ze werden zo in beslag genomen door hun respectievelijke drama's dat zij haar kans schoon zag om ongezien weg te komen.

Ze rende weg bij het vliegtuig tot ze bij de bosrand kwam. Ze wist precies waar ze zich bevond en hoe ze bij het groepje huizen op een kleine kilometer afstand van de landingsbaan moest komen. Uit de achtertuin van een van die huizen pikte ze een fiets en zo begon ze, diep over het stuur gebogen, aan de rit naar Vlorë, in de hoop daar haar zus Liridona te vinden.

Eerst moest ze naar het huis van haar ouders. Want het was best mogelijk dat Liridona daar nog steeds was, als haar vader haar niet had verkocht om zijn niet te bevredigen gokverslaving te bekostigen. Ze fietste zo hard als ze kon en bad tot Jezus en Maria dat haar zus nog in vrijheid was, dat ze had kunnen ontsnappen uit het huis en zich op veilige afstand van haar vader en Xhafa's mensen bevond.

Het idee dat Liridona hetzelfde kon gebeuren als haar was overkomen was een goede drijfveer om de pedalen alsmaar sneller rond te trappen. Xhafa was een uitstekend organisator, had ze ontdekt. Maar hij was ook een harteloze moordenaar en, wat naar haar mening nog erger was, een sadist die zijn weerga niet kende. Voor hem waren pijn en lijden de wondermiddelen die hij nodig had om zijn seksuele behoeften te bevredigen; zonder die twee middelen was hij impotent.

Vanaf het moment dat hij haar had opgemerkt had hij een ongezonde interesse in haar getoond. Hij had haar uitgekozen uit zijn laatste schaal kersjes en was gelijk begonnen met haar 'training', zoals hij het noemde. Zij noemde het marteling. Die bestond niet uit wat de andere kersjes moesten doormaken: de bendeverkrachtingen, de afranselingen en het uithongeren gevolgd door nog meer bendeverkrachtingen. Hij had haar niet willen beroven van haar persoonlijkheid en haar menselijkheid, wat hij kil en methodisch bij alle andere kersjes wel had gedaan. Ze was uit de kudde gepikt en geïsoleerd. Ze kreeg alleen hem te zien. Hij had haar getraind om op haar knieën naar hem toe te kruipen en zijn vieze voeten schoon te likken, en om op de grond te gaan liggen als ze honger had. Vreemd genoeg was hij degene die haar elke dag waste, heel voorzichtig zoals een moeder haar kindje wast, waarbij hij heel teder alle vormen en holten van haar lichaam streelde.

Toen ze het eerste stadium van haar training had voltooid, begon hij haar pijn te doen, eerst met kleine, subtiele dingen. Daarna kwamen de blauwe plekken. Soms leek het wel of hij er liever naar keek dan dat hij ze toebracht, alsof zij een schilderij was en hij, de kunstenaar, af en toe een stapje achteruit moest doen om zijn werk te bewonderen, of aan te passen. Pijn als kunst, dat definieerde de Arian Xhafa die zij kende. Hij had talloze uren met haar doorgebracht, alsof zij zijn meesterwerk moest worden.

En toen had hij haar beschadigd, of gebrandmerkt, om precies te zijn. Hij had een stiletto, speciaal voor dit doel, en hield de scherpe punt van het lemmet in de vlam van een ouderwetse bunsenbrander met vreemde versieringen tot die roodgloeiend was. Ze moest plat op haar buik gaan liggen op de houten pallet die hij haar had aangewezen om op te slapen. Ze werd niet geboeid of op welke andere manier ook vastgebonden; daarvoor had hij haar te goed getraind. Hij ging schrijlings op haar zitten en bewerkte haar rug met de gloeiende punt van het lemmet. Eén horizontale streep per avond, vijf avonden lang. Vijf rode, evenwijdige lijnen, het teken dat ze van hem was.

Er waren maar heel weinig meisjes die dit privilege genoten, had hij haar verteld. Minder dan je op één hand kon tellen. Nu was ze zijn concubine en behoorde tot de elite van zijn keizerrijk. Ze zou nooit worden verkocht en zou voor altijd de zijne zijn.

'Je mag van geluk spreken, Edon,' had hij op de vijfde avond tegen haar gezegd. 'Je bent een van de uitverkorenen. Je bent mijn eigen, speciale kersje.'

29

'Achter ons,' zei Annika's chauffeur. 'En we naderen de afslag.'

'Oké.' Annika glimlachte. 'Die nemen we.'

Jack draaide zich om en keek door de getinte achterruit, maar hij zag niet veel. 'Wie volgt ons?'

'Xhafa's doodseskader.'

De auto week uit naar de rechterbaan en nam na ongeveer vierhonderd meter de afslag van de snelweg. De chauffeur sloeg links af, reed onder het viaduct door en sloeg na een kleine kilometer rechts af. Ze kwamen bijna meteen in een dicht bebost gebied terecht.

'Anderhalve kilometer tot de bocht,' zei de chauffeur.

'Neem wat gas terug,' zei Annika. 'Ze mogen ons niet kwijtraken.'

Alli huiverde. 'Wíl je dat ze ons volgen?'

Annika keek haar met een wolfachtige grijns aan. 'Hoe moeten we Xhafa anders vinden?'

'Waar gaan ze verdomme naartoe?' vroeg Asu aan niemand in het bijzonder. 'We zitten midden in de jungle.'

'Doe niet zo achterlijk,' zei Yassin. 'Weet jij soms een betere plek voor een safehouse?'

Baltasar schoof een traangasgranaat in de adapter aan het uiteinde van de geweerloop. 'Het maakt niet uit; over een halve minuut pakken we ze.'

Asu deed de lichten van het pantservoertuig aan om te zien waar ze waren. 'We naderen een bocht,' meldde hij. 'De weg duikt daar omlaag en daarna is hij zo recht als een streep.'

'Perfect.' Baltasar schoof het dakluik open. 'Zodra we op het rechte stuk komen, verklein je de afstand tot vijf meter. Hou je snelheid constant terwijl ik de granaat afvuur. Yassin, jij opent het vuur zodra ze de auto uit komen en schakelt iedereen uit met je verdovingspijltjes, ook Annika Dementieva. Zodra ze knock-out op de grond liggen, schiet je de andere drie een kogel in het achterhoofd.'

De auto was bij de bocht aangekomen. Toen de weg omlaag dook, verloor Asu hem tijdelijk uit het zicht. Baltasar ging rechtop staan, zodat zijn hoofd en bovenlichaam boven de daklijn uitstaken. Hij bracht de nachtkijker naar zijn ogen en bekeek het landschap dat voor hem lag. Hij zag nergens lichten, koplampen noch achterlichten, en stelde de kijker scherp. Even later zag hij de koplampen en vervolgens de auto. Meteen daarna gaf Asu gas en schoot het pantservoertuig vooruit.

Baltasar telde de seconden af terwijl Asu de afstand overbrugde. Asu was een uitstekend chauffeur en Baltasar had een grenzeloos vertrouwen in zijn rijkunst. Toch klopte er iets niet. Vanaf zijn hoge standpunt had hij de koplampen van de auto ook moeten zien toen die onder aan het aflopende gedeelte was.

Ze kwamen nu op het rechte stuk weg. Hun snelheid nam af en stabiliseerde zich terwijl Baltasar met zijn ellebogen op het dak steunde en op de achterruit van de auto richtte. Hij telde tot drie, ademde langzaam uit en haalde de trekker over.

De traangasgranaat versplinterde het glas van de achterruit en explodeerde. Nu hoefden ze alleen te wachten totdat de chauffeur het bewustzijn verloor. Hij zou de macht over het stuur verliezen en de auto zou gaan slingeren en de weg af rijden. Waarschijnlijk zou hij tot stilstand komen in een greppel of tegen een boom. Wat er ook gebeurde, dan was het Yassins beurt. Wat was het toch mooi, bedacht Baltasar, wanneer alles volgens plan verliep.

Hij wachtte, maar de auto begon niet te slingeren. Hij minderde vaart. Asu trapte op de rem en hield afstand. Baltasar fronste zijn wenkbrauwen. Hij vroeg zich af of de chauffeur, die toch al half buiten kennis moest zijn, de tegenwoordigheid van geest had gehad om te remmen. Maar de korte tijd dat hij de lichten van de auto uit het oog was verloren zat hem nog steeds dwars, en hij kon zich niet onttrekken aan het knagende gevoel dat er iets niet goed zat.

Toen stopte de auto. Baltasar schroefde de granaatadapter van de loop en sloeg een magazijn met gewone patronen in de kolf. Terwijl hij dat deed, bleef zijn blik op de auto gericht.

'Kom op. Waar wachten we op?'

Yassins stem, die door het dakluik naar buiten kwam, klonk gedempt. Hij had gelijk: ze moesten uitstappen en de auto besluipen. Maar er was iets wat Baltasar tegenhield.

Hij liet zich door het luik omlaag zakken en zei tegen Yassin: 'Wijziging in het plan. Pak een AK-50 en ga naar de auto. Asu dekt je met de .30.'

Asu ging staan en stak zijn hoofd door het dakluik. Hij zette de veiligheidspal van de boordmitrailleur om en gaf het sein dat hij er klaar voor was.

Yassin stapte uit en maakte zich klein. Diep door zijn knieën gezakt en met de AK-50 in de aanslag sloop hij in een boog op de auto toe. De AK-50 was geladen met zware, hoogexplosieve munitie. Afgezien van de tjirpende krekels was het doodstil. Nergens verkeer, en de wind was gaan liggen.

Yassin was halverwege zijn omtrekkende beweging en had nog geen teken van leven gezien, toen hij een enkel schot hoorde. Hij draaide zich met een ruk om. Asu lag voorover op het dak van het pantservoertuig, zijn hoofd was in een bloederige massa veranderd.

Yassin registreerde hoe Asu's lijk erbij lag, schatte razendsnel in vanaf welke kant er was geschoten, loste een salvo in die richting en zocht dekking achter de auto.

Een tweede schot, van recht achter hem, wierp hem vooruit. Hij gleed van de kofferbak van de auto en viel op de grond. Hij bewoog zich niet meer, zijn bloed vormde een donkere plas om hem heen.

Meteen daarna kwam het pantservoertuig grommend tot leven, het draaide in de richting waar het tweede schot vandaan was gekomen. Een hoog jankend geluid werd gevolgd door een lange steekvlam die met zijn alles verzengende hitte de voorste rij pijnbomen raakte. Eerst vatte het tapijt van gevallen naalden vlam en daarna ook de bomen zelf, totdat er dikke, zwarte rook met een chemische stank opsteeg.

Gedurende enkele seconden – zo leek het – gebeurde er niets. Toen kwam er een zwartgeblakerde, brandende gedaante tussen de bomen vandaan rennen. Halverwege het pantservoertuig schoot de gedaante rechtop alsof hij door een elastiek achteruit werd getrokken. Toen stortte hij op zijn knieën en kantelde langzaam voorover, totdat er een hoopje van smeulend vlees en krakende botten overbleef.

Het pantservoertuig kwam tot stilstand, de schietsleuven aan de achterkant gingen open en een regen van machinegeweervuur geselde de bomen aan de andere kant van de weg. Op dat moment kwam Annika uit de dekking van de smeulende bomen tevoorschijn, trok de pin uit een handgranaat en legde die tussen de voorwielen van het pantservoertuig. Ze was bijna terug bij de bomen toen de granaat explodeerde, de beide voorwielen opzij blies en een gat in de bepantsering achterliet, waar de stinkende rook van de explosie in werd gezogen alsof het een afvoerkanaal was.

Zodra Jack dit zag, kwam hij uit zijn dekking tevoorschijn, stak rennend de weg over en klom via de achterkant op het voertuig, dat niet meer voor- of achteruit kon en inmiddels zo heet als een oven was geworden. Toen het dakluik openging en Baltasars hoofd met tranende ogen eruit tevoorschijn kwam, greep Jack hem vast, trok hem uit het voertuig en gooide hem eraf aan de kant waar Annika stond.

Baltasar kreunde toen hij op zijn linkerschouder op het asfalt terechtkwam. Annika schopte hem in zijn maag en hij rolde om. Inmiddels had Jack gekeken of er verder nog iemand in het pantservoertuig zat. Hij sprong eraf en landde naast Baltasar op het asfalt. Samen sleepten ze hem naar het hoopje botten waarop nog steeds vlammen dansten. De rest was door het chemische vuur tot grijze as gereduceerd, maar de misselijkmakende stank van verbrand vlees hing nog steeds in de lucht.

'Vasily!' riep Annika.

Jack keek op en zag Vasily, het grupperovka-lid dat het wel had overleefd, tussen de bomen vandaan komen, op de voet gevolgd door Thatë en Alli. Jack zag hoe beschermend de jongen jegens Alli was, en daar was hij hem dankbaar voor.

Annika gaf Vasily een teken.

De grote Rus greep Baltasar in zijn nek en duwde hem met zijn gezicht in de smeulende hoop botten. Baltasars baard vatte vlam en hij begon te schreeuwen, maar niemand schonk er ook maar de geringste aandacht aan. In plaats daarvan gaf Annika hem een harde trap in de nierstreek, waardoor hij op zijn zij viel. Ze draaide hem op zijn rug zodat hij haar recht moest aankijken.

'Waar is Arian Xhafa?'

Hij keek haar aan en kneep zijn lippen stijf op elkaar.

'Je gaat het me heus wel vertellen.'

Hij glimlachte naar haar. Zijn baard smeulde nog steeds.

'Vasily, blijf bij onze vrienden, alsjeblieft,' zei Annika.

Ze wenkte Thatë, die Alli achterliet en naar haar toe kwam. Hij greep Baltasar in zijn kraag en samen sleepten ze hem het bos in.

Vasily, met zijn grote, getatoeëerde lijf, kwam bij Jack en Alli staan.

'Ik vind het heel erg dat je maat dood is,' zei Jack in het Russisch.

Vasily gromde iets, maar Jack zag dat zijn medeleven werd gewaardeerd. De Rus draaide zich om en ging het pantservoertuig in om de wapens eruit te halen.

Op het moment dat de auto het laagste punt van de aflopende weg had bereikt, had de chauffeur de lichten uitgeschakeld, waren ze op Annika's teken uit de wagen gesprongen en hadden ze dekking gezocht achter de voorste rij pijnbomen. Alleen de chauffeur was nog even blijven zitten, om de lichten weer aan te doen en een zelfgemaakt apparaat onder het gaspedaal te schuiven waardoor het langzaam omhoogkwam en de auto na ongeveer een kilometer tot stilstand zou komen.

'Wat gaat Thatë met hem doen?' vroeg Alli.

Als antwoord op haar vraag klonk er een onaards gehuil door de nacht. En kort daarna nog een keer. Het geluid had niets menselijks, niets wat ze herkenden. Alli huiverde toen ze het voor de derde keer hoorde. Je kon je onmogelijk voorstellen wat voor wezen het was dat een dergelijk geluid voortbracht, of wat het veroorzaakte.

Alli gebaarde dat ze Annika en Thatë achterna wilde gaan, maar Jack legde zijn hand op haar onderarm.

'Ik zou het niet doen als ik jou was,' zei hij.

Ze keek hem aan. 'Ze krijgt waar ze haar zinnen op heeft gezet, hè?'

'Volgens mij krijgt ze altijd waar ze haar zinnen op zet.'

Alli knikte. 'Had jij vermoed dat Thatë voor haar werkte?'

Jack zuchtte. 'Ik had er rekening mee moeten houden.'

'Achteraf gezien klopt het allemaal wel: zijn positie binnen Xhafa's netwerk, dat hij naar Tetovo is gestuurd om Xhafa te bespioneren en dat hij in West-Macedonië leiding gaf aan een elitegroep Russen.'

Ze zagen Annika het bos uit komen, en even later kwam ook Thatë tussen de bomen vandaan. Hij pakte een hand pijnboomnaalden van de grond, veegde er iets mee af, ze konden niet zien wat het was, maar dat wilde Jack ook liever niet weten.

'Ik weet waar Xhafa is,' zei Annika toen ze voor hen stond. 'En ik weet waar hij Liridona vasthoudt. Helaas is dat niet in hetzelfde deel van de stad.'

Thatë kwam bij hen staan. Er was geen spoor te zien van wat hij had afgeveegd en geen van beiden liet blijken dat ze zonet iemand van de vijand hadden ondervraagd.

'Dit waren geen mensen van Xhafa,' zei Annika tegen Jack. 'Het waren mannen van de Syriër.'

'Ik begrijp het niet,' zei Jack.

'Ik begreep het ook niet, totdat Thatë en ik die Baltasar, in het bos, ervan overtuigden dat hij maar beter kon bekennen. Zoals ik je eerder vertelde, is de Syriër in Berns' schoenen gaan staan en is hij Xhafa's contact voor de wapenhandel geworden. Dat was voor Xhafa ook gunstig, want geloof het of niet, de Syriër kan nog geavanceerder wapentuig leveren dan senator Berns. Maar de situatie is nu een stuk explosiever geworden. In ruil voor de wapens staat Xhafa de Syriër toe zijn bijzondere versie van terrorisme over de wereld te verspreiden met behulp van Xhafa's luchtvloot. De Syriër heeft connecties met de Colombiaanse en Mexicaanse kartels, die enorme hoeveelheden drugs uit Afghanistan en de Gouden Driehoek in Zuidoost-Azië vervoerden voor hooguit een zestal clubs van moslimextremisten, die het drugsgeld gebruiken om de Syriër voor zijn wapens te betalen. Een uiterst explosief wereldwijd netwerk, met de Syriër als de spil waar alles om draait.'

Jack moest zich beheersen om niet meteen Paull te bellen om hem te vertellen hoe complex de situatie was geworden. Arian Xhafa was slechts een symptoom; de Syriër was de ziekte. Maar eerst had hij meer antwoorden nodig.

'Wat heeft dit te maken met het feit dat de Syriër ons een doodseskader op ons dak stuurt?'

'Laten we weer in de auto gaan zitten,' zei Annika.

Toen ze terugreden naar de snelweg zei ze: 'De Syriër probeert al vier maanden contact te leggen met mijn grootvader. Aangezien hem dat niet gelukt is, ben ik bang dat hij mij wil pakken, omdat hij mij als het enige middel ziet om bij Dyadya Gourdjiev te komen.'

'Wat wil hij van je grootvader?' vroeg Alli.

'Dyadya Gourdjievs brein is een pakhuis vol geheimen,' zei Annika.

'Dat klinkt nogal vaag,' onderbrak Jack haar.

De enige reactie die hij kreeg, was een van Annika's raadselachtige glimlachjes. 'Ons probleem is het volgende: we moeten zo snel mogelijk Xhafa en de Syriër zien te vinden, én Liridona. Ze wordt vastgehouden in een safehouse aan de westkant van Vlorë. Het landgoed van de Syriër is aan de noordoostelijke rand van de stad.'

'Dus moeten we ons opsplitsen,' zei Alli. 'Thatë en ik gaan Liridona bevrijden.'

'Ik heb "nee" gezegd,' zei Jack.

'Dat is niet waar,' zei Alli verhit. 'Niet expliciet in elk geval.'

Hij wilde net weer beginnen over de gevaren die er dreigden als hij haar in vijandig gebied in haar eentje op pad stuurde, toen hij Annika's gezichtsuitdrukking zag en terugdacht aan hun gesprek over weten wat het beste voor Alli was. Hij dacht aan hoe gemanipuleerd hij zich had gevoeld toen ze hem vertelde dat zij had besloten wat hij wel en niet hoefde te weten. Hij probeerde zichzelf wijs te maken dat dit een andere situatie was, maar het argument kreeg niet echt voeten aan de grond.

Hij haalde diep adem, om iets te zeggen wat hij buitengewoon moeilijk vond. Moeilijk, omdat hij al bijna zeker wist wat Annika's antwoord zou zijn. 'Ik heb Alli beloofd dat ze jou kon vragen hoe jij erover dacht.'

'Ik denk dat ze gelijk heeft, Jack. We hebben twee plekken waar we onmiddellijk naartoe moeten.' Ze bleef hem aankijken. 'Als je akkoord gaat, stuur ik Vasily met haar en Thatë mee en gaan jij en ik naar het landgoed van de Syriër.'

Jack keek van haar gezicht naar dat van Alli. Dit was een belangrijk moment voor hen allemaal, daar bestond geen twijfel over. Want het mocht dan een gevaarlijke missie zijn, hij kon Alli's emotionele ontwikkeling, die op een kruispunt was beland, ook niet negeren. Ondanks haar protesten en Annika's argumenten wist hij dat de beslissing op zíjn schouders rustte. Wat haar gevoelens erover ook waren, Alli zou niet gaan voordat hij haar zijn zegen gaf. Op een merkwaardige manier deed het hem denken aan het moment waarop een vader de hand van zijn dochter schenkt aan de man met wie ze wil trouwen. Ze kwam onder zijn beschermende vleugels vandaan om een wereld vol gevaren, teleurstellingen en verdriet binnen te gaan. Hij wist ook dat ze het hem nooit zou vergeven als hij haar deze missie verbood. Dat de hechte band die er tussen hen was ontstaan, beschadigd zou worden en dat niets die ooit nog zou kunnen repareren.

Hij dacht aan alle fouten die hij met Emma had gemaakt, en zoals te verwachten viel, voelde hij het koele briesje dat haar aanwezigheid kenbaar maakte.

Emma?

Dit moet een keer gebeuren, papa.

Weet jij het? vroeg hij. Weet jij of haar niks zal overkomen?

Ik ben geen helderziende, papa.

Dat had ze al een paar keer tegen hem gezegd.

Maar ik zal dicht bij haar blijven. Dat beloof ik je.

Jack haalde een keer diep adem. Hij keek de beide vrouwen aan en zei: 'Nou, waar wachten we nog op? Er is werk aan de winkel.'

John Pawnhills ochtenden in Washington begonnen met *Eggs Benedict* in een klassiek restaurantje in de buurt van Dupont Circle. Het was zo'n tentje waar alle dagen van de week dezelfde mensen kwamen ontbijten of lunchen en waar je zelden toeristen zag.

Vóór hem, op zijn tafeltje in de box, stond zijn laptop, die was ingelogd op de beveiligde server van Middle Bay Bancorp. Hij bleef het buitengewoon amusant vinden dat InterPublic Bancorp zijn bedrijf had ingeschakeld om de boeken van Middle Bay door te nemen. Natuurlijk had hij een eindresultaat in gedachten gehad toen hij, aansluitend op Caroline Carsons goed uitgewerkte plan, de geldstromen van de Syriër via Gemini Holdings en een stel andere loze bedrijfjes bij Middle Bay had ondergebracht. Middle Bay was precies het soort bank dat de Syriër nodig had om niet langer als PEP – *Politically Exposed Person* – te worden gezien, zo iemand als Charles Taylor van Liberia, of afgezette hoofden van andere staten, paramilitaire kopstukken, bazen van drugskartels of wapenhandelaars als Viktor Bout, allemaal machtige, intelligente mensen die desondanks uiteindelijk tegen de lamp waren gelopen. Caroline had Middle Bay als het volmaakte doelwit gezien: groot genoeg om internationale connecties te hebben, maar klein genoeg om onder de radar van de diverse federale taakeenheden behept met het opsporen van terrorisme en witwaspraktijken, door te vliegen.

Pawnhill, die als Caroline Carsons ogen en handen in het veld optrad, had het eigenlijke werk niet eens zo moeilijk gevonden, aangezien zij hem de weg had gewezen. Het rammelende veiligheidsbeleid van de Amerikaanse overheid vertoonde zoveel gaten als het om internationale activiteiten ging, dat je wel heel grove fouten moest maken, wilde je de aandacht op je vestigen.

De private sector bood hem de meeste mogelijkheden, met name Safe Banking Systems, een klein bedrijf op Long Island dat beheersoftware had ontwikkeld die ongelooflijk efficiënt was wanneer je internationale transacties – zoals die van de Syriër – wilde laten verdwijnen. God verhoede dat de overheid de software van Safe Banking ooit zou gaan gebruiken, want dan konden hij en de Syriër hun kamp opbreken en op zoek gaan naar een of ander schurkenstaatje om hun bedenkelijke transacties doorheen te sluizen.

Hij nam een hap van zijn eieren, drukte op een toets van de laptop en de laatste traceerbare data werden van de Middle Bay-servers gewist. Vervolgens draaide hij een programmaatje dat Caroline had geschreven, dat op afstand de gewiste data elektronisch versnipperde, nogmaals wiste en daarna overschreef, totdat er letterlijk niets meer van over was. Ten slotte, toen hij de bestanden van de afgelopen vijf jaar bekeek, zag hij tot zijn tevredenheid dat het erop leek dat de rekeningen die hij had geopend en gebruikt nooit hadden bestaan. Er waren geen gaten, geen versnipperde data, nergens ook maar één kilobyte die niet op zijn plaats stond. Toen hij helemaal tevreden was, sloot hij alle programma's af, zette de laptop in de slaapstand en deed hem in de tas. Hij wenkte de serveerster, bestelde een verse kop koffie en richtte zijn aandacht op zijn ontbijt.

In zijn hoofd was hij echter verre van ontspannen. Hij werd opgejaagd door de mogelijkheid dat Billy Warren, toen hij op de rekeningen van Gemini Holdings was gestuit, mogelijk het belang ervan had onderkend. Als dat zo was, bedacht Pawnhill, was hij ongetwijfeld zo slim geweest dat hij kopieën van die bestanden had gemaakt. En die zou hij niet op zijn kantoor op Middle Bay hebben bewaard. De politie en daarna Warrens familie hadden zijn huis binnenstebuiten gekeerd, maar er was niets gevonden, wat een enorme opluchting was, want Pawnhill had door zijn drukke bezigheden zelf geen tijd gehad om een team naar het huis te sturen.

Hij hield niet van losse eindjes. Hij was er zelfs bang voor. Want het waren altijd de losse eindjes die je de das omdeden. Hij kon zich geen slordigheden permitteren, de zaken van de Syriër mochten niet aan het licht komen.

Vanaf het moment dat de Syriër was begonnen met dc voorbereidingen voor de aanslag op president Edward Carson, was Pawnhill al bezig met het maken van noodplannen voor het geval het op een dag nodig zou zijn hun kamp op te breken en van de radar van de Amerikaanse inlichtingendiensten te verdwijnen. Nadat de Syriër had gezien hoe de Amerikaanse verkiezingen verliepen, had hij gezworen de eerstvolgende president om te brengen. Want het laatste wat hij wilde, was een gematigde president aan de macht. De voorlaatste president – en het stel onaantastbare wereldverbeteraars dat hem omringde – had de Amerikaanse agressie jegens de islamitische wereld met zoveel fanatisme over de wereld verspreid dat de Amerikaanse regering in feite het werk van de Syriër had gedaan. Er hadden zich nog nooit zoveel vrijwilligers aangemeld die bereid waren zich met een gordel van explosieven in de naam van de islam op te blazen. 'Een gehaat Amerika is een verzwakt Amerika' was de leus die de Syriër vaak in zijn speeches voor de nieuwkomers had gebruikt.

Het was een zwarte dag geweest toen Edward Carson was omgekomen bij een auto-ongeluk in Moskou. Een ongelukkige samenloop van omstandigheden, waarvoor de mensen van de Syriër de verantwoordelijkheid niet konden opeisen zonder de toorn van de Russische regering te wekken. Dus hoewel de Syriër had gekregen waar hij op uit was, had hij het niet gekregen op de manier die hij wenste. De dood van president Carson had op deze manier geen enkele propagandistische waarde gehad, er kon niet worden geclaimd dat er iets was rechtgezet en daarmee was de kans van zijn leven hem door de vingers geglipt. Maar de Syriër, niet iemand die lang bleef treuren om gemiste kansen, had zich geconcentreerd op andere manieren om ellende en rampspoed over de Verenigde Staten af te roepen. Hij had allerlei mogelijkheden tegen het licht gehouden en er uiteindelijk een uitgekozen die hem bijzonder aansprak.

Pawnhill had zijn doctoraal internationale bedrijfskunde gedaan aan een vooraanstaande Amerikaanse universiteit en was vervolgens aan

Oxford afgestudeerd in internationale financiën. Daar had hij de Syriër ontmoet. Ze hadden allebei een andere naam gebruikt. Ze hadden een korte maar heftige affaire van een week met elkaar gehad en daarna hadden ze zich vermaakt met het uitwisselen van vriendinnetjes, zoals kinderen, lang geleden, honkbalplaatjes met elkaar hadden geruild.

Met behulp van een reeks dochterondernemingen van Gemini Holdings, opgericht door Caroline, was Pawnhill begonnen hypotheken op te kopen en die in pakketten door te verkopen aan financiers en andere banken met de belofte dat ze een hoog rendement zouden opleveren. De Syriër had Pawnhill aangeraden dit te doen via de rekeningen die hij bij Middle Bay Bancorp had geopend. De banken en financiers verkochten deze schuldobligaties op hun beurt door aan hun cliënten.

Het verbijsterde Pawnhill hoe probleemloos deze obligaties werden opgekocht. Alle betrokkenen waren zo druk bezig hun zakken te vullen dat vrijwel geen enkel instituut de moeite nam de obligaties door te lichten, want dan zouden ze hebben gezien dat veel van deze hypotheken waren afgesloten door starters zonder eigen geld, van wie de kredietwaardigheid niet was vastgesteld, en die hun aflossingen binnen een jaar of vijf niet meer zouden kunnen betalen. De enkeling die er wel naar keek, zei tegen zijn cliënten dat het ging om pakketten, dus dat het niet veel uitmaakte wanneer er een of twee sneuvelden. Het probleem was dat toen de rekening werd gepresenteerd, alle hypotheken ongeldig werden verklaard.

Maar tegen die tijd hadden de Syriër en Pawnhill hun winst allang weggesluisd via hun rekeningen bij Middle Bay en het geld zo vaak verplaatst, via Carolines netwerk van offshorerekeningen en mantelbedrijfjes in alle uithoeken van de wereld, dat het niet meer traceerbaar was.

Zelfs Pawnhill had geen idee gehad van de omvang van deze zwendel, die uiteindelijk tot de kredietcrisis zou leiden. In de nasleep hiervan, toen het Amerikaanse financiële systeem op instorten stond, toen de messen werden geslepen en de jacht op de boosdoeners werd geopend, was het Pawnhills taak geweest om te voorkomen dat Gemini Holdings en al zijn inmiddels opgeheven dochters werden ontmaskerd door Safe Banking Systems, wat veel en veel moeilijker was dan niet betrapt te worden tijdens de amateuristische onderzoekjes van de federale autoriteiten. Op dit punt was Pawnhill goud waard geweest. Hij had de Syriër van de PEP-lijsten gehouden en Gemini in een veilige haven ondergebracht. En hij had net de felicitaties van de Syriër in ontvangst willen nemen omdat hij zijn werk zo goed had gedaan, toen hij zich bewust werd van Annika Dementieva.

Zij was de joker in het spel kaarten geweest, een element waarmee hij geen rekening had kunnen houden omdat hij niets had geweten van haar giftige relatie met Xhafa. Het partnerschap met Xhafa had hem eerst behoorlijk dwarsgezeten, want hoe meer mensen je bij een deal betrok – zeker mensen met zo'n explosieve persoonlijkheid als die van Xhafa – hoe groter de risico's werden. Maar de Syriër had zijn bezwaren van tafel geveegd. 'Ik heb hem nodig,' had de Syriër gezegd. 'Zijn ambitie heeft hem zichtbaar gemaakt als de leider van een nieuwe, internationale organisatie. En hij is de perfecte kandidaat, want zijn terroristen zijn ook revolutionairen die voor de vrijheid van de Albanezen in Macedonië strijden. Mooier kan het niet. Hij wordt door de anderen, van buiten de islam, als held gezien, wat hem van onschatbare waarde maakt. En als er iets misgaat, vangt hij de klappen op en trekken wij ons terug in de schaduw.'

Pawnhill was er zeker van geweest dat Dementieva zich tijdens haar onderzoek naar Arian Xhafa bewust was geworden van de financiële activiteiten van de Syriër. Maar het was pas een week geleden geweest dat hij op een plukje nietszeggende en ogenschijnlijk onschuldige data was gestuit. Hij had geprobeerd te achterhalen waar het vandaan kwam, wat extreem moeilijk was geweest, en het had hem drie dagen gekost om het te kraken. Maar wat hij toen had ontdekt, was aangekomen als een mokerslag. Hij kon namelijk geen enkele logische reden bedenken waarom Dementieva en Henry Holt Carson contact met elkaar zouden hebben. Dat was op zich al merkwaardig genoeg, maar waar dat contact over ging maakte hem pas echt doodsbang, want dat was Middle Bay Bancorp. Deze informatie was zo nieuw dat hij nog niet de kans had gehad die onder de aandacht van de Syriër te brengen. Hij wist dat dit zo snel mogelijk moest gebeuren, maar hij wist ook dat zijn baas er niet blij mee zou zijn. Daarom had hij een brokje goed nieuws nodig om het leed wat te verzachten.

Hij dacht hierover na terwijl hij zijn koffie opdronk, die zwart en sterk was, precies zoals hij het lekker vond. Als Billy Warren de accountgegevens had gekopieerd en híj vond die kopie terug, zou de Syriër blij verrast zijn. Dat Pawnhill had ontdekt dat Carson en Dementieva met elkaar over Middle Bay hadden gesproken, was buitengewoon gelukkig geweest. Maar alleen het feit dát ze dat deden, had in zijn hoofd alle alarmbellen doen afgaan. Hoewel hij er geruime tijd geleden al voor had gezorgd dat meneer Bob Evrette naar zijn pijpen danste, met een aantal beproefde trucs, had hij altijd rekening gehouden met het bestaan van externe krachten waarmee hij op een dag de strijd zou moeten aangaan.

Daarom – en om diverse andere redenen – was hij er zo op gebrand geweest dat InterPublic hem de opdracht zou geven om de boeken van Middle Bay door te nemen. Hij had eerder zaken met InterPublic gedaan, al was het maar om een bruikbare connectie te creëren mocht het ooit nodig zijn dat hij zijn accounts bij een grotere bank onderbracht.

Toen de serveerster langs kwam lopen, vroeg hij om een plak cake. Nú was het moment om een stap terug te doen en de overname van Middle Bay door InterPublic in een ander licht te zien. De kans dat Carson het bestaan van de accounts vermoedde en dat hij die in verband bracht met de Syriër en Arian Xhafa, deed de rillingen over zijn rug lopen. Pawnhill was niet iemand die snel in paniek raakte, maar deze ontwikkeling had toch veel van een totale ramp. Daarom had hij de boeken van Middle Bay met grote grondigheid doorgenomen en had hij niet alleen de accounts zelf opgeschoond, maar had hij er ook voor gezorgd dat er geen enkel elektronisch spoor van was achtergebleven.

Pawnhill at zijn plak cake op, vroeg om de rekening, legde een paar bankbiljetten op tafel, gaf zoals gewoonlijk een flinke fooi en liep het restaurantje uit. Het was al een uur of elf, benauwd weer, met geelgrijze wolken die op buien vanuit het zuiden duidden. Hij liep een paar straten door, hield een taxi aan en liet zich op veilige afstand van Billy Warrens huis afzetten. Nadat de technische recherche er zijn werk had gedaan, was Billy's vader er een paar nachten blijven slapen, zodat Pawnhill er niet kon gaan kijken. Maar nu hadden de mensen die het pand voor hem in de gaten hielden, gemeld dat de vader vertrokken was. Het appartement was verlaten en er was al meer dan achtenveertig uur niemand geweest.

Tijd, vond Pawnhill, om er een kijkje te gaan nemen.

Toen de Syriër op de afgesproken tijd nog niets van Baltasar had gehoord, deed hij een halve minuut lang vergeefse pogingen om hem op zijn satelliettelefoon te bellen. Daarna liep hij met een grimmig gezicht naar Caroline, die over haar laptop gebogen zat, en fluisterde iets in haar oor.

Ze keek op en de schrik op haar gezicht maakte algauw plaats voor berusting. Al haar werk stond op de laptop, of het bevond zich op de beveiligde servers in Nederland. Op de desktops werd nooit iets opgeslagen. Toch zette ze die uit, haalde de harde schijven eruit en maakte ze onklaar. Vervolgens pakte ze haar laptop in. De Syriër was weggelopen om met Xhafa te praten. Ze opende het slot van de bureaula, haalde *The Little Curiosity Shop* eruit en stak het boek zorgvuldig naast de laptop in de tas.

Toen ze haar schoenen aantrok, kwam Taroq binnen.

Hij keek naar haar laptoptas. Ze verliet het landgoed zelden, en al helemaal niet 's avonds. 'Waar ga je naartoe?'

'De Syriër en ik hebben een afspraak buiten het landgoed.'

'Op dit uur?' Taroq fronste zijn wenkbrauwen. 'Daar is me niks van verteld.'

Haar gezichtsuitdrukking werd harder. Ze had nu geen tijd voor Taroqs jaloezie. 'Er wordt je verteld wat je moet weten, meer niet.'

Hij bleef haar enige tijd aankijken. Haar woorden kwetsten hem, natuurlijk, maar er was ook iets wat zijn inwendige alarmbellen deed afgaan. De Syriër was altijd extreem zorgvuldig als het om zijn afspraken en besprekingen ging. Het woord 'spontaan' bestond voor hem niet en daarom beschouwde Taroq alles wat daarop leek als verdacht.

Maar ze hoefde het niet nader uit te leggen, want op dat moment kwam de Syriër binnen.

'Taroq, we zijn een paar uur weg,' zei hij, zonder ook maar een spoor van dat er iets mis zou kunnen zijn. 'In de tussentijd houd je Xhafa hier.'

Taroq knipperde met zijn ogen. 'Hij blijft hier?'

De Syriër glimlachte bemoedigend naar hem. 'Op het landgoed is hij veiliger.'

Ze namen de grote, zwarte Lincoln Navigator, die hij ooit cadeau had gekregen van een van de machthebbers die hij van wapens voorzag. Hij had vele auto's, maar hij had er zelf nog nooit een gekocht.

'Moet Taroq niet mee, of een chauffeur?' vroeg Caroline.

'In deze omstandigheden,' zei hij op afgemeten toon, 'is het beter om zonder ballast te reizen, des te groter de kans dat we veilig op onze bestemming aankomen.'

Hij reed snel, zonder licht. Hij kende deze wegen als zijn broekzak.

'Wat is er gebeurd?' vroeg ze.

'De vijand is geland.' Met piepende banden reed hij een bocht om en gaf weer meer gas. 'Ze komen eraan.'

Ze hield haar laptoptas met beide armen tegen haar borst gedrukt alsof het een kindje was. Eigenlijk zou ze zich zorgen moeten maken, maar zoals gebruikelijk voelde ze niets. 'En waar gaan we naartoe?'

De Syriër bleef recht voor zich uit kijken en glimlachte alleen.

Pawnhill liep drie rondjes om Billy Warrens appartementengebouw zonder iets te zien wat argwaan wekte. Via zijn bluetoothoordopje stond hij doorlopend in contact met de mensen van zijn surveillanceteam, die alle politieactiviteiten aan hem meldden. Het was alsof de buurt weer was ingedut na de mediahype over de gruwelijke moord op Warren. Maar omdat er geen foto's van de plaats delict waren gelekt, was inmiddels zelfs de sensatiepers, zowel in druk als online, alweer op zoek gegaan naar vers voer. In het Amerika van vandaag waren er in Hollywood en binnen de Beltway meer dan genoeg schandalen te vinden om hun onverzadigbare eetlust te bevredigen.

Pawnhill zette een slank attachékoffertje op de grond en klikte de sloten open. Veel bergruimte was er niet, maar het was genoeg voor een aantal voorwerpen, waaronder een ultradunne laptop, een leren etui met ritssluiting, een paar gummihandschoenen, een muts en een paar slofjes. Hij trok deze aan, haalde het etui uit het koffertje en deed het weer dicht.

Hij beschikte over meer talenten dan alleen voor geldzaken. Dit specifieke talent had hij te danken aan de Syriër, die het hem tijdens hun waanzinnige tijd op Oxford had geleerd. Hij ritste het etui open en haalde er een van de professionele slothaakjes uit. In een mum van tijd had hij de achterdeur open. Warrens appartement was op de tweede verdieping. Pawnhill nam de trap aangezien hij sinds zijn kindertijd bang was dat hij in een lift vast zou komen te zitten. Hetzelfde gold voor draaideuren.

Het was een oud gebouw en op de traptreden lag geen vloerbedekking. Hij trok zijn schoenen uit en liep geruisloos de treden op. Op de tweede verdieping liep hij de gang in. Hij hoorde een radio en het zachte gehuil van een baby. In de gang was niemand te zien.

Hij bleef enige tijd voor de deur van Warrens appartement staan en deed niets, alleen ademhalen. De gele politietape was verwijderd en alles zag er normaal uit. Hij drukte zijn oor tegen de deur. Toen hij ervan overtuigd was dat er achter de deur niemand bewoog, opende hij het slot met zijn haakje. Langzaam draaide hij de deurknop om en duwde de deur open.

Hij wachtte tot die helemaal open was gezwaaid. Op de drempel trok hij zijn schoenen weer aan. Uit het koffertje haalde hij de plastic muts. Die had een elastieken rand zodat hij, toen hij hem over zijn hoofd had getrokken, alleen zijn gezicht vrijliet. Op die manier voorkwam hij dat hij per ongeluk haren in het appartement achterliet. Geruisloos ging hij naar binnen en deed de deur achter zich dicht.

Het was een klein appartement met drie kamers, licht en relatief netjes, wanneer je bedacht wat er allemaal had plaatsgevonden. De inrichting was smaakvol, modern en zonder franje. Hij zette zijn koffertje naast de salontafel op de grond, ging in het midden van de kamer staan en draaide langzaam om zijn as terwijl hij alles in zich opnam. Vervolgens doorzocht hij systematisch de slaapkamer en badkamer, zonder iets te vinden. Terug in de woonkamer liet hij zijn blik langzaam langs alle meubelstukken gaan: de bank, twee fauteuils, een vloerkleed, een Travertine-salontafel met marmeren blad en daarop een decoratieve vaas, een groen kristallen beeldje van een kikker, een stapeltje onderzetters en een enkele onderzetter met een waterkring erop. Pawnhill keek nog eens goed. Het was logisch om aan te nemen dat het glas wat erop had gestaan was meegenomen door de technische recherche, tezamen met Warrens pc en zijn kabelmodem.

Tegen de ene muur stond een moderne laqué kast met daarin een kleine stereoset, een stapel cd's, een flatscreen tv, een kabelkastje, een blu-ray speler en een stel populaire dvd's. De rest van de ruimte werd in beslag genomen door boeken – voornamelijk studieboeken, maar ook een paar eigentijdse thrillers – en twee fotoalbums. Pawnhill trok het ene eruit en bladerde het zonder al te veel belangstelling door. Hij was niet geïnteresseerd in de chronologische visualisatie van Billy Warrens verleden. In het tweede zat Warrens bul en zijn proefschrift, volgens de titelpagina. Hij zette ook dit album terug. Daarna opende hij alle doosjes van de cd's en de dvd's. Hij was natuurlijk op zoek naar een dvd waarop Warren mogelijk de belastende informatie had gebrand. Hij had ook al gezocht naar een usb-stick die Warren voor hetzelfde doel kon hebben gebruikt.

Nadat hij bijna een uur in het appartement was geweest en overal had gezocht, had hij nog altijd niets gevonden. Hij wilde net weggaan toen zijn blik weer op het stapeltje onderzetters viel, plexiglas schijfjes die wat groter leken dan de gemiddelde onderzetter. Hij bekeek ze stuk voor stuk, maar het waren gewoon onderzetters.

Ten slotte pakte hij de onderzetter met de waterkring op en draaide die om. Wat hij zag, glanzend in de kleuren van de regenboog, was het spiegelende oppervlak van een dvd.

30

Het safehouse had drie verdiepingen en het stond op de hoek van een stille straat in een woonwijk. De ene zijmuur, waar een steegje langs liep, werd bijna helemaal bedekt door klimop. Achter het huis stond een straatlantaarn, maar die deed het niet. De andere kant van het huis grensde aan een smalle, in duister gehulde straat. Alle ramen waren dicht getimmerd. Aan de achterkant was iets wat eruitzag en stonk als een open riool. Toen ze door de stad waren gereden, waren ze gestuit op diverse stroomstoringen en op veel van de kruisingen was het een complete chaos geweest. Zelfgemaakte spandoeken kondigden aan dat er de volgende ochtend studentendemonstraties zouden worden gehouden.

'Er is maar één manier om het te doen,' zei Alli toen zij, Thatë en Vasily het safehouse van Xhafa van alle kanten hadden bekeken. 'Jij moet me naar binnen loodsen.'

'Onmogelijk,' zei Thatë meteen.

Vasily bekeek de twee zonder zich te verroeren.

'Het huis is beveiligd als een fort,' zei Alli. 'Er is maar één weg naar binnen en naar buiten. Wat stel jij dan voor, dat Vasily dwars door de voordeur stormt?'

Thatë liet zijn tong langs zijn lippen gaan en maakte een nerveuze indruk.

'Voor zover deze mensen weten, maak je deel uit van Xhafa's Amerikaanse manschappen. Je hebt de penning, je kent de codewoorden. Je kunt me binnenbrengen als nieuw kersje.'

Thatë begon te grinniken. 'Een giftige bes, zul je bedoelen.'

Alli wendde zich tot Vasily. 'Heb jij een beter idee?'

'Als jullie eenmaal binnen zijn, kan ik niks meer voor jullie doen,' zei hij.

'O, dat kun je wel degelijk,' zei Alli. 'Geef ons – hoe lang, Thatë? – een kwartier en creëer dan een afleidingsmanoeuvre.'

'Een flinke,' voegde Thatë eraan toe.

Vasily spande zijn spieren en zwaaide met de vlammenwerper die hij uit het pantservoertuig had gehaald. 'Geen probleem.'

'Goed dan, afgesproken.' Thatë keek van de een naar de ander. 'Laten we onze horloges gelijkzetten.'

Toen Alan Fraine tien jaar jonger was, was hij een succesvol onderhandelaar geweest tijdens gijzelingsacties. Daarvóór was hij de beste scherpschutter die de politie van Washington in de afgelopen twintig jaar had gekend. Op het departement werd nog steeds gepraat over zijn ongeëvenaarde reeks voltreffers, waarbij nooit een burger gewond was geraakt, ook niet wanneer die naast of voor zijn doelwit stond.

Toen hij zijn straatwerk had beëindigd, was dat met gemengde gevoelens geweest. Hij kreeg een hoger salaris, trad toe tot de politietop en was zelfs in de gelegenheid zich in de kijker van de burgemeester te spelen, wat in het politiek georiënteerde Washington nooit een slechte zaak is. Maar soms, nadat hij een partijtje poker met de burgemeester had gespeeld of weer eens aan een of ander exquise diner had aangezeten, trok er een schaduw van droefheid over hem heen, dan dacht hij terug aan de tijd van het straatwerk en werd hij overvallen door een zekere melancholie.

Na het verhelderende telefoongesprek met Dennis Paull was hij onmiddellijk aan het werk gegaan en had hij een team van specialisten samengesteld, afkomstig uit diverse disciplines en korpsen van het politiedepartement. Een zestal mannen die hij persoonlijk kende en die hij onvoorwaardelijk vertrouwde.

John Pawnhill opsporen was niet zo moeilijk geweest, ze kregen vrijwel onmiddellijk een melding dat hij met een team van drie man – contrasurveillanten – op pad was. Dus liet hij zijn mannen positie innemen op de daken rondom de plaats delict. Hijzelf en een van zijn teamleden reden er op Harleys naartoe, gekleed in leren Hell's Angels-outfits die ze uit de bewijslastkamer van het hoofdbureau hadden geleend.

Op het moment dat Pawnhill zich met behulp van zijn slothaakje toegang verschafte tot Billy Warrens appartement, zette Fraine zijn mannen aan het werk. In korte tijd werden de drie mannen van Pawnhill in hun kraag gepakt. Fraine verhoorde ze, maar na een halfuur gaf hij het op.

'Dit heeft geen zin; ze weigeren iets te zeggen,' zei hij toen hij wegliep bij de derde man. 'Tony, breng ze naar het hoofdbureau en laat ze in staat van beschuldiging stellen.'

'Wat is de aanklacht?' vroeg Tony.

'Verdenking van terrorisme,' zei Fraine. 'Een zaak van nationale veiligheid, dus geen telefoontjes, naar niemand.'

'Begrepen.' Tony droeg de drie over aan de agenten die ze hadden laten komen.

'En ga met ze mee,' zei Fraine. 'Ik wil geen fouten.'

'Ja, meneer.'

Fraine richtte zijn aandacht weer op de achteringang van het appartementengebouw. Toen bedacht hij iets en draaide zich weer om. 'Tony, bij nader inzien, hou ze hier. Ik wil ze in een line-up.'

Tony begon te lachen.

Thatës absolute kalmte hield Alli bij zinnen toen ze de ingang van het safehouse naderden. Afgezien van de twee mannen die onder aan de treden de wacht hielden, week het huis nauwelijks af van de andere huizen in dit deel van de stad.

De wachters stonden op en verstrakten toen ze Thatë, die Alli achter zich aan sleepte, zagen naderen. Alli kermde en probeerde zich los te rukken. Haar weerstand en angst, die ze goed speelde, hadden het gewenste effect op de wachters. Ze grijnsden en wisselden enkele woorden met Thatë, die vervolgens zijn penning tevoorschijn haalde. Het gesprek intensifieerde zich en Alli nam aan dat de wachtwoorden werden uitgewisseld.

Ze had blijkbaar gelijk, want de ene wachter knikte en liep de treden op terwijl Thatë hem volgde en haar achter zich aan sleepte. De wachter opende de deur met zijn sleutel. Toen ze langs hem heen liep, kneep hij haar hard in haar bil. Ze vloog snauwend op hem af en zette haar tanden in zijn oorlel.

Hij schreeuwde het uit en toen de andere wachter hem te hulp schoot, schopte Thatë hem in zijn kruis. Zonder geluid te maken viel hij op zijn knieën en Thatë trapte hem met de hak van zijn laars tegen de zijkant van zijn hoofd. Op hetzelfde moment raakte Alli de andere wachter met de muis van haar hand op zijn mond en stootte ze haar knie in zijn maag, net onder het borstbeen. Toen hij tegen de grond ging, greep ze zijn hoofd met beide handen vast en beukte het tegen de deurpost.

Ze gingen naar binnen en deden de deur achter zich dicht.

Pawnhill opende zijn koffertje, wekte zijn laptop uit de slaapstand, schoof de dvd erin en keek wat erop stond. En ja hoor, de gegevens over Gemini Holdings verschenen op het beeldscherm. Met een groot gevoel van opluchting borg hij de laptop op in zijn koffertje en klikte een voor een de sloten dicht.

Toen hij het appartement verliet, lette hij goed op dat hij de voordeur in het slot trok. In het trappenhuis trok hij de plastic muts van zijn hoofd en de sloffen van zijn voeten, maar de handschoenen hield hij aan. De muziek uit de radio klonk nu iets harder, en ook de baby was harder gaan huilen. Het rook in het trappenhuis naar koude pizza en de emmers oud frituurvet van een Kentucky Fried Chicken-restaurant.

Op de begane grond bleef hij staan en luisterde of hij afwijkende geluiden hoorde. Toen dat niet het geval was, opende hij de achterdeur en ging naar buiten. Hij had nog geen twee stappen gedaan of er kwam een magere man in een leren Hell's Angels-outfit op hem af lopen.

'Meneer Pawnhill.' Hij gebaarde. 'Komt u met me mee.'

'Ken ik jou?' vroeg Pawnhill.

'Nog niet, maar zo meteen wel,' zei Fraine.

Pawnhill schudde zijn hoofd. 'Dat denk ik niet.'

Fraine deed de voorkant van zijn leren jack opzij zodat de kolf van zijn dienstrevolver zichtbaar werd.

Pawnhill grijnsde zijn tanden bloot en liet hem de Sig Sauer in zijn schouderholster zien.

'U wilt vast geen schietpartij,' zei Fraine.

Pawnhills hand ging naar de kolf van zijn pistool. 'Heb je *Reservoir Dogs* ooit gezien?'

'Jazeker. Dat is zelfs mijn favoriete film. Maar dat gaat vandaag niet gebeuren.' Fraine riep iets en de twee agenten kwamen de hoek om met Pawnhills team, met de handen achter het hoofd.

'Jullie zijn niet in uniform,' zei Pawnhill.

'Surveillancewerk.' Fraine grijnsde en gebaarde met zijn kin naar het koffertje. 'Wat hebt u daar? Hebt u iets gevonden toen u Billy Warrens appartement doorzocht?'

'Jullie mensen zijn te grondig geweest. Er was niets meer te vinden.'

'O nee? Loop tot halverwege naar me toe, leg het attachékoffertje op de grond, leg uw wapen ernaast en ga weer achteruit.'

'Ik zeg je toch dat ik niks heb gevonden...'

'Ik heb scherpschutters op de daken,' zei Fraine. 'Als u niet doet wat ik zeg, bent u binnen dertig seconden dood.'

Pawnhill haalde zijn schouders op en deed wat Fraine hem had opgedragen. Toen hij ver genoeg was teruggelopen zei Fraine: 'Doe nu uw handen omhoog en verroer u niet.'

'Ik zou niet durven.'

Terwijl zijn mannen Pawnhill onder schot hielden, liep Fraine naar het attachékoffertje. Hij stak de Sig Sauer in zijn zak en zette zijn duimen onder de twee sloten.

'Ga je gang,' zei Pawnhill. 'Ik heb niks te verbergen.'

De sloten klikten open en Fraine deed de deksel omhoog. Onmiddellijk klonk er een luid gesis en spoot de dikke, zwarte rook alle kanten op. Fraine deinsde achteruit, maar zijn ogen brandden al. Hij hoorde het droge *pop-pop-pop* van de geweerschoten, maar toen de rook was opgetrokken, was Pawnhill nergens meer te zien.

Fraine hoefde zijn mannen geen opdracht te geven zich te verspreiden, want ze sprintten al in alle richtingen weg.

Een van de agenten kwam naar hem toe, haakte een zuurstofmasker over zijn hoofd en wachtte tot zijn ademhaling zich had hersteld. 'Verdomde gladjanus,' zei hij. 'Kop op, meneer. Gelukkig hebben we het bewijs nog.'

Fraines keel en neusgaten voelden alsof ze met schuurpapier waren bewerkt. Hoestend hurkte hij naast het open koffertje en zette het zuurstofmasker af. Zijn ogen begonnen gelijk weer te branden van de bijtende, zure stank.

'Godverdomme!'

Alles wat in het koffertje had gezeten, was gesmolten. Hij kon nog vaag de omtrek van een laptop herkennen, en een soort verschrompelde schelp die ooit een dvd moest zijn geweest. Allemaal onbruikbaar nu.

Jack en Annika zaten gehurkt in het duister tussen de bomen rondom het landgoed van Arian Xhafa. Ze waren allebei uitgerust met een lichtgewicht rugzak waarin Annika een keur aan hulpmiddelen en attributen had gestopt.

'Volgens Baltasar zijn er zeven bewakers en twee bloedhonden op het terrein,' zei ze.

'Geloof je hem?'

Ze keek hem aan. 'Wat moeten we anders?'

Jack wees. 'Je slachtoffer is wel vergeten te vermelden dat er geëlektrificeerd prikkeldraad boven op de muren zit.'

Annika stond op. 'Kom, we gaan een eindje lopen.'

Ze liepen langzaam om het landgoed heen totdat ze bij de achterkant aankwamen. Daar wees ze naar een eeuwenoude eik waarvan twee takken over de muur met zijn dodelijke prikkeldraad reikten.

'Kun je een beetje klimmen?' vroeg ze.

Ze liepen zo ver mogelijk door naar de muur. Jack vlocht zijn vingers ineen, Annika ging in zijn handen staan en hij tilde haar op naar de laagste van de twee takken. Ze strekte zich tot het uiterste en kon hem net met één hand beetpakken. Jack draaide zich om en duwde haar verder omhoog, totdat ze haar ene been over de tak kon slaan en er even later horizontaal op lag. Ze haalde een rol touw uit haar rugzak, knoopte het ene uiteinde vast aan de tak en wierp hem het andere uiteinde toe.

Kort daarna zat Jack naast haar op de tak. Door hun lichaamsgewicht boog die gevaarlijk ver door tot net boven het prikkeldraad, en heel voorzichtig, centimeter voor centimeter, schoven ze in de richting van de stam, totdat ze over de muur en het prikkeldraad heen waren.

Ten slotte hingen ze boven een tuin, die sterk naar citrusvruchten rook. 'Het zal niet lang duren voordat de honden ons ruiken,' fluisterde Jack. Hij keek omlaag. 'Ik heb een kei zo groot als mijn vuist nodig.'

Terwijl Annika terugkroop over de tak en zich langs het touw omlaag liet zakken, deed Jack zijn rugzak af, trok zijn jack en zijn overhemd uit en sneed met zijn mes het hele rugpand uit zijn hemd. Hij trok het weer aan, en zijn jack eroverheen. Terwijl Annika aan de andere kant van de muur in het touw klom, ritste hij zijn broek open en plaste op de lap stof totdat die goed doorweekt was.

Inmiddels zat Annika weer op de tak, maar er was een windje opgestoken, zodat die op en neer deinde. Keer op keer boog de tak gevaarlijk door tot net boven het geëlektrificeerde prikkeldraad. Annika verroerde zich niet; ze wilde wachten tot de wind afnam, maar dat gebeurde niet. Integendeel, het begon harder te waaien. Centimeter voor centimeter schoof ze opzij, totdat Jack zijn arm strekte, haar hand vastpakte en haar heel langzaam naar zich toe kon trekken.

Hij pakte de kei van haar aan, wikkelde de natte lap stof eromheen en bond de hoeken vast met een nylon koordje uit een van de zijzakken van zijn rugzak.

'Klaar?' fluisterde hij.

Annika knikte en hij wierp de ingepakte kei in de uiterste linkerhoek van de tuin. Vrijwel onmiddellijk hoorden ze jankend geblaf en kwamen er twee grote, gespierde honden achter het huis vandaan, ze renden rechtstreeks naar de onbekende geur die hun territorium was binnengedrongen. Jack en Annika lieten zich snel uit de boom zakken, met de dikke stam tussen hen en de honden in. Ze renden naar de rechterhoek van de villa en drukten zich tegen de koele, gepleisterde muur toen een paar bewakers met hun AK-50's in de aanslag de tuin in kwamen rennen om te zien wat de honden zo opgewonden had gemaakt.

Ze hadden maar heel weinig tijd voordat de honden hun lichaamsgeur zouden ruiken. Jack opende een zijraam en Annika klom erdoorheen, hij wilde haar net achternagaan toen hij geritsel in het duister hoorde en er een derde bewaker de hoek omkwam. Zodra hij Jack zag, richtte hij zijn wapen op diens middenrif. Jack deed een stap naar voren, sloeg de loop van de AK-50 opzij en haalde met vlakke hand uit naar het strottenhoofd van de bewaker. Hij rukte het wapen uit de handen van de wankelende man en verbrijzelde zijn neus met de kolf. De bewaker ging neer en bleef

318

liggen. Jack hing de draagband van de AK-50 over zijn schouder, sleepte de bewusteloze bewaker naar het raam en schoof hem erdoorheen. Daarna ging hij zelf naar binnen.

Hij kwam terecht in een donkere slaapkamer. Hij deed het raam achter zich dicht en keek om zich heen, maar Annika was nergens te zien. Binnensmonds vloekend liep hij de gang in, keek beide kanten op en ging ten slotte rechtsaf. Algauw kwam hij in een grote keuken met ramen die uitkeken op de tuin. Op de tegelvloer lagen twee bewusteloze bewakers. Dus er waren er nu drie neer. Twee waren er in de tuin, bij de honden. Dat hield in dat er nog één of twee moesten zijn. Hij moest Xhafa en de Syriër zien te vinden voordat de twee in de tuin argwanend werden en besloten hun ronde door het huis te lopen. Hij nam de AK-50 van zijn schouder en hing hem voor zijn borst.

Als een geruisloze schaduw sloop hij door de gang, waarna hij terechtkwam in een grote woonkamer met gebedskleedjes op de vloer en een bureau met een moderne bureaustoel. Er stonden twee computers op het bureau, maar algauw zag hij dat er in geen van beide een harde schijf zat. Hij zag een aansluiting voor een high-speed modem, maar het modem zelf ontbrak. Jack draaide zich om. Had Xhafa geweten dat ze zouden komen? Waren hij en de Syriër hem gesmeerd en hadden ze de bewakers als lokaas achtergelaten?

Op dat moment hoorde hij een pistoolschot. Hij rende in de richting van het geluid.

Thatë, die Alli bij haar arm vasthield, stond bijna onmiddellijk oog in oog met een Albanees stuk schorem dat blijkbaar hoger op de hiërarchische ladder stond dan de twee bewakers voor het huis.

'Een nieuw kersje,' zei Thatë. 'En het is een wilde.'

De Albanees grijnsde. 'Daar weten we wel raad mee.' Hij bekeek haar schaamteloos van top tot teen. 'We breken hun weerstand in een mum van tijd.' Hij lachte om haar angstige gezichtsuitdrukking en kneep in haar ene borst.

Thatë trok haar weg voordat ze nog meer handtastelijkheden te verduren zou krijgen. 'Absoluut niet. Nu Edon weg is, wil Arian deze voor zichzelf. Waar worden de bijzondere kersjes ondergebracht?'

'Op de tweede verdieping, aan de achterkant van het huis.' De Albanees fronste zijn wenkbrauwen. 'Maar er is me niks over een bijzonder kersje verteld.'

'Hoe bedoel je?'

'We hebben Edons zus hier. Zij is al van Xhafa.'

Thatë zuchtte. 'Ik doe alleen wat hij me opdraagt. Bel hem maar, als je het nodig vindt.'

'Dat was ik ook van plan.'

Toen de Albanees zijn mobiele telefoon uit zijn zak haalde, ramde Alli haar elleboog in zijn nierstreek. Thatë raakte hem hard in de nek met de kolf van zijn pistool en brak meer dan een van zijn halswervels. De Albanees zakte ineen op de vloer. Thatë knikte naar Alli en samen renden ze door de gang naar het centrale trappenhuis.

Achter hen klonk een stem uit de telefoon van de Albanees.

'Ilir, ben je daar? Ilir, meld je.'

Annika vond Xhafa in een kleine kamer, mogelijk een studeerkamer, want er stonden stapels boeken op de grond. Hij zat in een stoel en had een Sig Sauer in zijn hand.

'Ik wist dat je zou komen,' zei hij. 'Zoals een hond op zijn eigen stank afkomt.' Hij richtte het pistool en haalde de trekker over, maar Annika, die in de schaduw stond, was al in beweging gekomen. De kogel vloog fluitend langs haar oor. In één beweging strekte ze haar rechterbeen en raakte ze hem met de hak van haar laars boven op zijn kin. Hij tuimelde met stoel en al achterover. Ze bukte zich, trok de Sig Sauer uit zijn hand en zette de stoel overeind. Xhafa kwam moeizaam overeind, veegde het bloed van zijn mond en ging zitten.

'Natuurlijk ben ik teruggekomen,' zei ze. 'Maar jij bent de hond, en jij bent degene die stinkt.'

Op dat moment hoorde ze blaffende honden naderen.

Xhafa glimlachte ondanks zijn pijn. 'Beng, beng,' zei hij. 'Je bent er geweest.'

31

Ze renden de trap van het safehouse op toen Alli een koele bries op haar wang voelde, zo koel dat ze ervan huiverde.

Ze komen.

Het was Emma. Alli moest een zekere angst onderdrukken. Emma sprak alleen tot Jack wanneer hij in levensgevaar was, of ernstig in de problemen zat. Gold dat nu ook voor haar?

Wees er klaar voor, Alli.

'We hebben gezelschap,' zei Alli tegen Thatë.

Emma, blijf bij me.

Op de overloop van de eerste verdieping stonden twee mannen. Zodra ze Alli en Thatë zagen, openden ze het vuur met hun AK-50's.

'Ze weten blijkbaar wie we zijn,' zei Alli terwijl ze opzij dook.

Thatë schoot terug met zijn automatische geweer en de twee mannen verdwenen uit het zicht. Hij liep verder de trap op en Alli volgde hem. Ze zag dat een van de mannen op de overloop was achtergebleven en toen hij zijn wapen op Thatë richtte, schoot ze hem dood. Haar hand was vast, haar geest scherp. Dit waren de lessen die Jack haar had geleerd, al voordat hij voor het eerst met haar naar de schietbaan was gegaan. Er had naast haar een zevenklapper kunnen afgaan en haar concentratie zou geen moment verstoord zijn geweest. Jack was een zenmeester wanneer het op concentratie aankwam. Voor hem was dat pure noodzaak, het vergde van hem al een enorme hoeveelheid concentratie om in het dagelijks leven min of meer normaal te kunnen functioneren. Alles wat plat was met letters erop zag er voor hem uit als een draaikolk of de binnenkant van een lavalamp.

Ze waren bijna bij de overloop. Waar was de andere Albanees gebleven? Toen ze op de eerste verdieping waren aangekomen, wenkte Thatë dat zij linksaf moest gaan en dat hij de rechterkant voor zijn rekening zou nemen. Aan de linkerkant liep de trapleuning nog een meter of vijf door tot aan de trap naar de tweede verdieping. Net voordat ze op de overloop aankwam, zwaaide ze haar benen over de leuning. Op momenten als deze had ze voordeel van haar kleine postuur en tengere lichaamsbouw. Ze haakte haar onderbenen om de spijlen en werkte zich langs de leuning opzij. Achter haar werd geschoten, een regen van kogels, en toen ze zich omdraaide zag ze Thatë haar kant op komen. Hij wees naar boven; hij had de andere Albanees uitgeschakeld.

Ze stormden de tweede trap op. Alli keek op haar horloge. Minder dan vier minuten voordat Vasily zijn afleidingsmanoeuvre zou inzetten.

Ze waren halverwege de trap toen een luide, bevelende stem riep: 'Staan blijven. Wapens neer, op je knieën, handen achter je hoofd!'

Jack kon Annika in de schaduw onderscheiden en hij hoorde haar praten, vermoedelijk tegen Xhafa, toen het geblaf erop duidde dat de honden het huis waren binnengekomen. Hij draaide zich om, zakte half door zijn knieën en maakte zich klaar om hun positie te verdedigen.

De eerste hond kwam de gang in rennen en de nagels van zijn poten tikten hard op de houten vloer. Jack loste een schot op de hond zodra hij hem zag. Hij raakte hem in de flank, maar het scheen de hond nauwelijks te deren. Hij ontblootte zijn tanden en rende gewoon door. Jack loste nog een schot en raakte de hond in de borst, maar hij werd afgeleid door de komst van de tweede hond, die hij vanuit zijn ooghoek zag naderen. De eerste hond scheen weinig last te hebben van de twee kogels in zijn lijf, totdat hij Jack tot een meter was genaderd en Jack hem in de kop schoot. Het beest sloeg tegen de grond, maar de tweede hond kwam met gestrekte poten en ontblote tanden op hem af vliegen.

Door het gewicht van het beest tuimelde hij omver. Hij hakte erop los met de kolf van de AK-50 om het beest van zich af te houden, maar de nagels scheurden zijn kleren aan flarden alsof ze van vloeipapier waren gemaakt. Hij ramde zijn elleboog tegen de zijkant van de kop, maar het leek de hond alleen maar agressiever te maken. Het beest had zijn tanden in de AK-50 gezet en leek niet van plan die nog los te laten. Jack gaf een harde ruk aan het wapen en hoorde de halswervels van het beest kraken. Op dat moment liet hij los, sloeg zijn arm om de kop en rukte die opzij. De halswervels braken met het korte, droge geluid van een pistoolschot, hij zag het licht doven in de ogen van het beest en het zware lijf viel als een zandzak boven op hem.

Happend naar adem wilde hij de kolf van de AK-50 uit de bek van de hond trekken, toen een stem zei: 'Geef die maar aan mij.'

Hij keek op, recht in het gezicht van een van de bewakers.

Alli draaide zich om en zag een man met één groen en één blauw oog; de ogen van een harteloos monster. Ze huiverde en zelfs Emma, die bij haar was, leek ineen te krimpen.

Hij vermoordt je, Alli. Zodra hij de kans krijgt, vermoordt hij je.
'Ik werk voor Arian Xhafa. We komen Liridona halen. We zoeken geen problemen met jou,' zei Thatë.
'Het bloed dat jullie hebben vergoten is genoeg reden voor problemen.' Het ene oog leek alles te zien, terwijl het andere in gedachten leek te zijn. Hij praatte tegen Thatë, maar zijn onpeilbare blik was op Alli gericht. 'Niemand verlaat mijn safehouse.'
'Jouw safehouse?' Thatë schudde zijn hoofd. 'Dit huis is van Arian Xhafa.'
'En Arian Xhafa is van mij.'
De Syriër richtte zijn M1911 met parelmoeren kolf, maar voordat er iemand kon reageren, schoot er een reusachtige vuurtong langs de trap omhoog en spatte in een verblindende lichtflits uiteen. De Syriër draaide zich om. Thatë schoot hem in de schouder maar de Syriër, schijnbaar onaangedaan, richtte de .45 en haalde de trekker over. De kogel – een *full metal jacket* – drong Thatës borstkas binnen en wierp hem achteruit op de traptreden. Vanuit die half liggende positie schoot Thatë nog eens en nog eens, waardoor de Syriër een kamer op de eerste verdieping binnen moest vluchten.
'Thatë!' riep Alli, en ze boog zich over hem heen.
Maar hij duwde haar ruw van zich af. 'Ga naar boven. Zorg dat je Liridona vindt en maak dat je wegkomt. Ik hou die klootzak wel uit je buurt.'
'Ik laat je hier niet achter!'
'Doe niet zo stom.' Hij keek haar aan. 'Dit is waarvoor ik ben getraind; dit is mijn leven. Laat me doen wat ik moet doen.'
Hij loste weer een schot.
'Thatë...'
Hij duwde haar weer weg. 'Ga naar boven!'
Doe wat hij zegt, Alli.
De tranen liepen over haar wangen toen ze overeind kwam en de trap op rende.

Annika sloeg geen acht op de schoten en het dierlijke gegrom in de kamer achter haar. Dat leek Xhafa te verbazen, en hij zei: 'Je bent niet alleen.'
Zonder iets te zeggen trok ze hem uit de stoel, draaide hem een halve slag om en gooide hem voorover op de grond.
'Je zult altijd van mij zijn, dat weet je, hè?' zei hij. 'Wat je ook doet, je bent van mij tot aan je dood.'
Annika ging schrijlings op hem zitten, haalde een groot jachtmes uit haar rugzak en sneed zijn hemd kapot totdat ze zijn rug had ontbloot. De spieren trokken zich al samen van gespannen afwachting.

Met de scherpe punt van het lemmet kerfde Annika zeven overlappende cirkels in zijn rug, tot diep in het spierweefsel. Er vloeide bloed en Xhafa schreeuwde het uit.

Caroline zat op de passagiersstoel van de auto van de Syriër, met de laptop tegen zich aan gedrukt, toen ze salvo's geweerschoten hoorde. De auto stond op één straat afstand van het safehouse, maar het geluid van de schoten leek van dichterbij te komen. Ze draaide zich om en keek uit het zijraampje toen Taroq het portier optrok.

Ze stapte uit en Taroq omhelsde haar. Ze voelde geen enkele emotie; ze had net zo goed tegen een lantaarnpaal aan kunnen staan.

'Geen problemen tijdens het volgen?'

Hij schudde zijn hoofd. 'Nee.'

'Oké. Laten we dan gaan.'

Hij wees naar links. 'Mijn auto staat daar.'

Ze liep naast hem, weg van de auto van de Syriër, en keek niet meer achterom.

Toen het geschreeuw begon keek de bewaker even om, en Jack, met de dode hond nog steeds boven op zich, zag zijn kans schoon. Hij trok zijn Glock en schoot de bewaker in het achterhoofd. Kreunend probeerde hij het lijk van de hond van zich af te duwen, maar het veerde opeens op toen het werd getroffen door twee kogels van de tweede bewaker. Jack viel terug en deed alsof hij zelf was geraakt.

Door de spleetjes van zijn ogen zag hij de laarzen van de tweede bewaker aarzelend zijn kant op komen. Hij wist dat hij een risico nam, maar de hond was zo groot dat hij het merendeel van zijn bovenlichaam en hoofd aan het zicht onttrok. Zijn hand met de Glock lag onder de hals van de hond, dus die kon hij bewegen.

Toen de laarzen dichtbij genoeg waren gekomen, tilde hij langzaam de loop van de vloer en richtte die omhoog, maar op dat moment kwam de linkerlaars van de bewaker hard op de Glock terecht, zodat die onbruikbaar werd.

Jack liet het wapen meteen los, gleed onder de hond vandaan en vuurde op de bewaker met het pistool in zijn linkerhand. Hij miste en de bewaker haalde met de loop van zijn pistool Jacks wang open. Ondanks de pijn deed Jack een stap naar voren, bewoog zich binnen de verdediging van zijn belager en plaatste een reeks venijnige stoten op het gezicht en de hals van de man.

Onaangedaan sloeg de bewaker Jack hard op de gewonde kant van zijn gezicht en Jack ging tegen de grond. Grijnzend richtte de bewaker zijn pistool op zijn hoofd. Zijn vinger kromde zich om de trekker, maar het volgende moment stond er een jachtmes tot aan het heft in de linkerkant van zijn borst.

De bewaker keek op, over Jack heen, maar hij begon al te wankelen en er kwam een glazige blik in zijn ogen, totdat die naar het plafond draaiden omdat zijn hart, in tweeën gespleten, ophield met kloppen.

Toen Jack achteromkeek zag hij Annika in de deuropening staan.

Alli was op de tweede verdieping aangekomen toen ze het gestamp van laarzen hoorde. Ze had nog net de tijd om een kamer in te rennen voordat zes of zeven gewapende mannen, in reactie op de schoten, de brand en de rook op de begane grond, in looppas de gang in kwamen. Zodra ze voorbij waren, kwam ze de kamer uit en rende de andere kant op. Ze kwam langs kamers met jonge meisjes die op pallets lagen te slapen, of, wat waarschijnlijker was, hun drugsroes lagen uit te zweten. Ze had ze graag allemaal willen bevrijden, maar in de huidige situatie – en hun huidige toestand – was dat uitgesloten. Ze was hier om Liridona te bevrijden.

Ze vond haar in het achterste kamertje, gekooid als een beest, op haar handen en knieën omdat het er te laag was om te kunnen staan. Alli rammelde aan de deur, maar die was afgesloten met een hangslot.

'Edon heeft me gestuurd,' zei ze tegen het doodsbange meisje. 'Waar is de sleutel?'

Toen Liridona geen antwoord gaf, riep Alli: 'Ga achteruit!' Ze schoot het hangslot kapot, opende de deur en bevrijdde het meisje uit haar kooi.

'Spreek je Engels?'

Toen Liridona knikte, zei ze: 'Ik heet Alli. Edon heeft me gestuurd.'

'Leeft Edon nog?'

'Ja, en ze is ongedeerd,' verzekerde Alli haar. 'Nu moeten we jou hier weg zien te krijgen.'

'Maar hoe?'

Goeie vraag, dacht Alli. Thatë had gezegd dat er maar één in- en uitgang was. Vasily was daar, maar ook alle bewakers die het vuur van zijn vlammenwerper probeerden te blussen. Wat moesten ze doen?

'Waar zijn de verblijven van de bewakers?'

'Daar mogen we niet komen...'

'Vertel op, nu!' commandeerde Alli om het meisje uit haar apathische toestand te krijgen. 'Wijs me de weg.'

Liridona holde de gang in met Alli vlak achter zich, als een leeuwin die haar jong bewaakte.

Jack trapte de hond opzij en stond wankelend op, onder het bloed.

'Alles oké met je?' vroeg Annika.

'Dat kan ik beter aan jou vragen.' Hij wrong zich langs haar heen de kamer in. 'Goeie god.'

Arian Xhafa lag op de grond, met zijn blote rug vol bloedende wonden. Zijn vingers kromden en strekten zich terwijl hij wanhopige pogingen deed om overeind te komen.

Jack liep naar hem toe. 'Wat heb je in hemelsnaam met hem gedaan?'

'Hetzelfde wat hij met mij heeft gedaan.' Annika kwam naast hem staan.

Ze keken toe terwijl Xhafa naar de stoel probeerde te kruipen.

'Alleen erger.'

'Ja, alleen erger,' beaamde ze.

Jack keek haar aan. 'Staan jullie nu gelijk?'

De blik in haar kornalijnen ogen was hard en, meende Jack, een beetje bedroefd.

'Je weet wel beter.'

Achter haar had Xhafa zijn handen op de stoelleuning gelegd, hij probeerde zich overeind te trekken.

'Ik heb maar vijf bewakers geteld,' zei Jack. 'En waar is de Syriër?'

Vanuit zijn ooghoek zag hij dat Xhafa zijn hand onder het kussen van de stoel liet glijden. Onmiddellijk daarna had hij zich omgedraaid en had hij een 9mm in zijn hand. Jack duwde Annika opzij en loste twee schoten. De ene kogel ging dwars door Xhafa's hals en de andere rukte een deel van zijn achterhoofd weg.

Annika draaide zich niet om. In plaats daarvan keek ze Jack aan. 'Al dat werk,' zei ze. 'Allemaal voor niks.'

Meende ze het, of was ze alleen maar sarcastisch? Dat was het probleem met Annika, je wist het nooit zeker.

Liridona bracht Alli naar een zaal waar opvallend luxueuze meubels stonden. Alli liep door naar het raam en deed het open. Dit was de kant van het huis die met klimop was begroeid.

Liridona kwam naast haar staan en keek haar met grote ogen aan. 'Wat ga je doen?'

'Naar beneden.'

'Dat durf ik niet.' Liridona schudde heftig haar hoofd. 'Ik heb hoogtevrees.'

'We hebben geen keus. Dit is de enige uitweg.'

Liridona deinsde achteruit. 'Nee.'

'Kijk.' Alli wees naar de straatlantaarn die nog geen meter van het huis stond. 'We hoeven ons alleen tot daar te laten zakken en dan kunnen we ons langs de lantaarnpaal omlaag laten glijden.'

'Ik durf niet. Alsjeblieft.'

'Ik laat je hier niet achter.' Alli greep haar vast. 'Sla je armen om me heen.' Ze voelde hoe het broodmagere meisje zich aan haar vastklemde. 'Zodra ik buiten ben, sla je je benen ook om me heen.'

Zittend op het raamkozijn zwaaide Alli haar ene been naar buiten en greep de dichtstbijzijnde klimoprank vast, maar toen besefte ze dat hun gezamenlijke lichaamsgewicht te zwaar voor haar was.

Op dat moment voelde ze Emma's aanwezigheid weer naast zich.

Gebruik je vingers en je tenen.

Alli knikte. Snel trok ze haar laarzen uit en liet ze uit het raam vallen. Opnieuw zwaaide ze haar benen naar buiten, zocht met haar voeten de dikste klimopranken en begon aan de afdaling.

Liridona, op haar rug, prevelde iets wat op een schietgebedje leek. En daar gingen ze, schuin omlaag, hand over hand in de richting van de straatlantaarn. Na even merkte Alli al dat hun gezamenlijke lichaamsgewicht op sommige plekken te veel was voor de klimop. Ze hoorde een zacht, scheurend geluid toen die loskwam van de muur, en haar hart ging als een razende tekeer.

Liridona, die haar ogen had dichtgeknepen, onderbrak haar geprevel en fluisterde: 'Wat was dat?'

Alli had het te druk om antwoord te geven en Liridona vroeg het niet nog eens. In Alli's maag had zich een klomp ijs gevormd en ze moest haar uiterste best doen om niet in paniek te raken. Ze dacht aan Jack en dwong zichzelf langzaam en diep adem te halen, maar de straatlantaarn leek nog steeds mijlenver weg. Even, hoewel het een eeuwigheid leek, zweefden ze boven het beton van het steegje tussen de twee huizen. Als ze vielen, was er niets om hun val te breken. Ze beet haar tanden op elkaar en concentreerde zich weer op de klimop. Eén ding tegelijk, zei ze tegen zichzelf. We doen het stapje voor stapje.

Ze waren nog een paar armlengten van de straatlantaarn verwijderd toen de klimop het begaf. Liridona slaakte een kreet toen ze begonnen te vallen.

Alli zette zich met haar voeten af tegen de muur totdat ze als de slinger van een klok heen en weer zwaaiden. Toen ze het dichtst bij de straatlantaarn waren, lieten haar handen en voeten de klimop los. Heel even vlogen ze vrij door de lucht. Toen smakte ze tegen de straatlantaarn aan, gleed een stukje omlaag en sloeg toen haar armen en benen eromheen.

Ze bleef een paar seconden zo hangen, met de bevende Liridona op haar rug. Daarna liet ze zich langzaam omlaag glijden. Toen ze op de grond stonden, bleef Liridona zich snikkend van opluchting aan haar vastklemmen. Alli maakte zich van haar los, omhelsde haar een ogenblik en duwde haar toen zachtjes tegen de muur van het huis.

'Blijf hier staan,' fluisterde ze.

Liridona keek haar met grote ogen aan. 'Wat ga je doen?'

'Ik kan Thatë en Vasily hier niet achterlaten.'

Ze sloop langs de muur van het huis totdat ze bij de hoek kwam. Maar toen ze er voorzichtig omheen gluurde, zag ze dat Xhafa's mannen Thatës lijk naar buiten sleepten en het boven op dat van Vasily gooiden.

DEEL IV

VERTROUWEN

Het heden

En zo neemt de tijd een andere weg,
of daalt hij af naar de bodem,
om terug te keren naar de plek waar hij ooit is begonnen.

32

Alli bevond zich midden in het studentenoproer op het grote stadsplein. De mist, roestbruin van het verbrande kruit en straatvuil, was als een levende hand die probeerde haar tegen te houden. Ze werd meegesleurd door de stromen rennende mensen, hun geschreeuw drong haar oren binnen, aanhoudend en hard als de klokken van de kathedraal, die op enige afstand met een lang, onverschillig El Greco-gezicht toekeek.

In de chaos was ze Liridona uit het zicht verloren en haar hart ging als een razende tekeer terwijl ze zich door de mensenmassa wrong, de heksenketel van vallende en opstaande lichamen, van bloed en gebroken botten, van vertrapte slachtoffers en kreten van doodsangst en pijn.

Op dat moment zag ze een van Xhafa's mannen, duister en dreigend als een reusachtige vleermuis, boven de hoofden van de studenten uitsteken. Haar weg leidde haar rechtstreeks naar de militie. Ze had geen tijd voor een omweg, dus liep ze rechtdoor tot ze de rij mannen, die stonden opgesteld alsof ze een peloton Romeinse soldaten waren, tot ze een paar meter was genaderd. Vervolgens maakte ze zich klein en onzichtbaar, en kroop ze op handen en knieën tussen de benen van de militieleden door, totdat ze op veilige afstand van hen was.

Ze krabbelde overeind, keek om zich heen en zag nog net hoe Liridona door twee andere mannen een straatje in werd geduwd. Opgelucht dat ze haar eindelijk weer op het spoor was, rende Alli naar de hoek. Haar hart bonkte in haar keel toen ze opeens pistoolschoten in het straatje hoorde.

'Nee!' riep ze. 'Nee!'

Ze schoot de hoek om, botste tegen iemand aan en viel op de grond. Toen ze opkeek, keek ze recht in de afschrikwekkende ogen van de Syriër. Een blauw en een groen oog. Ze namen haar op alsof ze aan twee verschillende personen toebehoorden, maar de blik in beide was zo kil als ijs.

Ergens buiten haar gezichtsveld hoorde ze Liridona huilen en opeens, als een glas dat uiteenspat tegen een stenen muur, vond ze weer de kracht om te proberen zich los te worstelen. Maar de Syriër gaf geen krimp en duwde de loop van zijn .45 met parelmoeren kolf in haar mond.

'Wees stil.' Zijn stem klonk strak en toonloos. 'Totdat ik er een eind aan maak.'

Op dat moment sprong Edon uit het niets tevoorschijn en gaf de Syriër met de bandenlichter van een auto een dreun op zijn achterhoofd. De Syriër klapte voorover en liet de .45 los. Alli bukte zich razendsnel en raapte hem op.

'Hoe...?' Ze richtte het pistool op de Syriër, maar op dat moment hoorden ze Liridona weer een angstkreet slaken.

'Laat hem!' riep Edon. 'Daar hebben we geen tijd voor.' Ze draaide zich om en rende het steegje in.

Alli sprintte haar achterna. 'Wacht!' riep ze. 'Wacht op me, Edon.'

Alli haalde het meisje in en rende haar voorbij. Ze zag Liridona tussen de twee mannen lopen, en al rennende richtte ze het pistool en schoot de ene man in de schouder. De andere man richtte zijn pistool op haar en hem schoot ze in het hart. De eerste man greep naar zijn schouder, schudde zich uit als een hond na een regenbui en wilde recht op haar afkomen. Maar Liridona draaide zich om en trapte hem hard in zijn knieholte, zodat hij voorover op de vuile bestrating viel. Liridona raapte zijn pistool op en toen hij zich oprichtte om naar haar uit te halen, schoot ze hem van dichtbij in het gezicht.

33

'Ze is inderdaad heel bijzonder.'

Annika zat naast Jack op de ferry van Vlorë naar Brindisi, aan de oost-kust van Italië, en keek naar Alli, die met Edon en Liridona zat te praten. Jack was hondsmoe en hij had overal pijn. Hij vroeg zich af of hij koorts had, op een zeker moment tijdens hun merkwaardige, bloederige odyssee was hij zijn antibiotica kwijtgeraakt. Hij zou blij zijn als hij weer thuis was.

'Is dat wat je wilde zeggen?' Zijn stem klonk zacht en vriendelijk.

Annika bleef hem even aankijken. 'Ik voel... ik weet het niet precies, maar ik voel me verwant aan haar.'

'Zij ook aan jou, denk ik.'

Dit bracht een vage glimlach op Annika's gezicht. 'Ik moet terug naar mijn grootvader.'

'Hij heeft vast wel mensen die voor hem zorgen.'

Ze knikte. 'Heel goede mensen.'

'Ga dan met ons mee naar Washington.'

Er kwam een starende, naar binnen gerichte blik in haar ogen. 'Misschien,' mompelde ze, alsof ze het tegen zichzelf had. 'Voor een tijdje...'

Nu was het Jacks beurt om naar de drie meisjes aan de overkant van het dek te kijken. 'Ik zag je zonet met Liridona praten.'

Annika bleef even stil. De ferry deinde licht en de zware dieselmotoren deden het dek zachtjes trillen.

'Ze heeft me het geheim verteld dat Arjeta het leven heeft gekost, en haarzelf bijna ook. Arjeta was op het landgoed in Vlorë. Het bleek niet van Arian Xhafa maar van de Syriër te zijn.'

'De man die Alli in het safehouse tegenkwam en daarna nog eens op straat.'

Annika knikte. 'De Syriër had een vrouw op het landgoed, die daar woonde.'

'Een maîtresse?'

'Dat zou kunnen, maar na wat ik over de Syriër heb gehoord, betwijfel ik dat. Nee, deze vrouw is een computerexpert. Ze doet alle internationale transacties voor de Syriër.'

'Een computer*wizard*?'

'En een eersteklas hacker.'

Jack schudde zijn hoofd. 'Oké, maar waarom is dat zo'n groot geheim dat de Syriër er talloze mensen voor laat vermoorden?'

'Omdat,' zei Annika, 'ze Caroline Carson heet.'

Gunn zat in zijn auto en rookte een sigaret. Hij stond op het parkeerterrein van een obscuur motel langs een snelweg in Maryland. Op grond van wat hij de afgelopen veertig minuten had gezien, was hij tot de conclusie gekomen dat het motel een wijkplaats was voor vertegenwoordigers en accountmanagers die met de secretaresse van een ander in bed wilden duiken. Om de zoveel tijd werd er iets bij een van de kamers afgeleverd. Wanneer dat gebeurde, stapte Gunn uit de auto en ging hij de bezorger achterna om te zien of hij naar kamer 261 ging.

Gunn, die John Pawnhill als een bloedhond was gevolgd, had Pawnhills ontsnapping gezien en was onder de indruk geweest. Hij had gezien dat Pawnhill was opgepikt door een man die Gunn niet herkende en was ze naar deze gribus gevolgd, met zijn knipperende neonreclame, zijn zoemende tl-buizen en zijn frisdrankautomaat die het niet deed.

Om 10.52 uur kwam er een witte auto met het logo van een Chinees restaurant het parkeerterrein op rijden. Opnieuw stapte Gunn uit, rekte zich uit en ging de jonge bezorger achterna. Hij bracht twee grote papieren zakken naar kamer 261. Gunn ving een glimp op van Pawnhills chauffeur toen hij de zakken aanpakte en de jongen zijn geld gaf. Hij schroefde de geluiddemper weer op zijn Glock. De bezorger liep de trap af, stapte in de auto en reed weg.

Gunn liep naar de deur van kamer 261 en klopte aan.

'Wie is daar?' vroeg een stem aan de andere kant van de deur.

'U hebt me te weinig geld gegeven,' zei Gunn in een redelijke imitatie van de stem van de jongen.

De deur werd op een kier geopend, Gunn stak de loop van de Glock naar binnen en schoot de chauffeur in het voorhoofd. De man viel achterover, Gunn schopte de deur open en stormde naar binnen. Pawnhill gooide een witkartonnen bakje met eten naar hem toe, maar Gunn dook opzij, ontweek het en schoot Pawnhill twee keer in de borst. Deze zakte ineen. Gunn liep naar hem toe en schoot hem voor de zekerheid nog twee kogels in het lijf, daarna draaide hij zich om en liep de kamer uit.

De nacht was het moment voor herinneringen, dacht Vera toen ze in Fearington op haar bed lag. Ze dacht aan haar kindertijd, toen Caro en zij samen in een kamer sliepen. Natuurlijk hadden ze allebei een eigen, overdadig ingerichte kamer gehad, maar 's nachts wilden Caro en zij per se bij elkaar zijn. Ze herinnerde zich dat Caro haar dan voorlas uit haar lievelingsboek, *The Little Curiosity Shop*, met prachtige verhalen over een befaamd, oud winkeltje in World's End in Londen, tot aan de nok gevuld met sprookjesachtige magie. Ze ging rechtop zitten, zwaaide haar benen opzij en keek naar het bed tegenover het hare. Alli Carsons bed. Waar nu natuurlijk niemand in lag. Wie zou er weten waar Alli uithing, en of ze nog wel in leven was? Vera staarde naar het voeteneind van het bed, en daarna, omdat ze het gewoon niet kon laten, naar het hoofdeinde met het keurig omgeslagen laken en de zwarte kussensloop met een patroon van witte schedeltjes. Ze was niet goed snik, die griet, maar vreemd genoeg miste Vera haar. Al was het alleen maar om zich aan haar te kunnen ergeren.

Ze ging weer liggen, maar wist meteen dat er van slapen weinig zou komen. Dus deed ze wat ze altijd deed wanneer ze niet kon slapen: ze ging aan haar bureau zitten, knipte de lamp aan en startte haar laptop op. Ze wilde net haar browser aanklikken toen ze een nieuwe map op haar bureaublad ontdekte. *curiosa_kast* stond eronder.

Een lichte rilling van opwinding trok door haar heen. In *The Little Curiosity Shop* kwam een curiosakast voor; daarin werden alle magische voorwerpen achter slot en grendel bewaard. Ze scande de map met haar antivirusprogramma, maar hij was brandschoon. En hij was ook beveiligd. Toen ze hem probeerde te openen, werd er om een wachtwoord gevraagd. Ze dacht enige tijd na en typte *tlcs* in. Dat werkte niet. Toen dacht ze aan de curiosakast zelf. Aan de bijzondere dingen die erin lagen, waaronder – wat het meest tot de verbeelding sprak – het boek dat toegang gaf tot Sprookjesland. Hoe heette dat boek ook alweer? Ze trok een gezicht terwijl ze diep nadacht. O ja.

Ze typte *maeve's world*.

Bingo, ze was in de map. Haar hart ging sneller kloppen. Kon dit zijn wat ze vermoedde? Toen vervloog haar hoop. Er zat maar één piepklein bestandje in de map. Maar toch... Ze opende het en las: *hoi zusje, hoe gaat-ie daar?*

Jack tuurde naar de sterren. Ze leken zo dichtbij dat je ze zou willen aanraken. Paulls militaire jet had in Brindisi staan wachten om hen naar huis te vliegen.

Alli kwam naast hem zitten. 'Hoe voel je je?'

'Alsof ik door een trein ben overreden.' Hij lachte zacht. 'Een stuk of vijf treinen, om precies te zijn.'

Ze aarzelde even. 'Ik wilde je bedanken.'

Hij keek haar aan.

'Omdat je in me hebt geloofd.'

'Het was Annika die in je geloofde.'

'Jij ook, Jack. Je geloofde in me, en dat is iets wat mijn ouders nooit hebben gedaan.' Ze dacht even na. 'Je dacht zeker dat er iets mis met me was omdat ik niet om hun dood rouwde.'

'Je had anders genoeg verdriet om de dood van je vader.'

Ze keek hem bedachtzaam aan. 'Ja, misschien wel.'

'En wat je moeder aangaat...' Hij haalde zijn schouders op. 'Misschien komt dat nog.'

'En zo niet?'

'Dan niet.'

Ze bleef enige tijd zwijgen. Toen haalde ze diep adem en blies de lucht langzaam weer uit. 'Iedere arts die me onderzoekt zegt dat er iets mis met me is.' Haar blik zocht de zijne. 'Je begrijpt wel wat ik bedoel.'

Natuurlijk begreep hij haar. Ze hadden tegen hem hetzelfde gezegd toen hij jong was.

'Soms voel ik...' Ze keek van hem weg. 'Soms voel ik me zo doods van-binnen, alsof ik nooit meer echt iets zou kunnen voelen.'

Jack pakte haar hand vast. 'Je weet dat dat niet waar is.'

Er welden tranen op in haar ooghoeken. 'Ik hoop echt dat je gelijk hebt.'

Op dat moment kwam Annika aanlopen.

'Stoor ik jullie?'

Jack keek Alli aan en schudde zijn hoofd.

Alli boog zich opzij en kuste hem op zijn wang. 'Ik spreek je later.' Daarna stond ze op en liep met Annika mee terug naar hun stoelen.

Jack probeerde aan niets te denken, maar zijn brein, dat de losse eind-jes van het complot aan elkaar probeerde te knopen, gaf hem geen rust. Toen zoemde zijn mobiele telefoon en hij zag dat hij werd gebeld door Alan Fraine, de korpschef van de politie van Washington.

'Ik ben bang dat ik slecht nieuws voor je heb.' Fraines stem klonk ijl en van ver weg. 'Pawnhill is ontsnapt.'

Jack tuurde door het raampje de duistere nacht in. 'Wat is er gebeurd?'

'We volgden hem en hij bracht ons bij het appartement van Billy War-ren. Hij had daar blijkbaar een dvd gevonden, maar die zat in een kof-fertje dat hij met een boobytrap had beveiligd. De dvd is vrijwel helemaal aangetast door een zuur. Er staat niks bruikbaars meer op.'

Jack dacht even na. 'Dus Billy had een kopie van de belastende informatie die hij op de servers van Middle Bay had gevonden. Daarom is hij eerst gemarteld voordat hij werd vermoord.'

'Dus het was Pawnhill en niet Dardan Xhafa, die dat heeft gedaan.'

'Pawnhill heeft het waarschijnlijk laten doen door McKinsey,' zei Jack, 'die nog iets te verrekenen had met Billy.'

'Jouw baas, Dennis Paull, heeft alle dossiers, rapporten en computerbestanden van Middle Bay laten confisqueren voordat hij uit het vliegtuig stapte, maar hij zegt dat ze tot nu toe geen spoor van belastend bewijs hebben kunnen vinden.'

'Dat gaat ook niet gebeuren, denk ik,' zei Jack. 'Pawnhill heeft de afgelopen week onbeperkte toegang tot de bankgegevens gehad. Ik weet zeker dat hij alle sporen heeft gewist.'

Fraine zuchtte. 'Ja, waarschijnlijk wel. Maar Paull beweert dat hij een paar eersteklas experts in dataherstel aan het werk heeft gezet. Misschien vinden ze iets wat Pawnhill over het hoofd heeft gezien.'

Jack vond het niet nodig om te zeggen wat hij dacht. Hij geloofde geen seconde dat Mbreti ook maar één kilobyte belastende informatie had achtergelaten.

'Nou, het levert gelukkig ook nog iets goeds op,' zei Jack. 'Je kunt Heroe uit haar hechtenis gaan halen.'

'O ja? Hoe dat zo?'

'Nu de data er niet meer zijn, hoeft er ook niks meer in de doofpot te worden gestopt.'

'Ik betwijfel of het zo eenvoudig zal zijn.'

'Geloof me, Fraine, ze wordt in vrijheid gesteld zodra je een verzoek indient.'

Het bleef even stil en toen vroeg Fraine: 'Weet je ook wie er achter die doofpot zit?'

'Ik heb een sterk vermoeden.'

'Dan zul je onze hulp nodig hebben zodra je terug bent. Deze mensen gaan tot het uiterste.'

'Bedankt voor het aanbod, korpschef, maar houden jullie je nu maar bij je eigen werk. Ik regel het liever zelf.'

'Ik sta bij je in het krijt, Jack. Als je me ooit nodig hebt...'

'Ja.' Jack lachte. 'Dan weet ik je te vinden.'

'Diep ademhalen,' zei Annika. 'Kom op, meisje, diep inademen.'

Alli huiverde. 'Ik... ik weet niet of ik zo wel wil leven.'

'Hoe wil leven?'

'Zonder iets te voelen.'

Annika schudde haar hoofd. 'Ik kan je niet helemaal volgen. Als je niks voelt, waarom riskeer je je leven dan om Liridona te redden?'

'Dat is iets anders.'

'En waarom is dat anders?'

Alli beefde oncontroleerbaar, de tranen liepen over haar wangen en ze snikte: 'Ik mis Emma zo.'

Annika nam haar in haar armen en kuste haar op beide wangen. 'Ik weet het.'

'Nee, je weet het niet. Ik...'

'Wel waar, Alli. Als ik Jack verloren zou hebben...'

Ze liet de woorden in de lucht hangen en voelde Alli verstrakken in haar armen.

'Je houdt van hem,' fluisterde Alli.

'Ja.'

Alli ontspande zich weer. 'Dus je weet het.'

'Ik weet dat je hart gebroken is.'

Alli drukte haar gezicht in de holte van Annika's schouder. 'Maar je zegt het niet tegen Jack.'

'Natuurlijk niet, meisje. Dat ga je zelf doen.'

Alli wrong zich los. 'Dat kan ik niet.'

Annika glimlachte. 'Doe het nou maar. Je vergeet dat dit geheim als een barrière tussen jullie in staat. Als je het hem vertelt, zullen jullie nader tot elkaar komen. Bovendien is het iets wat helemaal bij jou hoort. Dat moet je koesteren.'

Alli droogde haar ogen met haar mouw. 'En als hij het niet begrijpt?'

'Jack?' Annika scheen de suggestie heel amusant te vinden. 'Lieve god, meisje, je maakt zeker een grapje.'

Dennis Paull wachtte hen op toen ze krap zes uur later op Andrews landden. Terwijl Paull de immigratiepapieren voor Edon en Liridona regelde, kregen ze gezelschap van Henry Holt Carson. Dat was een verrassing, maar wel een die Jack goed uitkwam. Carson bevond zich in de kern van het complot, daar was Jack van overtuigd. Hij was het waarom dat om uitleg vroeg.

Carson liep op Alli af, maar toen hij zijn arm om haar schouders legde, schudde ze die van zich af.

Hij keek even naar zijn nichtje, maar richtte toen het woord tot Jack. 'Je hebt haar heelhuids thuisgebracht, zie ik.'

'Dat heeft ze zelf gedaan.'

'Dit vergeef ik je nooit,' zei Carson.

'Dat ik u Alli heb afgenomen?' vroeg Jack.

'Dat heeft hij niet gedaan.' Alli's stem klonk opstandig. 'Hij heeft alleen voorkomen dat ik werd gearresteerd.'

'Dat zou nooit gebeurd zijn,' zei Carson. 'Daar zou ik een stokje voor hebben gestoken.'

'Ik laat mijn leven niet door jou regelen,' zei Alli. 'Ik ben volwassen. Ik neem mijn eigen beslissingen.'

Carson schudde zijn hoofd. 'Zie je? Het is jouw schuld dat ze zo is geworden.'

'Meneer Carson,' zei Jack langzaam en nadrukkelijk, 'u bent nu niet bepaald de juiste persoon om iemand anders een lesje in opvoedkunde te geven.'

Al het bloed trok weg uit Carsons gezicht en hij balde zijn handen tot vuisten. 'Van die woorden zul je spijt krijgen, McClure.'

Jack deed een stap naar hem toe. 'Ik heb schoon genoeg van uw dreigementen en uw gekonkel. Ik weet best dat u achter deze hele toestand zit.'

'Wat voor toestand?'

'Alles wat er is gebeurd.'

'Je weet niet waar je het over hebt.'

'Integendeel,' zei Annika, die uit het niets tevoorschijn stapte. 'Hij weet precies waar hij het over heeft.'

'Jij!' Carson keek haar met grote ogen aan. 'Wat doe jij hier, verdomme?'

'U geeft geen barst om uw nichtje,' zei Annika. 'Wat u Jack verwijt, is dat hij uw plannen in de war heeft geschopt.'

'En die plannen zouden geslaagd zijn,' snauwde Carson. Hij draaide zich om naar Jack. 'Jouw bemoeizucht heeft me álles gekost.'

'U was degene die John Pawnhill in de arm heeft genomen,' zei Jack. 'En Pawnhill werkte samen met de Syriër, die Xhafa's meisjes hiernaartoe bracht om ze aan de Stem te verkopen.'

Dit laatste leek Carson te verbazen. Hij bleef enige tijd zwijgen. Er kwam een verslagen uitdrukking op zijn gezicht. Toen hij weer begon te praten, klonk zijn stem zachter en was alle hooghartigheid eruit verdwenen. 'Ik heb alleen geprobeerd het juiste te doen.' Hij tuurde in de verte. 'Kort nadat Eddy tot president was gekozen, hoorde ik dat er plannen waren om hem te vermoorden. De man achter dat complot was de Syriër.

Bij gebrek aan meer informatie over de aanslag zelf besloot ik dat ik de Syriër het beste kon terugpakken door zijn infrastructuur aan te pakken. Iemand van mijn bank kwam met het idee dat we andere, kleinere banken onder de loep moesten nemen en kijken of de Syriër die gebruikte om zijn geld te verplaatsen. Ik wist dat we hem daar konden treffen, als we zijn financiële systeem lamlegden.

Ik werd verwezen naar een bedrijf dat Safe Banking Systems heet, omdat hun antiterroristische software de beste van de hele wereld is. Zij kwamen uit bij Middle Bay, maar verder kwamen we niet, want we kenden de echte naam of de aliassen van de Syriër niet, dus hij stond op geen enkele PEP-lijst. Toen stierf Eddy, wat natuurlijk vreselijk was. Onmiddellijk nadat Arlen was ingezworen, ben ik naar hem toe gestapt en heb ik hem over het complot verteld. We besloten samen achter de Syriër aan te gaan. En ik besloot Middle Bay over te nemen. Op die manier kon ik uitvissen hoe de Syriër de bank gebruikte en als ik dat eenmaal wist, zou ik hem kunnen manipuleren.'

'Dus greep Crawford in en loodste hij de overname versneld door de antitrustcommissie.'

Carson knikte. 'De tijd drong.' Hij liet zijn schouders hangen. 'Maar op de een of andere manier kreeg de Syriër lucht van waar ik mee bezig was. Pawnhill had de reputatie dat hij de beste internationale forensische accountant in de bankwereld was, maar hij moet toen al voor de Syriër hebben gewerkt. Dus Pawnhill wiste alle sporen van de accounts en de transacties van de Syriër.'

'Misschien niet allemaal. Billy Warren was op een aantal transacties gestuit en heeft er kopieën van gemaakt.'

Paull fronste zijn wenkbrauwen. 'Pawnhill heeft die gevonden en vernietigd.'

'Ik denk dat onze Billy slim genoeg was om meer dan één kopie te maken.' Jack wendde zich tot Alli. 'Weet je nog dat we het over Billy hadden en jij zei dat hij diep in zijn hart een ICT-hater was?'

Alli knikte. 'Ja. Hij vond dat computergegevens nooit voor honderd procent betrouwbaar waren. Hij zei altijd: "Ik ben elke dag bereid mijn computer in te ruilen voor een blaadje papier en een pen."'

Jack knikte. 'Daarom denk ik dat er ook nog een papieren kopie van de bankgegevens van de Syriër bestaat.'

Jack doorzocht het appartement van Billy Warren, min of meer op dezelfde manier waarop John Pawnhill dat had gedaan, maar met dit verschil dat Jack wist waar hij naar zocht. Alli, Annika, Carson en Paull keken toe, Carson weliswaar nog steeds met een aanzienlijke dosis scepsis.

Nadat hij het hele appartement had uitgekamd, keerde Jack terug in de woonkamer en begon aan zijn tweede ronde. Hij liep naar de laqué kast met de boeken, de stereo en de cd's en haalde het eerste van de twee foto-albums eruit. Hier zaten de foto's van Billy's verleden in. Toen hij het bladzijde na bladzijde had doorgebladerd, zette hij het terug en pakte het tweede album. Het begon met een tekstpagina.

Jack maande zijn geest tot kalmte, wist de draaiende en golvende beweging uiteindelijk tot staan te brengen en concentreerde zich op de tekst. Hij begon die te lezen, eerst haperend en moeizaam, daarna wat gemakkelijker. Het was Billy's proefschrift, in blokletters, tweeëntwintig regels per bladzijde, waarvan hij de eerste tien met moeite las.

Bladzijde elf zag er echter heel anders uit, net als de vijftig die erop volgden. Alleen maar cijfers en getallen, zes kolommen per bladzijde. Dit waren de accounttransacties van de Syriër bij Middle Bay Bancorp.

Jack keek op, sloeg het album dicht en gaf het aan Carson. 'Ik geloof dat dit van u is.'

Epiloog

Na etenstijd keerde Alli terug op Fearington Academy. Tot het eind van de middag was ze gedebrieft door Paull, Alan Fraine en Nona Heroe. Daarna had ze met Jack en Annika gegeten in haar lievelingsrestaurant in Washington. Liridona en Edon waren nog bij Dennis Paull om hem alles te vertellen over de activiteiten van Arian Xhafa, tot in alle weerzinwekkende details. Paull had Alli beloofd dat hij de twee zussen zou installeren in een appartement en dat hij voor beiden een baan zou zoeken. Alli nam zich voor zo vaak mogelijk bij hen langs te gaan.

Ze zat op haar bed naar het beeldschone, betoverende gezang van Inbar Bakal te luisteren toen Vera binnenkwam. Zodra Vera haar zag, bleef ze abrupt staan. Alli deed haar oordopjes uit.

'Niemand had me verteld dat je terug was.'

Alli keek haar recht aan. 'Ik weet wat je hebt gedaan.'

'Waar heb je het over?'

'Ik weet dat je verslaafd was aan roofies.'

Vera keek achterom alsof de politie elk moment kon binnenvallen. Toen kwam ze verder de kamer in.

'Ik had je moeten aangeven.'

Vera leek met stomheid geslagen door wat ze hoorde, en ze ging op de rand van haar bed zitten. 'Waarom heb je dat niet gedaan dan?'

Alli haalde haar schouders op, deed de oordopjes weer in en ging op haar rug liggen, met de iPod tussen haar borsten.

Vera bleef lange tijd roerloos op haar bed zitten. Uiteindelijk stond ze op, en ging op de rand van Alli's bed zitten. Na enige tijd zette Alli haar iPod uit en haalde de dopjes uit haar oren.

'Ik had de pest aan je vanaf het moment dat we kamergenoten werden,' zei Vera.

'Je had niet de pest aan me,' zei Alli. 'Je was jaloers op me.'

'Is dat niet hetzelfde?'

Alli lachte zachtjes. 'Voor jou misschien wel.'

Vol belangstelling keek ze toe terwijl Vera naar haar handen zat te staren.

'De waarheid is...'

Vera wreef met haar handpalmen over haar bovenbenen. Was ze nerveus? Het zou een begin zijn. Alli concentreerde al haar energie op de jonge vrouw.

'De waarheid is,' begon Vera weer, 'dat ik afgezien van haat, en misschien – zoals jij zegt – jaloezie, helemaal weinig tot niks voel.'

'Dan kunnen we elkaar een hand geven.'

Vera's hoofd kwam met een ruk omhoog en ze bestudeerde Alli's gezicht om te zien of deze haar voor de gek hield. Maar algauw leek het tot haar door te dringen dat Alli bloedserieus was.

Vera slaakte een kreetje dat zowel blijdschap als een snik zou kunnen zijn. 'Ik vind het vreselijk om zo gevoelloos te zijn!'

'Ja, het is knap klote.'

'Maar wat doen we eraan?'

Alli ging rechtop zitten. 'Het enige wat we kunnen, denk ik. Erover praten.'

Annika zat naakt op Jacks bed in zijn oude, rommelige huis aan het eind van Westmoreland Avenue, haar lange benen bengelden over de rand. Ze zat licht voorovergebogen terwijl Jack zijn vingertoppen over de littekens op haar rug liet gaan.

Jack dacht aan de beproeving die Edon, ook door de handen van Arian Xhafa, had moeten doorstaan, maar onmiddellijk besloot hij zijn gedachten op minder gruwelijke zaken te richten.

'Alleen voor jou zijn ze belangrijk.'

Ze slaakte een diepe zucht, draaide zich om en liet zich in zijn armen glijden. 'Denk je dat het voor ons mogelijk is ooit een echt gezin te stichten?'

'Als we dat willen, Annika, zal het zeker lukken.'

Maar de vraag bleef open: willen we dat eigenlijk wel?

'Totdat ik Alli leerde kennen, heb ik nooit aan kinderen gedacht,' zei Annika.

'Je zou willen dat Alli je dochter was.'

Ze maakte zich half van hem los zodat ze hem kon aankijken. 'Vind je dat zo'n afschrikwekkend idee?'

'Helemaal niet.' Hij legde zijn hand op haar wang. 'Aan de andere kant lijk je me ook niet iemand om luiers te verschonen.'

Ze boog haar hoofd en liet haar voorhoofd tegen zijn schouder rusten. 'Zo erg is dat ook weer niet.'

'Ik vind het geweldig dat Alli zulke gevoelens van liefde in je heeft wakker gemaakt.'

'Mijn moeder had onvoorwaardelijk lief... en je weet hoe het met haar is afgelopen.'

Jack wist het. Ze had een eind aan haar leven gemaakt toen Annika's vader, die een machtige en intimiderende man was, haar Annika had afgenomen toen ze vier jaar oud was.

'Jij bent je moeder niet, Annika. Je moeder was zwak en jij bent dat allesbehalve.'

Ze zweeg. Jack voelde haar hart kloppen in haar borstkas en stelde zich voor hoe haar bloed door haar aderen werd gepompt.

'Annika,' zei hij zacht, 'dit is niet waarover je nu wilt praten.'

Ze bleef zwijgen maar voelde zich op een heel intieme, bijna primitieve manier met hem verbonden.

'Wat wilde je me vragen?'

Eindelijk verroerde ze zich, alsof ze uit een droom wakker schrok. 'Niks.' Ze kuste hem warm op de lippen. 'Helemaal niks.'

Nawoord van de auteur

Safe Banking Systems bestaat echt. SBS, gevestigd in Mineola in de staat New York, doet aan financiële dienstverlening door middel van software waarmee witwaspraktijken, fraude, financiering van terrorisme en andere criminele activiteiten kunnen worden opgespoord. SBS beschikt over het unieke vermogen om de 'slechteriken' te ontmaskeren door de verborgen risico's en de zogenaamde 'zes niveaus van scheiding' tussen individuen en entiteiten bloot te leggen.

In een openbare verklaring van juni 2009 werden namen genoemd van diverse terroristen en drugsbaronnen die over geldige luchttransportvergunningen van de FAA beschikten, onder wie de beruchte terroristen die het PanAm-toestel boven Lockerbie opbliezen. Toen dit bericht in *The New York Times* verscheen, werden er binnen vierentwintig uur zes FAA-vergunningen ingetrokken, maar niet zonder in Washington de nodige gêne teweeg te brengen. Het verhaal bleef na-echoën in de gangen van het Congres en de landelijke pers stortte zich erop. Hoe dit relatief kleine, particuliere bedrijf erin was geslaagd een grote dreiging voor de nationale veiligheid te signaleren terwijl die alle grote overheidsdiensten was ontgaan, trok ieders aandacht. David en Mark Schiffer, de oprichters van SBS, werden uitgenodigd voor gesprekken met de grote bazen en de onderzoeksleiders van zowel het handelscomité van de Senaat als het comité Binnenlandse Veiligheid, met als resultaat dat er een mandaat werd getekend voor verbetering van de aanpak en de onderlinge samenwerking tussen de FAA en de TSA. De inspectiedienst heeft SBS ook ingeschakeld voor de doorlichting van de algehele aanpak. Het eindrapport daarvan is nog niet openbaar gemaakt.

In oktober 2010 publiceerde *The Enterprise Report* een exclusief, driedelig artikel over Viktor Bout, de beruchte, wereldwijde wapenhandelaar die op dit moment in Thailand in de gevangenis zit. Onderschepping en analyse van Bouts dataverkeer door SBS hebben aangetoond dat Bout in het bezit was van een vliegbrevet dat de FAA hem in 1993 had uitgereikt. Bovendien heeft SBS zeven sleutelfiguren en andere medeplichtigen geïdentificeerd die zich bezighielden met Bouts vrachttransporten door de lucht.

Blijft u graag op de hoogte van de nieuwste spannende boeken?

Kijk dan op

www.awbruna.nl

en geef u op voor de spanningsnieuwsbrief.

Op deze manier krijgt u steeds als eerste alle informatie over nieuwe boeken en kunt u gebruikmaken van aantrekkelijke kortingen en andere lezersacties.